LINGUISTICA

LINGUISTICA

SELECTED PAPERS

IN ENGLISH, FRENCH AND GERMAN

BY

OTTO JESPERSEN

1933

LEVIN & MUNKSGAARD   GEORGE ALLEN & UNWIN LTD
NÖRREGADE 6   MUSEUM STREET
COPENHAGEN   LONDON

Printed in Denmark.
WALD. PEDERSENS BOGTRYKKERI
KØBENHAVN

PREFACE

L AST YEAR I brought out a collection of papers in Danish, "Tanker og Studier" (Gyldendalske boghandel, Copenhagen), many of them dealing with my own mother-tongue. In this volume I have now collected those of my papers in other languages which are perhaps not unworthy of being presented to an international public. Most of them have already appeared in English, French, or German; some which were originally printed in Danish have now been translated into one of these languages, and finally there are a few papers which appear here for the first time. Some of those which are not new have here been changed and added to in various ways so as to bring them up to date, while others have been left as they were, as their interest is now chiefly historical. Though the arrangement is not chronological, this volume gives a picture of my own development, my endeavours (and failures, some may think) in various fields which from time to time have most exercised my mind. In thus laying before fellow-students a great portion of a long life's work I would say with Herrick:

> Onely a little more
> I have to write,
> Then Ile give o're
> And bid the world good-night.

I must apologize for some inconsistencies in spelling, in the use of italics in book titles, etc., which are partly, at any rate, due to the fact that the papers were originally printed at many different places. Here and there I have occasion to mention my system of phonetic notation and may here state that I now prefer calling it *antalphabetic* instead of the earlier name analphabetic, the reason for the change being, of course, the wish to avoid association with the popular meaning of the latter word.

I want to express my cordial thanks to the following scholars, who have assisted me in various ways, Professor G. C. Moore Smith, who translated the first two papers, M. Adigard de Gautrie, who translated the review of Saussure, Miss J. Young, Ph. D., who translated the paper on Adversative Conjunctions, Professor R. Hittmair, who improved the German of two papers here printed for the first time, and Mr. N. Haislund, who assisted in the proof-reading. My greatest debt of gratitude, however, is to the directors of the Rask-Ørsted Foundation, without whose generous subvention the printing of the papers would not have been possible.

CONTENTS

FAREWELL LECTURE AT THE UNIVERSITY GIVEN ON 25TH MAY 1925[1]

I may be allowed today by general custom to talk more about myself than would be thought becoming at another time; if this shocks you, I can give you the consolation that it will not happen again.

Exactly a hundred years ago Charles Lamb said goodbye to the India House where he had served just as many years as I have done at the university. On his way home he looked in at his friend Crabb Robinson's dwelling in the Temple and dropped a note in his letter-box: "I have left the damned India House for ever! Give me great joy."

My feelings towards the institution I leave are not the same as Lamb's. I cherish deep gratitude to our university when I think of my undergraduate days and of my time as a professor, and I shall certainly miss not only my joint-work with my colleagues but especially my constantly rejuvenating ties with young students. But let me now cast a backward glance over my life to show how happily my own scientific life shaped itself. In spite of an apparently zigzag course by way of law, chess, shorthand, French literature and Danish dialects, the way from my first independent studies to my present-day interests has run tolerably straight.

As a boy I read with enthusiasm of Rasmus Rask and by help of his grammars made a certain start in Icelandic, Italian and Spanish: while I was still at school I had on my own initiative read a good deal in these languages. I count it also as a piece of luck that I had as my headmaster Carl Berg, who in a few small books had shown an

---

[1] Printed in Danish in *Tanker og Studier,* Copenhagen 1932.

interest in comparative philology and who lent me books, among others books by Max Müller and Whitney. After my parents' deaths, I was much in the house of an uncle whose main interest was in the Romanic literatures and his collection of books was a treasured browsing place for me in my last years before going to the University.

In spite of these more or less childish studies I did not at once take to philology, but following a family tradition (my father, grand-father and great-grandfather held legal appointments) I turned to law. I have frequently been told that this never-completed study sharpened my logical sense. I am however more inclined to look on the benefits of my three or four years' study of law from a negative point of view. If I had proceeded directly to linguistics, I should have gone on straight with my school-work, especially if I had become a classical philologist,—at that time the only organized linguistic study. I should probably, like so many others, have remained an orthodox disciple of Madvig. Now on the contrary linguistic study came as a freeing of one's personality from the mere learning by heart of para-graphs and the ready-made opinions of professors—which was all that the study of law consisted in at that time. It was this so-called study that I reacted against. I wanted to go my own way and not to have my opinions dictated to me from outside.

For seven years I was a shorthand reporter in the house of parliament, this gave me my bread and butter during some years when otherwise I had nothing to live on. If I had not had that at my back, I should not have dared to take the plunge and leave law. It also perhaps gave me something else I was in need of.

The first school-testimonial I received when at the age of ten I left Randers for Frederiksborg, contained these words. 'If he could get over his Jutland slowness, he might perhaps turn out a smart pupil.' Shorthand-writing accustomed me to be quick in catching a point and quick in writing it down, and this more rapid 'tempo' has no doubt helped me in my literary work. I have indeed in the course of years reeled off a good deal of manuscript. Thus I may be said to have been lucky to have learnt shorthand as a student.

Another advantage befell my student time; on account of near-sight I was excused military service. If I had been taken, not only would the time have been lost to my studies, but I should either have been cowed, or perhaps my inborn desire to do a left-turn when I was commanded to the right might easily have brought me into an uncomfortable conflict with the brutality of my sergeant which might have made me smart for the whole of my life. This is a point on which I feel strongly: I consider conscription one of the nineteenth century's most devilish inventions, something that has most potently contributed to detestable wars and with its systematic training in killing and its unqualified claim to obedience has had a demoralizing effect on many and many a young man. That I was accordingly spared.

But to return to my studies, studies pursued rather for love than for subsistence. I intended to pass an examination in Romanic Languages, but meanwhile without thinking very much of the examination I read whatever occurred to me or came in my way. I then had the good luck to get hold of the Norwegian edition of Storm's *English Philology,* which had been published a little time before. This convinced me of the necessity of phonetics, and pointed out to me the best books for studying it and so led me among others to the works of Sweet. As those were based on English, I perceived that I must make myself acquainted with the English sound-system, and I took lessons with four or five Englishmen consecutively and compared their pronunciation with that which I read of in Storm and Sweet, although English otherwise lay outside my course of study.

As for French a little band of us studied it eagerly; we met on Sunday mornings and read papers to one another. Soon after I also got into the Philological-Historical Society, which was then full of life and in which the younger members were also very active. Here in my student years I lectured among other things on phonetic spelling (a first sketch of my 'antalphabetic' system), on vulgar French, and on Danish accent.

Two years after I had abandoned the study of law, a new examination was instituted, more especially calculated for those who wanted to be schoolmasters. Many of us who were preparing for the exclusively theoretical "magisterkonferens" were inclined to take the new examination. But we did not agree with the requirement of Latin as a compulsory subject. With Axel Olrik and myself as spokesmen, we took the unprecedented step of calling together the whole philosophical faculty in order to get it to dispense if possible with this requirement. One professor after another stood up against us, the one that showed most understanding of our position was Kristian Erslev the historian, and along with him many years later I was able to carry the reform which at that time I sought to accomplish in vain. I must say that in preparing for my examination (in French as major, and English and Latin as minor subjects) I did not trouble much about the Latin part. French was taught at that time by Thor Sundby, but after attending his classes a few years I came to the conclusion that I had learnt from him all that he had to give. Stephens, the lecturer in English, I only heard five or six hours, and I know decidedly that I learnt nothing from him. Most of what I learnt I learnt by my own efforts. But outside the course for my examination I had excellent teachers, first and foremost Vilhelm Thomsen in comparative linguistics, to whom I am under the deepest obligation, not only for his instruction, but also for all his personal influence on me and for the warm interest he always took in my studies. Further I profited much by the lectures of Herman Møller on the history of the German language, and by those of Karl Verner in Russian. With them also I met with much understanding and warm interest in my special lines of work.

My interests were not exclusively linguistic, indeed one reason for my choice of studies was the desire to make myself better acquainted with eighteenth century France. I studied Voltaire, the materialists, and especially Diderot with ardour. Here I met Knud Ipsen and for some time I read with him the history of philosophy. In my examination my chief author was Diderot, who was also the subject of Knud Ipsen's doctoral dissertation which came out after his lamented death. He also introduced me to Høffding, who had recently been appointed to the university and now once a month in his home gathered a number of young people together to thrash out general problems; many of the men for whom these meetings were of significance, have since won distinguished names in science and literature.

Just at this time came a new movement in European linguistics, which soon occupied me very much. Phonetics became a watch-word and great emphasis was laid on first-hand observations of contemporary speech, a philology of the ear instead of the eye. Apart from the observation of particular details I was also drawn to general points of view, and this associated itself with my dilettante interest in a little philosophy: traces of this will be found even in my first notices of phonetic works in the *Tidsskrift for filologi* edited by Thomsen and more in my treatise on sound-laws (1886), which contains the germs of much that appeared in my later books.

As objects of first-hand studies I had my own speech and that of the people around me: Danish has always been one of my favourite subjects. As a student I began to collect materials for a comparison between Høysgaard's pronunciation in the eighteenth century and the speech of today. I got a strong inducement to work in that field from the Swedish phonetician J. A. Lundell, the editor of the great journal of Swedish dialects. When visiting our libraries he wished to familiarize himself with Danish pronunciation and I was fortunate enough to be recommended to him as a teacher by Thomsen. He kindly encouraged me to study Danish dialects, which I began to do with students here in Copenhagen and later with peasants in different districts. In this way I came in contact with H. F. Feilberg, one of the finest men I have ever known, loveable, simple, charming, unassuming, and openminded, with a fine understanding of peasants and imbued with the true spirit of a scholar. I was many times his guest in his manse at Darum and afterwards at Askov, read for a long time the proofs of his Jutland dictionary, and even long after I was occupied with other studies and had got away from active concern with Danish dialects, he continued to be my good old friend, a visit from whom to his advanced old age was always a pleasure to my wife and myself.

It was lucky for me that just when I had myself been roused to scientific work a movement was beginning in various countries which felt like something new and likely to bear fruit. The number of phoneticians was at that time small, so that it was easy to come into contact with them wherever they might be: they formed a little band of brothers which soon received me into their ranks.

The one I first got in connexion with, who for a few years came to mean much to me, was a German of my own age, Felix Franke. Our correspondence began in 1884, and quickly became very extensive, as we had many interests in common. Letters passed every week from his side and mine till he died in 1886. Seldom has one seen such an idealistic enthusiasm for science as in him and in spite of his youth and tuberculosis he had amassed very wide knowledge. Though I never managed to see him, I was more closely tied to him than to any of my fellow-students at home, and was spiritually more akin to him than to anyone else. Two years after his death I visited his family in the little town of Sorau in Nieder-Lausitz and was received as a son of the house. I wrote a memoir of him in the journal *Phonetische Studien* and I published the work he left behind him on colloquial German.

The reason of my first letter to him was the wish to obtain permission to translate his little book *Die praktische spracherlernung auf grund der psychologie und der physiologie der sprache.* That was one of the first works in which the cry was raised for a reform in the teaching of languages. This movement stood in close connexion with the wakening interest in practical and theoretical phonetics and emanated from the same circle. An important point was the use of phonetic texts, but when I wanted to use this instrument in my private lessons, no connected texts at all were at my disposal, apart from some small fragments in Ellis and Sweet with the sounds denoted in a very unpractical way. I had therefore to give my first pupils phonetic passages in manuscript, which I had made myself. Franke's *Phrases de tous les jours,* which he managed to finish just before his death, and my own *Kortfattet engelsk grammatik for tale- og skriftsproget* (1885), both with phonetic spelling throughout, were the fruits of our common work.

I count it among the things I am thankful for that through this movement I came early into close connexion with Henry Sweet and Johan Storm, whom I regard as my teachers, and with a set of young 'friends of reform', Paul Passy and his brother Jean in France, Viëtor, Fr. Beyer, Rambeau, Klinghardt, Wendt in Germany, Miss Soames in England, Western in Norway and Lundell in Sweden. They remained friends for life,—many of them are no more. Along with the two last I struck a blow against the old methods at the Philological Congress at Stockholm in 1886: we founded a Scandinavian association for the better teaching of languages, and since we could not find a common

Scandinavian name, on my proposition it was called after Cicero's old slogan *Quousque tandem* which Viëtor had first used as a *nom de guerre* for his little *brochure: 'Der sprachunterricht muss umkehren'*.

Our efforts were not restricted to phonetics and the use of phonetic spelling but were also directed against the 'swotting' of grammatical rigmaroles and against the disconnected and to a great extent meaningless sentences then rampant. In Kaper's grammar at that time one found, among others, sentences such as 'Wir sind nicht hier', or 'Das pferd war alt gewesen'. Finally we insisted on less translation. Translation was to be replaced by other exercises wherever this could be done with advantage so that the use of the mother-tongue should be repressed as much as possible. On these questions for some years many fierce battles were fought with the tongue and the pen; at meetings of teachers we were much attacked but also struck out hard in return. To carry out these ideas in practice I also began to compose schoolbooks in French and English, at first without the least thought of any pecuniary return; for that they were too radical.

Nor did I contemplate the possibility of obtaining a post at the university. If I occupied myself at all with thoughts of the future, for which I had little time, I could only imagine myself continuing to give lessons in the morning and practise shorthand in the afternoon while I spent my free-time on more or less regular studies of things which I had at heart. But one fine morning when after my examination I had gone abroad, chiefly with the thought of gaining greater practical facility in languages, I received a letter from Vilhelm Thomsen who rejoiced that I was in England and asked me if I could not think of working with the aim of succeeding Stephens. The prospect enticed me and I then decided to extend my time abroad and, as Sweet advised, go to Berlin to study Old and Middle English with Zupitza and Hoffory. First however I spent some months in Paris with Passy, during which I attended among others Gaston Paris's lectures. And when I returned home, in spite of the debts incurred by my travels, I gave up my profitable post in the house of parliament, and became exclusively a teacher and researcher.

Before I had completed a doctoral thesis on an English subject, I found myself bespoken in another field, which as I have said had interested me from early times: when a journal was to be started on dialect and folklore, *Dania,* I wrote the introductory article, 'Dania's phonetic spelling', and undertook the task of editing it with Nyrop (Dahlerup joined us later). Of that cooperation I have many precious memories. But luckily I nevertheless got my doctorate, before Stephens retired, and so I became in 1893 the first 'ordinary professor' of English in our university—Stephens had only been at first lector, afterwards 'docent'. Now you see again what good luck has followed me: my post was created just as I was more or less ripe to undertake it.

When I look back to the first years after my appointment, I find a great change. Most striking is the enormous rise in the number of students: in those days far more than now it was possible to get in personal touch with every pupil, or at least most of them, which I have missed in these later years. But since the school act of 1903, students have come far better prepared—at any rate in my subject. Previously they had only read English two hours a week in their two last school-years, so that I was then forced to take on quite elementary work which one can now assume to be known already.

At the beginning I had far more to do with schools than later, I was often examiner ('censor'), and travelled about also as Professor Tuxen's deputy to be present at the daily teaching. In discussions on methods of teaching I took a considerable share, and there asserted the views which I put together in my book *Sprogundervisning* (How to teach a foreign language, 1901).

All along I have had great happiness in my work at the University, whether lectures or cooperation with students and colleagues; among the last I would refer particularly to Erslev, Høffding and Nyrop. I am also glad to have taken my share in many reforms for the benefit of the University. If I now mention some of them, it is not to ascribe honour to myself on their account, I have only cooperated with others, who, it may be, were richer in initiative and in influence than I.

Examinations have been re-organized, Latin is no more a compulsory subject, and a really scientific treatment of one part of the major subject is insisted on.

Connected with this was the establishment of a laboratory (what the Germans call 'seminar') which has provided students with the opportunity of a better and fuller study of things at first hand, whereas in my student-days we had in the main to make shift with the books we were able to procure for ourselves. Along with this came the possibility of varied and really scientific exercises.

The University has been made democratic by the abolition of places in the Consistorium held in virtue of seniority and by the introduction of a Student's Council: now students have a hearing in the arrangements of their study and examination.

Exhibitions ('stipendier') have been brought under a single control, and so great inequalities have been abolished. Unfortunately the number of exhibitions has not kept pace with the number of students and their value has not risen to compensate for the decline in the value of money.

Foreign languages are permitted in doctoral theses; hence along with the corresponding reform in the publications of our Academy of sciences and the creation of the Rask-Ørsted fund we have brought about a more potent cooperation between science in Denmark and science abroad.

In my teaching, I may have done more for language than for literature, though I have always given exercises in literature, chiefly on some works of supreme merit, Beowulf (especially in its relation to old Scandinavian tradition), Chaucer, Marlowe, Shakespeare, Burns, Shelley and Browning. I have laid the chief weight on a minute understanding of the text, but I have never lost sight of literary points of view and hope to have imparted to my hearers some of my own enthusiasm for the great poets. My greatest enjoyment, and no doubt that of my hearers as well, has been in my Chaucer classes, partly because Chaucer has such a wonderful power of describing human beings, partly because in this field it was so easy to give students tasks of different kinds for original investigation and to vary these at every repetition of the course. I have tried throughout to avoid repetitions by treating the same thing in a different way and striving to bring out new points of view every time that I came to treat what was apparently the same subject.

Still even in my university teaching I have been chiefly a linguistic investigator, laying stress both on the living language and its historical evolution. To anyone who finds that grammar is a worthless finicking with trifles, I would reply that life consists of little things; the important matter is to see them largely. All scientific inquiry must occupy itself with a mass of details whose significance is not evident to the uninitiated, whether it be the life-conditions of mosquito-larvae, the distant paths of a comet or the state of society in Valdemar Atterdag's time. The investigator must not be asking the whole time what good his investigations will do or can do: that may reveal itself in the most unexpected places. Research has its first reward in the work itself, chiefly in the natural joy at any, even the least, discovery, which brings clearness into what before was not understood.

As for linguistic investigation in particular, I would especially emphasize three things:

First that of understanding the texts as a pure matter of philology in the narrow traditional meaning of the word: to penetrate into the innermost thoughts of the best men and women.

Next to see what speech is and therewithal what the human soul is. Speech is the noblest instrument to bind man to man, and thought to thought, and therefore deserves study on its own account. Unless one understands speech, one knows nothing of the nature of thought. And if it be said that the letter killeth, it is also true that the sound giveth life, and this applies also to forms and words rightly interpreted, so that they are received as spirit, as the spirit's necessary mode of uttereance. Without speech no logic, and the 'logic of speech' and 'philosophy of grammar' are worthy of close study.

Thirdly, it is by speech as by literature, or best by both combined, that one comes to understand the people from whom they emanated. The linguistic investigator and the literary investigator, especially the man who is concerned with the civilized races of his own period, has also the task of combating the ghastly malady of our time, nationalism, which is something remote as the poles from patriotism: the essence of patriotism is love—love to land and people and speech, and it may well be combined with friendship and sympathy for other peoples. But the essential mark of nationalism is antipathy, disdain, finally hatred to all that is strange, just because it is strange. Much of that instinctive antipathy is due to a want of knowledge and disappears more and more, the better one learns to know the foreign nation. Here linguistic and literary understanding is a help and it is one of the noblest tasks of the student of modern languages to diffuse knowledge and love of what is best in other peoples. Especially now since the World-war this is a task of the very greatest importance, since it is necessary that the wounds of this gruesome time should be healed and normal relations, even friendship, be established as before, or rather on a much better footing than before, the war.

In these words I have sought to indicate the spirit in which I have striven to work. It is not much that I have been equal to, but I have done my best. My relations with my students in the course of the years have always been a source of great happiness to me. I was therefore touched and delighted when the students of English sent me a pressing request not to retire. This however could not shake the resolution I had made long ago and to which as early as 1911 (long before officials got the legal right of retiring with a pension) I gave forcible expression when I wrote publicly that 'in order not to be an old fogey who sits immovable as a fixture I have made my wife take a solemn vow that she will shoot me if I have not retired of my own accord at the age of 65. This little sacrifice one should be able to make for science.'

I now accordingly withdraw and give place to younger men. I would end by expressing the hope that they may have the good fortune to effect much good for science, for the University and its students, for Denmark and for the whole of mankind.

KARL VERNER[1]

SOME PERSONAL RECOLLECTIONS

IN Karl Adolf Verner who died on the 5th November 1896 at the age of 50, Denmark has lost one of her most famous men. Here at home he was little known except in a narrow circle of students of linguistics; he could never prevail on himself to make public appearances and took very little part in social life; even among those who in the course of their studies in the field of the old Gothonic languages make constant use of Verner's Law to explain this form or that, there are many younger men who never saw him. His huge form was perhaps best known in a restaurant of the fourth rank in the Frederiksberggade where he arrived every day very late for his principal meal, but the master-artisans, who knew 'the professor' there and greeted him as their fellow habitué, had but an imperfect idea of his scientific importance.

On the other hand, if one travelled round Europe as a young student of languages, one might be certain that one of the first questions put to one was about Verner, and not unfrequently one was put in a difficulty by the question "How is it then that he doesn't write anything?" And it would be no difficult task to find in the scientific literature of the last twenty years a score of passages in which Verner's Law is spoken of with some eulogistic adjective—generally 'brilliant' or 'epoch-making'. In one the significance of his discovery for linguistics is compared with that which Columbus's first voyage across the Atlantic had for the history of the world.

In what did this scientific importance consist? In a single paper

---

[1] The popular Danish monthly *Tilskueren*, January 1897. Here translated with some shortenings and a few minor alterations.

of thirty-four papers in the 23rd volume of the *Zeitschrift für vergleichende Sprachforschung*, dated July 1875 and bearing the modest title *Eine ausnahme der ersten lautverschiebung* ('An exception to the first sound-shift'). From that paper one reckons generally a new period in comparative linguistics. But when one heard Verner himself speak of the birth of his discovery, one could not but think it a rather everyday affair. I will try to reproduce his account, though I am conscious that I cannot give the least impression of the peculiar, quite individual and free-and-easy style or the drily humorous tone in which his story was told.[1]

"I was living at Aarhus (Verner's birthplace) and was not particularly well at the time. One day I was inclined to have an afternoon nap, and I lay down and got a book to send me to sleep. It happened to be Bopp's *Comparative Grammar,* and you know that the Sanskrit words are there printed very prominently, so that one can't help seeing them. I turned up a passage and there the two words *pitár* and *bhrátar* stared me in the face, and it struck me that it was strange that the one word had a *t* in the Germanic languages and the other a *th,* represented in the difference between modern German *vater* and *bruder,* and then I noticed the accent-marks on the Sanskrit words. You know that the brain works best when one is on the point of falling asleep, it is then that one gets new ideas and is unimpeded by all the usual associations which keep us busy when we are wide-awake. Well, the idea struck me, might it not be the original accent that accounted for the difference in the consonants? And then I fell asleep. But that same evening I had to write a letter to Julius Hoffory. At that time we kept up a lively correspondence on linguistic questions, and as it was my turn to write, and I had nothing else to tell him, I wrote about the accent. Next morning I came to think of it again and it seemed that it could not be right, and I was just about to write to Hoffory not to bother himself about all that nonsense, when I thought again, well, let him cudgel his brains to refute it. But that day when I was about to take my nap, I happened to light upon Scherer's *Zur geschichte der deutschen sprache* ('Contributions to the history of the German lan-

---

[1] To Professor Heusler and myself one evening at the 'Tivoli'.

guage') and there I saw his explanation that the irregular sound-shift had probably first occurred with the words in most common use, and this I saw at once was nonsense, for could one imagine the old Germans really using the words *fadar* or *modar* more frequently than *brothar?* And so I set about seeing if the Sanskrit-accent which Bopp had given was really right, and when it proved so, I investigated further and at once found one example after another where there was agreement."

Verner's Law had now been found, and shortly after he was able to set the whole out clearly in a letter to Vilhelm Thomsen, whom he asked to tell him if he found the whole thing nonsense. He wrote that *prima facie* he had had great doubts about it, but when he went over it again, he could not find the least mistake. Thomsen saw at once the wide importance of the discovery and urged Verner earnestly to publish it, and this not in the journal which Thomsen himself edited, the *Tidsskrift for filologi,* but in German. Without strong pressure on the part of Thomsen and others it would not have been possible to overcome Verner's reluctance to go into print, but finally the paper was finished and sent off from Danzig: Verner had in the meantime obtained a travelling scholarship from the University as he wanted to examine the remains of the language of the Cashubs, which according to Schleicher was the only West-Slavic language that had kept the old free accent, but which turned out to be a peculiar Polish dialect.

While he was still among the Cashubs, he received one day a postcard from Müllenhoff, at that time one of the leading German linguists and well-known for his caustic pen, he was disposed to utter some strong language, but merely when he was blaming someone; strong praise was not his affair. The more astounded was therefore Verner to see that the postcard described his paper as one which had brought light into places where everybody before had walked in impenetrable darkness,—I do not remember the exact words, but they were to that effect: Verner repeated the whole card in German by heart. But the communication was in one way noticeable; it was not written on the card supplied by the post office, but on a piece of paper pasted on upon it. This roused Verner's curiosity and he carefully got the paper off, and read beneath it the original message, merely "Thank you for what you have sent. Müllenhoff." Either then Müllenhoff had written that before reading the paper, or perhaps at the first reading it had not made any striking impression upon him, but he had afterwards come to see something great in it. Consequently Verner conceived the desire to take Berlin on his journey homewards to thank Müllenhoff in person for the great encouragement his praise had given him. But he had spent nearly every penny he possessed "and all the time that I spent with the Cashubs, I had never seen a washerwoman, so you can imagine how I looked." Meanwhile he travelled by train fourth class to Berlin, went to Müllenhoff's house and asked if the professor was at home, but Müllenhoff's daughter who opened the door answered "No" and was about to close the door in the face of the strange figure whom she clearly took for a beggar, when he asked her to convey a greeting from "Dr. Verner aus Kopenhagen". At that name a door opened and Müllenhoff, who had heard everything, came forward to his daughter's great astonishment and heartily welcomed the foreign tramp.

> [Here followed in the Danish periodical a popular exposition of Verner's Law, illustrated chiefly by examples from modern Danish and German.]

What was the reason that this paper became more famous than so many others that see the light from time to time in the philological journals?[1] The first thing that contributed to its fame was its safe solid logical construction, which would entitle it to take its place in a treatise on scientific method, just as Wells's theory of dew figures as an example of method in a well-known chapter of J. S. Mill's *Logic*. The composition of the paper is a model, one does not notice the accidental manner, as one might be tempted to say, in which the thought rose to the surface in the brain of its author; so far as I know, Newton does not begin his *Principia* with an account of the historic apple. But Verner carefully presents his case in the most

---

[1] Verner's work was awarded the Bopp medal of the Academy of Berlin; some few years after he received an honorary degree from the University of Heidelberg.

convincing manner. He dismisses one by one as useless the other
conceivable explanations, so that when one comes to the accent, one
must say to oneself—: well, if the solution of the riddle is not there,
thought must proclaim itself bankrupt. And, lo and behold, everything there is in harmony, so that we wonder at it all as at a beautiful
harmonious building.

It is not till the whole verbal system has been explained, that
the words turn up by the help of which Verner first found the law,
and they now operate as confirmation from outside of what we have
already come to believe. And more and more words come of the
same convincing force, and when it is done we have a strong feeling
that here is something established for all time; there are no holes
in the demonstration by which doubt can get leave to steal in. The
last twenty years have shown that no one has succeeded in shaking
Verner's Law; on the contrary new cases have been added by other,
smaller minds, in which the Law has operated, and new words
have been brought to light which find their explanation in Verner's Law of Accents.

But it was not merely by the certainty of the demonstration and
the clearness of the thought that the paper made its impression; it
was also, and fully to the same extent, by the boldness of the thought.
Before Newton it had not been supposed possible that the movements
of the moon should be governed by the same causes which make
things fall here on earth; before Verner the possibility had not been
conceived that the fact that a German nowadays pronounces a *t* or a *d*
in a word was connected with the manner in which his ancestors
some thousands of years ago laid the stress on their words, and that
it could be shown by the help of accentual marks in old books
brought all the way from India. It was Verner who first made men
properly observe the sweeping role which accent plays in all linguistic
changes, as he himself put it a few years later: "We are at last on
the way to recognize that accent does not, like the accentuation-
marks, hover over words in a careless apathy but as their living and
life-imparting soul lives in and with the word, and exerts an influence
on the structure of the word and thereby of the whole language, such
as we seem hitherto to have only had the faintest conception of."

But besides thus calling attention to an important new factor in the life of language, Verner certainly in a more general way exerted a strong influence on the linguistic investigators of his time by his eager endeavour to explain what had till then been considered exceptions, and so point out order and conformity with law in the development of language. In the winter after the appearance of his paper Verner attended week by week the "kneipabende" ('social evenings') held in the "Caffeebaum" ale-house at Leipzig, along with young German linguistic investigators such as Brugmann, Osthoff, Leskien, Hübschmann, Braune and others (Delbrück and Sievers were frequent guests from Jena). These were the very men who came out soon after as leaders of the so-called "Young Grammarian" school, which came to play a great part in linguistics and had as one of the most important points in its programme the explanation of the apparent exceptions to phonetic laws. We are certainly justified therefore in assuming that Verner played a great part in the emergence of the new movement, even though he never accepted the doctrine in its most pointed form as expressed in the formula "Ausnahmslosigkeit der lautgesetze" ('sound-laws not subject to exceptions').

From 1876 till 1882 Verner had a post in the University Library of Halle. He told me once about a system he proposed for class-marking books; it seemed extraordinarily ingenious, as by help of a few artificially concocted syllables (e. g. 'mulpa') it could be shown exactly where a book belonged to, so that it was the easiest thing in the world not only to insert new books, but whole new branches of science, in their place in the system without any need to change the class-marks of the books already filed. Apart from this I know nothing about these years except what a German linguist once told me that Verner kept himself very much apart from his fellow students and liked to drink his beer in the company of simple people rather than professors and doctors, a trait which we again find in him after his return to Copenhagen.

This took place in 1883 on his appointment to succeed C. W. Smith as reader in Slavic, a post he held till his death (from 1888 as professor extraordinary). Here, as was natural, from the nature of the subject (Russian, Old Bulgarian, Polish, etc.), he had only a few pupils, the number varying probably from one to four. This suited Verner excellently; he is said to have looked comically scared

when one semester he found in his lecture-room a really great crowd:
it consisted of students who had calculated that by coming to the
University an hour early and taking their seats and waiting in a
lecture-room, they could make sure of a good place in Georg Bran-
des's crowded lecture-room next door, the doors of which were only
opened at the close of the preceding lecture. But it did not last many
times, before Verner got rid of his apparently large attendance by
removing to another lecture-room. So there are not many who can
call themselves Verner's pupils; but those who have heard him will
certainly always recall the hours spent with him with pleasure and
admiration. He came in, gave a friendly nod, and took a chair, setting
himself just in front of the bench we sat on,—he never mounted the
platform—and so we had the feeling that it was not only a trustworthy guide in matters of science that sat there, but one who was
also a good comrade who took a warm interest in us and in our work.
It is true we could never get him to examine us,—that was as little
in his way as a regular lecture; but it is not to be believed what he
could do for his pupils in helping them to grasp the difficult points
of Slavic grammar: for the difficulties presented by accent in Russian,
he gave us long lists of words neatly written in his minute elegant
hand; we might keep them as long as we wanted, to copy them out;
if we had asked to keep them for good, he would not have said no,
although he had spent an enormous labour on them and had no
other copy himself. And then—at times, at any rate—there was
something so comically likeable in the free-and-easy style in which
he translated for us the Russian authors. He once wrote to me[1] "that
we (as we cannot imagine to have been the case with Hottentots)
speak one language at home in our dressing-gown and slippers,
another when we go out in our ordinary clothes, and a third when
we have to speak in a tail-coat and white tie." It was the first kind
of language that to Verner was the most natural, I had almost
written, the only one he used. I had also a strong impression that at
the beginning of the course he put himself about to render all the
difficult shades in Russian pronunciation, palatalized consonants and

---

[1] In reference to an explanation I had published in my paper on Sound-laws of
the shortened pronunciation *fa'r*, *mo'r* which is found for example in *farbror* etc. but
cannot be extended to words like *faderlig*, *faderløs*.

high mid-tongue vowels, but that afterwards, when he knew us better and the lesson went more rapidly, he dropped into a pronunciation more convenient to him, so that the language got a familiar Aarhus ring.

His lectures were never solemn affairs and he was not sorry now and then to spice them with an experience of his own in Russia. So on one occasion—I think it must have been on account of the occurrence in our text of the Russian verb for 'arise'—he plunged into a superbly told description of Easter Eve in Russia, how all the people, having assembled in church, were transported out of themselves at the words "Christ is risen" and all saluted their neighbours, known or unknown, with these two words and the traditional kiss. And then he told how the young men from the Legation, his companions, richly availed themselves of the night's privilege to salute all the pretty girls they met with the resurrection words and a kiss. It was rather late in the morning when he got home and found his landlord's family gathered joyously with lighted candles before the icon of the saint: and the father, who had only with great difficulty kept the strict command to drink no brandy during the fast, sitting with an unusually large dram of his beloved vodka. He gave Verner a nod as he tossed it off saying ecstatically, "Yes, praise God, Christ is risen at last." Verner, as the custom was, received an Easter-egg from each member of the family, and when he finally crept tired out to his bedroom, he would not take off his clothes, but flung himself full length on the sofa without remembering that he had crammed all the eggs into his back-pockets. "That frock-coat was never a frock-coat again."

Verner occupied the first floor of a little villa behind Frederiksberg Gardens—the most absolute bachelor's den I have ever known. When one saw his bookshelves or his table on which books or fragments of books, chess journals, mathematical calculations and many other things lay in a dusty chaos, one could only wonder that in all that disorder he could keep his thoughts so admirably clear. And it was always a pleasure to call on him, even though one was often driven away, sooner than one would have wished, by the unbearable heat which Verner at times kept up in his stove. He himself was always ready for a talk. He liked to tell of the tavern-

2*

life of German scholars, e. g. of the "wet section", formed at a
philological congress—and among the members one heard the names
of many of the most famous linguistic investigators of Germany:
the first byelaw ran "No one may take part in any meeting of the
other sections", and the second "No one may go home before one
in the morning." Or he told of the German scholar who had never
possessed a lamp, because when he got up it was always light enough
to see, and when it grew too dark for him to go on working, he went
off to his accustomed "kneipe".

It was a still greater pleasure when he got on scientific ground,
especially when he developed the thought which occupied him over
a stretch of years, that of making speech-sounds visible, so that
their most minute elements could be examined—this was before the
birth of the school of experimental phonetics. For this purpose he
used Edison's phonograph in its old form in which it is driven round
by the hand and the impressions of the sound are made on tinfoil.
The later instrument with its electrical driving-power and wax
cylinder only came out after Verner had begun his experiments,
and he also thought that the old one was just as good for his object.
The point now was to magnify the microscopical marks on the tinfoil, and for this purpose Verner had constructed an apparatus of
which Edison need not have been ashamed; he left the magnifying
to be done by the rays of light themselves; meanwhile he sat in one
corner of the room with a little telescope which, by means of a pin
which followed the tracing of the sound on the tinfoil, turned imper-
ceptibly on an axis; but these minute movements enabled one as one
used the telescope to see markedly different points on a measuring-
yard set for this purpose by the window. By following the rise and
fall of the telescope in a definite portion of time one was then in a
position to draw a highly magnified picture of the impressions made
in the phonograph. The picture of a quite short Danish word of one
syllable produced in Verner's drawing a strip, if my memory serves
me, of forty feet long. In order to be able to describe and calculate
the sound-curves on his tapes with the necessary accuracy, Verner
had to study branches of mathematics with which he had had nothing to do before, and one was dazed when one saw his masses of
long calculations. What actually came out of these enormous labours,

apart from the pleasure Verner took in them, I have no idea. Some years after I had seen his apparatus, he gave a lecture on it before the Danish Academy, but his learned colleagues did not succeed in inducing him to print even a short synopsis of his investigations and its results.[1]

In general, Verner did not like having anything printed. Apart from his paper on Sound-shifting (with a supplement on Gradation) and a few reviews he never published anything except some articles on Russian writers in Salmonsen's *Konversationsleksikon*. There was no want of requests from outside; Leskien told me at Leipzig that he had dunned Verner in vain many times for his profound investigations into Slavic accent which he had promised to the proceedings of the Saxon Academy, and no doubt many others had the same experience. Those who knew Verner had therefore long given up hope of seeing anything more from his hand, when one fine day it was rumoured that he had written an article on E. v. d. Recke's book *Store og smaa Bogstaver* ('Big letters and small'; 1888) and though people perhaps thought that the great linguist might have spent his shot on worthier tasks than little questions of orthography, philologists looked forward with pleasure to a powerful refutation of Recke's specious arguments. Meanwhile it never came; the last I heard of the matter was: "Verner has now rewritten his paper for the third time, now it will be printed." But Verner could not master the practical energy necessary in order to get a completed paper printed and published.[2] He who shrank from no trouble when by laborious thinking and extensive investigations he wanted to clear his mind on this or that question that interested him, was indolent and without will-power when he was called upon to carry through any project of practical life.

---

[1] [Two letters to Dr. Hugo Pipping of Helsingfors with calculations and a picture of the apparatus are printed in the *Oversigt* of the 'Videnskabernes Selskab' for 1913, page 161 ff.]

[2] [It was found after his death in a state which suggested that he must have gone about a long time with the manuscript in his coat pocket. I published it in *Dania* IV. 1897 p. 82 ff. Printed later in Karl Verner, *Afhandlinger og breve* publ. by the *Selskab for germansk philologi* 1903, in which will be found a biography of Verner and many interesting letters as well as a description of his apparatus for measuring sounds.]

It was a sign of the same inertia[1] that he took every day as it came and gave little thought to the morrow. When he was among the Cashubs, it was remarked that he sat day after day in taverns taking notes of what people said: as no one of course had any idea that he was pursuing linguistic studies he was taken for a spy and imprisoned, since of course he had not anything in the least resembling papers of legitimation. He had to write to Copenhagen for a passport. But as this was written in Danish and French, neither of which languages was known in Karthaus, he had to act as interpreter in his own case; his translation however was accepted and he obtained permission to continue his studies. In money-matters he was absolutely happy-go-lucky; he must have been an easy prey for beggars and swindlers, as his kind heart did not allow him to say no. But another result was that he found himself at times in very unpleasant situations, which it often amused him to recall. Once when he had to take the train from Moscow to St. Petersburg, though he had been obliged to pawn a watch-chain which he never saw again, he had not a farthing beyond the cost of his ticket, and for his needs on the long journey was dependent on the kindness of his fellow-passengers: but he succeeded in getting on such good terms with the Russian peasants in the carriage that they gladly treated him to what they had with them.

In politics and in most things Verner was a Liberal: in the first few years after the founding of the radical "Studentersamfund" he might now and again be seen at the Saturday discussions in the Bad-stustræde—of course, merely as a listener. In private too he could occasionally come out with some very cutting remarks on the men and circumstances of the day in Denmark; but in general he was more disposed quietly to take stock of men's goings-on and slily

---

[1] I see evidence also of this trait in the following lines of a letter of 1886: "May I take the opportunity of wishing you all success in your plans for effecting a reform in the teaching of languages here in Denmark. But, for God's sake, don't delude yourself into thinking that the task will be an easy one. Classical philology has lain like an incubus on the science of language too long for that. We have only one university, and for more than a generation that university has had only one philological authority of any weight: all our schoolmasters in the linguistic line are therefore fashioned on the last of a teaching-tradition fixed on a blind belief in authority. You won't change this generation: you must let it disappear in accordance with the law of mortality. And that will take some time."

amuse himself with them, than get angry over them. Indeed, once when he was telling of a really dangerous attack of illness he had had—a precursor of the illness that has now taken him from us—I had a strange feeling that he looked on it all as a curious case that had a lively interest for him as a pathological problem, rather than as something that concerned his own life or death.

In science Verner was a living proof that quality counts more than quantity. And even if many when conversation turned on him and what he was might smile and quietly shake their heads at his oddities, it was still easy to see that all who knew him personally liked him, just as all students of language bow themselves in admiration of his rare genius.

L'ÉTUDE DE LA LANGUE MATERNELLE
EN DANEMARK[1]

L<small>E</small> thème de cette conférence n'est pas la manière dont on enseigne la langue maternelle en Danemark, mais le développement de l'étude scientifique de la langue danoise, et ceux qui connaissent tant soit peu l'histoire des études linguistiques dans d'autres pays ne seront pas surpris d'entendre que ce développement a suivi en Danemark à peu près les mêmes lignes qu'ailleurs. Pendant tout le moyen-âge on s'est partout très peu occupé des langues modernes: tout l'intérêt se portait vers le latin qu'on étudiait de la manière tradition-nelle et qui était vénéré quasi comme si c'était un idiome divin — ce qui ne doit pas nous étonner puisque le latin était le langage de l'église toute-puissante. Mais que ne donnerait-on aujourd'hui pour avoir par exemple toutes les traditions populaires contenues dans le précieux ouvrage de Saxo Grammaticus présentées en danois au lieu de ses tirades entortillées en un latin d'ailleurs très soigné.

C'est aussi en latin qu'est écrit le premier ouvrage qu'il faut mentionner dans notre rapide revue des études danoises, et il est caractéristique que l'auteur ait été professeur de théologie à l'université de Copenhague: son nom est *Jacob Madsen Aarhus,* et son livre ne traite qu'incidemment de sa langue maternelle, puisque c'est un essai de phonétique générale, ou comme on disait alors, *de literis* (Bâle 1586)[2]. Malgré ses imperfections, si on le mesure d'après nos idées modernes de phonétique, l'ouvrage n'est pas sans mérites et a été trouvé digne d'une réimpression par le phonéticien allemand Techmer (1889) avec une préface dans laquelle Madsen est loué comme le premier phonéticien moderne. Ce qui fait surtout impres-

---

[1] Conférence faite le 30 avril 1927 à l'Institut d'Études Scandinaves, Paris. *Acta Philologica Scandinavica III* p. 63 suiv. (1928).

[[2] V. plus bas, p. 41].

sion sur un Danois de notre temps, c'est que beaucoup des exemples danois sont donnés avec la prononciation que de nos jours ces mots ont seulement dans les patois jutlandais. On en a tiré la conclusion certainement erronée ou du moins exagérée, que puisque ce professeur de l'université parlait patois, il n'existait pas à cette époque de langue commune parlée (rigssprog) en Danemark, même si on avait une langue écrite plus ou moins une. Cette conclusion n'est pas juste, et si on regarde de plus près, on découvre la raison tout-à-fait spéciale qu'a eue Madsen pour donner de préférence ces formes patoises: c'est qu'il s'attache surtout dans plusieurs chapitres à constater la différence entre *i* voyelle et *j* consonne, entre *u* voyelle et *v* consonne. Cette distinction était alors une découverte nouvelle qui intéressait vivement les grammairiens de plusieurs pays, où les ramistes ou partisans de Pierre de la Ramée (Ramus, 1562) avaient toutes les peines du monde à faire adopter dans les langues écrites la distinction de *i* et *j,* de *u* et *v.* Or Madsen, qui était un acharné ramiste, s'empresse de trouver autant d'exemples que possible de ce qu'il nomme les consonnes *j* et *v*: la plupart du temps c'est ce que nous appelerions à présent plutôt les voyelles *u* et *i* en fonction non-syllabique. Or, les dialectes jutlandais présentent ces sons dans une quantité de combinaisons où ils ne se trouvent pas dans la langue commune; Madsen y va donc très naturellement chercher ses exemples; et généralement il a soin de dire en les présentant: «in lingva nostra Danica, præsertim Cimbrica» (on sait que *chersonesus Cimbrica* veut dire le Jutland): il a donc une conscience nette que ces formes sont des jutlandismes, et il ne faut pas conclure que lui-même les employait dans sa langue de tous les jours. Il est vrai qu'il donne quelque part la forme typique jutlandaise du pronom de la première personne *ah,* mais dans un autre passage il donne la forme de la langue commune *jæg.* Mais il m'est impossible ici d'approfondir la question si intéressante de l'origine et de la propagation de la langue commune ou haute-danoise comme distincte des patois, et je passe aux grammairiens proprement dits.

Au milieu du dix-septième siècle commencent à paraître les livres danois ayant comme sujet la langue maternelle. Dans cette courte esquisse, nous ne pouvons pas nous occuper des grammaires de Lavrids Kock (1660), de Peder Syv (1663), de Erik Pontoppidan (1668), ni des petits travaux grammaticaux de la même période: quoiqu'ils présentent naturellement beaucoup de détails qui intéressent l'historien de notre langue, leur méthode est assez primitive et leur valeur intrinsèque assez mince. Ce n'est que quand nous arrivons aux œuvres de Høysgaard au milieu du dix-huitième siècle que nous trouvons quelque chose qui doit nous arrêter. Tous ces travaux, y compris ceux de Høysgaard, ont été réédités par le dr. Henrik Bertelsen sous le titre *Danske Grammatikere* en cinq volumes (Copenhague 1915—1923) avec le plus grand soin et imprimés d'une manière que ne pourrait être plus somptueuse s'il s'agissait des œuvres les plus précieuses de toute notre littérature. En outre, Bertelsen vient (en 1926) de consacrer à Høysgaard une longue monographie, dont je me permettrai de tirer quelques détails curieux sur sa vie.

Jens Pedersen Høysgaard naquit en 1698 à Aarhus et mourut à Copenhague en 1773. A partir de 1736 il eut une position très humble à l'université de Copenhague comme troisième appariteur et *famulus communitatis:* sa tâche était entre autres choses d'assister l'économe de l'université pendant les repas des étudiants et de lire à haute voix des passages de l'ancien et du nouveau testament au cours de ces repas; il devait nettoyer et chauffer les auditoires et sonner les cloches à l'occasion des promotions de docteurs et des «disputations». Nous avons les documents d'une querelle curieuse entre Høysgaard et le deuxième appariteur Gram, qui cita Høysgaard devant le recteur: l'affaire semble montrer que Høysgaard s'est défendu en riant contre les tracasseries de son collègue. D'autres actes prouvent qu'il a préféré rester dans sa position subalterne alors même qu'il aurait pu avancer s'il l'avait voulu: son biographe croit que c'était pour avoir plus de loisir pour ses études scientifiques; d'ailleurs sa santé n'était pas des meilleures et il aimait la vie tranquille et paisible. En 1759 il fut élu sonneur et marguillier à l'église de la Trinité qui appartenait à l'université, position beaucoup plus profitable que celle qu'il avait eue jusque là.

Høysgaard était un très bon mathématicien et il a publié deux petits livres sur le calcul intégral, mais c'est comme grammairien qu'il a de l'importance. Il est facile à présent de voir les imperfections de ses travaux linguistiques qui sont celles de son siècle. L'histoire de la langue est un terrain inconnu pour lui, et quand il en parle, ce qu'il en dit est généralement faux. Dans sa description des sons, il ne sait pas toujours distinguer entre son et lettre, et sa terminologie est quelquefois fautive et un peu confuse, par exemple quand il emploie le mot quantité en parlant de la force rythmique des syllabes, parce qu'il identifie les règles prosodiques des anciens avec ce qui constitue un vers danois. Il modifie aussi ses termes et ses signes de livre en livre: ce qu'il marque dans un livre par un accent aigu est marqué dans un autre par un accent grave, et vice versa. Mais tout cela ne doit pas nous empêcher de compter Høysgaard parmi les esprits vraiment originaux dans l'histoire de la linguistique; dans la grammaire danoise il est le grand innovateur qui a exercé une profonde influence sur tous ses successeurs.

Ceci est peut-être moins vrai pour la syntaxe que pour la morphologie, et pourtant son traitement des phénomènes syntaxiques est vraiment original, et on peut même l'appeler un des précurseurs de M. Brunot, puisque dans une grande partie de la syntaxe il ose abandonner la voie traditionelle et prendre pour point de départ non pas les formes, mais les pensées ou les idées logiques. Dans cette tentative, il s'est heurté aux mêmes difficultés que M. Brunot et Adolf Noreen de nos jours, et il n'a pas réussi à réduire à un système tout-à-fait satisfaisant la vaste complexité des idées représentées dans la langue. Vu l'énormité de la tâche, les imperfections de sa syntaxe ne doivent pas nous faire oublier la grandeur et l'originalité de son idée fondamentale, mais il est tout naturel que ceux qui ont après lui écrit sur la syntaxe danoise, n'aient tiré de son livre que quelques-unes des observations de détail dont il fourmille.

Ce qui fait surtout l'intérêt de l'œuvre de Høysgaard, c'est sa découverte des subtiles nuances dans la manière de proférer les syllabes qu'il nomme *aandelav*. Personne ne les avait observées jusquelà, car on s'occupait surtout de la langue écrite, et l'orthographe ne montrait pas ces petites modifications. Et pourtant elles jouent un rôle important dans la structure de la langue, car elles servent très souvent à distinguer des mots autrement identiques, et si on les néglige ou si on emploie un faux *aandelav,* une phrase peut souvent être rendue méconnaissable ou même totalement incompréhensible. C'est ce qu'a vu Høysgaard, qui non seulement décrit les *aandelav* aussi bien que cela était possible, étant donné les notions de phonétique, si imparfaites, de ce temps-là, mais qui les indique partout dans le texte de sa grammaire. En outre, il décrit le rôle que jouent les *aandelav* dans la flexion et donne ainsi la première grammaire d'une langue littéraire parlée. Il a aussi une liste précieuse de ce qu'il nomme *drejeord,* mots tournants, c'est-à-dire des mots qui changent de signification selon les *aandelav* qu'on leur donne; et enfin il donne le commencement d'un dictionnaire de prononciation.

Les quatre *aandelav* distingués par Høysgaard sont

(1) *det stødende* (heurtant ou choquant), p. ex. *sang, skind;*

(2) *det kortjævne* (bref uni), p. ex. *stad, loft;*

(3) *det dobbelte* (double), p. ex. *flor, skrin;*

(4) *det langjævne* (long uni), p. ex. *far* (pour *fader*), *bror.*

Dans son premier traitement de la question il avait employé d'autres noms qui effectivement semblent meilleurs: (1) *stødetone,* (2) *skarptone,* (3) *vringeltone,* (4) *drægetone.* Un phonéticien de nos jours dirait que dans (1) et (3) nous avons un *stød* (coup de glotte) qui ne se trouve pas dans (2) et (4), et que dans (1) et (2) nous avons une voyelle brève, tandis que (3) et (4) ont une voyelle longue. Nous décomposons donc les *aandelav* en traitant séparément l'existence ou la non-existence du coup de glotte et la quantité de la voyelle. Mais il faut avouer que le germe de cette analyse se trouve déjà dans les descriptions de Høysgaard, et en tout cas c'est sa manière d'envisager ces phénomènes qui constitue la plus grande originalité de notre humble appariteur.

De Høysgaard nous passons a *Rask.* Tandis que Høysgaard a une importance exclusivement nationale, Rask compte parmi les héros de la linguistique internationale, puisqu'il est un des fondateurs de la grammaire comparée des langues indoeuropéennes et qu'il a de plus donné des contributions des plus précieuses à la connaissance des langues finno-ougriennes et dravidiennes. Mais la vaste étendue de son érudition ne lui a pas fait oublier sa propre langue maternelle, et nous nous occuperons seulement de ce qu'il a écrit sur le danois. Quoique cela ne forme qu'une très petite part de sa production, son génie est tellement grand que ses travaux sur notre langue auraient suffi par eux-mêmes à lui assurer la gratitude de tous les linguistes danois.

Rasmus Rask naquit en 1787 dans une petite cabane de paysan

dans un village près d'Odense. Il se fit très tôt remarquer par son
application et ses dons naturels, et malgré la pauvreté de son père
il fut mis en état d'aller au lycée d'Odense et plus tard à l'université
de Copenhague. Pendant toute sa courte vie il resta très pauvre, et
ce n'était souvent que grâce à l'économie la plus rigoureuse qu'il
parvenait à acheter le peu de pain et de pommes de terre qui lui
suffisaient pour soutenir un corps grêle et chétif où habitait une âme
infatigable et remplie d'un véritable enthousiasme pour les études
scientifiques. Au lycée déjà, il s'était rendu maître de plusieurs
langues, outre celles qu'enseignaient ses professeurs, et notamment
du vieux-norois ou islandais qui devait toujours rester son étude
favorite. Il en admirait le système grammatical avec ses quatre cas et
ses nombreuses formes verbales qu'il a été le premier à réduire en un
système scientifique. Et il ne cessa jamais de regarder l'islandais
comme l'ancêtre du danois et de le chérir à ce titre.

C'est ce qui apparaît dans l'admirable monographie qu'il écrivit
en 1815 sur «les désinences et formes de la grammaire danoise expli-
quées par la langue islandaise». Comme l'auteur le dit dans sa préface
avec une fierté parfaitement légitime, «cet essai n'est pas seulement
le premier en ce qui concerne notre langue, mais, si je ne me trompe,
il est le premier de cette sorte sur n'importe quelle langue. Jusqu'ici
on s'est contenté d'étudier les étymologies des mots isolés, mais on
ne s'est nullement soucié d'examiner l'origine des modifications
formelles des mots.» C'est ce que Rask veut faire, et ce qu'il fait
d'une manière magistrale, car ce petit traité de soixante pages contient
effectivement tout l'essentiel de la grammaire historique du danois,
et grâce à la grande exactitude de tous ses faits et à la sûreté de la
méthode que Rask a dû se créer lui-même, puisqu'il n'avait pas de
prédécesseurs, le traité garde encore de nos jours sa grande valeur.
Et ceci, malgré l'erreur qui pourrait sembler destructive, de considérer
le danois comme un descendant ou une continuation directe de
l'ancien islandais: cela n'a pas empêché Rask de juger nos formes
d'une manière essentiellement juste et correcte. Il a vu lui-même que
pour donner une représentation tout-à-fait exacte de l'évolution des
formes, il aurait fallu considérer aussi les formes intermédiaires;
mais il n'y a pas de doute que tel qu'il est ce petit traité offre beaucoup plus de vues originales et précieuses qu'on ne pourrait s'y

attendre. Et l'on ne doit pas oublier qu'il a été publié trois ans avant le premier volume de la grande *Deutsche Grammatik* de Jacob Grimm, qui est généralement regardée comme la première œuvre appliquant la méthode historique à la grammaire.

La deuxième contribution importante de Rask à l'étude du danois est son grand livre sur l'orthographe, *Forsøg til en videnskabelig dansk Retskrivningslære*, 1826. Rask se distingue avantageusement de la plupart de ceux qui ont écrit dans beaucoup de pays sur des questions orthographiques par l'étendue de ses connaissances et la profondeur de ses points de vue. On trouve dans son livre une foule étonnante d'observations justes sur la phonétique et l'orthographe de beaucoup de langues citées pour jeter de la lumière sur ce qui est arrivé en Danemark ou ce qui devrait être fait en Danemark. Ces questions lui tenaient au cœur, et la résistance acharnée que le public danois opposait aux réformes même les plus innocentes et les plus rationnelles a grandement contribué à mettre dans son caractère une certaine amertume pendant les dernières années de sa vie, alors qu'il souffrait déjà de la maladie qui devait mettre fin à cette vie laborieuse vouée aux plus hautes aspirations de la science linguistique.

Rasmus Rask mourut le 14 novembre 1832 très peu de temps, trop peu de temps, après qu'on lui avait accordé la chaire universitaire qu'on aurait dû lui donner dès le retour de son grand voyage aux Indes.

Le disciple favori de Rask était *Niels Mathias Petersen* (1791—1862). Au lycée, il appartenait au petit cercle d'amis auxquels Rask, son aîné de quatre ans, enseignait l'islandais; mais souvent tandis que Rask voulait s'occuper principalement des formes linguistiques, Petersen était attiré surtout par le contenu des vieilles sagas. Aussi est-ce surtout dans l'étude de l'histoire ancienne du Nord et de la littérature danoise qu'il s'est fait remarquer. Mais ce qui nous importe ici, c'est son œuvre linguistique. Tout jeune encore, il publia sous l'inspiration de Rask «L'histoire des langues danoise, norvégienne et suédoise dans leur développement de la langue mère» en deux volumes. C'est une œuvre très consciencieuse, où il étudie les influences étrangères, le développement du vocabulaire et celui des langues littéraires. Dans la partie grammaticale, Petersen s'efforce de combler la lacune qu'avait indiquée Rask dans le traité déjà cité, par l'étude des formes intermédiaires entre la «langue mère» et les langues de nos jours. L'intérêt historique de Petersen s'est manifesté dans son traité sur les noms de lieu, où, le premier, il a vu l'importance de combiner les connaissances historiques et linguistiques en se basant toujours sur la forme la plus ancienne qui nous est accessible.

Petersen fut le premier professeur de langues scandinaves à l'université de Copenhague, et les parties de ses cours publiées dans ses «Samlede afhandlinger» le montrent comme un savant modeste, qui malgré un penchant au pessimisme n'a jamais abandonné l'enthousiasme de sa jeunesse pour l'antiquité scandinave et qui n'a jamais cessé de prêcher l'importance de l'étude des langues du Nord.

Dans les années qui suivirent immédiatement la mort de Petersen, il faut noter surtout une série de petits articles de la plus haute valeur par *Edvin Jessen* (1833—1921). Esprit essentiellement critique et plutôt négatif que positif, il s'est attaqué dans ses nombreuses polémiques à un grand nombre d'hommes et de vues considérés plus ou moins comme faisant autorité; la vénération était une qualité qui n'avait pas de place dans sa mentalité. Sa forme est toujours des plus concises et pleine de pointes satiriques. Sans doute il a souvent dépassé le but; mais plus souvent peut-être il faut admirer la justesse de ses observations, et partout dans ses articles et dans sa petite grammaire «Dansk sproglære» (1868) on trouve des vues personnelles et bien documentées.

Sa vie est assez curieuse: indépendant comme il voulait l'être à tous égards il n'a jamais eu de position officielle et gagnait sa vie en donnant des leçons particulières. Après avoir été pendant plusieurs ans très productif de travaux linguistiques et philologiques, il cessa pendant une période assez longue de rien écrire. Si le bruit dit vrai, cet épisode n'est pas sans un côté assez comique, car on dit que la raison de ce silence a été l'indignation qu'il a ressentie en voyant Wimmer obtenir une chaire à l'université. Sa haine contre celui-ci l'amena au point d'attaquer son adversaire dans la rue et de solliciter la faculté des lettres de le libérer de son titre de docteur, pour la raison qu'il ne désirait pas être dans la même compagnie que certaines personnes qui avaient récemment acquis ce titre.

Quand après un silence de vingt ans, Jessen a repris ses études linguistiques, il avait changé à beaucoup d'égards; il avait maintenant en horreur l'orthographe radicale employée jusque-là par lui comme par la plupart des jeunes linguistes, et il l'attaqua avec la même véhémence qu'il avait autrefois mise à la défendre. Il publia une nouvelle grammaire, d'ailleurs inférieure à la première, et un dictionnaire étymologique qui contient çà et là de bonnes choses, mais qui est surtout remarquable par ses boutades contre les «néogrammairiens» — boutades quelquefois justifiées, mais la plupart du temps exagérées. Il serait regrettable que ses dernières œuvres fissent oublier les services qu'il avait rendus dans sa jeunesse à la linguistique danoise.

La dialectologie danoise doit beaucoup à *Kristen Jensen Lyngby* (1829—1871), qui fut le successeur de Petersen à l'université de Copenhague. Ce qui lui donna surtout le goût de ces études, ce fut un petit livre publié par *E. H. Hagerup* sur la langue danoise en Angel (1854). Hagerup était venu comme pasteur dans une paroisse du Slesvig, où la population était fanatiquement anti-danoise et pro-allemande. Au début ses paroissiens lui parlaient toujours en allemand, mais après quelque temps il fut surpris de découvrir qu'entre eux ils ne parlaient pas allemand, mais un patois purement danois, même si pour des raisons politiques c'était leur orgueil de parler toujours allemand aux enfants; ils méprisaient le danois comme une langue inférieure à l'allemand qu'on regardait comme la seule langue de culture et de bon ton. Hagerup sut gagner le respect de ses paroissiens et bientôt il commença à leur parler danois et à noter les expressions et les formes de leur patois, de sorte que son livre a une haute valeur comme description d'un patois jutlandais qui a plus tard disparu en raison de la germanisation après 1864: cette partie du Slesvig n'appartient pas à ce que nous avons été assez heureux pour regagner par le traité de Versailles.

Lyngby reprit et continua le travail de Hagerup en parcourant le Jutland pendant ses vacances pour noter les dialectes, et sa thèse de doctorat constitue le premier essai de dialectologie historique. Mais malheureusement il mourut relativement jeune sans avoir mis à profit pour l'étude du danois sa bonne méthode et toutes ses connaissances linguistiques.

Lyngby ne fut pas le seul homme influencé par Hagerup. *Hen-*

ning Frederik Feilberg (1831—1921) devint tout jeune le vicaire de Hagerup, et la vie dans la maison de ce dernier fortifia tout naturellement l'intérêt qu'il avait pris dès son enfance pour la vie et le langage populaires. Comme pasteur d'abord en Slesvig et après 1864 dans une paroisse de l'ouest du Jutland, il eut occasion d'étudier plusieurs dialectes jutlandais, et bientôt il commença à recueillir et à noter tout les mots et toutes les formes qu'il entendait employer par les paysans. Peu à peu le nombre de ses petites fiches augmenta et dut être compté par des centaines de milliers. Il ne se contenta pas, comme beaucoup de dialectologues, de noter les mots particuliers aux patois et étrangers à la langue littéraire, mais Lyngby lui apprit tout l'intérêt qu'il y a pour le linguiste à enregistrer toutes les formes de la langue parlée. Il ne se contenta pas non plus de noter le dialecte de sa propre paroisse, mais il entreprit beaucoup de voyages dans les autres parties de la péninsule et sut partout se procurer des coopérateurs volontaires pour noter les formes jutlandaises, ce qui lui fut énormément facilité par l'existence des hautes écoles populaires — cette institution éminemment danoise où les jeunes paysans et paysannes se ressemblent pour continuer sous des formes libres leurs études scolaires. Feilberg gagna partout des amis innombrables par la simplicité de ses manières et par son amabilité tout-à-fait extraordinaire; il acquit une familiarité unique avec la vie, les mœurs, les superstitions, etc., du bas peuple, qui pour lui n'était point bas, et il faut dire que son intérêt pour le folklore lui fut très utile dans ses études linguistiques. Le résultat de tout ceci est que son grand dictionnaire des dialectes populaires du Jutland, *Ordbog over de jyske almuesmål,* qu'il publia en quatre volumes de 1887 à 1914, est plus riche en détails exacts que la plupart des œuvres semblables: c'est un vrai trésor dont n'importe quel pays pourrait être fier.

Le Danemark a eu d'autres dialectologues que ceux que j'ai déjà nommés; mais comme le temps me manque pour les caractériser tous selon leur mérites, et qu'une simple liste de leur noms, sans plus, n'aurait pas d'intérêt, je me bornerai à mentionner les ouvrages les plus importants, et je commencerai par le dictionnaire du dialecte de Bornholm que laissa le recteur *Espersen* à sa mort en 1859 et qui fut publié beaucoup plus tard par Vilhelm Thomsen et Ludvig Wimmer, avec une introduction portant sur la phonologie et la morphologie.

Le Danemark a son atlas linguistique, *Kort over de danske folke-mål,* publié par *Valdemar Bennike* et *Marius Kristensen* (1898—1912). C'est-là encore un fruit des hautes écoles populaires, car les deux auteurs sont professeurs à deux de ces écoles et ont de ce fait l'occasion de rassembler tous les ans autour d'eux un grand nombre d'élèves venant de toutes les parties du pays et parlant ou ayant parlé chez eux un dialecte populaire. Ils ont profité de cette facilité d'examiner leurs élèves sur les parlers locaux, et il en est résulté le volume que je viens de citer. Il comporte une série de cartes où sont indiquées à l'aide de couleurs différentes et de traits ou de lignes pointillées les limites d'un grand nombre de faits linguistiques d'ordre phonétique et morphologique. Le tout est arrangé de telle sorte qu'il est facile de s'y orienter, et les cartes donnent l'impression de la grande complexité géographique des phénomènes. Dans le texte qui accompagne les cartes, le dr. Kristensen a donné beaucoup de renseignements historiques; mais on n'a pas encore tiré tout le profit que peut donner ce grand répertoire.

Puisque nous en sommes à la géographie linguistique, il faut faire mention d'une monographie remarquable de *P. K. Thorsen* (1851—1920) sur la limite des dialectes de l'est et de l'ouest en Jutland. Le caractère distinctif des deux groupes c'est la position de l'article définitif qui à l'est est posé après le substantif comme dans le reste de la Scandinavie, *huset* la maison, dans l'ouest au contraire avant le substantif comme dans le reste des langues congénères, *æ hus.* On a voulu tirer de cette distinction la conclusion que les Jutlandais de l'ouest descendent d'une population non-scandinave, saxonne ou apparentée de plus près avec les Anglais — bien à tort, du reste, car tout le reste de la structure et du vocabulaire des dialectes de l'ouest est d'accord avec le danois des autres parties du pays, et il ne faut pas considérer un seul trait comme décisif pour la parenté d'un groupe de dialectes. Or Thorsen est en état de démontrer que la limite en question doit avoir eu pour cause l'existence d'une ancienne forêt épaisse et impénétrable pour une population qui n'avait que des instruments assez primitifs. Thorsen a fait porter ses recherches sur un grand nombre de faits: la topographie naturelle, le nombre des villages et surtout leurs noms, qui sont construits sur des types qu'on ne rencontre que dans les villages de construction et de colonisa-

tion relativement récentes, tandis que les types de noms de lieu qu'on
connaît comme les plus anciens et qu'on retrouve en assez grand
nombre à l'est et à l'ouest de ce district y font défaut — tout s'ac-
corde pour montrer qu'il y a eu là une zone qui n'a pas été peuplée
aussi tôt que le reste du pays. Les conclusions tirées de ces divers
faits sont confirmées par le fait que dans ces mêmes districts on n'a
presque pas trouvé d'antiquités et de tombeaux des périodes les plus
anciennes. Tout cet article de Thorsen me semble présenter le plus
grand intérêt pour la théorie dialectologique. Thorsen est aussi
l'auteur de plusieurs autres monographies de grande valeur sur les
dialectes et sur l'histoire du danois en général.

Dans tous les pays les linguistes, tout en s'occupant de n'importe
quelle langue, ne peuvent pas ne pas penser à leur langue maternelle;
mais il est tout naturel que dans un petit pays qui est la patrie d'un
Rask, ceux qui étudient spécialement d'autres langues publient aussi
des travaux sur leur propre langue. En Danemark *Fausbøll,* qui fut
un des premiers éditeurs de textes pali et qui professait le sanskrit à
l'université, a publié aussi (sous le pseudonyme de V. Kristiansen)
un dictionnaire de l'argot moderne de Copenhague. *Wimmer* qui
devint professeur de langues scandinaves, a débuté comme indianiste.
Vilh. Thomsen, célèbre par ses études ingénieuses sur beaucoup de
langues, surtout le finnois et le turc, n'a pas seulement écrit le travail
sur le dialecte de Bornholm que nous avons déjà signalé, mais aussi
une étude remarquable sur la palatalisation en danois. Les deux
romanistes *Kristoffer Nyrop* et *Kristian Sandfeld* ont contribué aux
études danoises; et quand en 1889 on a fondé une revue de dialectologie et de folklore, *Dania,* ce fut à un angliste qu'on confia
l'élaboration d'un système de transcription plus exact que celui
qu'employaient Lyngby et Feilberg. C'est le même angliste qui a aussi
publié le seul livre moderne qui existe sur la phonétique du danois
cultivé.

Karl Verner (1846—1896) qui est connu partout dans le monde
des linguistes par sa fameuse découverte des rapports entre les anciens
accents indiens et le système des consonnes germaniques, s'est aussi
occupé de sa langue maternelle, et, comme on pouvait s'y attendre,
surtout de son accentuation. En norvégien et en suédois il existe deux
tons décrits surtout par Johan Storm et Axel Kock. Verner voit le

rapport qui existe entre cette bipartition de tout le vocabulaire des langues voisines et ce que Høysgaard appelait les *aandelav* danois, qui sont pourtant d'une nature tout-à-fait différente, et il donne une explication de la manière dont on peut se figurer le développement du *stød* danois en partant d'une rapide élévation du ton. Peu de temps après la mort de Verner, *Nikolaj Andersen* a montré qu'une bipartition tonale existe de nos jours dans certains dialectes du Slesvig; et en me basant sur cette découverte j'ai poursuivi moi-même dans deux articles (parus dans la Dania et l'Arkiv[1]) l'explication de Verner en montrant avec plus de détails comment la nature physiologique du coup de glotte et la structure naturelle des syllabes ont modifié le système original des tons scandinaves et produit les règles complexes du danois moderne.

Le nom de *Ludvig Wimmer* (1839—1920) a déjà figuré plusieurs fois dans notre énumération, mais je ne parlerai pas de la grande œuvre de sa vie, puisqu'elle tombe vraiment en dehors de nos cadres comme étant plutôt philologique que linguistique, je veux dire les quatre volumes monumentaux «De danske runemindesmærker» (1895—1908), dans lesquels il a soigneusement et minutieusement décrit et interprété tous les monuments runiques danois connus jusqu'alors. Dans son livre antérieur sur l'origine des runes, et surtout dans l'édition allemande «Die Runenschrift» (1887) il a émis une théorie sur l'origine des runes qui a été vivement discutée, surtout par des savants suédois, mais qui a récemment trouvé un défenseur habile dans la personne de Holger Pedersen.

Au point de vue de la syntaxe il faut signaler deux livres qui présentent un contraste frappant, «Dansk ordføjningslære» par *Kr. Mikkelsen* (1911) et «Synspunkter for dansk sproglære» par *H. G. Wiwel* (1901). Le premier se meut dans les cadres traditionnels et recueille une foule d'exemples plus ou moins caractéristiques d'une quantité de phénomènes, mais la critique fait quelquefois défaut; de plus les petits appendices sur l'histoire des phénomènes semblent un peu décousus et sont en tout cas inférieurs à la syntaxe historique dano-norvégienne publiée par les deux norvégiens Hjalmar Falk et Alf Torp. Le livre de Wiwel, au contraire, ne prétend pas être une grammaire ou syntaxe complète, mais soumet le système traditionnel

[1] Réimprimés dans *Tanker og studier* (1932).]

à une sévère critique témoignant d'une rare sagacité et aboutissant souvent à des observations à la fois fines et justes de faits grammaticaux jusqu'ici méconnus. Seulement on peut lui reprocher de se placer trop exclusivement au point de vue formel et de négliger le côté logique de la langue.

Le successeur de Wimmer comme professeur de langues scandinaves à l'université de Copenhague, *Verner Dahlerup,* a écrit un bon manuel de l'histoire de la langue danoise «Det danske sprogs historie» (1896, 2ᵉ éd. 1921), mais il mérite surtout la reconnaissance des linguistes pour avoir pris l'initiative du nouveau dictionnaire danois. Pendant longtemps il n'y a pas eu de bon dictionnaire danois; celui de Chr. Molbech (2ᵉ éd. 1859) était tout-à-fait vieilli, non seulement parce que le vocabulaire avait subi de grands changements et pris une extension considérable depuis le temps de Molbech, mais aussi parce qu'on demande de nos jours beaucoup plus à un dictionnaire que Molbech ne pouvait le penser, grâce au développement général de la linguistique et de la technique lexicographique. Dahlerup entreprit ses collections systématiques en vue du dictionnaire sur un plan soigneusement préparé pour lequel il prit comme modèles les grands travaux lexicographiques parus en Angleterre, en Suède, en Allemagne, en France et en Hollande, mais en cherchant aussi à éviter les erreurs, les défauts et les imperfections qu'on a pu constater dans les plans des grands dictionnaires étrangers. Il se borna sagement à enregistrer le vocabulaire moderne, à partir du commencement du dix-huitième siècle, d'abord pour éviter de donner à l'œuvre une étendue excessive, mais aussi parce qu'on possédait dans les volumes de *Otto Kalkar* un dictionnaire de l'ancienne langue jusqu'en l'an 1700. Pendant de longues années, Dahlerup continua à ramasser des matériaux pour son dictionnaire, mais le moment venu de passer à l'élaboration définitive de l'ouvrage, il découvrit que cette tâche était énorme et qu'elle dépassait de beaucoup les forces d'un seul homme. Il fallut en appeler à des savants plus jeunes: heureusement on trouva dans «Det danske sprog- og litteraturselskab» une organisation jeune et pleine d'initiative qui se chargea du travail avec une rare énergie. Il s'agissait de se procurer deux choses nécessaires, de l'argent et des travailleurs. Madame la doctoresse *Lis Jacobsen* sut intéresser le fond Carlsberg et le gouvernement à cette grande œuvre nationale, de sorte qu'on obtint les moyens nécessaires, et elle sut encore organiser le travail d'un assez grand nombre de collaborateurs compétents pour compléter les collections de Dahlerup et pour assurer la rédaction finale. Parmi les rédacteurs, il faut surtout mentionner *H. Juul-Jensen* qui est pour ainsi dire le chef de cet état-major. Le résultat est une œuvre dont le Danemark peut être justement fier; elle se distingue par la richesse de ses citations, qui me semblent être mieux choisies que celles des autres dictionnaires que je connais; de même, la disposition typographique, — si importante dans cette sorte de livres, — est exemplaire; et enfin il faut admirer la précision tout-à-fait extraordinaire avec laquelle on fait paraître chaque année un volume assez considérable tandis que la plupart des autres grands dictionnaires collectifs tendent à paraître de plus en plus irrégulièrement et lentement.

Les noms de lieu, qui présentent tant de problèmes d'ordre historique et linguistique, n'ont pas été étudiés en Danemark avec le même zèle et la même science que dans les pays voisins; pourtant il ne manque pas de bons travaux dans ce domaine. Après plusieurs études dues à l'historien *Johannes Steenstrup,* le ministère de l'instruction publique organisa en 1910 le travail, tant pratique que scientifique, en nommant un comité, «Stednavneudvalget», qui a déjà produit un travail considérable en recueillant systématiquement les noms sous leurs formes modernes, notées en écriture phonétique selon la prononciation locale, et sous toutes les formes accessibles dans les vieux documents. On a de cette manière régularisé l'orthographe officielle d'un grand nombre de villages, etc., et commencé la publication de recueils contenant les noms de lieu de plusieurs districts accompagnés de recherches étymologiques et historiques.

Me voici au bout de la tâche que je m'était proposée. J'ai eu à vous présenter beaucoup de noms, et peut-être aurait-il été plus intéressant de me borner à mentionner les savants les plus illustres, ceux qui appartiennent au tout premier rang parmi les linguistes, car alors il m'aurait été possible de les caractériser plus minutieusement en donnant aussi plus de détails sur leur vie. Mais j'ai eu le sentiment qu'aucun des noms que j'ai cités ne mérite d'être totalement oublié, et que mon petit pays a en fait produit pas mal de travailleurs dans le domaine que nous avons étudié.

Je me permettrai de citer ce qu'a écrit un de vos meilleurs linguistes, un des linguistes les plus éminents de nos jours, M. Antoine Meillet, dans un article qu'il a consacré dans la *Revue des deux mondes* à Vilhelm Thomsen à l'occasion de son quatre-vingtième anniversaire en 1922. M. Meillet commence son article par ces mots:

«La part que les nations civilisées prennent au développement de la science n'est nullement en proportion du nombre des hommes qui les composent. Il y a de petits peuples qui sont particulièrement doués pour certaines sciences, et dont, à certaines moments, le rôle est décisif. Le Danemark a en linguistique une place éminente.»

Ce jugement, ma modestie nationale m'aurait naturellement empêché de le prononcer pour mon propre compte; mais quand il est prononcé par un des vôtres, ma fierté nationale se fait un très grand plaisir de le répéter en en rejetant, naturellement, toute la responsabilité sur M. Meillet lui-même.

Je ne veux pas terminer sans dire deux choses qui me tiennent au cœur. D'abord je voudrais exprimer toute la joie que j'éprouve à parler ici à Paris et à voir l'intérêt qu'on y prend aux études scandinaves et qui a abouti à la création de l'Institut où j'ai l'honneur de vous adresser la parole. Et puis je veux dire en deux mots combien nous avons été en Danemark touchés au vif par la perte douloureuse que ces études ont récemment éprouvée dans la personne de Maurice Cahen. Ce jeune savant sympathique était si bien doué pour ces recherches scientifiques, il avait produit de si beaux travaux sur les langues et la religion des peuples scandinaves, et il avait gagné chez nous tant d'amis personnels, que nous avons été en Danemark très affligés en apprenant sa mort prématurée. Mais nous espérons que son esprit vivra, et qu'il aura beaucoup de successeurs en France qui sauront comme lui fortifier les liens de sympathie mutuelle qui depuis longtemps nouent ensemble le Danemark et la France.

ZUR GESCHICHTE DER ÄLTEREN PHONETIK[1]

DIE nachfolgenden blätter haben nicht den zweck, eine ausführliche darstellung der geschichte der lautwissenschaft zu liefern, sondern nur eine charakterisirung einiger hervorragenden phonetiker zu versuchen: zu sehen, was von dieser wissenschaft sie interessirt hat, und wie ihre arbeitsmetode gewesen ist. Meine darstellung ist ungleichmässig, das fühle ich selbst, und ich muss daher ausdrücklich den leser warnen, den wissenschaftlichen wert der einzelnen verfasser nach dem raume, den die schilderung derselben im folgenden einnimmt, ermessen zu wollen. Ich habe nur von denjenigen forschern und denjenigen werken, die ich selbst studirt habe, sprechen wollen, bezweifle aber nicht, dass andere phonetiker, namentlich aus älterer zeit, es auch verdient hätten, genannt zu werden. Ich muss hier ganz kurz die bemerkung vorausschicken, dass man bei den alten indern ausserordentlich feine lautanalysen vorfindet — dass griechische und römische grammatiker sich auch zum teil mit lauten beschäftigen, ohne jedoch, soweit ich ersehen konnte,[2] etwas besonders vorzügliches zu leisten, und dass es auch alte arabische phonetiker gibt.

Im mittelalter wird phonetik gar nicht getrieben — was sich z. b. in den ältesten, sprachhistorisch so wichtigen grammatischen abhandlungen der *Snorreschen Edda* an lautbeschreibung vorfindet, reicht nicht aus, um den verfassern den namen phonetiker zu verleihen —; aber am anfange der neueren zeit treten uns wenigstens einige versuche entgegen, und zwar besonders in den nicht wenigen schriften, die sich namentlich in Frankreich und England mit mehr oder weniger radikalen orthographischen reformvorschlägen be-

---

[1] *Fonetik* (Kopenhagen 1897), deutsche übersetzung *Die neueren sprachen* band 13, s. 210, 402, 513 (1905—6).
[2] U. a. aus den zitaten in Seelmann: *Aussprache des latein.*

schäftigen. In diesen werken finden wir oft ganz wertvolle einzel-
aufschlüsse über die damalige aussprache der betreffenden sprachen
und auch vergleichungen mit anderen sprachen, aber die behandlungsweise ist durchgehends so dilettantisch, dass wir die verfasser
nicht zu den eigentlichen phonetikern zählen können. Eine rühmens-
werte ausnahme bildet der engländer *John Hart,* der im jahre 1569
An Orthographie herausgab.[1] Hart kennt ausser der englischen
auch mehrere andere sprachen und besitzt den lautverhältnissen
gegenüber ein recht feines ohr; er überragt bei weitem sein zeitalter
durch seine beschreibungen der physiologischen bildungsweise der
laute und namentlich durch seine lautschrift, die im gegensatze zu
den meisten damaligen versuchen besonders deshalb ein muster von
einfachheit und natürlichkeit ist, weil er sich besser als seine zeitgenossen von den traditionellen orthographischen vorstellungen frei-
zumachen gewusst hat. Hart hat deutlich den unterschied zwischen
stimmhaften und stimmlosen lauten erkannt, er geht sogar ein wenig
auf satzphonetik ein und ist in seiner ganzen anschauungsweise
durchgehends so weit vorgeschritten, dass ich kein bedenken trage,
ihn als den ersten phonetiker der neueren zeit zu bezeichnen.

Diese bezeichnung ist sonst dem dänen *Jakob Madsen Aarhus,*
oder wie er sich auf dem titelblatte seines hauptwerkes nennt, Ja-
cobus Matthiae (1538—1586) zuerteilt worden. Er war in Kopenhagen zuerst professor der klassischen philologie, später der theo-
logie. Sein buch über sprachlaute erschien in demselben jahre, wo
er starb, in Basel unter dem titel *De literis libri duo;* er geht darin
die sprachlaute durch und sucht eine klare vorstellung von ihrer
bildungsweise zu gewinnen und dadurch zu einem allgemeinen, sowohl konsonanten als vokale umfassenden artikulatorischen systeme
zu gelangen. Völlig ist ihm dies nicht gelungen; besonders die bestimmungen der nasale sind verfehlt, und es schadet ihm auch, dass
er gar nicht hat unterscheiden können, was im munde vorgeht, wenn
man in diesen nicht hineinschauen kann; daher z. b. eine fehler-

---

[1] Auf dem titelblatte nennt er sich J. H. Chester Heralt, aber im buche gibt er
seinen namen an: *To the doubtfull of the English Orthographie, Iohn Hart Chester
herald wisheth all health and prosperitie.* [In meinem buch „John Hart's Pronunciation of English (1569 and 1570)", Heidelberg 1907, habe ich eine ausführliche behandlung von Harts bedeutung für die englische lautgeschichte gegeben, mit vollständigen, systematisch geordneten listen der von ihm transkribierten wörter.]

hafte bestimmung des unterschiedes zwischen *u* und *y*. Man muss ja
aber doch in hohem grade die von ihm erzielten resultate anerkennen, und er stand als systematiker weit über seinen zeitgenossen.[1]
Das buch ist für die dänische sprachgeschichte sehr wertvoll, besonders wegen der vielen genauen angaben über jütländische aussprache; es ist auch durch seine auffassung von den diphthongen
bahnbrechend gewesen für die namentlich seit Rask durchgedrungene
dänische rechtschreibung.

Fast gleichzeitig hat man in Spanien angefangen, taubstumme
nach der lautmethode zu unterrichten, was ja lautphysiologische studien voraussetzt; als erster taubstummenlehrer, und zwar überdies
als einer, der den zeugnissen seiner zeitgenossen zufolge ausge-
zeichnete resultate erzielt haben soll, wird der 1584 verstorbene
benediktinermönch Pietro Ponce genannt; eine schrift, die er über
seine methode verfasst haben soll, ist indessen verloren gegangen.
Dagegen besitzt man ein anderes frühzeitiges, von einem spanischen
taubstummenlehrer verfasstes buch, nämlich *Reduction de las letras
y arte para enseñar a hablar los mudos* von *Juan Pablo Bonet*
(Madrid 1620); dies enthält einige für die zeit wertvolle phonetische
beobachtungen. Bonet erhebt sich jedoch nicht weit über allgemeine
buchstabenlehre, die anordnung erfolgt nach dem alten alphabete
ohne jeglichen anlauf zu einer mehr rationellen systematischen aufstellung. Am besten ist wohl der zweite teil mit seinen praktischen
winken für den taubstummenunterricht; und von belang ist es auch,
dass er gegen den gebrauch der traditionellen buchstabennamen beim
ersten abcunterricht eifert, also das empfiehlt, was man jetzt beim
unterrichte in der muttersprache die lautirmethode nennt. Kurios ist
die ansicht Bonets, dass die formen der buchstaben des allgemeinen
lateinischen alphabets auf eine abbildung der bei der erzeugung des
entsprechenden lautes sich ergebenden mundstellung berechnet seien;
um diesen gedanken durchzuführen — den übrigens damals nicht
er allein hegte —, lässt er sich nicht nur darauf ein, selbst die buch-

---

[1] Siehe Techmers anerkennende wertschätzung seiner in der *Internat. ztschr. f.
allgem. sprachwiss.* V, 84, wo die hauptmasse des M.schen buches auch abgedruckt
ist. [In *Aarsskrift for universitetsundervisningen i Jylland* II 1930 und III 1931 findet
sich eine facsimile-ausgabe von *De literis* mit dänischer übersetzung, biographischen
und sprachlichen erläuterungen.]

stabenformen zu ändern, da es oftmals besser passt, wenn sie auf die seite gekehrt oder auf den kopf gestellt werden, sondern gelangt auch — was bedenklicher ist — zu verkehrten vorstellungen von dem, was bei der bildung der laute von wichtigkeit sei.

Unabhängig von diesen spaniern scheint der holländer *Amman* (1669—1724) auf den gedanken gekommen zu sein, taubstummen das sprechen zu lehren; seine schrift *Surdus loquens* (Amsterdam 1692) wird sehr gerühmt. Im ganzen aber sind die von den taubstummenlehrern zur entwickelung unserer wissenschaft gelieferten beiträge weit geringer, als man bei der sich ihnen bietenden reichen gelegenheit, praktisch in die geheimnisse der lautbildungen einzudringen, erwarten sollte.

Um das jahr 1645, zu einer zeit, wo „akademische studien infolge der bürgerkriege in hohem grade an beiden englischen universitäten unterbrochen waren", begann eine anzahl wissenschaftlich interessirter männer, sich wöchentlich in London zu versammeln, um alle möglichen gelehrten materien zu erörtern; man war damals nicht einseitig, so dass „heilkunde, anatomie, geometrie, astronomie, schiffahrt, statik, magnetik, chemie, mechanik und experimentalphysik" mit grossem eifer getrieben wurden. Sie versammelten sich zuerst bei einem der teilnehmer, weil dieser einen fachmann zum schleifen von teleskop- und mikroskopgläsern hielt, später an verschiedenen anderen stellen; zu einer zeit, wo mehrere von ihnen sich in Oxford niedergelassen hatten, setzten sie dort bei einem im hause eines apothekers wohnenden freunde die versammlungen fort, weil sie dort günstige gelegenheit zur untersuchung von chemikalien hatten. Diese für die damals aufblühende naturwissenschaft stark begeisterten forscher, die u. a. „diese studien in Oxford in mode brachten", bildeten den kern, aus dem kurz darauf die bekannte Royal Society entspross, die in England so viel für wissenschaftliche studien getan hat. Ob auch phonetik zu den in den versammlungen diskutirten gegenständen gehört hat, weiss ich nicht; wahrscheinlich ist es indessen, da wir unter diesen männern zwei antreffen, die gerade durch die anwendung naturwissenschaftlicher gesichtspunkte auf die untersuchung der sprachlaute von grosser bedeutung sind, nämlich *John Wallis* und John Wilkins.

Der zuerst genannte wurde später professor der geometrie in

Oxford; seine bedeutung für uns ist aber an das buch *Grammatica linguae Anglicanae, cui praefigitur de loquela sive sonorum formatione tractatus grammatico-physicus* geknüpft, das 1653 in Oxford erschien und später viele male wieder gedruckt wurde, in der 6. ausgabe (1765)[1] durch einen brief an F. Beverley über taubstummen-unterricht bereichert. Wie sein allgemeiner sprachlicher standpunkt sehr vernünftig ist,[2] so hat er auch mit grosser geschicklichkeit die erzeugungsweise der sprachlaute beobachtet. Er beschreibt, wenn auch nicht völlig korrekt, den unterschied zwischen gewöhnlicher sprachstimme und flüstern und sieht ganz richtig ein, dass *p, t, k* für das flüstern unempfindlich sind, so dass sie bei geflüstertem und lautem sprechen sich gleich bleiben. Die vokale werden in drei senkrechten und drei wagerechten reihen aufgestellt, also im ganzen neun; Wallis erkennt aber, dass weit zahlreichere nüancen sich finden lassen und künftig vielleicht werden gesondert werden (*est enim aperturae mensura, instar quantitatis continuae, divisibilis in infinitum*). Bei der bestimmung der vokale geht er überall von den organstellungen aus und führt beispiele aus dem englischen, französischen, deutschen und walisischen an; es lässt sich doch nicht immer leicht erkennen, welche vokale er gemeint hat, wahrscheinlich jedoch:

	gutturales	palatinae	labiales
majori	ɔ	æ	o
mediocri	œ	e	u
minori	ʌ ? ə	i	y

oris apertura

Dieses vokalschema ist weder fehlerfrei noch erschöpfend, aber als ein anfang ist es doch im höchsten grade respektabel. Hinsichtlich der konsonanten ist das auffälligste bei ihm die annahme, dass der luftstrom bei den stimmhaften lauten, wie wir sie jetzt nennen, teilweise durch die nase gehe (*spiritus inter nares et fauces aequaliter divisus,* und ähnliche ausdrücke). Wallis antizipirt die lehre, dass der wesentlichste unterschied zwischen *s* und eng. *th* in der bei dem

---

[1] Aus der auch obige mitteilungen über wissenschaftliche zusammenkünfte entlehnt sind.

[2] Er sieht z. b. ein, dass der grund der vielen stummen *e* im englischen darin liegt, dass sie früher ausgesprochen wurden, in welcher beziehung er sich u. a. auf die werke der alten dichter beruft.

letztgenannten laute stattfindenden breiteren öffnung bestehe;[1] er
fasst eng. *j, ch* und *sh* sowie den anfangslaut des französischen *jeu*
als beziehungsweise aus *d, t, s* und *z + j* (oder, wie er schreibt, *y*)
zusammengesetzt auf — eine theorie, in der er mehrere nachfolger
gehabt hat. Hinsichtlich der quantität ist er sich völlig darüber im klaren, dass nicht nur vokale, sondern auch konsonanten lang ausgesprochen werden können; er will jedoch die drei *p, t* und *k* ausschliessen,
*quae absolute mutae sunt; nec ullum per se sonum edunt, sed solum-
modo sonum (sive praecedentem, sive subsequentem) modificant;*
er befindet sich somit in dem bereiche einer auffassung vom wesen
dieser laute, die nicht einmal heutigentages, trotz vieler heftigen
angriffe, ganz aus der welt geschafft ist. Was mich aber beim lesen
dieses alten buches fast am meisten in verwunderung gesetzt hat, ist
die ziemlich deutliche angabe dessen, was man jetzt allgemein nach
Franke die artikulationsbasis nennt, und dessen erste hervorhebung
man sonst wohl Sievers nachrühmt: dass nämlich jedes volk seine
eigentümliche artikulationsweise besitzt, die allen seinen lauten im
gegensatze zu der art und weise der aussprache anderer nationen ein
gemeinsames sondergepräge verleiht.[2] Wenn auch die bestimmungen Wallis' vielleicht nicht ganz richtig sind, so ist es doch kein
geringes verdienst, einer so modernen anschauungsweise vorgegrif-
fen zu haben, der die anderen älteren phonetiker ganz fremd gegen-
überzustehen scheinen.[3]

---

[1] *Literam* T *pronunciaturo, si spiritus pinguiùs exeat et quasi per foramen,
formatur ... Anglorum* TH *in vocibus* THIGH, *femur ... Si vero subtiliùs exeat, et
quasi per rimulam (elevata ea linguae parte, quae extremitati proxima est, ut spiritus
in tenuiorem quasi laminam seu bracteam comprimatur, in formam nempe latiorem,
sed minus crassam), formatur ... s.* Entsprechende ausdrücke werden weiter unten
von *th* in *thy* und *z* gebraucht.

[2] *Notandum tamen est, apud varias gentes nonnihil diversitatis inter pronunciandum
reperiri, quae non tam singularum literarum, quam totius potius loquelae communis
est affectio. Angli nempe totam pronunciationem quasi promovent, versus anteriorem
oris partem, et faucibus apertioribus loquuntur; unde et soni fiunt distinctiores. Germani
potiùs retrahunt versus posteriorem oris partem et gutturis imum; unde fortiùs et
magis strenuè pronunciant. Galli propiùs ad palatum omnia formant, et faucibus minùs
dilatatis; unde pronunciatio evadit minùs distincta, et quasi admixto murmure confusa.
Item; Itali, et praesertim Hispani productiori tenore loquuntur; Galli magis properantur;
Angli tenore medio. Aliaque hujusmodi etiam apud alias gentes discrimina, cuilibet,
prout se res offert, observanda relinquo.*

[3] Milton tat (*Education* 1644) eine interessante äusserung, die in diesem zusammenhang angeführt zu werden verdient: *For we Englishmen, being far northerly, do*

Wallis' freund *John Wilkins* ist einer der begabtesten systematiker, welche die welt überhaupt gekannt hat, ein philosophischer
kopf mit ausgedehnten kenntnissen und mit unbändigem drange,
alles unter grosse umfassende gesichtspunkte zu bringen. In seinem
werke *An Essay towards a real Character and a philosophical Language* (1668) geht er auf nichts geringeres aus, als eine alles umfassende weltsprache zu bilden, um dadurch dem fluche des turmes
zu Babel entgegenzuarbeiten. Wilkins will alle dinge und vorstellungen nach ihrem platze in einem grossen philosophischen systeme benennen, so dass im laute sogleich die bedeutung des betreffenden
wortes angegeben ist; die grossen haupteinteilungen in *genera* werden durch silben wie *ba, be, bi* u. s. w. angegeben; unterabteilungen
durch darauffolgende konsonanten (*differences*); ein folgender vokal gibt die art, spezies, an u. s. w.[1]

Bei ermittelung der laute, die sich zur konstruktion einer solchen
philosophischen sprache am besten eignen, wird Wilkins nun auf das
studium der natur der laute geführt, und er bringt zu diesem studium
denselben drang zum systematisiren und zum genauen, vollständigen
eindringen in die wahre natur der dinge mit, so dass das ergebnis
ein sowohl umfangreiches als auch wesentlich richtiges system wird,
das z. b. das von Jakob Madsen aufgestellte weit überflügelt. Die
konsonanten sind mit grossem scharfsinne nach ihrer bildungsweise
gruppirt; es mag hervorgehoben werden, dass er vollständig richtig
die stimmlosen nasale mit eingereiht und beschrieben hat, über
welche deutsche phonetiker 200 jahre später noch nicht ins klare
gekommen waren. Seine behandlung der vokale ist weniger im-
ponirend; sie gehören ja aber auch überhaupt zu den schwierigsten
punkten der phonetik, und man kann ja nicht verlangen, dass ein
mann auf allen gebieten über seine zeitgenossen emporragt. Wilkins
lässt seine erklärungen der erzeugung der laute durch anatomische

---

*not open our mouths in the cold air wide enough to grace a southern tongue, but are
observed by all other nations to speak exceeding close and inward; so that to smatter
Latin with an English mouth is as ill a hearing as Law French. (Engl. Prose Writings
of John Milton, ed. by* H. Morley, 1889, p. 301).

[1 Vgl. L. Couturat et L. Leau, *Histoire de la langue universelle,* 1903, 19—22;
O. Funke, *Zum weltsprachenproblem in England im 17. jahrhundert,* 1929, und meine
anzeige, *Beiblatt zur Anglia,* 1930, s. 65 ff.]

zeichnungen begleiten (ist er der erste, der dies getan hat?) und konstruirt auch eine art phonetischer stenographie.[1]

Als dritten in diesem bunde muss man *W. Holder* nennen, dessen *Elements of Speech* (1669) wegen ihrer klarheit noch gelesen zu werden verdienen. Er sieht ein, dass der unterschied zwischen konsonanten und vokalen nicht darauf beruhen kann, dass die letzteren allein stehen können, denn einige konsonanten können das auch, z. b. *l* in *people*[2]; das entscheidende für ihn ist, dass *in all Vowels the passage of the mouth is open and free, without any appulse of an Organ of Speech to another.* Seine beschreibung und einteilung der typischen konsonanten ist vernünftig, ohne jedoch viel neues beizusteuern; er bespricht u. a. die möglichkeit eines nasalirten *s* und eines *breath l* im kymrischen *ll*, eines *breath r* im griechischen *ῥ* u. dgl. Bei den vokalen hebt er die schwierigkeiten einer physiologischen beschreibung der artikulationen hervor: *he that can describe them accurately, erit mihi magnus Apollo;* seine eigenen beschreibungen sind ziemlich eingehend, ohne dass es jedoch leicht wäre, nach ihnen genau zu sagen, wie er seine englischen vokale ausgesprochen hat. Er scheint das aufgefasst zu haben, was man später stark- und schwachgeschnittenen akzent (besser festen und losen anschluss, *Lehrb. d. phon.* 13.6) genannt hat, indem er eine *twofold emphasis, viz. either in the Vowel or in the Consonant* annimmt: *Most Foreigners pronounce their Vowels soft, as this they pronounce Aaltera or Aultera, staying upon the Vowel, and making a soft gentle Appulse in the Consonant; We are apt to pronounce it Altera, making the Vowel short and giving the Emphasis to the Consonant.* — Auch Holder gab sich mit taubstummenunterricht ab, und es entspann sich darüber eine polemik zwischen ihm und der Royal Society, namentlich Wallis.

Der österreicher *Wolfgang von Kempelen*[3] (1734—1804) war ursprünglich jurist, fühlte sich aber von naturwissenschaftlichen ar-

---

[1] Der phonetische abschnitt des W.schen werkes ist von Techmer, *Internat. ztschr.* IV. 350 ff., wieder abgedruckt worden [ebenso später von Funke].

[2] Silbenbildende konsonanten sind schon früher von Th. Smith (1568) anerkannt worden, seine beispiele sind *able, stable, fable, feeble, bridle, cribble, couple, cobble, London, Waldon, ridden, foughten, laden.*

[3] Vgl. W. Swobodas schöne abhandlung über ihn: *Phonetische Studien* IV. (1891) s. 1 ff.

beiten angezogen und erlangte als autodidakt umfassende kenntnisse auf vielen gebieten. Vor allem aber war er ein grosses mechanisches genie, konstruirte maschinen für kanalanlagen, springbrunnen usw. In den augen seiner zeitgenossen stand er als der berühmte erfinder eines schachautomaten da, der an verschiedenen höfen enormes aufsehen erregte; Kempelen ist einer der wenigen menschen, die sich rühmen können, Napoleon, wenn auch allerdings nur auf dem schachbrette, überwunden zu haben. Dieser automat war nun eigentlich humbug; er war so konstruirt, dass Kempelen verschiedene türen an ihm öffnen konnte und der zuschauer den eindruck gewann, als ob der automat ganz mit zahnrädern und zylindern angefüllt wäre, so dass nicht der geringste platz als versteck für einen menschen übrig bliebe — und dennoch lag ein tüchtiger schachspieler darin, der die züge dirigirte. Das glück, welches diese maschine hatte, stieg Kempelen nicht zu kopf; wenn er damit umherreiste, so geschah dies, teils um sich seinen unterhalt zu verschaffen, teils um gelegenheit zu finden, seine kenntnisse zu erweitern, wie besonders in Paris, wo er mit mehreren hervorragenden physikern und u. a. auch mit dem berühmten taubstummenlehrer abbé de l'Epée verkehrte. Um diese zeit fasste er die idee zu einer maschine, durch die man dasjenige, was ihm als das wunderbarste in der natur erschien, nämlich menschliches sprechen, auf rein mechanischem wege erzeugen könnte; und diesmal sollte es kein humbug sein! Anfangs war er jedoch bescheiden und dachte nur an die erfindung von mitteln zur nachahmung einiger vokale; die konsonanten hielt er damals für allzu schwierig, und deren verbindung mit vokalen zu zusammenhängender rede schien ihm für gänzlich unmöglich. Er fing mit der untersuchung der verschiedensten musikalischen instrumente an, um dadurch zu ermitteln, welches von ihnen der menschlichen stimme am nächsten liege, fand aber lange zeit keins, bis er eines tages, als er einen ausflug in den wald machte, in der nähe eines dorfes etwas vernahm, das ihm aus der ferne fast so lautete, wie wenn ein singendes kind, was nicht weiter kommen kann, ununterbrochen abwechselnd zwei töne hervorbrächte. Als er aber hinzukam, was war es da? Ein dorfmusikant, der seine sackpfeife stimmte. „Meine freude," erzählt er, „war ganz ausserordentlich, als ich das, was ich eben so eifrig suchte, so unerwartet hier fand, nämlich den ton, der ... die menschenstimme am besten nachahmte. Ich gestehe, dass mir in meinem leben keine musik so viel vergnügen verschafft hat, als dieses jämmerliche geblöcke eines verachteten dudelsackes."

Er wollte ihm auf der stelle den dudelsack abkaufen, der andere wollte ihn aber nicht verkaufen: „er wollte mir aber auf dem nächsten jahrmarkte den mann zuschicken, der den seinigen gemacht hatte. Wer entdeckungen machen will, hat nicht immer so kaltes geblüt, um wochen und monate abzuwarten." Endlich überliess ihm der andere ein kleines, aus rohr gemachtes schnarrpfeifchen, das in die röhre, worauf man spielt, hineingesteckt wird. Mit dieser eroberung eilte Kempelen in die stadt und fing noch denselben abend an, mit einem aus der küche geholten blasebalg, und was er an verschiedenen instrumenten grade zur hand hatte, zu experimentiren; namentlich das mundstück einer hoboe erwies sich als brauchbar, und bereits am nächsten morgen erlebte er den triumph, dass seine frau und seine kinder aus dem dritten zimmer herbeiliefen und neugierig fragten, was bei ihm vorginge, indem ihnen vorkam, als hörten sie eine stimme laut und eifrig beten, ohne unterscheiden zu können, in was für einer sprache es wäre. Somit hatte er den ersten schritt getan; von dem ziel war er aber noch sehr weit entfernt.

„Die geduld," sagte er, „mit der ich meine versuche fortsetzte, ist ganz unbeschreiblich, und ich begreife noch heute nicht, wie ich ganze monate an mein werk gehen konnte, ohne einen schritt weiter zu kommen." Nach langer zeit war es ihm gelungen, einen apparat zu finden, der nicht nur, wie der erste, ein *a,* sondern auch ein *o* und ein *u,* sowie ein undeutliches *e* hervorbringen konnte, wogegen *i* und *ü* nicht gelingen wollten; alsdann machte er sich an die konsonanten; die ersten, welche ihm gelangen, waren *p, m* und *l,* aber diese drei nahmen doch mehr als ein jahr in anspruch; und wenn er versuchte, sie mit vokalen zu wörtern zu kombiniren, wollte dies ihm nicht gelingen, weil er für jeden laut eine besondere pfeife hatte; bei den übergängen von dem einen laut zum anderen kamen allerlei nebenlaute dazwischen, so dass *aula* ungefähr wie *ka-ku-kl-ka* lautete. Dann stellte es sich heraus, dass er notwendigerweise die natur in der anwendung einer einzigen stimmritze und eines einzigen mundes nachahmen musste, was dahin führte, dass die versuche der beiden ersten jahre gänzlich kassirt werden mussten. „Genug, wenn ich hier sage, dass ich, alles zusammengenommen, leicht soviel maschinenwerk verworfen habe, als sich mit einem starken pferde kaum fortbringen liess."

In der maschine, wie sie endlich nach den vieljährigen anstrengungen vorlag, diente ein blasebalg als lunge, um den erforderlichen luftstrom zu erzeugen; statt der stimmbänder fand sich eine sehr feine elfenbeinerne, mit handschuhleder überzogene platte vor. Diese stimmte man vermittels eines stückes stahldraht, welches den in schwingungen zu versetzenden teil der platte regulirte und somit die tonhöhe bestimmte; es gelang Kempelen indessen nicht, es so einzurichten, dass die tonhöhe im verlaufe des sprechens wechseln konnte, so dass eine langweilige monotone aussprache die folge war. Nach dem passiren der durch die elfenbeinerne platte hervorgebrachten künstlichen stimmritze gelangte der luftstrom in einen dem munde entsprechenden hohlraum, der sich von diesem jedoch wesentlich dadurch unterschied, dass keine zunge und auch weder zähne noch weicher beweglicher gaumen vorhanden waren. Dagegen fanden sich mehrere eigentümliche apparate vor, die in der weise eingerichtet waren, dass beim drücken auf eine klappe etwas hervorsprang, welches bewirkte, dass der luftstrom sich daran brach und ein zischen wie beim *sch* hervorbrachte; eine andere klappe brachte ein *s,* eine dritte ein *r* hervor. Oben befanden sich zwei löcher als nasenlöcher; beim erzeugen nicht nasaler laute musste man diese mit zwei fingern von aussen her verschlossen halten (während ja im menschlichen sprachorgane das verschliessen von innen her mittels des weichen gaumens erfolgt); bei *m* liess man beide nasenlöcher offen, bei *n* nur das eine (der unterschied zwischen den beiden lauten wurde also in anderer weise als beim richtigen sprechen hervorgebracht). Um auf dem apparate zu spielen, legte man den rechten arm darüber, so dass man mit dem ellenbogen den blasebalg reguliren konnte, die beiden mittleren finger wurden auf den beiden nasenlöchern angebracht, und mit den übrigen fingern konnte man die tasten für *s, sch* und *r* anschlagen. Die linke hand hielt man vor die mundöffnung, sie hatte eine sehr wichtige rolle und musste fortwährend die stellung wechseln, indem sie eigentlich sowohl die

arbeit der lippen als auch die der zunge verrichten musste; sollte
ein *l* erzeugt werden, so legte man den daumen derselben quer über
die öffnung, so dass der luftstrom gespalten wurde; bei den vokalen
musste die hand so vor die mündung gehalten werden, dass eine,
und zwar für jeden vokal eine verschiedene öffnung übrig blieb; bei
a musste man jedoch die hand ganz wegnehmen. Bei den meisten
konsonanten musste die öffnung ganz zugedeckt werden, so bei
denen, die oben besondere klappen hatten, aber auch bei den verschlusslauten *p, t, k;* und hier tritt uns nun die merkwürdige erscheinung entgegen, dass, während der unterschied zwischen diesen
lauten beim natürlichen sprechen auf der stelle beruht, wo der schluss
hervorgebracht wird (den lippen, dem vorderen und dem hinteren
teile des mundes), Kempelen sie dadurch nachahmen konnte, dass
er an derselben stelle schloss, aber den verschluss nur mit verschiedener kraft und schnelligkeit öffnete. Eine vollkommene nachahmung
wurde nicht erreicht; es war in wirklichkeit immer ein *p*, das hervorgebracht wurde, aber durch einige übung konnte man es doch dahin
bringen, dass man recht täuschend *t* und *k* nachahmen konnte. „Besonders wenn man weiss, was für ein wort die maschine sagen soll,
wird man, wenn sie es ausspricht, gar leicht verführt, und glaubt
es recht gehört zu haben. Wenn es aber auch ein feines gehör bemerkt, so kömmt der maschine doch immer ihre kindische stimme
zustatten, und man lässt es einem kinde hingehn, wenn es zuweilen
lallt, oder einen buchstaben anstatt des anderen hinsetzt; man begnügt sich, verstanden zu haben, was es sagen wollte."

Eigentlich vollkommen war die maschine also nicht — das
wusste Kempelen selbst so gut wie einer —, und auf eine weise ist
der ganze versuch, wie von ihm aufgefasst, nur ein kuriosum, eine
schnurrpfeiferei; aber die phonetische welt muss doch in hohem
grade Kempelen für seine arbeit dankbar sein, da wir dadurch sein
vortreffliches werk *Mechanismus der menschlichen sprache* (1791)
erhalten haben, das von dem physiologen Brücke als eins der besten
physiologischen bücher, die er jemals gelesen, bezeichnet wird (siehe
seine *Grundzüge der physiol. der sprachlaute* s. 7), und das auch
ich zu den vorzüglichsten und lehrreichsten büchern, die ich kennen
gelernt habe, zählen muss. Um die maschine zu konstruiren, musste
Kempelen nämlich die wirkungsweise der sprachorgane gründlich

4*

studiren, und seine maschine und diese studien gingen stets hand in
hand. Und wie Wilkins ein geborener systematiker ist, so ist Kempelen ein geborener beobachter; über alles, was er sieht, denkt er
nach, und in seinem buche teilt er eine menge von beobachtungen
über viele verschiedene dinge mit. Beim lesen seines buches gewinnt
man fortwährend den eindruck eines mannes, der seine augen zu
gebrauchen und das wahrgenommene anderen in der liebenswürdig-
sten weise mitzuteilen versteht; er ist einer von den menschen, die
man durch ihre bücher lieben lernt. Und das, was er mitteilt, steht
mit seinem thema nicht immer in engster verknüpfung, so z. b.,
wenn er über die verschiedene art und weise, wie die tiere infolge
des verschiedenen baues ihres mundes und ihrer nase trinken, einen
mehrere seiten umfassenden exkurs bringt. Er hat phänomene wie
das schnarchen, räuspern, husten, niesen, schnäuzen sehr sorgfältig
untersucht und scheut sich nicht, eine lange und detaillirte beschreibung des physiologischen verhaltens beim küssen und der dabei
erzeugten laute zu liefern; er teilt die küsse in drei klassen ein, bemerkt aber von der dritten art: „Allein dieses ist vielmehr ein eckel-
hafter schmatz, als ein kuss, und sein laut ist ebenso unangenehm
als dumpf und wässerig" (s. 173).

Eigentliche sprachlaute betreffend, enthält sein werk eine fülle
genauer beschreibungen und guter bemerkungen, wie z. b. darüber,
wie der mund beim aussprechen des *g* und namentlich des *h* die
stellung für den folgenden vokal vorbereitet; er beschreibt nicht nur
die bildungsweise der laute, sondern auch fehler, die beim aussprechen derselben begangen werden können, sowie die beste art und
weise, leuten die verschiedenen sprachfehler abzugewöhnen. Seine
erheiternde und frische darstellung bildet bei seinem ausgeprägten
sinne für konkrete wirklichkeit einen wohltuenden gegensatz zu den
dürren, skelettartigen systematisirungen mehrerer seiner vorgänger.[1]

Im jahre 1781 erschien in Tübingen eine interessante kleine arbeit, die lange sehr wenig beobachtet wurde, und die z. b. Kempelen
nicht gekannt hat, obgleich sie zehn jahre vor seinem eigenen werke
erschien; es war dies eine in lateinischer sprache geschriebene *Disser-
tatio inauguralis physiologico-medica de formatione lequelae,* von

---

[1] S. des näheren die oben genannte abhandlung Swobodas.

C. F. Hellwag.[1] Der anfang ist nach heutiger auffassung nicht viel-
versprechend; er beschäftigt sich z. b. mit der frage, wie der teufel
in der gestalt einer schlange mit Eva habe sprechen können, da
schlangen ja doch keine menschlichen sprachorgane besitzen, auch
der esel Bileams muss herhalten, aber der verfasser gelangt zu keiner
bestimmten enträtselung dieser probleme. Die frage nach der entstehung der sprachverschiedenheiten hält er dagegen durch die er-
zählung vom turme zu Babel für entschieden. Sobald er zur behandlung nichtbiblischer gegenstände gelangt, erscheint er als ein ein-
sichtsvoller beobachter, und sein werk ist besonders durch die um-
fangreiche untersuchung der bildungsweise der vokale von bedeutung. Hellwag ist der vater desjenigen vokalsystems, das bis in
die letzten jahre in der sprachwissenschaft praktisch alleinherrschend
gewesen ist; es geht jedoch, oder ging bis vor kurzem, allgemein
unter dem namen eines anderen, nämlich Chladnis, obgleich das
system bei Hellwag eigentlich besser aufgestellt und besser begründet
ist, indem er mehr das artikulatorische element berücksichtigt als
der akustiker Chladni. Dieser ist aber wegen anderer arbeiten berühmter als Hellwag; die forscher wurden daher leichter auf seine
darstellung des vokalsystemes aufmerksam, und er hat so unverdien-
termassen auch dafür den ruhm geerntet.

Am anfange des neunzehnten jahrhunderts wirkten in Dänemark
zwei männer, die nicht nur die sogenannte Chladnische vokalaufstellung bekannt machten, sondern auch auf andere weisen die
sprachwissenschaft unter phonetische gesichtspunkte brachten. Der
berühmteste von den beiden ist Rasmus Rask, der sich jedoch, wo
von eigentlicher phonetik die rede ist, mit dem anderen, nämlich
Bredsdorff, nicht messen kann. Die grösse Rasks beruhte eigentlich
auf anderen gebieten; aber er trat doch auch an die rein lautliche
seite der sprache mit warmem interesse und gesundem blicke heran,
was zur folge hat, dass er auf diesem gebiete zu den beiden deutschen, die gleichzeitig in ihrem vaterlande der sprachforschung neue
bahnen eröffneten, Bopp und Grimm, einen vorteilhaften gegensatz
bildet. Die Rask überhaupt auszeichnende klarheit und seine fähig-

---

[1] Im neudruck herausgegeben von W. Viëtor, Heilbronn 1886.

keit, wesentliches von unwesentlichem zu sondern, verleugnen sich
auch da nicht, wo er in seinen zahlreichen grammatiken lautliche
verhältnisse der verschiedensten sprachen schildert; am meisten geht
er jedoch in seiner grossen *Retskrivningslære* (1826) auf diese gegenstände ein. Er ergreift darin das wort für eine reform der rechtschreibung auf der basis eines eingehenderen verständnisses von dem
wesen der sprache, als man es früher besessen habe, und als oberstes
prinzip stellt er die wiedergabe der wirklich gesprochenen laute
auf, wobei er auf eine systematische erörterung der dänischen laute
sowie zahlreiche zusammenstellungen derselben mit den lauten anderer sprachen eingeht. Es fällt heutigentages nicht schwer, in den
von Rask gelieferten lautbestimmungen fehler nachzuweisen, wie
z. b., wenn er das vorhandensein von diphthongen im dänischen
leugnet; das werk behauptet als eins der ersten werke, in denen
lautphysiologie bei der behandlung sprachhistorischer und sprach-
vergleichender fragen mit zurate gezogen werden, dennoch seine
volle bedeutung.[1]

Jakob Hornemann Bredsdorff (1790—1841) schrieb nur wenig
über sprachliche gegenstände, aber seine verschiedenen kleinigkeiten,
die bei seinen zeitgenossen ziemlich unbeobachtet blieben, sind überaus wertvoll, indem er zur behandlung sprachlicher fragen die beobachtungsgabe und die kenntnisse eines sprachforschers sowie den
tiefdringenden blick eines philosophen mitbrachte. Er gab 1817 eine
Prøve af en efter udtalen indrettet retskrivning (Probe einer nach
der aussprache eingerichteten rechtschreibung) mit dem ersten langen, zusammenhängenden dänischen lautschrifttexte heraus. Er sieht
völlig die bedeutung einer solchen lautschrift ein, wo es darauf ankommt, provinzialen und ausländern die richtige aussprache beizu-
bringen, und er fährt fort: „Auch für die nachkommen wird es, da
die aussprache wahrscheinlich nicht immer die jetzige verbleibt, von
interesse sein, zu erfahren, wie wir jedes wort ausgesprochen haben,
so wie wir auch die richtige aussprache der griechen und römer kennen möchten. Dieses befriedigt nicht nur die neugierde, sondern

---

[1] Einen vorgänger auf diesem gebiete hatte er übrigens in Jens Pedersen Höysgaard,
dem entdecker des dänischen „stosses", in dessen dänischer grammatik (1747) sehr
viele lautliche eigentümlichkeiten, die in der rechtschreibung keinen ausdruck finden,
mit berücksichtigt worden sind. [Vgl. s. 26.]

dient auch zur aufklärung vieler punkte der etymologie. Ausserdem hatte diese arbeit den einen zweck, denen, die hier und dort die orthographie nach der aussprache zu verändern begonnen haben, zu zeigen, wie weit sie noch vom ziele entfernt sind, und welche veränderungen sie noch aufnehmen müssten, falls sie ihre grundsätze in deren voller ausdehnung befolgen wollten." — Bredsdorff legt in diesem werkchen den durch verschiedene stilarten und auch durch die person des sprechenden bedingten verschiedenheiten der aussprache gegenüber ein äusserst feines gehör an den tag. Er hat auch andere beiträge zu unserer wissenschaft geliefert; er übersetzte z. b. Chladni und korrigirte in seinen noten an mehreren punkten bei Chladni vorkommende einseitigkeiten und fehler, wobei er u. a. zu feinen bemerkungen über den durch die umgebungen bedingten verschiedenen lautwert des schwachen *e* gelangte. Der in den sprachphilosophischen betrachtungen Bredsdorffs[1] an den tag gelegte scharfe und klare verstand verleugnet sich auch nicht in seinen über sprachlaute angestellten untersuchungen.

Unter den bedeutenderen phonetikern des neunzehnten jahrhunderts will ich alsdann zunächst zwei engländer erwähnen, deren werke scheinbar ganz wirkungslos geblieben sind, obgleich sie ein besseres schicksal verdient hätten. Der erste ist *T. Batchelor,* der im jahre 1809 *An Orthoëpical Analysis of the English Language* herausgab. Der verfasser war wahrscheinlich schullehrer; auf dem titelblatte bezeichnet er sich als verfasser der *Village Scenes, the Progress of Agriculture, and other poems* sowie eines landwirtschaftlichen werkes über den ackerbau Bedfordshires. Er ist, soweit ich sehen kann, durch das verbessern provinzieller aussprache auf das studium der laute gekommen, und dieses tritt denn auch besonders als zweck seines buches hervor; am besten kennt er den dialekt in Bedfordshire, aber er erwähnt auch die aussprache anderer gegenden und vergleicht sie mit der englischen reichssprache. Er macht denn auf eigene faust die entdeckung, dass die „fehler" am besten durch genaue beschreibung der stellungen der sprachorgane ver-

---

[1] S. namentlich *Om Aarsagerne til Sprogenes Forandringer* (Von den ursachen der veränderungen der sprachen) 1821, neudruck von Vilh. Thomsen 1886 — meiner ansicht nach vielleicht das bedeutendste, was über diesen gegenstand vor Pauls *Prinzipien* geschrieben worden ist.

bessert werden, weshalb er diese recht eingehend untersucht und durch zeichnungen erläutert. Ausserdem konstruirt er ein alphabet, das ihn in den stand setzt, wertvolle lautschriftproben sowohl aus der reichssprache als auch aus dialekten zu liefern. Das werk ist wohl am wesentlichsten für englische dialektforschung und englische sprachgeschichte von bedeutung. Die beobachtungsgabe Batchelors ist sehr fein, und er ist z. b. der erste, der das durchgängige diphthongiren der langen englischen vokale wahrnimmt; er beschreibt nicht nur das sogenannte lange *a* und das lange *o* (in wörtern wie *made, mode*) als diphthonge, eine entdeckung, die man sonst Smart (1838) oder Rush (1827) nachrühmt,[1] sondern analysirt auch das lange *e* und *oo* (in wörtern wie *feel, fool*) als *ij* und *uw,* wobei er der bestimmung Sweets (1877) vorgreift. Dagegen irrt er sich darin, dass er *j* für ein element von ʃ und ʒ hält.

Der vater Rowland Hills, des umgestalters des modernen postwesens, nämlich *Thomas Wright Hill* (1763—1852), hielt im januar 1821 vor der *Birmingham Philosophical Society* einen vortrag *On the Articulations of Speech.*[2] Hill war ein sehr vielseitiger mann, er beschäftigte sich mit astronomie, mathematik usw. und konstruirte u. a. ein sehr sinnreiches zahlensystem mit der grundzahl 16; er gab aber selbst nichts heraus und führte ein ruhiges leben, während dessen er sich selbst und seinen kindern über viele verschiedene dinge wissenschaftliche klarheit zu verschaffen suchte; eine privat gedruckte autobiographie ist sehr interessant, u. a. durch ihre zahlreichen eingeflochtenen pädagogischen und freisinnigreligiösen betrachtungen. Auf dem gebiete der lautlehre ist er durchaus autodidakt und gelangt, ohne von der früheren litteratur etwas zu kennen, zu einer menge richtiger aufstellungen. Wie fein seine beobachtungen sind, kann dadurch beleuchtet werden, dass er z. b. wahrnimmt, dass das *m* in *pamphlet* und *comfort* sich dadurch vom allgemeinen *m* unterscheidet, dass es mit unterlippe und oberzähnen gebildet wird, oder dass *n* vor *th* in wörtern wie *anthem* und *panther* an einer anderen stelle (weiter vorne) als das allgemeine englische *n* gebildet wird; auch er bemerkt, dass englisches *a* in *straight* diph-

---

[1] Siehe Storm, *Engl. Philol.*[2] 373, und Ellis, *Early Engl. Pronunciation* 1109.

[2] Nach seinem tode in *Selections from the Papers of T. W. Hill* (London 1860) gedruckt.

thongisch gleitend ist und mit einem *i*-laut endigt, aber er dehnt dies nicht auf die anderen laute aus, die Batchelor als diphthonge beschrieb. Seine grösste genialität legt Hill indessen auf dem gebiete der lautbezeichnung an den tag, indem er ein sehr einfaches system mit halb mathematischem zuschnitt zur angabe der artikulationen konstruirt, ein system, das ich in erster linie unter den vorläufern meiner antalphabetischen schrift hätte erwähnen müssen, falls ich es bei der abfassung meiner *Articulations* (1889) gekannt hätte. Die verschiedenen artikulationsorgane und stellen numerirt er folgendermassen: 1 = lippen, 2 = zähne, 3 = zungenspitze, 4 = ein wenig weiter zurück, und so weiter bis 7; jeder laut wird alsdann durch einen bruch bezeichnet, z. b. $\frac{1}{1}$ lippe und lippe, d. h. *p*, $\frac{2}{1}$ *f*, $\frac{2}{3}$ eng. *th* in *thing*, $\frac{3}{3}$ *t*, $\frac{6}{6}$ *k;* tritt stimme hinzu, so erhält der bruchstrich eine andere form, so dass $\frac{1}{1}$ *b*, $\frac{2}{1}$ *v*, $\frac{2}{3}$ engl. *th* in *the* ist usw. Andere modifikationen werden durch andere abänderungen des bruchstriches bezeichnet, so dass z. b. $\frac{4}{3}$ engl. *r*, $\frac{3}{5}$ *sh*, $\frac{3}{3}$ *l* ist; nasenklang wird durch ein kleines, ganz oben angebrachtes gleichheitszeichen angegeben; die vokale werden vermittels zweier bruchstriche geschrieben, deren entfernung die grösse der öffnung andeuten soll; der obenerwähnte diphthong in *straight,* bei dem man von dem mehr offenen *e* zu dem mehr geschlossenen *i* gleitet, wird $\frac{6}{6}\frac{6}{6}$ geschrieben. Das system ist genial durch seine benutzung einfacher mittel; es reicht indessen nicht aus, wo es auf die unterscheidung feinerer lautnüancen ankommt. — Ausser dieser artikulationsschrift, deren zweck natürlich nur ein wissenschaftlicher sein kann, hat Hill auch mit hülfe des gewöhnlichen alphabetes und neu hinzutretender zeichen eine lautschrift konstruirt; sie war als grundlage einer auf phonetischen prinzipien angelegten rechtschreibung für mehr praktische zwecke bestimmt.

In Deutschland ist am anfange des jahrhunderts über phonetische studien nur negatives zu berichten; die herrschende sprachwissenschaftliche schule interessirte sich nicht für diese seite des faches und trieb zum grossen teile das, was lautvergleichung und lautgeschichte sein sollte, als blosse buchstabenlehre, wodurch sie sich vorweg die aussicht auf ein tieferes oder richtigeres verständnis benahm. Der erste sprachforscher, der in Deutschland wirklich in das wesen der laute und deren geschichte einzudringen suchte, ist *K. M. Rapp*, welcher einen grossen *Versuch einer physiologie der sprache nebst historischer entwickelung der abendländischen idiome nach physiologischen grundsätzen* in vier bänden (1836, 1839, 1840, 1841) herausgab. Die physiologische darstellung der bildung und einteilung der sprachlaute (I s. 15—219) sollte nur als grundlage des geschichtlichen teiles dienen, in dessen grossartigem plane es lag, zu ermitteln, wie griechisch, lateinisch und gotisch lauteten, und alsdann ferner das schicksal dieser lautsysteme durch das mittelalter (byzantinisches griechisch, altprovençalisch, altfranzösisch, altnordisch, angelsächsisch, althochdeutsch) bis zur gegenwart (neugriechisch, italienisch, spanisch, portugiesisch, französisch, dänisch, schwedisch, holländisch, plattdeutsch, hochdeutsch mit verschiedenen dialekten) zu verfolgen. Zur ausführung dieses planes brachte Rapp umfassende sprachhistorische kenntnisse sowie ziemlich weitgehende studien der lautverhältnisse lebender sprachen mit. Er war, wie er es selbst ausdrückt, von kindheit an mit einem krankhaft geschärften ohr für alle gehöraffektionen begabt gewesen und hatte bereits frühzeitig beobachtungen über den unterschied zwischen seiner provinzialzunge und der gebildeten schriftsprache angestellt; moderne sprachen fesselten, u. a. wegen ihrer litteratur, sein interesse mehr als die älteren; „mein poetisches talent hatte mich von jugend auf zum theater hingezogen, und die dramatische litteratur konnt' ich nicht im mittelalter finden; völlig zu hause wurde ich darum nur in den lebenden europäischen idiomen"; französisch, italienisch, englisch, endlich spanisch trieb er. Alsdann kam er auf einer reise nach dem norden, lernte in Kopenhagen Rask kennen und nahm bei ihm unterricht (im dänischen?); ihn und seine werke erwähnt er an vielen stellen mit der grössten bewunderung. Nach seiner heimkehr lernte er die werke Jakob Grimms kennen, und sie machten einen tiefen eindruck auf ihn. Während er aber stets in den wärmsten ausdrücken bei den grossen verdiensten Grimms um die übrigen teile der grammatik weilt, gilt nicht dasselbe von dessen lautlehre. „Grimms buchstabenlehre verschlang ich nun, einesteils mit einem krankhaften heisshunger auf das viele neue, was ich zu lernen hatte, andernteils mit brennenden eingeweiden über das ebensoviele, was allen meinen bisherigen untersuchungen über die natur der sprachlaute widersprach, und dessen ich so unmittelbar gewiss zu sein glaubte. Diese lektüre machte mich daher, so viel sie mich anzog, unglaublich unglücklich." Ein zweijähriger aufenthalt in Frankreich bot ihm aufs neue gelegenheit, über lautbildung und über die bei der lautentwickelung sogar auf unverwandten gebieten scheinbar herrschenden gemeinsamen naturgesetze weiter nachzudenken; und nach seiner heimkehr warfen Schmellers untersuchungen bayrischer dialekte ihm ein unerwartet scharfes licht auf manches, dessen zusammenhang er früher nicht erblickt hatte. Er trat denn an seine grosse umfassende aufgabe mit starker begeisterung und mit der überzeugung heran, dass „das historische material hier nur eine seite der erkenntnis bietet, die lebendige sprache in ihren nie geschriebenen verzweigungen ist das zweite gleich wichtige moment, das noch lange nicht so durchforscht ist, dass man die untersuchung könnte für geschlossen ansehen" (IV 261). Es war aber einleuchtend, dass er, der von früher jugend an die unvollkommenheit und das irreleiten der überlieferten rechtschreibung scharf beobachtet hatte, mit einer auf gelehrtem wege durch die form der orthographie gewonnenen buchstabenlehre, wie derjenigen Grimms, in kollision geraten musste, und er erklärte seine abweichenden anschauungen in einem, wie er es selbst bezeichnet, „stürmischen und anmassenden tone". Es darf denn nicht wundernehmen, dass sein buch von der in Deutschland herrschenden schule sehr ungnädig aufgenommen wurde, und dass man mehr die darin sich vorfindenden und zum teil leicht zu entdeckenden fehler als die nicht wenigen darin geltend gemachten neuen und gesunden gedanken beachtete. Rapp erntete bei lebzeiten keine grosse anerkennung, führte aber dessenungeachtet und trotz schwerer krankheiten die arbeit zu ende und wusste sich teils durch die stolze freude über das studiren selbst, dem er „die glücklichsten stunden eines durch krankheit entzweigebrochenen lebens verdankt", teils durch die hoffnung, „dass einem nachgebornen geschlecht grammatischer forscher auch meine arbeit nicht ganz ohne nutzen und folgen bleiben werde", zu trösten. Seine hoffnung ist insofern nicht in erfüllung gegangen, als das werk noch heutigentages sehr wenig bekannt und gelesen ist. Die einzelnen, denen es gegenwärtig unter die hände kommt, werden allerdings viel unrichtiges und wunderliches darin finden, wie z. b. seine anwendung von Goethes far-

bentheorie auf die vokale, seine verwirrende unterscheidung von
aspirat und spirant (er gebraucht die bezeichnungen in anderer bedeutung als der jetzt akzeptirten), und viele auswüchse einer merkwürdigen voreingenommenheit, die ihn z. b. von der englischen unterscheidung des stimmhaften und des stimmlosen *s* je nach der beschaffenheit des vorhergehenden lautes zu dem ausspruche verleitet:
„Flexionszeichen wie das pluralische und verbale *s* nach der zufällig-
keit der vorhergehenden qualität zu bestimmen, ist gänzlich ausserhalb der würde einer germanischen zunge."[1] Sie werden daneben
aber viel erfreuliches finden; ich will von einzelheiten nur die beobachtung erwähnen, dass dänisches und noch mehr schwedisches
o in *god* sich mehr dem *u* nähert als das „europäische", z. b. das
deutsche *o*, und dass damit übereinstimmend dänisches und namentlich schwedisches *å* näher an deutsches *o* heranrückt, als die entsprechenden laute anderer sprachen — eine beobachtung, die erst weit
später, als Sweet sie von neuem gemacht hatte, wissenschaftliches
gemeingut wurde —, oder sein hervorheben des umstandes, dass es
im deutschen und englischen viele silben ohne vokal gebe (I 155,
160 u. a. st.), z. b. die zweite silbe in *mittel, schmeicheln; heaven,
little* — ein umstand, dessen volle tragweite erst im jahre 1877
durch Sievers und Brugmann den vergleichenden sprachforschern
vollkommen einleuchtend gemacht wurde.[2] Noch grösseres lob verdient jedoch der gesamtplan mit seiner durchgeführten lautgeschichtlichen anschauung und der scharfen auffassung des unterschiedes
zwischen laut und schrift, die zu einer durchgängigen anwendung
von lautschrift und auch, was besonders erwähnung verdient, zur
anwendung von lautschrift auf die umschreibung längerer proben
sowohl lebender als auch toter sprachstufen geführt hat; dass man
erst dadurch zu einer wirklich zusammenfassenden anschauung der
lautverhältnisse einer sprache — auch zum klaren bewusstsein dessen, wieviel man nicht weiss! — gelangen kann, ist eine erkenntnis,
die kaum jetzt noch allgemein durchgedrungen ist. — Die sprachwissenschaft wäre schneller und sicherer vorwärts geschritten, falls

---

[1] III 185; vgl. an anderen stellen bezeichnungen anderer englischer lautregeln als
„eine der germanischen zunge unwürdigen spitzfindigkeit" (180), „eine besondere
spitzfindigkeit", „diese äusserst schlau ausgesonnene theorie" (189).
[2] Er erwähnt (III 186) als volkstümlich *gòd blèsh* (statt *bless*) *ju*.

Grimm und seine nachfolger die leitenden gesichtspunkte Rapps zu den ihrigen zu machen vermocht hätten.

Während in der darauffolgenden zeit von den sprachforschern nicht viel für die erweiterung der phonetischen erkenntnis oder für die benutzung des bereits erkannten geleistet wird — eine ausnahme bilden jedoch wohl die arbeiten R. Raumers auf dem gebiete der rechtschreibung — begegnen wir in dem arzte und physiologen *Ernst Brücke* (1819—92) einem hervorragenden und selbständigen phonetiker. Er begann schon im jahre 1848 auf diesem gebiete zu arbeiten, aber sein hauptwerk, *Grundzüge der physiologie und systematik der sprachlaute,* erschien erst im jahre 1856 (eine zweite, nicht sehr veränderte ausgabe erschien 1876). Dieses buch brachte die wissenschaft um ein bedeutendes vorwärts und bildete lange zeit hindurch nicht nur für die physiologen, sondern auch für die sprachforscher die hauptquelle, aus der man über alle auf unsere wissenschaft bezüglichen fragen belehrung schöpfte. Brücke trat von einem rein physiologischen standpunkte aus und mit den hülfsmitteln der modernen physiologie an das studium heran; er legte überwiegend, ja fast ausschliesslich, gewicht auf die genetische seite der sache; ihm ist der sprachlaut nicht das hörbare — der gehörte laut steht für ihn als etwas sekundäres, als ein abgebildetes ergebnis der tätigkeit der organe da —, sondern die tätigkeit dieser organe an sich. Jedoch nicht eigentlich ihre bewegungen, denn es ist für ihn sehr wichtig, „dass bei den konsonanten ebenso wie bei den vokalen, mit bedingter ausnahme der diphthonge, die buchstaben niemals als zeichen für eine aktive bewegung der sprachorgane aufzufassen sind, sondern als bezeichnungen für gewisse zustände, bestimmte anordnungen der mundorgane und der stimmritze, in welchen sie sich befinden, während die expirationsmuskeln die luft auszutreiben suchen" (44). Dies ist die grundlage; es kommt dann darauf an, auf dieser die systematik der sprachlaute aufzubauen, wobei es sich „nicht darum handelt, eine anzahl von konsonanten, die man zufällig kennen gelernt hat, in reihe und glied zu stellen, sondern alle möglichkeiten der entstehung eines konsonanten in erschöpfender weise zu klassifiziren. Wenn morgen eine neue sprache entdeckt würde, welche, wie die indo-europäischen und semitischen sprachen, ausschliesslich auf expiratorischer lautbildung beruht, so müssten alle laute dersel-

ben in unser system eingereiht werden können, wir müssten nicht
nötig haben, neue abteilungen zu schaffen, noch weniger die bereits
geschaffenen wieder umzuwerfen" (40). Dadurch nützt man auch
dem sprachforscher; denn „durch die physiologische betrachtung
lernt der sprachforscher erst die sprache ganz kennen; so lange er
diese ausser acht lässt, weiss er nur das von der sprache, was mit
den ohren gehört und mit den händen geschrieben wird; der wunder-
bare mechanismus, dem der fluss der rede entströmt, bleibt für ihn
das verborgene räderwerk eines automaten, und doch finden bekanntlich jene gesetze, welche man früher von der euphonie abzuleiten
pflegte, viel weniger ihren grund in der rücksicht auf den wohlklang als vielmehr in der mechanischen einrichtung der organe,
welche die einzelnen sprachlaute hervorbringen und nur in gewissen
verbindungen mit leichtigkeit und präzision hervorbringen können"
(vorbemerk. zur 1. aufl.). Man darf jedoch nicht wähnen, dass
Brücke ausschliesslich die physiologie berücksichtigte und einseitig
dasjenige hervorhob, was die sprachforschung (und auch z. b. der
taubstummenunterricht) der physiologie zu verdanken hatte; er war
vielmehr in hohem grade bereit, bei der sprachwissenschaft in die
schule zu gehen, wobei es nur zu bedauern ist, dass er damals an
dem, was doch das wichtigste bleiben muss, an der beobachtung
lebender sprachen, kein hinreichendes interesse fand. Brücke studirte
das system der sanskritgrammatiker, beobachtete eifrig arabische
laute und benutzte zahlreiche gelegenheiten, um geborene ausländer
zu hören; man merkt es jedoch seinem buche an, dass er der aussprache keiner einzigen fremden sprache auf den grund gekommen ist. An seinem systeme verspürt man denn auch die gefahren,
die darin liegen, ohne eine hinreichend umfassende konkrete unter-
lage ein allgemeingültiges system konstruiren zu wollen. Er hat
mehrere, zum teil wichtige dinge übersehen, ja sogar aus apriorischen
gründen die existenz von lauten geleugnet, die tatsächlich vorkommen und in verschiedenen sprachen eine grosse rolle spielen. Schlimmer ist es jedoch vielleicht, dass er seine eigenen grundprinzipien
nicht durchführt; die genetische betrachtung wendet er gar nicht
auf die vokale an, so dass er ihnen eigentlich ganz ratlos gegenüber-
steht. Das system, welches er hier in diesem dürftigsten abschnitte
aufstellt, berücksichtigt in wirklichkeit nicht die mundstellungen,

sondern wird ein rein akustisches, zum teil auf der basis einiger
experimente des englischen physikers Willis, so dass er die länge
des resonanzraumes für das entscheidende hält; dabei lässt er sich
dazu verleiten, den auf- und abgehenden bewegungen des kehl-
kopfes eine übertriebene bedeutung beizumessen. Er stellt wie
die meisten forscher die vokale in einem dreicke auf, warnt
aber unbedingt davor, zwischen diese extremen punkte zu i͟͟͞u
viele zwischenglieder einzuschalten: „sogenannte feine unterscheidungen, die von einzelnen, die sich auf ihr bevorzugtes gehör
berufen, gemacht werden, haben für die lautlehre keine bedeutung
und beruhen oft mehr in der einbildung als in der natur der sache“;
man solle daher nur so viele zwischenlaute mitnehmen, „als ein gewöhnliches ohr ohne besondere übung zu unterscheiden vermag“
(26) — ein für den fortschritt der wissenschaft ausserordentlich ge-
fährliches prinzip. Er gelangt dadurch nur zur bestimmung einer
geringen anzahl von vokalen, und selbst diese fällt nicht gut aus;
seine anbringung von zwei vokalen *i*ᵘ und *u*ⁱ zwischen *i* und *u* ist
durchaus verfehlt und muss im vergleiche mit den früheren, neben
den reihen *a—i* und *a—u* auch eine reihe *a—y* enthaltenden aufstellungen als ein rückschritt angesehen werden. Die mängel seiner
auffassung der vokale treten auch bei seiner einteilung in vollkommene und unvollkommene vokale zutage (in der letztgenannten
kategorie werden die meisten englischen vokale untergebracht); dies
ist nichts anderes als eine reine falliterklärung, die bloss beweist, dass
Brücke das wesen der zuletzt erwähnten vokale nur unvollkommen
begriffen hat. Die bedeutung Brückes muss denn im wesentlichen
in seiner ausserordentlich viel richtiges und tüchtiges enthaltenden
konsonantenlehre gesucht werden; und das ganze werk verdient das
grösste lob wegen der wohltuenden klarheit und bestimmten ruhe
der darstellungsweise; man weiss stets, worauf der verfasser hinaus will.

Brücke konstruirte auch eine physiologische zeichenschrift (*Über
eine neue methode der phonetischen transkription*, Wien 1853), in
der jedes zeichen symbolisch die stellung der verschiedenen sprachorgane bei der erzeugung des betreffenden lautes angeben sollte,
was jedoch nur hinsichtlich der konsonanten durchgeführt wurde;
er liefert darin proben aus einer ziemlich grossen anzahl von spra-

chen; die analyse dieser verschiedenen aussprachen ist jedoch ziemlich flüchtig vorgenommen. Das system selbst hat niemals bedeutung gewonnen und ist seitdem durch Bells *Visible Speech* weit überflügelt worden.

Ein anderer berühmter physiolog, Brückes freund *J. N. Czermak,* stellte fast gleichzeitig mit den ersten studien Brückes untersuchungen über verwandte materien an. Er stellte durch zahlreiche hübsche experimente die physiologische rolle des weichen gaumens bei der bildung von sprachlauten (besonders der unterscheidung reiner mundvokale und nasalirter vokale) fest; er warf sich ferner mit eifer auf studien mit hülfe des kurz vorher erfundenen kehlkopfspiegels (oder laryngoskops) und gelangte dadurch zu wichtigen resultaten hinsichtlich der beim sprechen den stimmbändern zuerteilten rolle.[1]

Ein gleichzeitiger deutscher forscher auf diesem gebiete ist sodann *C. L. Merkel,* professor der medizin in Leipzig. Er gab 1857 eine *Anatomie und physiologie des menschlichen stimm- und sprachorgans* (*Anthropophonik*) heraus — eine zweite ausgabe erschien 1863 — und liess im jahre 1866 eine umgearbeitete und verbesserte darstellung[2] unter dem titel *Physiologie der menschlichen sprache* (*Physiologische laletik*) folgen. Merkel gelangt wie Brücke von der physiologie aus zum studium der sprachlaute, aber wie er auf anderen gebieten der physiologie einen weit geringeren namen als sein berühmter kollege in Wien besitzt, so hat er auch auf unserem gebiete nichts geleistet, das den arbeiten Brückes an die seite gestellt werden könnte. Ihm fehlt in hohem grade die fähigkeit Brückes, das wesentliche zu ergreifen und anderes liegen zu lassen; klarheit und übersichtlichkeit sind nicht seine starke seite; die sprachlaute versinken in seinem buche in einer unmenge anatomischer und physiologischer details, die zwar vielleicht richtig sein mögen, die zu häufig aber den sprachforscher nichts angehen, so dass man sich nur mit mühe durch das buch hindurcharbeitet und die stellenweise vorkommenden wertvollen einzelheiten leicht übersehen kann. Er polemisirt häufig und stark gegen Brücke, jedoch leider nicht so,

---

[1] Über die stellung Brückes und Czermaks in der geschichte der phonetik siehe Swoboda in *Phonet. Studien* IV 147 ff.
[2] Die einzige, die ich gelesen habe.

dass er immer die wundesten punkte bei diesem getroffen hat. Merkel ist nämlich weit mehr als Brücke in lautlicher beziehung an und durch den dialekt seines heimatsortes gebunden, und es ist dieses unglücklicherweise der obersächsische, dessen lautsystem auf wichtigen punkten vielleicht die allerschlechteste grundlage für das studium der sprachlichen lautnüancen bildet; so ist er ganz ausserstande, den durchgreifenden und äusserst wichtigen unterschied zwischen stimmhaften und stimmlosen konsonanten recht zu begreifen, und er geht in seiner polemik so weit, dass er etwas so überaus einleuchtendes wie die möglichkeit einer verbindung jedweder konsonantischen mundstellung mit stimmklang in abrede stellt (s. 246, 177 hinsichtlich des deutschen *ach*-lautes). Dabei wird er zur aufstellung eines merkwürdigen begriffes *g molle* verleitet, der nirgends mit genügender deutlichkeit definirt wird. Er stellt ausserdem z. b. die möglichkeit der erzeugung eines explosivlautes an derselben stelle wie *j* (und *g molle;* s. 246) in abrede. Auf die laute fremder sprachen lässt er sich im buche selbst nicht weit ein, und die am schlusse desselben gelieferten verzeichnisse über verhältnisse von laut und schrift in einer langen reihe von sprachen sind äusserst unbefriedigend; er hat kaum eine fremde sprache ordentlich auszusprechen vermocht oder sich auch nur darum bemüht; siehe z. b. seine höhnische zurückweisung eines unterschiedes zwischen dem schlusslaute des französischen *dans* und des deutschen *sprang* (s. 288). Wer aber nicht fremde sprachen studirt, läuft gefahr, auch in seiner eigenen wichtige dinge zu übersehen und zu überhören; Merkel liefert hierfür den beweis, indem er z. b. (s. 94) behauptet, dass dasselbe *e* sich in allen silben des wortes *entgegengesetzte* vorfinde! Zum ruhme Merkels muss dagegen hervorgehoben werden, dass er für bedeutsame seiten des faches, wie silbenbildung und besonders das musikalische element der sprache, die von Brücke und anderen kaum gestreift worden waren, ein ausserordentlich feines ohr hatte; seine analysen der satzmelodie im deutschen behaupten noch heutigentages zum grossen teile ihr interesse. Das von Merkel konstruirte physiologische alphabet war totgeboren, und zwar in noch höherem grade als dasjenige Brückes, und in eben so hohem grade wie dasjenige Thausings (1863).

Obgleich *Helmholtz* sich als physiolog einen grossen namen erworben hat, war es doch nicht die physiologische, sondern die physikalische seite der phonetik, die ihn interessirte; er ging in seinem grossen, für die musiktheorie grundlegenden werke, der *Lehre von den tonempfindungen* (erste ausgabe 1862, fünfte 1896) auf die lehre von den vokalen ein und beschäftigt sich daher wesentlich mit den lauten als akustischen erscheinungen. Seine untersuchungen über die haupttöne der vokale und über das verhältnis zwischen den grundtönen und deren obertönen sind bahnbrechend für spätere physikalische arbeiten auf diesem gebiete, haben aber auf die sprachwissenschaftliche phonetik keinen besonders grossen einfluss gehabt.

In Dänemark war inzwischen eine arbeit erschienen, die von klarem verständnisse der phonetischen grundprinzipien zeugte und diese auf sprachliche fragen anwandte, nämlich die abhandlung *Edvin Jessens Om stavelsemåls og toneholds gengivelse i lydskrift* in der *Tidsskrift for filologi og pædagogik,* II, 1861. Diese abhandlung enthält weit mehr, als der titel verspricht, nämlich in wirklichkeit eine kurze darstellung allgemeiner lautlehre mit besonderer anwendung auf das dänische (über dessen lautverhältnisse sich viele wertvolle beobachtungen vorfinden) und auf die meisten anderen germanischen und romanischen hauptsprachen — alles äusserst bündig und scharf.

In den sprachwissenschaftlichen litteratur Deutschlands aber verspürte man noch keine grosse befruchtung phonetischer gesichtspunkte, wenigstens nicht vor dem bekannten, an neuen anschauungsweisen (richtigen und unrichtigen) reichen buche W. Scherers *Zur geschichte der deutschen sprache* (1868, zweite ausgabe 1878). Hier wird namentlich Brücke benutzt und verherrlicht. Auf Brücke stützt sich auch der däne *Julius Hoffory* (gest. 1897), der in *Kuhns zeitschrift* XXIII, 1876, über *Phonetische streitfragen* schrieb. Er weist hier mit grossem scharfsinne mehrere mängel des Brückeschen konsonantensystems nach, die besonders dadurch entstanden sind, dass Brücke seinen eigenen grundsätzen nicht treu geblieben ist; namentlich stimmlosen nasalen und mouillirten konsonanten weist Hoffory ihren zweifellos richtigen platz im systeme an. Charakteristisch ist indessen die methode, indem bei Hoffory eine unmittelbar frische beobachtung der laute, in der nämlichen weise, wie ein naturforscher die tatsächlich vorkommenden erscheinungen beobachten würde, erst

in zweiter reihe kommt; in erster operirt er mit räsonnements, die
auf die aufstellungen einheimischer grammatiker und sprach-
geschichtlicher daten in verbindung mit einer apriorischen überzeugung von der regelmässigkeit im lautlichen aufbau der sprachen
gegründet sind; hierbei wird eine grosse gelehrtheit auf dem gebiete
so verschiedener sprachen wie magyarisch, isländisch, kymrisch und
sanskrit entfaltet. Und nicht weniger charakteristisch ist es, dass
Hoffory selbst da, wo er Brücke kritisirt, mit der grössten bewunderung von ihm als demjenigen redet, der zuerst ein wohldurch-
dachtes system aufgestellt habe, welches richtig angewandt alle möglichen sprachlaute enthalte.

Gleichzeitig hiermit begann aber in Deutschland von sprachwis-
senschaftlicher seite ein kampf eben gegen die prinzipien Brückes,
und zwar in den beiden werken *Die Kerenzer mundart* und *Grundzüge der lautphysiologie*, die beide 1876 erschienen. Die verfasser
waren beziehungsweise *J. Winteler* und *Eduard Sievers;* sie waren
eben beide mit leib und seele beobachter und hatten ausgeprägten
sinn für konkretes sprachleben und für alle in den sprachen vorkommenden nüancen; sie wollten sich nicht mit dem begnügen, was „ein
gewöhnliches ohr ohne besondere übung zu unterscheiden vermag,"
sondern wollten, soweit möglich, alle diejenigen finessen mitnehmen,
die sich gewöhnlicher beobachtung entziehen. Winteler gelangt dadurch zu dem studium, dass er von kindheit an mit einem schweizer-
deutschen dialekte vertraut war, den er sehr minutiös schildert. Sievers beherrscht in ähnlicher weise neben hochdeutsch einen niederdeutschen dialekt; es macht ihm ausserdem von früher jugend an
vergnügen, allerlei laute mit virtuosität nachzumachen. Bei beiden
kommen nun noch sprachgeschichtliche studien hinzu. Sie fühlten
sich daher durch die aufstellungen Brückes nicht befriedigt, weil
diese ihnen in allzu hohem grade als leere rahmen erschienen, bei
denen oft sprachlaute, die tatsächlich verschieden sind in dieselbe
rubrik gezwängt würden; das individuelle werde dadurch verwischt,
und es würden die in der entwickelung der sprachen so wichtigen
übergangsformen vernachlässigt. Sievers wird auf grund von allem
diesem naturgemäss zur opposition gegen den „starren schematismus"
Brückes und zu aussprüchen wie dem getrieben, dass „die aufstellung

eines blossen lautsystems, so wichtig sie an sich ist, doch immer nur eine der elementarsten tätigkeiten des phonetikers" sei — eine aufgabe, die er denn auch zu sehr auf die leichte achsel nimmt. Für ihn bestand das wesentliche darin, dem gerippe fleisch und blut zu geben; er nahm ganze seiten der sache auf, die Brücke gänzlich hatte liegen lassen, wie besonders die kombinationslehre. Indem Brücke ausschliesslich die organstellungen, nicht die bewegungen berücksichtigt, vernachlässigt er dabei die lehre von der art und weise, wie laute zu silben verbunden werden, von den gegenseitigen verhältnissen der silben, vom akzent, vom tonfalle u. dgl. Gerade hier leistet Sievers vorzügliches, wie auch der letzte abschnitt seines buches, über „lautwechsel und lautwandel" mit dessen in laute umgesetzten resultaten aus der ganzen modernen sprachwissenschaft ausserhalb des vermögens und der aufgabe Brückes liegt. (Weiteres über Sievers siehe unten).

Zur vollen geltung gelangte diese von Sievers ausgehende strömung jedoch nicht, bevor sie einer anderen, ursprünglich in England entstandenen begegnete. Hier hatte *Alexander John Ellis* bereits im jahre 1849 ein recht umfangreiches werk, *Essentials of Phonetics*, herausgegeben, das sich durch gewissenhafte benutzung der älteren litteratur auszeichnet und ausserdem einen nicht geringen selbständig wahrgenommenen stoff enthält; der verfasser ist nicht nur in seiner muttersprache, die er besonders studirt hat, wohl zu hause, sondern kennt ausserdem durch eigenes anhören nicht wenig andere sprachen. Besonders die rechtschreibungsfrage und das verhältnis zwischen den wirklichen lauten und der traditionellen orthographie haben Ellis interessirt; in gemeinschaft mit Pitman stellte er in dieser periode zahlreiche versuche in der absicht an, ein praktisches alphabet mit einer anzahl neuer, zur konsequenten wiedergabe der englischen sprache geeigneter zeichen zu konstruiren und diesem alsdann in England behufs ablösung des traditionellen schreibgebrauches verbreitung zu verschaffen. Nicht ganz geringe kapitalien wurden in diese versuche sowie in lehr- und lesebücher mit dem neuen alphabete, in neudrucke von klassikern usw. gesteckt; aber das system drang nicht durch, im wesentlichen natürlich auf grund der den leuten gemeiniglich einwohnenden abneigung gegen so durchgreifende veränderungen, ausserdem aber auch auf grund der eigenen mängel des systems. Es enthielt allzuviele neue buchstaben, erforderte daher ganz neue typographische einrichtungen; die zeichen waren nicht immer günstig gewählt und sahen sich zum teile allzu ähnlich; sie waren ausserdem von „englischer basis" aus, d. h. mit speziell englischen werten der vokale konstruirt (*a* bedeutete z. b. den laut in *pane, care*), jeder englische diphthong erhielt seinen eigenen buchstaben, statt mit den zeichen seiner einzelnen glieder geschrieben zu werden; und endlich ist die lautanalyse, auf welche die bezeichnung gegründet wird, trotz Ellis' tüchtigkeit durchaus nicht befriedigend. Ellis wurde nicht der mann, durch den die phonetische wissenschaft mit etwas wesentlich neuem bereichert werden sollte.

Dies wurde dagegen *Alexander Melville Bell,* ein schotte, der seit anfang der vierziger jahre in London wohnhaft war und sich durch erteilung von unterricht im richtigen und kunstmässigen sprechen (*elocution*) ernährte. Er hatte kurse für ausländer, für stotternde und lispelnde, für provinzbewohner usw. eingerichtet[1] und gab verschiedene lehrbücher über vorlesen, deklamiren usw. heraus. Er hatte also bei seinem erwerbe reiche gelegenheit wie auch alle mögliche anregung, die unrichtige und richtige bildungsweise der laute gründlich zu studiren und fremde laute mit englischen zu vergleichen.[2] Er wollte nun ein grosses, zusammenfassendes system bilden, das alle diese laute in sich aufzunehmen im stande wäre, und er wollte dieses auf einem anderen als dem von sprachforschern bisher gewöhnlich eingeschlagenen wege erreichen: sie hatten die eigentümlichen laute der verschiedenen sprachen zusammengelesen und ein alphabet behufs gleichförmiger aufzeichnung sämtlicher sprachen zu bilden gesucht; dies war aber nicht gelungen. (Vgl. die londoner konferenz von 1854.) Bell wollte nun das physiologische anstatt des sprachlichen als grundlage nehmen; daher entwarf er gewissermassen eine karte der mundregionen, die nach längen- und breitengraden eingeteilt wurden, und er versuchte alsdann, auf dieser karte jeden

---

[1] Er setzte hierin den beruf seines vaters fort; dieser war *in fact the first to repudiate occult methods in the cure of stammering, and to practise his system openly.* (Siehe *Popular Manual of Vocal Physiology* 1889 s. 8.)

[2] *The peculiar elements in Gaelic, Welsh, Scotch and Irish dialects, provincial and metropolitan English, American English, French, German, &c. — as well as those accidental sounds produced by stammerers, lispers, persons with cleft palate, deafmutes, &c. — were familiar to my ear and my vocal organs.* A. a. o., s. 9.

laut anzubringen, den er, ohne rücksicht darauf, ob derselbe in den sprachen zur anwendung käme, hervorzubringen oder zu unterscheiden im stande war.[1] Die ergebnisse seiner genialen untersuchungen legte er in dem werke *Visible Speech, The Science of Universal Alphabetics, or Self-Interpreting Physiological Letters for the printing and writing of all Languages in one Alphabet* (London 1867) nieder. Der titel gibt den zweck Bells an: er will durch die aufstellung eines von den allgemeinen ganz verschiedenen alphabetes, in dem jedes zeichen symbolisch die stellung der organe andeuten soll, „die sprache sichtbar" machen. Wie oben angeführt, ist Bell nicht der erste, der dieses versucht hat; aber Bell übertrifft seine vorgänger nicht nur durch die elegante form seiner zeichen und die sinnreiche anwendung symmetrischer stellungen, sondern auch, was ja von grösserer bedeutung ist, durch sein tiefer gehendes studium der laute und ihrer erzeugungsweise. Er kann in der tat mit gewissem rechte behaupten, durch seine untersuchungen und zeichen haben *all the hitherto undefined 'airy nothings' of human speech received each 'a local habitation and a name'* (V. S. 19); oder, wie Ellis es ausdrückt, (daselbst 25) „jedes symbol und jeder teil eines symbols hat seine bedeutung und enthält eine anweisung zum sprechen. Sie sind kommandoworte, denen jeder rekrut nach behöriger einexerzirung zu gehorchen vermag", und es imponirte Ellis, die sicherheit zu sehen, mit der ein von Bell einexerzirter „rekrut", der sohn Bells, fremde und schwierige laute aussprechen, die in seiner abwesenheit von Bell nach Ellis' aussprache notirt waren. Bell beansprucht, dass sein system universal sein, also alle möglichen laute und kombinationen umfassen solle, oder, wie er sagt: „Faktisch ist noch nicht der laut ausgesprochen worden, der nicht durch die allgemeinen zeichen der *Visible Speech* so ausgedrückt werden könnte, dass jeder kompetente kenner des systems ihn nach dem zeichen zu reproduziren imstande wäre."[2]

Was beabsichtigte nun Bell mit dieser ganzen „sichtbaren sprache"? Nichts geringeres als eine ganze reform des unterrichtswesens; es war ja den kindern viel leichter, sein system als die

---

[1] Dies nach Bells eigener darstellung, a. a. o.

[2] Bell, *Sounds and their Relations,* 1882, s. 93; der ausspruch ist augenscheinlich gegen Sweet gerichtet, der inzwischen das system in einer weise geändert und erweitert hatte, die Bell nicht gefiel.

verpfuschte englische rechtschreibung zu lernen; „die gewöhnlichen buchstaben lassen sich niemals ohne einen so grossen zeitaufwand lernen, dass es denjenigen, die ums tägliche brot sich abmühen müssen, die aneignung einer fertigkeit im lesen unerreichbar macht," sagt er, und er hat unzweifelhaft recht, insofern es sein vaterland betrifft, wo die verhältnisse sich ja schlimmer als in den meisten anderen ländern gestalten. Dagegen könne jeder ohne mühe *Visible Speech* lernen; „mögen nur einige wenige lehrer sich der ausbreitung dieses systems befleissigen, und in kurzer zeit wird ein erwachsener, der nicht lesen und schreiben kann, in jedem zivilisirten lande eine seltenheit sein." Ferner würden sie alle mit derselben aussprache lesen lernen, und provinzialismen würden also aussterben. Endlich würde das system „die sprachlichen landstrassen zwischen den nationen makadamisiren" (V. S. IX); die engländer würden sich mittels desselben die aussprache fremder sprachen, sogar ohne sie sprechen zu hören, mit derselben genauigkeit wie die einheimischen aneignen können, und umgekehrt würden ausländer ganz wie *those to the manner born* englisch sprechen lernen. Bell sagt es zwar nicht, aber man gewinnt doch den eindruck, dass er es sich gedacht habe, dass seine zeichen, nachdem sie einige zeit hindurch neben dem lateinischen alphabete gebraucht worden wären, dieses ganz verdrängen sollten. Er wandte sich an die englische regirung mit dem anerbieten, seine epochemachende erfindung zu ihrer verfügung zu stellen; er wurde aber wahrscheinlich sehr schnell in seinen hoffnungen getäuscht. Seine buchstaben sahen zu hebräisch aus, als dass man sich auch nur hätte mit ihnen vertraut machen mögen — und macht man sich nicht mit der bedeutung der zeichen vertraut, so kann man ja auch nicht die ihnen tatsächlich einwohnenden vorzüge gewahr werden. Und Bell hatte nichts getan, um durch einen lebhaften, leichtverständlichen stil das system behutsam in den leser hineinzuschmeicheln; im gegenteil, wenige werke sind so streng systematisch konzis abgefasst wie die *Inaugural Edition of Visible Speech;* sie ist wortkarg wie eine logarithmentafel und kann ausser von demjenigen, der vorher einigermassen mit lauten und deren bildungsweise vertraut ist, oder dem das buch zum wenigsten durch einen tüchtigen lehrer mündlich erklärt wird, kaum von jemand verstanden werden. Alles eingerechnet, kann es nicht wundernehmen, dass das werk Bells zur

zeit seines erscheinens sehr geringes aufsehen erregte, so dass keiner
von seinen schönen träumen verwirklicht wurde. Enttäuscht und
missvergnügt wanderte er denn (1870) nach Amerika aus, wo er
sowohl als schriftsteller als auch als lehrer der elokution seine tätigkeit fortgesetzt hat. Sein sohn Graham Bell ist in seine fussstapfen
getreten und hat sich besonders um den amerikanischen taubstummenunterricht sehr verdient gemacht, wobei auch die zeichen der
Visible Speech grossen nutzen gewährt haben; am meisten ist er jedoch als erfinder des telephons bekannt geworden.

Der name Bells als wissenschaftlichen phonetikers ist besonders
an seine vokaltafel geknüpft, welche nicht nur umfangreicher als
alle früheren ist und also mehr vokalabstufungen zu fassen vermag,
sondern auch im prinzipe einen bruch mit den älteren systemen bezeichnet. Dieser bruch besteht nicht, wie man es mitunter geschildert
sieht, darin, dass Bell ausschliesslich die genetische seite der sache
berücksichtigt, also die vokale nach den stellungen der artikulirenden
organe ordnet — in dieser hinsicht ist er vielleicht nur um einen
grad bewusster als Hellwag, der wesentlich auch auf die organstellungen rücksicht nimmt —, sondern eher darin, dass er, indem
er die verschiedenen stellungen der zunge und der lippen genauer
bestimmt, auch scharf die verschiedenen elemente voneinander son-
dert, die zusammen die für den betreffenden vokal charakteristische
einstellung ausmachen; er untersucht die lippen für sich, die entfernung der zunge von der munddecke für sich, ihr vor- oder zu-
rückrücken für sich, und endlich ihren „spannungsgrad". Wenn also
z. b. der vokal in dem englischen worte *bit* als *high-front-wide-not
round* bestimmt ist, und wenn dieselben vier bestimmungen sich mit
leichtigkeit und sicherheit an dem *Visible Speech*-zeichen ablesen
lassen, so ist der platz des vokales in einem koordinatensysteme fixirt;
wir erhalten dadurch — allerdings nur hinsichtlich der einen hälfte
der laute — die erste ausdrückliche angabe des ausserordentlich wichtigen prinzipes, dass alle sprachlaute, was ihre artikulation betrifft,
gleich zusammengesetzt sind.[1] Diesem bedeutsamen fortschritte der
erkenntnis gegenüber wiegt es nicht schwer, dass mehrere der von
Bell eingeführten bestimmungen nicht hinreichend klar definirt wa-

---

[1] Vgl. mein *Lehrbuch d. Phonetik* 8. 1, *Phonet. Grundfragen*, kapitel V [unten
abgedruckt].

ren, so dass sie späteren anhängern des systems schwierigkeiten ver-
ursacht und den gegnern desselben waffen in die hände geliefert
haben (besonders die begriffe *mixed* und *wide*). Auch hat es nicht
viel zu bedeuten, dass Bell mehrere vokale an unrechter stelle angebracht hat; es kann nicht wundernehmen, dass der, welcher zum
ersten male mit einem weit feineren apparate zur bestimmung von
lauten arbeitet als seine vorgänger, in einzelheiten unversehens miss-
griffe macht.—Auch die konsonantenlehre Bells enthält nicht wenig
neues und gutes, obzwar er sich hier nicht so weit über die früheren
phonetiker erhebt, wie auf dem zuerst erwähnten gebiete; auch hier
begegnen wir der kategorie *mixed,* die auch hier nicht klar ist; auch
hier treffen wir unzweifelhafte fehler in einzelanalysen, wie z. b.
wenn die vorletzten konsonanten in den englischen wörtern *felt,*
hint, ink, lamp als stimmlos angegeben werden (was Sweet berichtigt
hat, vielleicht nachdem er die unzweifelhaft stimmlosen isländischen
konsonanten in ähnlichen verbindungen gehört hatte), und ähnliches.
Bells lehre von der verbindung der sprachlaute ragt nicht besonders
hervor; er hat z. b. zwar gesehen, dass *l* und *n* ohne hülfe der vokale
silben bilden können, identifizirt dies aber irrtümlicherweise mit lautlänge. Dagegen muss seine glückliche fähigkeit, kurze und treffende
phonetische kunstausdrücke zu bilden, hervorgehoben werden — ein
talent, das naturgemäss mit seinem vermögen, wohlgelungene sym-
bole behufs „sichtbarmachung der sprache" zu erfinden, in verbindung steht. Und endlich findet man an verschiedenen stellen seiner schriften eine anzahl wertvoller beobachtungen und bemerkungen über die eigentliche „elokution", muss aber bedauern, dass er
sich rücksichtlich des tonfalles und ähnlicher dinge mit einer reihe
aphoristischer notizen begnügt hat, anstatt eine systematische darstellung zu liefern.

Die lehre Bells wäre vielleicht niemals unter den phonetikern so
allgemein bekannt geworden, wie es jetzt der fall ist, wenn er nicht
einen kleineren kreis von tüchtigen sprachforschern gefunden, der
sich ihm angesschlossen und sein system auf sprachliche untersuchungen angewandt hätte; die bekanntesten sind J. A. H. Murray (verfasser einer tüchtigen arbeit über schottische dialekte und später her-
ausgeber des besten wörterbuches der welt), H. Nichol, Sweet, sowie der bereits oben erwähnte Ellis. Dieser letztere wurde durch das

erscheinen der *Visible Speech* ein grosser bewunderer des neuen, das dadurch in die wissenschaft gebracht worden war, und er modifizirte viele seiner früheren anschauungen danach, wenn er auch niemals dem systeme Bells in jeder beziehung folgte. Sein hauptwerk ist *On Early English Pronunciation,* von dem die vier ersten bände, die auf 1432 seiten die lautliche entwickelung der englischen reichssprache bis auf die gegenwart behandeln, in den jahren 1869—74 erschienen, während der fünfte band, der auf ungefähr 900 seiten die laute moderner englischer dialekte darstellt, erst 1889, ein jahr vor dem tode des verfassers, erschien. Dieses werk bildet nicht nur für den, der englische lautgeschichte und englische dialekte studiren will, sondern für die phonetiker überhaupt eine fast unerschöpfliche fundgrube; Ellis war zweifelsohne der gelehrteste lautforscher seiner zeit, und sein buch enthält, oft an stellen, wo man es nicht vermuten sollte, eine fülle von beobachtungen, die er selbst und andere über die lautverhältnisse vieler verschiedener sprachen gemacht hatten.[1] Ein wesentlicher mangel des buches besteht wohl darin, dass es so schwer fällt, sich in demselben zurechtzufinden, besonders was den eigentlichen phonetischen beobachtungsstoff betrifft; ein register vermisst man in hohem grade. Und dann muss man wohl auch bedauern, dass Ellis in der wahl seiner autoritäten nicht immer hinreichend sorgfältig gewesen ist, so z. b. wenn er den lautbestimmungen des prinzen Bonaparte grossen wert beimisst; und wenn auch Ellis selbst an vielen punkten, besonders vielleicht in bezug auf gleitlaute eine ungemein feine beobachtungsgabe besitzt, so lässt sein ohr ihn doch nicht gar selten im stiche; so behauptet er z. b., dass sein eigener vokal in *same* ein monophthong sei, während Western und ich im jahre 1887, wo wir ihn zu hören gelegenheit hatten, denselben zweifellos diphthongisch hörten, verschieden von den monophthongischen lauten, mit denen wir in unseren eigenen und anderen sprachen vertraut waren, so dass wir die früher von mehreren englischen phonetikern (von Murray, Sweet und anderen) über Ellis' aussprache gemachten bemerkungen vollends bestätigen konnten.[2] Ein anderer

---

[1] So über neugriechisch II. 517, neuisländisch 540, holländisch IV. 1292, indisch 1096, 1101, 1120 u. m., italienisch 1118, deutsche und friesische dialekte 1358—1431.

[2] Vgl. auch den scharfen ausspruch Joseph Wrights über Ellis' auffassung seiner (W.'s) dialektlaute, *Dialect of Windhill,* 1892, 174.

grund, warum Ellis' werk so schwer zugänglich ist und die zahlreichen darin enthaltenen guten und richtigen beobachtungen nicht
in dem umfange benutzt worden sind, wie sie es verdient hätten,
liegt in der unpraktischen lautschrift. — Ausser diesem grossen
hauptwerke hat Ellis mehrere kleinere bücher geschrieben, von denen
Pronunciation for Singers, 1877, besondere erwähnung verdient als
eine leicht zugängliche systematische darstellung der wichtigsten von
ihm auf seiner langen phonetischen laufbahn erzielten resultate.

Der talentvollste unter den schülern Bells ist ohne zweifel *Henry
Sweet,* vielleicht überhaupt der grösste der jetzt [1897] lebenden
phonetiker, wie er auch auf anderen gebieten einer der hervorragend-
sten sprachforscher ist. Er begann seine phonetische tätigkeit mit
einer abhandlung *On Danish Pronunciation* (in *Transact. of the
Philol. Soc.* 1873—74) und lieferte wenige jahre später eine vollständige darstellung der phonetik in dem kleinen klassischen *Handbook of Phonetics* (1877). Er legt dort die eigenschaften an den
tag, die ihn überhaupt auszeichnen: klarheit, scharfe beobachtungsgabe, die fähigkeit, das zentrale, das wichtigste jeder sache zu fassen
und das übrige auf sich beruhen zu lassen; darum auch die konzision
der darstellung. Ja manchmal ist er wohl sogar zu wortkarg; nach
sorgfältiger überlegung wählt er seinen standpunkt und gibt ihn so
kurz wie möglich an, ohne die gründe, die ihn zu diesem geführt
haben, zu nennen, ja fast immer ohne mitzuteilen, dass es einen anderen standpunkt gebe oder geben könne. Die einzelnen stücke seines
buches stehen wie die paragraphen eines gesetzbuches da. Dadurch
gewinnt man leicht den eindruck, dass der verfasser rechthaberischer,
dogmatischer und abweichenden anschauungen gegenüber abweisen-
der sei, als er sich bei näherer bekanntschaft bezeigt. In wirklichkeit
dürfte oft nicht ganz geringer zweifel hinter anscheinend vollkommen bestimmten ausdrücken verborgen liegen. Wenn man bei einer
vergleichung seiner lehre in zwei zu verschiedenen zeiten geschriebenen büchern zwei genau entgegengesetzte anschauungen, beide ohne
andeutung der möglichkeit eines irrtumes dozirt findet, so wird man
leicht den eindruck der wankelmütigkeit gewinnen, während der
mit der dazwischenliegenden forschung vertraute oft diese oder jene
untersuchung irgend eines forschers, die den anstoss zum umschlage
gegeben, wird nachweisen können. Die sachlage ist die, dass Sweet

immer, selbst in seinen wissenschaftlichsten werken, die lehrbuch-
darstellung anwendet; er spricht immer wie zu jemand, der keine
anderen voraussetzungen besitzt als die allgemeine fähigkeit, eine
zusammengedrängte wissenschaftliche darstellung zu verstehen, und
geht davon aus, dass ein anfänger nicht durch zuviel hin- und her-
diskutiren verwirrt werden dürfe. Sweet bezeichnet eine reaktion
gegen eine gewisse, namentlich in Deutschland verbreitete und oft
für die allein wissenschaftliche gehaltene darstellungsweise, bei welcher der leser bei jeder kleinen frage durch eine wiederholung alles
dessen belästigt werden soll, was alle früheren forscher, selbst die
inkompetentesten, darüber gesagt haben, und bei welcher die ver-
dauungsfähigkeit des verfassers oft zu der menge der zitate in küm-
merlichem missverhältnisse steht; aber selbst wenn man die ansicht
Sweets über dasjenige teilt, durch dessen bezeichnung als „gelehrten-
makulatur" ein deutscher vor einiger zeit das ärgernis seiner lands-
leute erregt hat, so braucht man doch nicht in dasselbe extrem wie
er zu verfallen. Selbst dem anfänger frommt es, zu erfahren, was
unstreitig sicher und was zweifelhaft ist; und selbst da, wo das
resultat sicher ist, kann es oft dienlich sein, auch die art und weise,
wie es gewonnen wurde, kennen zu lernen.

Als phonetiker ist Sweet eigentlich nicht durch ein schnelles und
feines gehör charakterisirt; er wiegt dies aber durch die zähigkeit
und gründlichkeit auf, mit der er zu werke geht. Er begnügt sich
in keinem fall damit, *en passant* einen laut aufzufangen, sondern
er vertieft sich in jede sprache, die er vornimmt, und lernt
sie sprechen; er nimmt in der regel einen einzelnen mann zum lehrer
und beruhigt sich nicht, bevor er dessen sprache in allen kleinen einzelheiten nachahmen kann, die er alsdann analysirt. Er hat teils in
büchern, teils in den *Transactions of the Philological Society* kurze,
scharfe profilabrisse folgender lautsysteme geliefert: englisch,
deutsch, holländisch, isländisch, dänisch, schwedisch (der ausführlichste und wohl auch der beste von ihnen allen), russisch, walisisch
(*North Welsh*), portugiesisch; er geht in diesen sprachen stets hinten um die aussprache, die die wörter des lexikons (die „namen
der wörter", wie Lyttkens und Wulff treffend sagen) besitzen,
zu der oder den wechselnden formen herum, die sie in zusammenhängender natürlicher rede erhalten, und er liefert daher auch

in weit grösserem umfange als frühere phonetiker zusammenhängende lautschriftproben. Im zusammenhange hiermit steht es auch, dass er mit verschiedenen lautbezeichnungssystemen experimentirt und sich eingehend mit der frage über die bestmögliche lautschrift beschäftigt hat, so z. b. im letzten abschnitt des *Handbook,* aber am ausführlichsten und besten in der vortrefflichen abhandlung *Sound Notation* (*Transact.* 1880—81), die ausser diskussionen über die beste art und weise, das lateinische alphabet zu ergänzen, eine reihe wertvoller änderungen von Bells *Visible Speech* (nun *Revised Organic* genannt) liefert und endlich durch eine menge von einzelbemerkungen über laute das stets hervortretende bestreben Sweets bekundet, die im *Handbook* gegebenen analysen zu verbessern und zu vertiefen. — Statt einer neuen ausgabe des *Handbook* lieferte er ein neues, kürzeres (zu kurzes) und zum teil anders angelegtes buch, den *Primer of Phonetics* (1890, zweite ausgabe 1902).[1]

Sweets *Handbook of Phonetics* wurde auf aufforderung des norwegers *Johan Storm* geschrieben, der als phonetiker Sweet ebenbürtig, aber in der arbeitsmethode und darstellung fast so verschieden von ihm ist, wie nur möglich. Storm ist der schnelle beobachter, der mit feinem musikalischen ohre eine fremde aussprache mit ungemein grosser schärfe im fluge zu erfassen und sie durch ein treues gedächtnis festzuhalten weiss. Charakteristisch für ihn ist es z. b., dass er im jahre 1892 die musikalische betonung eines satzes niederzuschreiben wagt, den er zwanzig jahre vorher in Pompei gehört hatte: („Die melodie ist mir noch nach zwanzig jahren gegenwärtig") — ein wagestück, das ich natürlich nicht zum nachmachen empfehle: auf die weise kommt man nicht zu exakten bestimmungen. Dieses in verbindung mit einer ausgedehnten gelegenheit, die verschiedensten sprachen zu hören, macht ihn besonders reich an einzelbeobachtungen. Um praktische sprachbeherrschung zu erreichen, hat er nicht wie Sweet das bedürfnis empfunden, sorgfältige lautschrifttexte anzulegen, und man bekommt mitunter den eindruck, als sei seine grosse leichtigkeit, laute aufzufassen und nachzuahmen, ein zweischneidiges schwert für ihn gewesen. Er hat nie ein systemati-

---

[1] Vgl. auch die kurzen darstellungen in *History of English Sounds* (1888), *New English Grammar* (1892) und die bekannten, vorzüglichen kleinen bücher: *Elementarbuch des gesprochenen englisch* (1885 und öfters später) und *Primer of Spoken English* (1890).

sches werk über allgemeine phonetik geschrieben; seine stärke ist
überhaupt nicht das systematische, bei dem jedem einzelnen dinge
sein bestimmter, lange vorher überlegter platz angewiesen wird;
seine darstellung wird von ideenassoziationen beherrscht, die anderen im höchsten grade zufällig erscheinen können. Sein hauptwerk
(*Engelsk filologi*, norwegische ausgabe 1879, deutsche ausgaben
Englische Philologie 1881 und 1892—96) ist auf die weise angelegt,
dass er die wichtigsten werke der neueren phonetischen litteratur
durchgeht, nicht so sehr, um eine gesamtcharakteristik derselben zu
liefern, als um einzelheiten kritisch zu beleuchten; an gute oder unrichtige beobachtungen des betreffenden verfassers anknüpfend, teilt
Storm aus seinem reichen quell phonetischen wissens mit, und oft
erhalten wir ziemlich lange exkurse. In einem kleineren buche mag
eine solche darstellung zulässig sein, ja sie kann sogar durch ihr
stark persönliches gepräge und die leichte, springende und gleitende
behandlung erfrischend auf den leser einwirken. Wenn aber der
stoff in dem masse anwächst, wie es von der ersten bis zur zweiten
deutschen ausgabe geschehen ist (von 88 auf 352 seiten über allgemeine phonetik), so wirkt diese *à propos*-methode eher ab-
schreckend und ermüdend; und viele der in dem buche enthaltenen
feinen lautanalysen werden daher gefahr laufen, ganz übersehen zu
werden.

In demselben jahre, wo die phonetischen bestrebungen Storms
durch die deutsche ausgabe in weiteren kreisen bekannt wurden,
erschien die zweite ausgabe des Sieversschen buches (siehe oben),
und zwar jetzt unter dem veränderten titel *Grundzüge der Phonetik*
und mit bedeutend geändertem inhalte, indem der verfasser sich in
der zwischenzeit mit den englischen forschern und mit Storm bekannt
gemacht und sich in dem grade ihrer lehre angeschlossen hatte, dass
er erklärte, niemand brauche weiter als bis auf Bell zurückzugehen.
Dessen vokalaufstellung wird in bausch und bogen angenommen,
und in den meisten abschnitten, des buches sind viele neue beobachtungen hinzugekommen, die sicher zum grossen teile impulsen
der englischen phonetischen schule zu verdanken sind.[1]

---

[1] Ein eigentlich einheitlich festes gepräge hatte das buch aber nicht; und Sievers'
etwas wankelmütige stellung mehreren prinzipiellen fragen gegenüber veranlasste

Dieses jahr 1881 darf man wohl als dasjenige bezeichnen, in welchem die moderne phonetik sich bahn gebrochen hat, und sie fängt jetzt an, sich in stets weiteren kreisen der sprachforscher und sprachlehrer geltend zu machen. Ihr wesentliches charaktermerkmal im gegensatze zu den mehr isolirten bestrebungen früherer zeiten besteht in ihrem internationalen gepräge; „die englisch-skandinavische schule", wie man Sweet und Storm mit ihren nachfolgern nannte, hatte ja eine kräftige stütze an dem deutschen Sievers und beeinflusste alsbald auch die forschung in anderen ländern. Ferner tritt mit den genannten männern eine früher ungekannte vereinigung theoretischen wissens und praktischen könnens hervor. Im zusammenhange hiermit steht ein steigendes interesse für den sprachunterricht. Schon im *Handbook* hatte Sweet die seitdem so oft zitirten worte ausgesprochen: *If our present wretched system of studying modern languages is ever to be reformed, it must be on the basis of a preliminary training in general phonetics, which would at the same time lay the foundation for a thorough practical study of the pronunciation and elocution of our own language—subjects which are totally ignored in our present scheme of education.* Dasselbe interesse für eine reform des sprachunterrichts auf phonetischer grundlage hegen Storm und Sievers, und deren aussprüche wirken am anfang der achtziger jahre wie zündende blitze auf eine ganze schar von männern ein (unter denen ich hier nur an den zu früh verstorbenen Felix Franke erinnern will), die auf verschiedene weise in schriften und in der praxis tätig sind, um die phonetik dem sprachunterricht anzupassen. Phonetik wird jetzt mehr und mehr gemeingut der sprachforscher wie der sprachlehrer; die bestrebungen dieser letzten jahrzehnte gehören aber mehr der zeitgenössischen kritik als der geschichte an, weshalb ich hier meine darstellung abbreche.

Überblicken wir die geschichte der phonetik, so kann es unserer aufmerksamkeit nicht entgehen, dass wir hier einen zweig der wissenschaft vor uns haben, der von den verschiedensten ausgangspunkten aus und zu den verschiedensten zwecken getrieben worden ist; der eine will eine philosophische sprache und der andere eine sprech-

---

Hoffory zu seinem damals viel besprochenen angriffe in der scharfen — zu scharfen! — flugschrift *Professor Sievers und die prinzipien der sprachphysiologie* (1884).

maschine konstruiren; nicht wenige wollen die rechtschreibung ihrer muttersprache reformiren, andere studiren phonetik, um sich eine gute aussprache fremder sprachen anzueignen; der eine will taubstumme kinder sprechen lehren, und der andere will der geschichte der sprachen nachforschen; der eine betrachtet die laute als tätigkeit der lippen, der zunge usw., und der andere will bloss der form und den bewegungen der schallwellen in der luft nachspüren. Während aber früher alle diese verschiedenen menschen für sich arbeiteten, ohne von den anderen, die sich in anderer weise für den nämlichen gegenstand interessirten, besonders viel zu wissen, so scheinen sie in der jüngsten zeit immer mehr zu konvergiren und miteinander gemeinschaftliche sache zu machen, so dass ein jeder auf seinem gebiete von der tätigkeit der übrigen weiss und das lebhafte gefühl hat, dass für das gebäude, welches die wissenschaft von den menschlichen sprachlauten beherbergen soll, aus vielen verschiedenen richtungen steine herbeigeschleppt werden müssen.

PRESIDENTIAL ADDRESS

MODERN HUMANITIES RESEARCH ASSOCIATION 1920

MY first word today must necessarily be the monosyllable *Thanks!* I want to express my profound gratitude to you because you have elected me your President. I shall never forget the feelings with which I received the telegram from your honorary secretary inviting me to become president: it found me after a delay of some days at an out-of-the-way place on the west coast of Jutland, where I had retired, far from civilization and post-offices. The telegram not only surprised me as few things have surprised me in my life, for I had never dreamt of the possibility of having this honour conferred on me, but it also filled me with joy and pride. Afterwards, when the first attack, if I may say so, of vanity had subsided, I began to ask myself more objectively the question what motives could have been in your minds when you came to think of me as President, and I found two which seemed to me to explain, partially at least, your choice on this occasion.

The first of these motives, I take it, is half political. It is the exalted aim of this Association "to unite all who engage in such studies in one world-wide fraternity." Now if this is to be achieved it is important to enlist as many nations as possible, and also, perhaps, to divide the honours as far as possible among several nations. It was only the natural thing to have an Englishman as the first president of a society founded in England and consisting largely of British members; it was equally natural next to go to France and to elect as the second president one belonging to the great nation that has recently borne the brunt of the battle on the same side as Great Britain. But after these two nations had been represented, I suppose some of you may have thought it advisable to look for the third

6

president among those nations which have not participated in the great war, in order effectively to demonstrate that the Association really aims at being "world-wide" and not only inter-allied, so that it wants, as soon as possible, not, indeed, to forget the world-war —for that of course is impossible for anyone who has lived through the terrible years after 1914—but to efface those after-effects of the great struggle which prove obstacles to the full development of the studies which occupy us. It would obviously be premature now to choose as the president of this Association a German, however meritorious—and many Germans would deserve to be raised to this chair much better than I do—but it is a step in this direction to go to such a neutral country as Denmark. It is my hope that conditions in Europe will be soon improved so far as to render it possible for British and French scholars to meet with their brethren from the Central Powers: I know that it will require a good deal of resignation —on both sides!—but it must be done sooner or later, and the sooner the better for the world at large and for that spirit of research which we all have at heart.

If the first motive for electing me may thus have been the desire to see a neutral president instead of another man belonging to one side of the belligerent nations, I can imagine that a second motive may have been the desire to have a student of language after the first two presidents, both of whom have devoted themselves to the literary side of Modern Humanities. It is no easy matter to be the successor of two eminent men like Sir Sidney Lee, revered as the author of the best biography of Shakespeare and of other excellent work in biography and literary criticism, and M. Gustave Lanson, who combines learning in all fields of French literature with the typical French elegance of form. But it is perhaps easier to follow these first two Presidents when one's own work is in different domains so that a direct comparison is for that reason excluded; the distance between us cannot be exactly measured and you may on that account be less inclined than you might otherwise have been to exclaim, "What a falling-off was there!"

It is customary to speak of the two sides of our studies, language and literature, as being to some extent rivals or even antagonistic. Most scholars specialize in one or the other of these branches, and it is given only to very few to excel in both. There are, however, such exceptionally gifted scholars: I shall mention two among the great dead, Gaston Paris and Bernhard ten Brink. But apart from such men of genius it is but natural to take more interest in one side than in the other, and that each scholar should choose one field in which to be productive; but that is not the same thing as neglecting the other side altogether. On the whole I think it very wise of most of our universities to have joint professorships of the English (or German, or whatever it is) language and literature, and in the same way to demand of the young candidates that they should have studied both language and literature. For the two things are really inseparable. It is quite true that it is possible to write, say, a readable essay on modern Russian novels without being able to read Dostojevskij and Gorkij in the original; but it is not humanly possible to penetrate into the very essence of a foreign literature without a thorough knowledge of the language in which it is written: there is always something that is lost in a translation of any literary work, though of course more in the case of a lyric poem than of a realistic novel. I would even go so far as to maintain that without a sound knowledge of phonetics no one is able to the fullest extent to enjoy and appreciate a foreign poem, and to a certain degree also the higher forms of literary prose. As human beings are organized, sound and sense cannot be separated without detriment to both.

On the other hand, it may be objected to me that it is quite possible to study language without taking an interest in literature. Here again I say that this is possible with regard to the lower forms of language study only. When the study of language emancipated itself from classical philology, it was often said that the study of language as such had nothing to do with literature, and that the language of a totally illiterate negro tribe presented exactly the same interest to the linguistic student as the language of Homer, nay one may even find it stated that it was more interesting or important than Homer's Greek, because it showed language in its natural state while Homer wrote a highly artificial language. Such utterances may be excused from the first enthusiasm of the new science of language; and there is that much truth in it that any and every language presents a great many interesting features and may throw some light on human psychology. Therefore, by all means, do not let the study of negro languages be neglected. Still I venture to assert that there are a great many of the most important linguistic problems that can only be faced through a study of language in its highest forms, and that is the language of the most cultured nations and especially of such individuals among those nations as have attained the highest mastery of language, in other words the greatest poets. Many interesting observations may no doubt be made in newspaper advertisements, but a much greater number are to be gathered from the pages of William Shakespeare and Percy Bysshe Shelley.

Here someone may be inclined to say that the works of the great poets are too good to be used for grammatical investigations, and that it will kill the interest in poetry as such to examine the use of verbal forms or of conjunctions, etc. "We murder to dissect," as Wordsworth has it. But surely there is a way to combine enjoyment and research. I do not know whether a botanist is able to make scientific observations of the structure of an asparagus or a strawberry while he is enjoying the taste of it; but I do know from many years' experience that a grammarian is able to make interesting observations on the language of a novel or a piece of poetry while reading it or hearing it recited without these observations interfering with his aesthetic enjoyment. The trouble of course is with noting down one's observations: I have found it a safe plan always to read with a pencil in my hand and to put a little dot in the margin, so small that it does not disfigure the page, but distinct enough to allow me afterwards to find again what had struck me and to enter it on slips. And then there is, of course, always the expedient first to read the book or play as a whole for the sake of its literary value and afterwards to go through it in detail with the eye on those points which one wants to investigate especially. I have also found it possible to observe points of pronunciation while listening to a lecture, etc., without on that account losing the thread of the speaker's ideas or forgetting my interest in the subject-matter. But I must confess that in some cases I have been listening to speeches where the speaker's peculiarities of pronunciation were more absorbing than the thoughts he was expressing. That is just one of the beauties of phonetic study that it sometimes makes you forget how bored you would otherwise have been in certain people's company.

You will allow me to go through the programme of this Association as shown in its title and to add my own commentary to each of the three parts that make it up: Modern Humanities—Research—Association.

First, then, Modern Humanities. I do not know how far back this word "modern" carries us, but as "Humanities" necessarily implies historic study it cannot evidently be the intention to restrict our task to the most recent period either of language or literature. In accordance with this interpretation divisions of the Association have been formed which deal especially with the medieval literature of this and that country, and that is quite natural. What, then, is it that divides us from other humanistic studies which do not fall under the heading of Modern Humanities? For everybody will agree that our Association could not by any means be made to include the study of Cicero, although his language is only to that of *La Chanson de Roland* what that is to the language of Victor Hugo. I think that what is characteristic of "Modern Humanities" is nothing but the close, intimate, uninterrupted contact with the life of our own days, and this immediate connexion with actual life is or should be our pride, for it is this which gives to our study its patent of nobility.

It is not so very long since the study of modern languages and literatures was looked down upon by classical scholars and others as if it were a second rank study and must always be inferior to the study of Latin and Greek. Many universities had no professors of English or French, but only lecturers (dozenten, maîtres de conférences, or whatever they might be called), and students were advised to take up the nobler classical languages rather than the despised modern ones. But happily this is changed now in most countries, and it is universally recognized that our studies require exactly the same mental capacities as the older ones. They have been placed on a footing of equality with Greek and Latin in all except the most backward states. But I do not scruple to say that we should not be content with that position of equality, but claim that our study in some respects ranks even higher than classical studies, and the reason for that superiority is to be found just in that immediate contact with actual life of which I spoke. This allows us to get nearer the real truth in many respects than is possible with those studies which have for their basis old manuscripts removed by many intermediaries from the author himself and consequently precluding us from attaining to the same degree of certainty which is possible for more recent periods.

This is true of literature: there can be no doubt that the student of recent literature has many advantages which his colleague in the older fields must envy him; his biographical sources flow more abundantly, he knows much more about the social milieu in which the works were produced, about the way in which they were hailed at their birth, etc., and all that constitutes an immense superiority, if this is not to be measured by the false standard of the kind of ingenuity that throws out guesses at truth which can never be verified or controlled. But similar considerations hold good with regard to language study as well, though it has not always been recognized.

Most of the masters of the comparative study of languages have been almost exclusively engaged in the study of ancient languages, Sanskrit, Zend, Greek, Latin, Old Bulgarian, Gothic, etc., and have paid very little attention to modern languages, least of all to living languages, a fact that has had many deleterious consequences which it would lead me too far to point out in this place. Even professors of modern languages spent more of their own and their pupils' time on Old High German and Old English than on the language as we may hear it round us every day. Max Müller, who was "Taylorian Professor of Modern Languages" at Oxford, characteristically wrote in 1853: "I dare hardly venture to undertake a course of Greek literature, for my subject must always be more or less in connexion with modern languages. This is possible with titles like 'declension,' 'conjugation,' etc., *including a few words about modern formations, and then concentrating on Greek, Latin, and Sanskrit.*" Even much later many of those who spoke in the highest terms of the necessity of basing the theory of the development of language on the study of actual living speech, paid little more than lip-service to this study and were mainly occupied with antiquarian philology. Some of them, to judge from their actual practice, agreed with Miss Blimber in Dickens's novel: "She was dry and sandy with working in the graves of deceased languages. None of your live languages for Miss Blimber."

Among the first who took the study of living speech seriously, I must mention the German Eduard Sievers, the Norwegian Johan Storm, and especially Henry Sweet. My own work, and that of many others, would have been nothing were it not for the initiation and inspiration due to what these three eminent men wrote in the 'seventies and 'eighties. Each of them also, Sweet perhaps even more than the two others, showed that it was possible to combine minute observation of present-day language with a sound knowledge of previous speech-periods and thus to gain a real insight into the essence of linguistic history.

It should never be forgotten that all linguistic study that is based on books and manuscripts is unrealistic and places one thing between the observer and his object which is apt to disfigure the object and blur his vision, if he is not trained through previous immediate study of the spoken language to eliminate the errors caused by the medium of writing. We may here quote Shakespeare:

> Why? all delights are vaine, and that most vaine
> Which with paine purchas'd doth inherit paine,
> As painefully to poare vpon a booke
> To seeke the light of truth, while truth the while
> Doth falsely blinde the eyesight of his looke.

Sweet also was one of the first to recognize the vital importance for the study of living languages of adequate phonetic texts. I well remember how I missed good phonetic texts when I took up the study of English: we had then a couple of pages only by Sweet and not quite so much by Ellis; otherwise we had to be contented with transcriptions of the older kind in which each word was given in its dictionary pronunciation and no account was taken of the way in which words are joined and modified in natural connected speech. Then Sweet came out with his *Elementarbuch des gesprochenen Englisch* (1885), and since then the number of reliable phonetic texts has been constantly increasing, and now fortunately the student has a great many excellent books to choose between and—which is very important—to compare so as to gain an insight into what points are common to all educated English people and what points are not;

with these differences of pronunciation he will do well to familiarize himself, for no one man can be an adequate representative of a speech-community constituted of so many different strata and elements as a modern nation. In one way Sweet's first book has never been surpassed nor even superseded, for all recent books of English transcriptions either give a number of anecdotes, which are not to my mind the best texts from which to learn a language, or else they take literary selections, while Sweet took as his chief source the language as he actually heard it spoken in everyday life. In other languages, too, the student will now find reading matter transcribed by competent phoneticians; even for such a far-off language as Chinese we have now two phonetic readers, one by Mr Daniel Jones and a native scholar, and one by the eminent Swede Karlgren. Thus the student of phonetics is now far better off than ten or twenty years ago, but still very much work remains to be done in this field.

I must here also mention the excellent work done by *l'Association Phonétique Internationale*. This society has not found favour with the Poet Laureate, who has even gone out of his way to stamp it as an Anglo-Prussian Society. As a matter of fact it was founded by my friend Paul Passy and myself, and neither of us can be described as Anglo-Prussian, as he is an ardent French patriot, and I am at any rate no Prussian; and it soon grew to be a fully international society in the best spirit of world-wide cooperation for intellectual purposes. Nor were the members tied down to one particular style of pronunciation either in English or any other language, so that if Dr. Bridges had done us the honour to join the Phonetic Association, he would have been free in its periodical, *Le Maître Phonétique,* to oppose any of the pronunciations he dislikes and to advocate the distinctest pronunciation of naturally indistinct vowels. He might also there have given free scope to his homophonophobia. But now, unfortunately, the War has for the time being put an end to this as well as to other international societies. The *Association Phonétique* was not exclusively a research society, but had also practical teaching in view, but I think it would not be a bad idea to merge it into this Association, or to form a subdivision of the Modern Humanities Research Association for the purpose of encouraging research in phonetics.

I am afraid I have laid more stress than some of you would like on that part of Modern Humanities which is concerned with the most modern period, and I hasten to say that my sympathy is no less with those who would extend the word "Modern" even so far back as to Beowulf—the main point to my mind is that we recognize Beowulf as well as recent slang as parts of one great whole which it is impossible for one man to embrace with equal knowledge, but which forms in its totality the object of our joint activity. Let each man specialize as much as he likes, and let us by all means encourage special study in many branches, but our Association as such must have the widest horizon possible. The individual, too, will do well while specializing not to lose sight of the greater whole of which his study forms only one part. I remember reading in an American newspaper the following conversation about a doctor: "So he's a specialist. What is his speciality?" The answer was, "The nostrils," which elicited the further question: "Which nostril?" It is impossible to do really fruitful research work in one field without a wide out- look to other fields: no one can study Shelley without knowing much about the materialistic and revolutionary French literature of the eighteenth century; and no one can specialize on Old English diph- thongs without taking into consideration Gothic and Old High Ger- man or without an adequate knowledge of diphthongs in the living speech of the twentieth century—and, as I have already said, lan- guage cannot be properly studied without literature, nor literature without language. Specialization is good and natural and necessary, but should not cramp the mind, and it must be one of the objects of our Association to enlarge the mind through the cooperation of many scholars, each with his own speciality.

So much for my interpretation of the words *Modern Humanities*. I next come to the word *Research*. I take this to mean the endeavour to find out truth, not for one's own private benefit, but for the benefit of the whole community. It is thus opposed to that kind of scholar- ship which consists solely in the quiet enjoying of good literature and which has its classical representative in Gissing's Henry Ryecroft— that intellectual sybarite who never thinks of taking the trouble of writing books or papers for the benefit of others, but only of sucking the greatest amount of honey from other people's labours. The real research student, on the other hand, is constantly thinking of the way in which his own labours may be made useful to others and how through the publication of his results he may promote the interests of everyone engaged in similar studies; and if he does his work well, he may not only procure to his readers that enjoyment which is always the result of a well-conducted investigation, but also in some cases destroy wide-spread errors of far-reaching importance. You will allow me to mention one field in which sound sober-minded research work is needed in all countries.

Professor H. C. Wyld has recently, in his able and interesting inaugural lecture on "English Philology in English Universities" given a splendid stimulus to research in this country. Here he rightly remarks that there is really a wide-spread interest in English Philology among the general public: questions on etymology, on pronunciation and grammatical usage, etc., possess "a strange fascination for the man in the street, but almost everything that he thinks and says about it is incredibly and hopelessly wrong. There is no subject which attracts a larger number of cranks and quacks than English Philology. In no subject, probably, is the knowledge of the educated public at a lower ebb." What Professor Wyld here says is probably true for every other country as well; at any rate I can assure you that in Denmark, too, the interest of the general public in questions of their mother-tongue is in inverse ratio to their knowledge. And this is really quite natural. Questions of correct spelling, correct pronunciation, correct grammar are often important in everyday practical life, but the standard by which these things are measured, the whole manner of viewing such questions depends for nearly everybody on the way in which his own mistakes were corrected at the age when the greatest number of them were committed, that is before the beginning of regular schooling and in the first school-years. Now it is unavoidable that those persons who correct the mistakes of such children have not as a rule made a profound study of their own mother-tongue or of scientific principles of linguistic correctness; the consequence is that most of those people who in later life pronounce their infallible verdicts in these matters do so from insufficient data and starting from principles which hardly deserve this proud name and at any rate are different from those recognized by the masters of linguistic science. Here a vast amount of educational work is required to do away with narrow-mindedness based on ignorance and to substitute sound theories based on research. Even those who write books on errors in the use of their mother-tongue and who ought to have studied their subject in order to guide their countrymen do not always seem to have a real grasp of the fundamental principles or to have investigated the usage of the best authors. If they give quotations these are chiefly gathered from recent newspapers and third or fourth rate writers of the day. I had recently occasion to look into the use of the relative pronoun *whom* in combinations like "We feed children whom we think are hungry."[1] Hodgson (*Errors in the Use of English,* 1881—one of the best books on the subject) mentions it as a "heinous and common error" and gives twenty-three quotations, twenty-one of which are from unknown writers, one is from Disraeli and one, it seems, from Milton, though, as printed there, it may be the elder Disraeli's rendering of Milton's words. In H. W. and F. G. Fowler's *The King's English* (1906) the phenomenon is mentioned on p. 93 as "the gross error" and illustrated by nine quotations (two from Dickens, one from Corelli, one from Galt, and five from various newspapers). But these books give no information about the extent to which this use of "whom" is found in good literature: from my own reading, which, after all, is not so very extensive, and in which I have not paid *special* attention to this more than to other syntactical phenomena, I have noted one example from Chaucer, one from Caxton, six from Shakespeare, one from the Authorized Version of the Bible, one from Walton, two from *The Vicar of Wakefield,* two from Franklin's *Autobiography,* one from Shelley, one from Keats, one from Kingsley, one from Darwin, and six from various recent writers and newspapers. As there seems to be thus a pretty universal inclination in such composite relative clauses to use "whom", and as this inclination weighs the more heavily because the general tendency in English goes in the opposite direction, towards using the form "who" also as an object, one may be excused for coming to doubt the validity of the grammarians' estimation of the idiom. They say that it should

---

[1 See now *The Philosophy of Grammar* (1924) p. 349; *Modern English Grammar III* (1927) p. 197.]

be "children who we think are hungry" because the relative is the subject of *are* and not the object of *think*. But we have a second test by which we can show that the "speech instinct" does not take the relative as a real subject, for in that case it would not be possible according to the usual rules to omit the relative, but, as a matter of fact, it is possible to say (as Keats writes in one of his letters): "I did not like to write before him a letter he knew was to reach your hands," or (as Mr Lloyd George said the day before yesterday) "In Central Europe there were blood feuds they all thought had been dead and buried for centuries," or "count the people who come, and compare them with the number you hoped would come"—here evidently it would nowadays be impossible to say "compare them with the number would come," and actual usage thus clearly shows that those grammarians are wrong who maintain that the insertion of the words "you hoped" or "he knew," etc. changes nothing in the relation between the pronoun and the verb. Now the curious thing is that the phenomenon is not confined to English: in Danish I have been able to discover no less than six tests by which it is evident that the pronoun is felt to be something different from the ordinary subject. I therefore think that we have here in Danish and English a separate kind of clause which might be called accusative with indicative (or, perhaps better, with finite verb) to be classed in some respects with the accusative with infinitive. It has not, of course, been my intention with these remarks to pass judgment in a question of what is good or correct English, for that would clearly be presumptuous on the part of a foreigner; my interest is only in the facts, and I find these insufficiently stated in books on "correct English." But I venture to think serious research is needed to settle such questions in any language whatever, while abstract logical reasoning has very little value, for as a matter of fact it is often nothing but a camouflaged transfer to English of some Latin rule which is not applicable to languages of totally different structure. The uniform grammatical terminology adopted a few years ago by several bodies in this country was certainly not a step in advance towards a clear understanding of grammatical facts, but I shall refrain from saying more on this knotty point.

In order to find out the facts about delicate points of grammar it is quite necessary to use reliable editions, accurate in every detail. But while such editions are found of most very old texts, because these have been left to the care of accomplished scholars, and also of most Elizabethan authors, the same is not the case with many more recent works, where we must often be contented with reprints that may be very good in many ways, paper, print, etc., but in which the text has not been revised with the scrupulous care that respects every little detail of the original, even those peculiarities of style and grammar which may not be in favour nowadays. In many cases I fancy that the proof-reader even thinks that he does meritorious work in "correcting" the grammar of the old writer; and generally modern editions are nothing but reprints of reprints, as the original editions are not easily accessible, and thus the probability is that the number of errors or deviations from the original are constantly on the increase. Thus, *whom* in the sentences I have just been considering is corrected into *who* in recent reprints of the *Vicar of Wakefield,* and similarly these have *than I* at least in two places where Goldsmith wrote *than me* (ed. 1766, vol. 2, p. 3, "our cousin, who was himself in little better circumstances than me," and p. 29, "My pupil in fact understood the art...much better than me"). Quite apart from the view one may have of the correctness or the opposite of using *me* in this place it is clear that the conscientious grammarian has an interest in knowing that Goldsmith, occasionally at any rate, indulged in the form *me* here, and it would perhaps be useful if this Association insisted on the necessity of placing trustworthy editions in the hands of scholars.

The third and last element of the name of our society is *Association.* From what I have said with regard to the word *Research* it will be seen that to my mind a certain amount of cooperation is always required in any kind of research, for no worker is or can be completely isolated from, or independent of, the work of others. What is new in our Association, then, is nothing but the conscious organization of this cooperation, each scholar being through that means put in a position to benefit much more effectively from the works of others than has been previously possible. I look upon this as a signal advantage and envy the position of those who can from the beginning of their independent research be placed in contact with those who have similar interests and work in the same or related fields. The necessary tendency of the hard times in which we are living is towards economy in every direction, and there can be no doubt that much unnecessary waste of efforts can be happily avoided through such a conscious organization of fellow-workers.

I need not expand on the economy effected through the avoidance of unnecessary competition, as when two scholars may come to know of each other's plans and thus be prevented from taking up exactly the same task and going through exactly the same texts for the same purpose, while they might just as well undertake tasks supplementing each other. Nor is it necessary to say much about the need for co-operation to bring about those comprehensive bibliographical hand-books, the utility of which is so obvious, but which surpass the forces of one man, or even of competent scholars of one nation. This has been generally recognized and is, I think, one of the chief reasons why this Association was formed. I want to express my full sympathy with the work that is being done in this respect: it is my sincere hope that the bibliographical year-books of our Association will be what they ought to be, patterns of fullness, of trustworthiness in every detail, and of practical arrangement.

It is not everything in science that can be achieved by cooperation: much of the best work must be left to the individual, and here talent or genius counts for very much indeed. There can be no doubt that the works that have given us the greatest pleasure and have stimulated us most are those in which one writer has given expression to his individual personality and has said something which no one else could have said in the same way. This applies to research work as well as to poetry and art in general. But by the side of this there is very much indeed that can be, or that must be, done by cooperation of many individuals: here genius may be shown in the planning of the whole, and in the way in which the work is organized, but the rest is left to cooperators whose work is more or less mechanical. The result may be a work of the greatest possible utility, not so stimulating as the work of one man of genius, but very useful indeed to anyone working in the same field. I am thinking, for instance, of the great Concordances to works of individual writers in which the English literature is happily so rich: I find them extremely useful for many investigations in the use of words and grammatical forms. As a pattern of the best organization of that kind of work I should mention Professor Lane Cooper's *Concordance to the Poems of Wordsworth:* thanks to a carefully thought-out plan he managed in a comparatively short time to finish this enormous task and to give us a very reliable and most useful book. Let us hope that the Chaucer Concordance or Chaucer Dictionary planned by the late Ewald Flügel may soon see the light of the day: from the specimens he published some years ago in the *Anglia* it seems that the work was planned on too great a scale, and certainly a less ambitious scheme brought to an end within a limited period of time is in most cases more useful to the world than a scheme of such vast dimensions that it can never be carried through[1]. The Oxford New English Dictionary of course is a glorious example of an undertaking of very great dimensions and yet finished within a reasonable time, thanks to the genius of its organizers and to the energy of a most able staff of cooperators.

This Association cannot of course undertake cooperative work to be compared with the New English Dictionary, but it might do very useful work if its members were to assist one another in collecting and publishing advice as to the best way to conduct research and to make its results known. When I started collecting phonetical and grammatical observations I noted them down in exercise books with the result that after some time I was often unable to find again easily what I had written down, or that the page was so full that there was no space for entering new items. It was a great improvement when I hit upon the plan of writing down each item on a separate slip, but at first I did not even use slips of the same size. Slips can be arranged and re-arranged, and new ones inserted most easily. It would have saved me much work of transcribing if some one had at the start told me these things which I had to find out for myself, also the necessity of writing always on one side of the paper, etc. For some years I wrote down first the text of the quotation itself, and then the book and page, etc., where I had found it, but I discovered that in not a few cases I had forgotten to add this latter

---

[1 My hope has been fulfilled by the appearance of John S. P. Tatlock and Arthur G. Kennedy's excellent *Concordance to the Complete Works of Geoffrey Chaucer.* 1927.]

information, and without a reference to the place where it had occurred, the quotation then proved useless, so after some time I made it a point always first to write the reference and then the quotation as the more secure way. Much advice of that kind could be made accessible to young scholars; and it should also be possible to collect useful hints as to the best way of arranging manuals, indexes, dictionaries, etc., so as to make it possible to utilize other people's experience and thus to economize the time of readers and users of books. Very often in using the index of a book one does not know whether the number found indicates the page or the number of the section into which the book is divided, but it would be easy enough to state that on the top of each page of the index, if only the author or index-maker thought of it. Advice as to the best typographical arrangement also might be systematized: anyone using Littré's Dictionary and the N.E.D. will have experienced the annoying way in which the former is printed and how much time is saved for the user of the latter by the admirable use of different types and many other expedients of equal utility. Some dictionaries succeed in compressing a great deal of matter by economizing space in a way that is anything but economic from the point of view of the user, not to speak of the tantalizing way some of them have of saying "see" such and such a word, so that instead of looking up one word you have to look up two or three. It might not be impossible to set up a standing committee charged with giving advice to makers of dictionaries, concordances, special vocabularies, and similar works. For there is certainly some truth in what Herbert Spencer says somewhere that "mankind go right only when they have tried all possible ways of going wrong"—and it may be worth while to prevent other people going wrong more than is strictly necessary.

Cooperation not only of individuals, but of nations, should be our watchword. I think dear old Dr Furnivall would have rejoiced in the formation of this Association, he who was always intent on forming literary societies and who had the greatest pleasure in enlisting workers from all countries to elucidate his beloved English literature. But in some ways we may be glad that he was spared our experiences of the last seven years: much of what we have seen would have been incompatible with his genial and kind-hearted nature. But we must try to act in his spirit; and if the French proverb says "À la guerre comme à la guerre," our endeavour must be to supplement that by "Après la guerre comme avant la guerre"—or rather, if possible, to make future conditions even better than pre-war conditions were. Each of us in his field must do his best to make this world "fit for gentlemen to live in"—then it will also be fit for scholars to do research work in.

ENERGETIK DER SPRACHE[1]

D AS gescheiteste, was je über das wesen der sprache gesagt ist,
ist der satz von Wilhelm von Humboldt: die sprache ist kein
ergon, kein fertiges werk, sondern *energeia,* tätigkeit. Weder Humboldt noch irgendein anderer sprachforscher hat jedoch die volle
konsequenz von dieser auffassung gezogen; das kann nur die sprachliche energetik, die eben noch zu schaffen ist. Ein wort ist kein
ding in der aussenwelt, es besteht natürlich nicht aus den schwarzen
figuren auf einem blatt papier, die wir buchstaben nennen, sondern
es ist eine psychologisch-physiologische tätigkeit des einen menschen,
um von anderen menschen verstanden zu werden; oder vielmehr,
das einzelne wort ist eine sitte, eine soziale gewohnheit, die mit solchen gewohnheiten wie dem hutabnehmen zu vergleichen ist. Um
sprachliche erscheinungen richtig zu verstehen, muss man sich diese
einleuchtende wahrheit in jedem augenblick vergegenwärtigen, man
muss die herrschende terminologie in eine energetische übersetzen,
dann wird man vielfach neue und fruchtbringende gesichtspunkte
von dem grössten theoretischen und praktischen belang gewinnen.

Unter energetik der sprache würde ich somit diejenige betrachtungsweise der sprachlichen erscheinungen verstehen, die überall die
bei dem sprechen (und schreiben) nötige (physiologische und namentlich psychische) energieverwendung berücksichtigt.

Sobald man in der sprache eine menschliche wirksamkeit erblickt,
dann liegt die frage von der zweckmässigkeit nahe; das am meisten
zweckentsprechende ist aber — jedenfalls auf solchen praktischen
gebieten wie dem der sprache — was man „das ideale" nennt, und
so kommt man ganz natürlich dazu, den begriff einer idealen sprache

---

[1] Vortrag am deutschen neuphilologentag, mai 1914. Gedruckt in *Scientia* XVI
(1914) s. 225 ff.

aufzustellen. Von diesem begriff hört man aber in der jüngsten zeit nicht so viel wie früher.

Im jahre 1793 schrieb die königliche Akademie der wissenschaften in Berlin einen preis aus mit der aufgabe:

„Das ideal einer vollkommnen sprache zu entwerfen; die berühmtesten ältern und neuern sprachen Europas diesem ideal gemäss zu prüfen; und zu zeigen, welche dieser sprachen sich demselben am meisten nähern?".

Man darf wohl getrost behaupten, dass in der letzten hälfte des neunzehnten und im anfang des zwanzigsten jahrhunderts keine einzige namhafte gesellschaft der wissenschaften eine derartige aufgabe stellen würde. Alle vertreter der offiziellen sprachwissenschaft würden mit einem bedenklichen kopfschütteln derartige gedanken als unwissenschaftlich schnurstracks abweisen. Dass dem so ist, habe ich selbst erfahren. Im jahre 1894 wagte ich es, auf der einen hälfte der letzten seite von meinem buch *Progress in Language* eine kurze skizze einer idealen sprache zu entwerfen. Sechzehn jahre später wurde diese ketzerei von einem grossen deutschen sprachforscher [Streitberg] entdeckt, der dann meine betrachtung einfach durch eine fussnote abfertigte: „Vgl. den merkwürdigen rückfall Jespersens in diese dem rationalismus entstammende anschauungsweise (*Progress in Language*, s. 365)".

Nun, bisweilen muss man auf die von einer früheren generation aufgeworfenen, aber nicht gelösten probleme zurückgreifen, und so könnte man einerseits die theoretische frage stellen, ob die sprachen in ihrer natürlichen entwickelung sich dem idealen zustande genähert haben, andererseits die praktische frage, ob wir etwas dafür tun können und sollen, die sprache dem ideal zu nähern.

Was die erstere frage betrifft, so glaubte Humboldt zwei perioden in der sprachgeschichte aufstellen zu müssen, die eine des aufbaus, und eine andere, in der der verfall an formen durch einen gewinn an gedankenreichtum in den neueren sprachen aufgewogen wurde. Die meisten sprachforscher übersahen aber diesen letzten moment und erblickten in der geschichte z. b. der romanischen sprachen dem latein gegenüber nur verfall. Einen sehr bezeichnenden ausdruck für diese gedankenrichtung finde ich bei Streitberg, der schreibt: „Bei Schleicher, dem sprachforscher, muss naturgemäss das interesse an dem letzten ziele der geschichtsphilosophie hinter dem sprachlichen interesse zurückstehen. So ist es unvermeidlich, dass er nur die verarmung der sprachform empfindet, aber nicht die bereicherung des sprachinhalts. Er findet deshalb im fortgang der geschichtlichen entwickelung an der sprache überall nur verfall, nicht neues leben".

Ja, das ist eben meiner ansicht nach das fatale — dem typischen sprachforscher ist es „naturgemäss" und „unvermeidlich", dass er die sprache betrachtet ohne interesse an dem gebrauch der sprache — denn darum, und nicht um die letzten ziele der geschichtsphilosophie, handelt es sich — und dass er eigentlich die sprechenden menschen gar nicht berücksichtigt. Er interessiert sich für die *formen* und es wird ihm deshalb unmöglich eine vernünftige auffassung der *sprache selbst* sich zu bilden. Die formen verfallen: statt *homo, hominem, hominis, homini, homine, homines, hominum, hominibus* (8 formen) hat das gesprochene französisch nur eine form, indem das *s* der mehrzahl *hommes* ja normalerweise stumm ist.

Man erhält dieselbe nutzwirkung mit viel einfacheren mitteln — ist das verfall?

Nun sagt man aber vielfach, und mit gewissem recht, dass nicht alles, was wir in der sprachgeschichte beobachten können, als fortschritt zu betrachten ist. Man sagt, z. b., dass es nicht angeht, die älteren sprachen als mehr synthetisch, die jüngeren als mehr analytisch aufzufassen, dass vielmehr synthese und analyse in dem sinn einander ablösende tendenzen sind, dass wir nach der bewegung von synthese zu analyse eine neue synthese bekommen, so dass wir also zu verschiedenen zeiten geradezu entgegengesetzte tendenzen in der sprache finden; und wie kann man dann von einer bestimmten richtung der entwickelung sprechen? Statt des synthetischen lat. *scribam* sagte der romane *scribere habeo* mit analyse; dasselbe wurde aber später synthetisiert im französischen *écrirai,* und jetzt ist dies wieder im begriff von einer neuen analyse abgelöst zu werden, indem man sagt *je vais écrire.* Und so haben wir immer ein auf und ab, eine beständige wellenbewegung, die eben nicht eine entwickelung in *einer* richtung darstellt.

Es sieht ganz richtig so aus, wenn man sich an einzelheiten hält. Falls man aber die sprache als einheit, also den ganzen sprachbau, betrachtet und den sprachzustand etwa um 900 und 1900 vergleicht, dann bekommt man ein anderes ergebnis. Das habe ich in einem kapitel von meinem früher erwähnten buch getan; dies kapitel ist aber wahrscheinlich von den meisten lesern übersprungen worden, was ich ihnen sehr leicht verzeihen kann, denn das kapitel ist ohne zweifel das langweiligste, was ich je geschrieben habe, eine trockene statistische aufzählung von formen mit einer menge von abkürzungen.

Das englische kasussystem von könig Alfred und dasjenige der königin Victoria habe ich darin in ganz derselben systematischen weise dargestellt mit dem ergebnis, dass das ältere zehn gedruckte seiten erheischt, während das jüngere nur zwei seiten füllt. Das heisst also, dass die englische grammatik einen fünffach komplizierteren bau um das jahr 900 hatte als jetzt, was einen sehr beträchtlichen fortschritt in regelmässigkeit und leichtigkeit bedeutet. Ein paralleler vergleich des alt- und neuenglischen verbalsystems würde ein ähnliches resultat aufweisen, und genau dasselbe würden wir aus einem vergleich von altdänisch und neudänisch, ja auch, wenn auch vielleicht nicht ganz so schlagend, wenn wir althochdeutsch und neuhochdeutsch systematisch zusammenstellen. Auf dem grammatischen gebiet lässt sich wirklich eine bedeutende energieersparung im laufe der geschichtlichen entwickelung nachweisen. Wir haben hier nicht ein niedersinken von einem goldenen zeitalter aus, sondern ein langsames emporsteigen aus einer steinzeit.

Die erste sprache, die sich die menschheit schuf, war kein wunder von regelmässigkeit und einfachheit, sondern im höchsten grade unbequem und beschwerlich, ganz wie man auf allen anderen gebieten hat lange ungeschickt auf allerlei umwegen herumstolpern müssen, ehe man zu dem netten zweckdienlichen, glatt wirkenden werkzeug oder apparat gelangte. Komplikation geht immer der simplifikation, chaos dem kosmos voraus.

Die energetische betrachtungsweise hat aber nicht nur bedeutung für die theoretische sprachforschung; auch in dem praktischen sprachleben kann sie uns vom grössten nutzen sein. Meiner ansicht nach hat die ältere generation der sprachforscher durch ihre vornehme haltung den praktischen sprachfragen gegenüber eine ganze menge von ausserordentlich wichtigen sachen vernachlässigt; aufgaben, die *sie* zu lösen berufen wären, haben sie in der tat den nicht-kundigen dilettanten überlassen und haben dadurch dem sprachleben und den dazu geknüpften höheren geistigen interessen vielfach geschadet.

Eine englische psychologin, Lady Welby, erzählt, wie gross ihre verwunderung war, als sie das studium der vergleichenden sprach-wissenschaft anfing und die entdeckung machte, dass diese die sprache nicht als mittel zu einem zweck betrachtete, sondern in genau derselben weise behandelte, wie man etwa ferne sternbilder und ihre uns nicht angehenden geheimnisvollen bewegungen studiert („as you might treat some distant constellation in space and its, to us, mysterious movements"). Und ähnlich sagt der geistvolle englische literatur-forscher Sir Walter Raleigh, dass die sprachforscher alles mögliche über die sprachen wissen, mit ausnahme nur von dem, wozu die sprache zu gebrauchen ist.

Wenn der sprachforscher in das praktische sprachleben nicht hat eingreifen wollen, hängt das vielleicht durch den gesamten zeitgeist mit den Manchestertheorien auf dem ökonomischen gebiet zusammen, mit dem „laissez faire", mit der überzeugung, dass wenn man nur ganz ruhig alles seinen gang gehen lässt, dann wird schliesslich ganz von selbst alles die bestmögliche gestalt annehmen, denn die unergründliche natur der dinge ist weiser als wir kurzsichtigen menschen es sind. In der nationalökonomie ist dieser standpunkt ja glücklicherweise jetzt allgemein aufgegeben worden.

Es hängt diese passive haltung aber auch damit zusammen, dass die sprachforschung bisher im zeichen des krebses stand; der sprach-forscher bewegt sich rückwärts zu den ältesten zugänglichen stufen, um dort die etymologien und wurzeln aufzusuchen, und er geniesst gewöhnlich einer um so grösseren hochachtung, je älter die sprache ist, die er studiert. Es finden sich in den akademien der wissenschaf-ten viel mehr sanskritisten, ägyptologen und latinisten als vertreter der neueren und namentlich der neuesten philologie.

Der ägyptologe oder der Homerforscher aber kann selbstver-ständlich nicht daran denken, in das sprachleben der mittleren dynastie oder der ionischen städte praktisch regulierend einzugreifen, und so kommt auch der germanist und romanist dazu, es für vor-nehmer und wissenschaftlicher anzusehen, sich von allen fragen der

sprachwürdigung, der sprachverbesserung oder gar der sprach-
schöpfung fern zu halten. Man ist somit allem utilitarismus abhold.

Nun haben aber die modernen energetiker auf dem physischen
und chemischen gebiete eine auffassung der zwecke der wissenschaft,
die zwar nicht utilitarisch im engeren sinne ist, als ob die wissenschaft in jedem augenblick an den unmittelbaren nutzen denken
sollte, die aber den gesichtspunkt des nutzens nicht ganz ablehnen
will. Ebenso wie diese energetiker würde ich mir das wort von Auguste Comte zu eigen machen: „Savoir pour prévoir, et prévoir pour
prévenir". Man untersucht die wirklichkeit wissenschaftlich, um
schliesslich nach bestem vermögen die wirklichkeit umzuformen und
die zukunft schöner und besser für die kommenden geschlechter zu
gestalten. In der forschung lässt man sich natürlich nur von rück-
sichten auf die wahrheit leiten; man beschäftigt sich aber wissenschaftlich nur mit dem, was für menschen von bedeutung ist, und
wenn die wahrheit gefunden ist, dann macht man sie auch frucht-
bringend in dem praktischen leben.

Die sprachforscher sind durchgängig fatalistisch gewesen; nicht
einmal ein kaiser, sagen sie, ist mächtig genug gewesen, um das geschlecht eines einzigen wortes zu ändern, wie die häufig hervorge-
hobene anekdote vom kaiser Sigismund zeigt. Nun, es wäre ja möglich, dass dieser kaiser und seine machtmittel nicht die richtigen dazu
wären, und dass die wirklich kundigen, wenn sie die sache in der
richtigen weise angriffen, in der tat einen grossen einfluss ausüben
könnten.

Tatsächlich ist es doch so, dass ausserordentlich häufig in
zivilisierten wie in unzivilisierten ländern eine öffentliche meinung,
die in letzter instanz auf einem einzelnen zurückzuführen ist, den
sprachgebrauch beeinflusst hat. Und tatsächlich greifen wir alle in
das natürliche sprachleben ein, wenn wir als eltern unseren kindern
etwas vorsprechen, wenn wir bei ihnen oder anderen eine unge-
schickte oder unrichtige ausdrucksweise auslachen, wenn wir in einer
buchanzeige einen sprachfehler rügen, und wenn wir als lehrer in
der schule etwas mit der beliebten roten tinte anstreichen. Die schul-
meister üben einen grossen einfluss auf die sprache ihrer schüler aus
und werden in der zukunft wahrscheinlich einen noch grösseren einfluss haben; sollen wir sprachforscher denn die sprache ihnen ganz

überlassen? Ohne anleitung werden viele lehrer der muttersprache, besonders in den volksschulen, derartige fragen ohne tiefere einsicht in oft geschmackloser und gewöhnlich ganz einseitiger weise regulieren. Der sprachforscher sollte es aber als eine seiner höchsten aufgaben betrachten, die lehrer der muttersprache zu einer rationellen auffassung des gesamten sprachlebens anzuleiten, und dadurch werden sie einen heilsamen einfluss auf die sprachbehandlung der zukunft ausüben können.

Das eingreifen soll aber nicht, wie bisher fast ausschliesslich der fall war, konservativ, erhaltend sein, sondern fortschrittlich, so dass man zu gunsten der zukunftsform, der leichteren, bequemeren, einfacheren form einschreitet. Das heisst aber in vielen fällen das sogenannt korrekte über bord werfen, oder vielmehr die herrschende enge auffassung des sprachrichtigen durch eine weitere, liberalere ersetzen.

Sprachrichtigkeit — wie oft haben nicht die grössten sprachforscher diesbezügliche fragen als sie nicht angehend abgewiesen, indem sie sagten, dass ihre aufgabe nur die wäre, das tatsächliche festzustellen und die historische entstehung desselben zu erklären ohne es würdigen zu wollen. Oder man sagt: was tatsächlich gebräuchlich ist, ist richtig — eine der gefährlichsten halbwahrheiten, weil sie zu indolenz führt. „Der fertige sprachgebrauch fehlt nie und nimmer". Bitte um verzeihung: der sprachgebrauch ist nie fertig, und er ist sehr oft ausserordentlich fehlerhaft und verbesserungsbedürftig. Der sprachforscher kann ja zwar in den meisten fällen selbst die tollsten ausschweifungen des sprachgebrauchs geschichtlich erklären, indem er sie auf irgend eine mittelhochdeutsche regel zurückführt und als lautgesetzliche entwickelung oder analogiebildung nachweist; es stehen ihm zahlreiche parallelen zu gebote, und dann glaubt er in allem ernst bewiesen zu haben, dass alles in ordnung sei. Ist denn der unsinn weniger unsinnig, wenn man ihn als traditionell nachweist? Ist denn eine unsitte gerechtfertigt, wenn man ihren ursprung begriffen hat? Ob der sprachgebrauch in einem gegebenen fall eine gute sitte oder eine unsitte ist, das hängt nicht davon ab, wie er in der vorzeit entstanden ist, sondern einzig und allein von seiner zweckmässigkeit in der jetzigen zeit und in der zukunft. Und wenn auch gebräuchlichkeit ein element der zweckmässigkeit ist, insofern das gebräuchliche leicht wiedererkannt wird und deshalb (gewöhnlich, nicht immer!) leicht verstanden wird, gibt sie uns keinen schlüssel, sobald zwei formen oder zwei ausdrucksweisen so einander gegen-überstehen, dass man nicht sagen kann, ob die eine mehr gebräuch-lich ist als die andere. Sind sie dann gleich gut?

Die energetische betrachtungsweise gibt uns hier einen massstab der sprachrichtigkeit, die schon vor vielen jahren von dem schwedi-schen sprachforscher Esaias Tegnér ausgesprochen ist in der kurzen formel: das richtigste ist das, was, am leichtesten gegeben, am besten verstanden wird.

Auf eine abwägung der hier gegebenen zwei werte, die den bei-den in dem sprachlichen verkehr beteiligten menschen entspricht, demjenigen welcher etwas mitzuteilen hat, und demjenigen, welcher das mitgeteilte aufzufassen hat, kann ich mich an diesem orte nicht einlassen.[1] Es kann hier ein interessenkonflikt entstehen, wenn solche auch nicht eben häufig sind: in den meisten fällen wird der energeti-sche gesichtspunkt zu einer entscheidung führen, obschon sehr oft, glaube ich, zu einer anderen entscheidung als gewöhnlich in den handbüchern des antibarbarismus gegeben wird. Die energetik ist nämlich immer und überall dem pedantismus abhold, der eine be-stimmte regel straff durchführen und auf alle fälle anwenden will, ohne rücksicht darauf, ob das durchführen der regel wirklich zu klar-heit und leichtigkeit des ausdruckes führt, auch ohne rücksicht darauf, wie die regel gewonnen ist, denn von einigen der schul-regeln gilt, dass man gar nicht weiss, woher sie gekommen sind; sie sind vielleicht gleich dem dänischen nationalbanner vom himmel ge-fallen und werden jetzt von vielen grammatikern als himmlische oder überirdische gaben betrachtet, die ohne begründung respektiert sein wollen. Der pedant will in jedem einzelnen fall nur *eine* form, *eine* anwendung gutheissen, während der energetiker vielfach zuge-stehen muss, dass zwei oder gar drei gleichberechtigt sein können. Ich will hier in strittigen fragen der deutschen sprache nicht partei nehmen; es würde sich aber sicher lohnen, bücher wie *Allerlei Sprachdummheiten* oder Andresens *Sprachgebrauch und Sprachrich-tigkeit* von dem energetischen gesichtspunkte aus durchzugehen; das

---

[1 Vgl. ausführlich in *Mankind, Nation and Individual,* 1925, chapters V und VI.]

sollte aber von einem sprachhistorisch geschulten eingeborenen ausgeführt werden. Ich will aber doch hier ein beispiel nennen, das ich
der deutschen adjektivflexion entnehme: man hat sich darüber gestritten, ob es „sämtliche deutsche stämme" heissen soll oder „sämtliche deutschen stämme". Der energetiker wird wohl hier ungefähr
so sagen: beide formen werden mit derselben leichtigkeit verstanden; die (eigentlich nur auf dem papier bestehende) kürze der
n-losen form bedeutet keine erwähnenswerte erleichterung der aussprache; deshalb lohnt es sich nicht, energie darauf aufzuwenden,
die eine form als die unbedingt beste festzuhalten und die andere
aus schüleraufsätzen und zeitungsnotizen auszumerzen. Also, meine
kinder, sagt er wohl, könnt ihr getrost diejenige form schreiben, die
euch in jedem augenblick in die feder kommt, und es ist auch ganz
gleichgültig, ob ihr vielleicht gestern oder vorgestern die andere form
verwendet habt. Konsequent soll man nämlich in grossen dingen
sein, aber in allen kleinen unbedeutenden sachen peinlich konsequent
sein zu wollen, heisst ein erbärmlicher und lächerlicher pedant sein.

So auch in der fremdwörterfrage, oder genauer: für den energetiker gibt es nicht *eine* fremdwörterfrage, sondern eine ganze
menge fragen, weil er in jedem einzelnen fall die zweckmässigkeit
des fremden wortes und die der vorgeschlagenen ablösung abwägen
muss unter berücksichtigung der energiemenge, die dazu nötig ist
um etwas von den sprachgewohnheiten zu entfernen, was sich vielleicht mehr oder weniger festgesetzt hat. Ein wort ist nicht schon deshalb verwerflich, weil es einem anderen lande entstammt, sondern
muss davon unabhängig beurteilt werden, ganz wie der wert oder
unwert von produkten wie tee oder bier, opium oder gold ganz von
ihrem heimatslande unabhängig ist.

In fragen der rechtschreibung hat der energetiker auch das entscheidende wort mitzusprechen. Etymologische oder historische er-
wägungen sind völlig belanglos im vergleich mit dem allein wesentlichen, ob die zu wählende form eindeutig den sinn zu dem bewusstsein des lesenden bringt, und ob sie leicht zu lernen und zu hand-
haben ist. Auch muss der energetiker der verwendung der sogenannten „deutschen" buchstabenformen entgegentreten, schon deshalb
weil dadurch der schuljugend, nicht nur in deutschen, sondern in

allen ländern, zwei formen aufgebürdet werden, wo die eine völlig genügt. Dies nur als eine kurze andeutung.

Der energetiker hat ferner die pflicht, nicht nur allen undeutlichen und missverständlichen wörtern und wendungen entgegenzuwirken, sondern er muss auch bestrebt sein, die sprache durch neue wörter zu bereichern. Die meisten grossen führer der wissenschaft haben auch sprachschöpferisch gewirkt, indem sie neue fachausdrücke eingeführt haben. In der zukunft muss dies aber viel bewusster und systematischer geschehen, namentlich weil die anwendung von wörtern, die in dem gewöhnlichen leben eine ungenau abgegrenzte bedeutung haben, in der wissenschaft zu allerlei missständen führt. Und dabei muss der philolog dem forscher auf anderen gebieten und dem techniker behülflich sein, nicht nur in der art, wie es wohl ab und zu vorgekommen ist, dass der naturforscher den griechischen philologen fragte, ob dies oder jenes wort, das er gebrauchte, den altgriechischen bildungsgesetzen entspräche, sondern in der weise, dass man, gleichgültig aus welcher sprachquelle, oder aus keiner quelle, kurze, bequeme, unmissverständliche wörter schöpft, denen man dann eine genau bestimmte bedeutung beilegt. Die benennungen der elektrischen einheiten, „ohm", „watt", können als beispiele dienen, auch das jetzt überall gekannte wort „kodak". Nur sollte man bei der neuschöpfung in den meisten fallen auch darauf bezug nehmen, dass die gewählte form sich für das bequeme bilden neuer ableitungen eignen muss. Auch ausserhalb der wissenschaft und der technik würde es sich vielfach lohnen, neue wörter und ausdrücke bewusst zu schaffen; das sollte nicht denjenigen klassen vorbehalten sein, die sich der kräftigsten slangausdrücke befleissen.

Ich komme schliesslich auf ein gebiet, wo ich zu meinem grossen bedauern sehr wenig anschluss unter den philologen — wenn auch jetzt viel mehr als früher — finde, ich meine die arbeit, um eine künstliche internationale hilfsprache zu schaffen. In der von fünf professoren verschiedener nationalität verfassten schrift *Weltsprache und Wissenschaft* (2te auflage, 1913, Fischer, Jena) wird man leicht zugängliche und zuverlässige auskunft über geschichte und prinzipien dieser bewegung finden, und ich muss mich leider hier mit sehr kurzen bemerkungen begnügen.

Die sprachliche energievergeudung in dem modernen internationalen verkehr ist wahrhaft ungeheuerlich, und sehr viele geistige werte gehen verloren, weil der verbreitung der ideen ausserhalb eines mehr oder weniger engen gebietes sehr grosse sprachliche schwierigkeiten entgegenstehen. Wie viel wäre nicht gewonnen, wenn man für alle internationalen beziehungen eine einzige neutrale sprache hätte, die so leicht wäre, dass ein deutscher, ein franzose, ein bulgare, ein schwede sie zehnfach leichter lernen könnte als irgend eine andere sprache. Die energetik fordert, dass in unserer zeit, wo der internationale verkehr viel reger ist als früher, auch der sprachliche verkehr zwischen den völkern sich viel leichter gestalte als in der zeit unserer grosseltern, und die sprachliche energetik zeigt uns, dass es möglich ist eine sprache zu schaffen, die von den unvollkommenheiten und unregelmässigkeiten der natürlichen sprachen befreit ist, ohne ihre vorzüge aufzugeben. Der energetische grundsatz, der dafür zur anwendung gelangt, besagt, dass die beste internationale sprache diejenige ist, die auf jedem punkt die grösste leichtigkeit für die grösste anzahl von menschen darbietet. In einer solchen sprache werden wir eine regelmässige und sehr einfache grammatik vorfinden, die durch ihre freie beweglichkeit, namentlich in der wortbildung, alle möglichen abstufungen der gedanken sinnreich und genau auszudrücken vermag; und daneben werden wir einen wortschatz sehen, der nach dem prinzip der grösstmöglichen internationalität gewählt ist, so dass auch der ungebildete europäer eine menge von wörtern und der gebildete fast alle wörter unmittelbar wiedererkennt und versteht. Die beschäftigung mit der ausbildung der sprache *Ido* [und später *Novial*] hat auf vielen punkten meine wissenschaftliche auffassung von dem wesen der sprache überhaupt erweitert und bereichert, und somit empfehle ich jedem neuphilologen auch diese seite der energetik auf das wärmste zur beachtung.

Es würde mich sehr freuen, falls es mir durch diese kurzen andeutungen gelungen ist, dem leser eine vorstellung davon zu geben, wie viele neue gesichtspunkte durch die sprachliche energetik zu gewinnen sind, und wie viele schöne praktische aufgaben den neuphilologen durch dieselbe gestellt werden, auf dem gebiete der muttersprache wie auf dem der internationalen hilfssprache.

COMPTE RENDU DU *COURS DE LINGUISTIQUE GÉNÉRALE* DE F. DE SAUSSURE[1]

FERDINAND DE SAUSSURE, qui est mort en février 1913, est l'un des exemples les plus typiques d'une maturité scientifique remarquablement précoce. Il venait tout juste d'atteindre 21 ans au moment où parut son œuvre maîtresse, le *Mémoire sur le système primitif des voyelles dans les langues indo-européennes* (décembre 1878). Cet ouvrage n'en fut pas moins reconnu promptement comme un des plus importants dans le domaine de la linguistique et depuis, il a conservé son rang comme bien peu d'œuvres datant de cette époque. Mais après ce coup d'éclat surprenant de la part d'un si jeune auteur, Saussure n'a plus fourni de travaux de grande étendue; outre une étude sur l'accentuation lituanienne il a surtout publié des articles dans des recueils de mélanges offerts à des collègues (par exemple dans celui qui fut dédié en 1912 à Thomsen), mais rien qui puisse se comparer en importance à son grand ouvrage de jeunesse. Par contre, il a exercé une influence précieuse pour la science par l'enseignement remarquable, d'après tout ce qu'on en peut juger, qu'il a successivement donné à Paris, puis à Genève, sa ville natale. Sa fine et spirituelle personnalité a fait, après sa mort, l'objet de témoignages éloquents et sympathiques dus à trois savants éminents, A. Meillet (dans l'*Annuaire de l'Ecole pratique des Hautes Etudes*, 1913—14), Ch. Bally (*Ferdinand de Saussure et l'état actuel des études linguistiques*, Genève, Atar, 1913) et W. Streitberg (dans l'*Indogerm. Jahrbuch*, II, p. 203 ss.).

Dans les dernières années de sa vie, Saussure a fait trois séries de cours sur la linguistique générale, et ce sont eux qui, après sa

---

[1] Nordisk tidsskrift for filologi, 4. række VI p. 37 ss., daté Nov. 1916.

mort, viennent de paraître, publiés avec piété par deux de ses élèves MM. Ch. Bally et A. Sechehaye; malheureusement, l'ouvrage repose non sur ses propres brouillons qui ont été détruits, mais principalement sur les notes de plusieurs de ses étudiants. Il faut d'ailleurs ajouter, à la louange des éditeurs, qu'ils se sont tirés de cette tâche difficile d'une telle manière que, d'un bout à l'autre, le livre donne l'impression d'avoir été écrit par Saussure lui-même. Malgré tout, on a le sentiment d'une œuvre inachevée, et l'on se prend coup sur coup à regretter que le maître n'ait pu personnellement mettre la dernière main à l'ouvrage et combler les lacunes qu'il contient incontestablement, sous la forme où il se présente.

Le livre commence par un rapide aperçu sur l'histoire de la linguistique, faisant nettement ressortir l'opposition entre les idées de l'ancienne génération et celles de «l'école des néo-grammairiens», ce qui est bien naturel, puisque Saussure, dans sa jeunesse, est précisément arrivé à Leipzig au moment opportun, quand les nouveaux points de vue l'emportaient, et qu'il leur a lui-même fourni un puissant secours par la publication de son *Mémoire*. Sur un point cependant, il se sépare de ses collègues (p. 19, en note), lorsqu'ils combattaient certaines expressions métaphoriques sur «la langue» conçue comme une entité vivante, en faisant valoir qu'elle n'existe en réalité que dans les sujets parlants. Selon Saussure, il faut se garder d'aller trop loin dans cette voie: «Il y a certaines images dont on ne peut se passer. Exiger qu'on ne se serve que de termes répondant aux réalités du langage, c'est prétendre que ces réalités n'ont plus de mystères pour nous.» Aussi n'hésite-t-il pas à employer à l'occasion telle des expressions que des savants plus rigoureux n'admettraient pas. J'ai par exemple noté la suivante: «un son dont la langue ait conscience» (p. 75), qui contient quelque chose de choquant en raison de la double signification du mot *langue:* quand il est question de sons, l'idée de la langue, organe de la parole, est la notion qui vient la première à l'esprit. Et encore: «la langue répugne à maintenir deux signifiants pour une seule idée» (p. 230); «le latin avait ...... le sentiment des pièces du mot» (p. 236). Dans ces divers cas, j'aurais incontestablement préféré modifier l'expression, en substituant les sujets parlants à la langue. Mais sur d'autres points, je n'éprouve aucune hésitation à employer des images telles

que «langue vivante» ou «la mort d'un mot», tout aussi bien que
nous disons d'une habitude qu'elle est vivante et d'une autre qu'elle
s'est éteinte à un moment ou à l'autre. Or, le mot est précisément —
on ne saurait le dire trop souvent — une habitude, de même qu'une
langue est un ensemble d'habitudes.

J'aurais voulu voir ce dernier genre de considérations plus nettement souligné que ce n'est le cas dans les chapitres suivants de
l'ouvrage, dont les définitions ne sont pas toujours entièrement satis-
faisantes, en dépit du mal que l'auteur s'est donné pour les délimiter
exactement. Ainsi, quand il parle de «linguistique de la langue» et
de «linguistique de la parole», en opposant l'une à l'autre ces deux
notions; je ne vois pas que l'on y gagne rien, car, malgré tout, la
langue n'existe que dans et par la parole des individus. A la page
233, Saussure mentionne la création par voie d'analogie et dit qu'elle
«ne peut appartenir d'abord qu'à la parole; elle est l'œuvre occa-
sionnelle d'un sujet isolé. C'est donc dans cette sphère, et en marge
de la langue, qu'il convient de surprendre d'abord le phénomène ......
L'analogie nous apprend donc une fois de plus à séparer la langue
de la parole». Cf. encore, p. 237: «rien n'entre dans la langue sans
avoir été essayé dans la parole». En réalité, abstraction faite de la
terminologie artificielle, il n'y a là rien que l'idée banale qu'une
forme ne peut devenir générale avant d'avoir été employée par un
individu isolé: il faut tout de même bien que quelqu'un soit le
premier! Mais alors, pourquoi ne pas éviter des tournures comme
celle qui consiste à dire que la parole est «en marge de la
langue»? ...... En dépit de cette objection, il faut signaler que l'auteur
a su magistralement expliquer le groupement varié des éléments linguistiques dans le «mécanisme» psychologique et l'importance de
ce groupement pour la création de nouvelles formes et de nouveaux
mots; de même, les exemples utilisés — disons-le une fois pour
toutes en ce qui concerne les divers chapitres du livre — sont
admirablement choisis et pleinement instructifs.

Un «appendice» (p. 64 ss.) est consacré aux «principes de phonologie» — expression par laquelle l'auteur et ses élèves entendent
ce que tous les autres appellent la *phonétique,* tandis que ce dernier
terme est réservé par eux à l'histoire des sons. J'ai eu le plaisir d'y
voir appliquer mes principes «analphabétiques», bien qu'avec quel-

ques modifications de mes formules mêmes. A cet égard, j'avoue que je préfère mon propre mode de figuration des articulations latérales et vibrantes à celui qui est employé ici, avec une petite *l* et un petit *v* en italique. Pourtant le reproche adressé, p. 79, aux phonéticiens, et surtout à ceux de l'école anglaise, d'avoir minutieusement étudié quantité de phonèmes isolés, mais de ne pas avoir accordé une suffisante attention aux «étendues de sons parlés», est absolument injuste, à l'égard de Sweet, de Storm, de Sievers et — je me permettrai de l'ajouter — de moi-même: dans ma *Fonetik* danoise, le chapitre des combinaisons de sons compte 128 pages. Cette observation de Saussure lui sert principalement d'introduction à une théorie de la syllabe qui lui est propre et qui repose sur les deux notions d'implosion et d'explosion, étendues des occlusives à toutes les autres classes de sons. J'ai par ailleurs combattu la doctrine qui fait de l'implosion et de l'explosion l'élément principal des occlusives (voir, en dernier lieu, *Phonetische grundfragen,* p. 112 ss.[1]), et mon opinion n'a été l'objet d'aucune réfutation; c'est dire que je suis par avance défavorablement disposé à l'égard d'une telle extension de la doctrine de la «plosion». Mais à y regarder de plus près, il apparaît que la théorie de la syllabe soutenue par Saussure, abstraction faite de sa terminologie quelque peu mystérieuse, n'est pas autre chose, au fond, que ma propre théorie, exposée pour la première fois en 1899 dans ma *Fonetik* et reproduite depuis dans ses nouvelles éditions [allemandes]. Mais l'auteur rejette brièvement, p. 91, la doctrine de la sonorité relative considérée comme l'élément fondamental de la syllabe, en demandant comment, en pareil cas, on peut expliquer un groupe tel qu' i. e. *wlkos,* «loup», où c'est l'élément le moins sonore qui fait syllabe. La réalité est tout simplement que l'*l* (en tout cas beaucoup de types de sons *l*) est, en fait, plus sonore que le *w*; Saussure lui-même (p. 76) a donné à l'*l* le degré d'aperture 3, alors qu'un véritable [w], comme celui de l'anglais, a le degré d'aperture 1, étant donné que les lèvres arrondies sont plus proches l'une de l'autre que dans [u]. L'auteur s'est laissé troubler sur ce point par la conception de quelques phonéticiens qui considèrent le [w] comme un [u] ne faisant pas syllabe, et il a négligé le fait

---

[1] [Réimprimé dans ce volume].

que, par exemple dans l'anglais *wool* [wul] et le jutlandais (dialecte de Mors) [wuw'n], «voiture», on a les deux sons à côté l'un de l'autre, mais nettement séparés.

Pourtant ces considérations phonétiques ne jouent dans le livre qu'un rôle restreint. Bien autrement importante pour son idée fondamentale est la distinction entre ce que Saussure appelle la considération linguistique synchronique et la considération linguistique diachronique, qui répondent à ce que j'ai nommé moi-même la statique et la dynamique de la langue (*Danske Studier,* 1908, p. 213). Mais Saussure qui, comme la plupart des linguistes, s'intéresse surtout à cette dernière (l'histoire de la langue), a une tendance à exagérer la différence entre les deux aspects, comme si c'étaient deux choses absolument indépendantes l'une de l'autre, alors qu'en réalité elles ne peuvent ni ne doivent être étudiées séparément, si l'on veut arriver à les comprendre d'une manière véritablement scientifique. La grammaire étant rattachée à la synchronique, nous trouvons, p. 191, cette phrase stupéfiante que, pour l'auteur, il n'y a pas de «grammaire historique». Son étude détaillée de ces questions comporte — j'ai à peine besoin de le dire — quantité d'observations fines et exactes. Mais ici comme ailleurs, je trouve un certain penchant à tracer des séparations si rigoureuses qu'elles ne répondent pas entièrement à la vie concrète de la langue, avec ses nuances infinies qui, en dernière analyse, reposent sur le fait que les hommes, même en parlant, sont loin de se montrer rationnels et pleinement conséquents. Ce qui est particulièrement typique de l'auteur, c'est sa tendance à tout représenter comme aussi rectiligne que possible; et je dois avouer qu'avec toute l'admiration que j'ai pour son *Mémoire,* je suis du nombre de ceux qui, selon l'expression de M. Meillet, «reprochaient au système de F. de Saussure d'être fait à la règle et au compas» — et j'en dirai autant de son nouveau livre.

M. Streitberg a écrit au sujet de Saussure: «Als der einundzwanzigjährige das *Mémoire* veröffentlichte, war seine entwickelung schon völlig abgeschlossen», et il a vu sans doute dans cette expression le plus grand des éloges. Mais elle peut aussi contenir une certaine critique. Et lorsqu'après tant d'années, paraît une nouvelle œuvre importante de la même main; j'ai été frappé de la voir, d'un bout à l'autre, consacrée aux problèmes qui se posaient il y a trente ou quarante ans, à l'époque où, pour ne mentionner qu'un seul ouvrage, les *Prinzipien* de Paul paraissaient pour la première fois. Si Saussure avait alors écrit ce livre, celui-ci aurait occupé un très haut rang. Mais aujourd'hui il est vieilli par bien des côtés, par exemple dans ses attaques contre certains points de vue de Bopp et de Schleicher. Cela tient en partie au fait que l'école «néo-grammairienne», qui, lors de son apparation, a enrichi la linguistique d'un grand nombre de conceptions nouvelles, est, dans l'ensemble, restée stationnaire sur le terrain de la théorie générale, tout en étendant, sur une infinité de points particuliers, notre connaissance des faits et en expliquant une foule de détails. Mais les conceptions linguistiques générales ont-elles été définitivement fixées par ce qui a paru vers 1880? N'est-il pas possible de pousser plus loin, de pénétrer plus profondément dans la connaissance de l'essence même de la langue? Je suis absolument convaincu du contraire et je terminerai en indiquant certains points que Saussure laisse entièrement de côté ou auxquels il n'offre que peu d'attention, mais qui peuvent approfondir et qui ont en partie déjà approfondi nos idées sur la langue, laissant à mes confrères le soin d'en signaler éventuellement d'autres encore. En premier lieu, je place la conception énergétique de la langue avec l'appréciation qui en dérive, notamment au point de vue du progrès dans le développement historique[1]; une question aussi fondamentale que celle de ce qu'il faut entendre par «correct» en matière de langue est à peine effleurée par Saussure. Puis je ne pense pas que le dernier mot ait été dit sur les rapports entre le son et le sens avec l'affirmation faite par Madvig et Whitney de leur caractère conventionnel, à laquelle Saussure donne son adhésion, en exagérant considérablement le rôle de l'arbitraire dans la langue et en sous-estimant celui du symbolisme (des onomatopées). Les relations entre le type linguistique et la mentalité du peuple ne sauraient être réglées, comme elles le sont à la p. 318, par quelques observations dédaigneuses accompagnées d'exemples détachés. En outre, il y a beaucoup à apprendre par l'étude de la langue individuelle, tant chez les enfants que chez les adultes. Les argots et types de langues apparentés

---

[1] Depuis mon *Fremskridt i sproget* (1891), j'ai appliqué des considérations énergétiques à un certain nombre de questions différentes; cf. également «Energetik der sprache», dans *Scientia*, 1914, p. 225 ss. [réimprimé dans ce volume].

jettent de la lumière sur bien des faits. Enfin, il n'y a pas grand'-
chose chez l'auteur sur la syntaxe ni sur le style, et ce qu'il dit des
limites des dialectes pourrait à coup sûr être révisé après de nouvelles
recherches de détail. En résumé, *la linguistique générale* n'est pas
épuisée (et ne l'aurait sans doute pas été non plus dans l'esprit de
l'auteur) avec le présent livre, quelque remarquable qu'il soit sur un
si grand nombre de points.

L'INDIVIDU ET LA COMMUNAUTÉ
LINGUISTIQUE[1]

Il n'est pas douteux que la linguistique du XVIIIᵉ siècle a résolu un grand nombre des problèmes qu'elle s'était posés et qu'elle a remporté de grands triomphes en démontrant la continuité du développement des langues indo-européennes et en faisant voir d'une manière extrêmement claire qu'un grand nombre de langues qu'on avait jusque-là considérées comme n'ayant rien de commun sont en réalité des continuations d'une seule langue parlée dans une antiquité très éloignée. Là où auparavant on n'avait aperçu qu'une diversité qu'on ne pouvait s'expliquer que par le mythe de la tour de Babel, on voit à présent comment au cours du temps une unité originaire s'est différenciée d'une manière tout à fait naturelle. Et là où auparavant la grammaire n'était qu'un tas de règles fortuites dont on n'apercevait pas la raison, on voit maintenant que les faits grammaticaux se tiennent entre eux, qu'ils forment un système, et qu'il y a un rapport naturel entre tous les systèmes pourtant si variés des langues de la même famille. Pour les mots les plus importants on a aussi trouvé des explications naturelles en rapprochant ceux d'une langue de ceux des autres et en montrant les correspondances régulières entre leurs sons. L'étymologie a ainsi cessé d'être chose tout à fait arbitraire et est devenue beaucoup plus scientifique que dans les siècles précédents.

Il est donc vrai que la linguistique a fait énormément de progrès pendant les cent ans qui nous séparent des premières tentatives de Rask, de Bopp et de Grimm. Mais à la joie qu'inspirent tous ces pro-

---

[1] Conférence faite à la réunion commune des Sociétés de Psychologie et de Linguistique, à la Sorbonne, le 28 avril 1927. *Journal de Psychologie*, 1927, p. 573 suiv.

grès se mêle un peu de déception et de mécontentement. Tout n'est pas pour le mieux dans le monde linguistique. Il y a un très grand nombre de problèmes non résolus, et, qui pis est, dont on n'entrevoit pas même comme possible une solution complètement satisfaisante. Prenons par exemple l'étymologie. Tout linguiste compétent est obligé d'admettre qu'il y a dans les langues indo-européennes une foule de mots qu'on ne peut pas du tout expliquer étymologiquement et que la valeur des nouvelles explications dont fourmillent encore les revues linguistiques est généralement assez minime, si on veut être sincère. Il paraît qu'on a déjà trouvé toutes les étymologies qui méritent le nom de scientifiques, c'est-à-dire dont personne ne peut douter et qui s'imposent ainsi à tout homme compétent; la plupart des bonnes étymologies semblent même avoir été trouvées par les générations de savants qui sont mortes il y a longtemps. On comprend ainsi que beaucoup de linguistes abandonnent ce genre de recherche et se tournent vers d'autres problèmes où il y a plus de probabilité d'obtenir des résultats certains et de faire progresser la science.

C'est ici qu'interviennent la psychologie et la sociologie, qui promettent de jeter un jour nouveau sur beaucoup de problèmes linguistiques.

Vers le milieu du XIXᵉ siècle, on croyait encore que l'étymologie comparée nous permettait d'entrevoir une langue indo-européenne commune très proche du premier commencement de la parole humaine: on se figurait une société très primitive parlant cette langue dont on se croyait en état de reconstruire les grandes traits, et on voyait l'état de cette société dans une lumière toute rose: on se figurait l'homme indo-européen primitif comme un être rationnel rempli de hautes idées morales et religieuses. Max Müller trouvait un monothéisme strict dans le vieux monde indo-européen, et d'autres savants trouvaient dans le vocabulaire primitif le témoignage d'une vie de famille vraiment idéale.

On sait que toute cette construction fantastique s'est écroulée devant une science plus réaliste, et que les faits rassemblés par les ethnologues de nos jours et coordonnés d'une manière si magistrale par votre illustre confrère M. Lévy-Bruhl nous ont donné une idée tout autre de la mentalité de l'homme primitif qui nous apparaît maintenant beaucoup moins rationnel et beaucoup moins idéal qu'il n'apparaissait à nos ancêtres.

Considérons un peu une autre question: comment se font les changements linguistiques? Cette question n'intéressait guère la première génération des comparatistes, mais elle commença à occuper les linguistes vers 1870, période qu'on considère avec une certaine raison comme introduisant des méthodes nouvelles et des points de vue jusque-là négligés. Mais il faut s'avouer que le progrès qu'on a fait alors laisse encore beaucoup à désirer. On établissait une bipartition: les changements linguistiques sont dus, disait-on, ou aux lois phonétiques ou à l'analogie. D'abord on voyait dans cette bipartition un contraste entre des changements d'ordre physiologiques et d'autres qui étaient purement psychologiques. Mais bientôt on s'est aperçu qu'un élément psychologique entrait aussi dans les changements purement phonétiques, ce qui n'empêchait pas de maintenir la division nette entre les deux espèces de changements; et il faut admettre que cette division peut avoir une certaine valeur dans la pratique des explications linguistiques. Mais la manière dont on concevait d'habitude les changements phonétiques était sans doute trop mécanique, surtout quand on les envisageait comme des forces purement destructives qui tendaient toujours à créer un chaos là où il y avait auparavant un système: le résultat serait donc de produire une différenciation toujours grandissante entre des formes qui avaient commencé par se ressembler de très près. On oubliait qu'il y a aussi des forces phonétiques opérant dans le sens inverse et tendant à produire de plus grandes ressemblances ou même une parfaite identité entre des formes qui étaient d'abord assez différentes.

On considérait en outre les lois phonétiques comme opérant aveuglément, c'est-à-dire sans aucun égard à la signification des mots. Maintenant on commence à voir de plus en plus clairement que tout se tient dans une langue, et qu'on ne peut pas ainsi séparer forme et sens, mais que la signification des mots a une grande influence sur la manière dont se développe leur matière phonétique: tout ce qui a une signification tend à être préservé, tandis que ce qui n'en a pas tend à être prononcé indistinctement et peut en fin de compte disparaître complètement. Mais, bien entendu, ce qui compte ici, c'est la signification actuelle, celle qui est présente à l'esprit des individus parlants, et non pas la signification originelle ou étymologique, — distinction qu'on a souvent négligée ou méconnue. A mon avis cette théorie est basée sur une psychologie plus vraie que celle de l'ancienne école linguistique, et on peut même montrer que la valeur symbolique peut préserver certains sons dans le corps de mots où, selon les règles ordinaires, ils devraient être changés en d'autres sons moins expressifs: je pense, par exemple, au son [i] comme expressif de ce qui est petit ou mince ou chétif, et au même son dans des mots comme anglais *peep, peer,* qui selon les règles ordinaires aurait abouti à *pipe, pire.*

La manière dont on a conçu ce que les linguistes entendent par formations analogiques a été, elle aussi, un peu trop mécanique, surtout quand on a parlé de formations proportionnelles (Proportionsbildungen) en ne tenant aucun compte des influences plus compliquées et plus insaisissables partant du fond de l'âme, où les mots ne sont pas toujours groupés aussi systématiquement qu'on se le figure trop volontiers. Ici encore les psychologues peuvent venir à l'aide des linguistes, comme aussi sur un autre domaine où on commence à faire entrer en jeu un côté de la vie psychique que les linguistes ont généralement méconnu, je veux dire le côté émotionnel ou affectif qui a été si bien étudié par M. Ch. Bally. Mais il faut me contenter ici de ces courtes allusions, puisque mon thème principal est l'individu et la société.

Au lieu de parler, comme on le fait souvent, de la vie du langage, ou de la vie des mots, où le mot *vie* est employé d'une manière figurée, donc nullement scientifique, il faut dire que ce qui vit, c'est l'homme qui parle; la langue et ses éléments, les mots, les formes grammaticales, etc., ne sont que des actions de la part de l'individu vivant; elles font partie de sa vie, mais ne vivent pas en elles-mêmes.

Il serait donc très précieux d'avoir un nombre assez grand de biographies linguistiques individuelles, mais dans la littérature on ne trouve guère que des commencements de biographies pareilles, à savoir les nombreuses monographies consacrées dans plusieurs pays au développement du langage chez l'enfant. Vu l'extrême complexité de la vie, il est tout naturel que personne n'ait pu écrire la complète biographie linguistique d'un seul individu. Une première tentative dans ce sens se trouve dans un livre que vient de publier le professeur anglais W.-E. Collinson, *Contemporary English*[1], dans lequel il décrit ce que la vie de famille, l'école, l'université, la guerre ont signifié pour son développement linguistique; il essaie ainsi de séparer les diverses stratifications du langage dont il a fait successivement la connaissance par les camarades, par les livres, etc.

Si on veut donner l'esquisse de la biographie générale de la vie linguistique chez l'individu, il convient d'abord d'examiner ce par quoi commencent presque toutes les biographies, à savoir les antécédants de l'homme avant sa naissance, en d'autres mots, l'hérédité. Et là nous rencontrons un problème des plus graves.

Est-ce que l'hérédité physique ou psychique de l'individu a une influence sur la manière dont il parle? Une réponse affirmative semble s'imposer tout naturellement. On a de plus en plus reconnu la grande importance dans toute la vie de ce qu'on hérite de ses parents, et l'étude de l'hérédité a acquis de nos jours un caractère scientifique de premier ordre: on a même dans plusieurs universités des chaires spéciales pour cette partie de la biologie. Il n'y a donc rien d'étonnant dans le fait que quelques linguistes éminents ont dernièrement cru à la possibilité d'expliquer par l'hérédité plusieurs phénomènes linguistiques, surtout dans le domaine phonétique. L'idée est sans doute séduisante, — et pourtant je suis convaincu qu'on en a exagéré l'importance, et que l'hérédité spéciale n'entre que pour très peu dans les changements qu'on observe partout dans le monde linguistique.

J'ai dit exprès l'hérédité spéciale, car on ne saurait nier que l'hérédité générale compte pour beaucoup dans l'acquisition du langage. Si les enfants n'avaient pas une structure tout à fait spécifique des organes de la parole, qui les distingue des autres mammifères, et à plus forte raison des autres animaux, ils ne seraient pas en état de proférer les sons caractéristiques qui forment la base nécessaire de toute parole humaine. Et d'autre part, si nos enfants n'héritaient pas de certaines circonvolutions cérébrales et de certaines qualités psychiques, ils ne seraient pas en état d'apprendre à associer des idées aux

---

[1] Leipzig, 1927 (B.-G. Teubner).

sons proférés. Ceci est une vérité si évidente et si banale qu'il n'y a pas la moindre nécessité d'en dire davantage.

Mais est-ce qu'on peut aller plus loin et dire, par exemple, qu'un enfant né de parents français a par ce fait même une aptitude plus grande pour apprendre le français que les enfants nés de parents anglais ou allemands, etc., ou que leurs structures héréditaires empêchent ces derniers de jamais arriver à parler le français de la même manière que l'enfant des parents français?

Il est évident que, pour poser nettement le problème, il faut imaginer des conditions identiques: les enfants comparés doivent vivre dès la naissance dans des milieux tout à fait semblables; rien n'est démontré pour ou contre l'influence héréditaire si on prend un enfant né de parents anglais ou allemands et ayant déjà dans les premières années appris ou du moins entendu parler l'anglais ou l'allemand avant d'apprendre le français, car alors il est tout naturel, quoi qu'on pense de l'hérédité, qu'il soit influencé dans son langage par la langue de ses parents ou de son premier entourage.

Le problème mérite un examen rigoureux, et il est probablement trop tôt pour vouloir le résoudre avec nos connaissances actuelles; mais personnellement et provisoirement je crois que l'influence de l'hérédité physiologique et psychologique est en matière de langage minime et presque négligeable, et que ce qui compte pour le tout ou du moins pour plus de 95 p. 100, c'est l'imitation des parlers entendus dans l'âge enfantin.

Il est vrai que l'enfant hérite d'une certaine constitution, d'une certaine structure des lèvres, de la langue, du palais, des cordes vocales, de même qu'il est certain que la couleur de ses yeux, la forme de son front et les autres traits de son visage sont déterminés par l'hérédité; mais on ne peut pas prétendre que cette structure des organes le prédispose à une certaine manière de prononcer. Il y a des faits qui s'opposent catégoriquement à une telle supposition.

On a à cet égard parlé des Juifs. Il est incontestable que cette race, qui s'est maintenue plus pure que la plupart des autres races, a beaucoup de traits héréditaires physiques et mentaux, et, si elle présentait aussi, comme on l'a dit, des singularités linguistiques qui apparaissent dans n'importe quelle langue parlée par un Juif, cela démontrerait d'une manière incontestable l'hérédité linguistique. Mais le fait n'est pas aussi certain qu'on veut le prétendre. Il est vrai qu'il y a plusieurs traits caractéristiques de prononciation qui se trouvent chez bon nombre de Juifs, mais c'est surtout chez ceux d'un certain âge, qui ont été influencés dans leur enfance par le yiddisch ou par l'hébreu ou du moins par la langue mixte parlée dans leurs familles. Mais ces traits qui font reconnaître le Juif dès qu'il ouvre la bouche sont beaucoup plus rares dans la génération plus jeune qui n'a pas été dans l'enfance isolée du reste de la population du pays. Du moins il en est ainsi en Danemark, où heureusement on n'a jamais eu beaucoup l'esprit antisémite et où les enfants juifs sont depuis longtemps admis dans les écoles ordinaires, etc. Je ne dis pas qu'ils soient tous exempts des particularités sémites, mais il y en a beaucoup qui prononcent le danois de telle manière que même l'observateur le plus fin ne saurait découvrir leur race rien qu'à les entendre — et cela même parmi ceux qui portent sur le visage et dans les gestes l'empreinte la plus prononcée de leur origine.

Il y a une autre race encore plus distincte de la race européenne ou nordique, à savoir les nègres, mais je ne crois pas être dans l'erreur quand je maintiens qu'il y a aux États-Unis pas mal de nègres qui parlent l'anglais (ou disons plutôt l'américain) d'une manière qui ne trahit nullement leur race.

Il y a une autre série de faits qui me font regarder l'hérédité comme une quantité négligeable en matière de langue. Je fais allusion aux mariages inter-scandinaves qui ne sont pas du tout rares, où l'un des parents est norvégien ou suédois et l'autre danois. Les langues sont si proches l'une de l'autre, malgré une grande différence de sons et surtout d'intonation, que chacun des parents peut retenir dans les grands traits sa prononciation native en substituant çà et là un mot à un autre qu'on ne comprend pas aisément dans leur nouveau pays. Or, dans les cas que j'ai pu observer de première main, j'ai trouvé que les enfants nés en Danemark de ces mariages mixtes n'ont pas de trace héréditaire de la langue de leur mère norvégienne ou suédoise; l'imitation de leur entourage danois a suffi à éliminer toutes les particularités qu'ils auraient pu hériter de leur mère.

Je me permettrai aussi d'invoquer l'exemple de trois générations que je connais personnellement. Un Norvégien a épousé une Suédoise aux États-Unis. Tous les deux ont gardé bon nombre des sons et des intonations de leur langue maternelle même en parlant l'anglais. Leur fille, née à Philadelphia et étudiant d'abord à l'Université de Bryn Mawr, avait et a encore une prononciation des plus américaines, et je n'ai jamais pu surprendre dans sa langue une trace de prononciation soit norvégienne, soit suédoise. Toute jeune, elle est venue achever ses études en Danemark, et là elle a épousé un Danois. Mais, quoiqu'elle vive en Danemark depuis vingt ou trente ans, elle parle le danois avec plusieurs particularités purement américaines. Or, ses enfants, nés en Danemark, parlent le plus pur danois sans une trace de ces prononciations norvégienne, suédoise ou américaine auxquelles il faudrait s'attendre selon les théories de l'hérédité.

Je me range donc entièrement à l'avis de M. Delacroix qui dit (*Le langage et la pensée*, p. 86): «Il n'y a donc pas lieu de faire intervenir ici les notions d'hérédité ... En tout cas, il faut éliminer tout ce qu'il y a d'obscur dans certaines hypothèses. On a l'air quelquefois de croire que les membres du même groupe sont unis par une sorte de parenté substantielle.»

La vérité toute simple est que la plupart des hommes modernes sont descendus de personnes venant de plusieurs provinces et même de plusieurs pays, ce qui n'empêche pas que les grandes langues communes se sont répandues pendant les derniers siècles plus que jamais et présentent une unité inconnue il y a cent ans.

A mon avis il est prudent pour le moment de ne pas parler d'hérédité linguistique, et à plus forte raison d'écarter toute idée d'une hérédité sautant plusieurs générations et apparaissant soudainement comme une rivière peut le faire après un long cours souterrain. Il faut des preuves très fortes pour nous faire croire à cette espèce de miracle.

L'histoire linguistique de chaque individu est l'histoire de sa socialisation linguistique: le tout petit enfant commence par un langage à part, une langue à lui que personne ne comprend, et passe à une imitation d'abord très défectueuse des mots des autres, imitation dans laquelle seuls les parents et les frères et sœurs aînés peuvent deviner ce qu'il veut imiter, et le devinent seulement grâce à une extrême bienveillance. De temps en temps l'imitation devient moins défectueuse, et peu à peu l'enfant apprend à se conformer mieux aux habitudes des autres. C'est surtout quand il commence à parler à ceux qui n'appartiennent pas au cercle le plus intime de sa famille que l'enfant sent le besoin de prononcer d'une façon plus rapprochée de celle des autres. Il doit prononcer bien s'il veut être compris et, chose bien plus importante encore, s'il veut qu'on satisfasse ses désirs, et c'est ainsi que l'enfant apprend à parler à peu près comme le reste de la communauté dans laquelle il vit. Il imite, et imite encore, et imite toujours, et au bout de très peu d'années son imitation est devenue si parfaite qu'on ne parle plus de langage enfantin, même si naturellement il lui reste encore beaucoup de choses à apprendre dans sa langue.

Mais il est bon de retenir ceci, que ce qu'imite l'enfant, c'est ce qu'il a entendu prononcer par un individu, et si, comme c'est presque toujours le cas, l'enfant imite ce qu'il a entendu prononcer par plusieurs personnes, c'est toujours par une personne après une autre — et non pas par la «communauté» comme telle, car elle n'existe pas en elle-même, mais est toujours composée d'individus. L'enfant ne rencontre jamais que des parlers individuels, mais naturellement il imite surtout ce qu'il entend très souvent, en d'autres mots, les phrases, les expressions, les prononciations communes à plusieurs de ceux qu'il voit tous les jours. Il n'entend jamais la «moyenne» de tous ces parlers individuels, car la moyenne ne se trouve jamais dans le monde réel, mais existe seulement dans la pensée du théoricien, où elle peut naturellement acquérir une grande importance.

L'imitation d'autres individus est donc l'alpha et l'oméga de la vie linguistique. Et il faut remarquer que l'imitation linguistique est chose essentiellement différente des autres imitations qui jouent un rôle dans la vie pratique. On imite, ou on peut imiter, la façon dont sont habillés les autres, ou leurs manières à table, ou la manière dont quelqu'un joue au tennis ou au piano. Mais toutes ces sortes d'imitations, tout habituelles qu'elles soient, sont superficielles, si on les compare avec les imitations linguistiques. Car celles-ci sont beaucoup plus intimement liées à toute la vie intérieure de l'homme. On ne saurait prétendre qu'un homme quelconque parle ou entende parler tout le temps — quoiqu'il y ait des personnes qui passent beaucoup d'heures tous les jours à babiller et à caqueter —, mais, même pendant les moments où l'on n'est pas engagé dans une conversation, on pense, et la plupart des pensées ont lieu dans le «langage intérieur»:

on pense en paroles et en phrases, qui sont basées sur l'imitation des paroles et des phrases d'autrui.

Les imitations linguistiques occupent donc infiniment plus de temps et ont infiniment plus d'importance que les autres imitations dont j'ai parlé plus haut. En outre ces imitations sont caractérisées par un trait qui ne se trouve pas ailleurs, je veux dire un échange continuel entre plusieurs individus. Même en écoutant silencieusement on imite, car il semble que, pour identifier un son qu'on écoute, il faut l'imiter intérieurement: on prononce mentalement ce qu'on entend: cela se fait sans articuler de sons perceptibles, mais pourtant il y a des mouvements naissants des organes de la parole ou du moins des parties du cerveau qui y correspondent. C'est la théorie de Stricker qui me paraît extrêmement probable et qui peut être appuyée d'autres arguments que ceux qui se trouvent dans le livre de Stricker.

L'adaptation continuelle aux habitudes linguistiques d'autres individus a donc lieu non seulement dans la période dans laquelle l'enfant commence à parler, mais pendant toute la vie. Pourtant, ici comme ailleurs, il y a des différences individuelles assez importantes. Il est des personnes qui prennent facilement la contagion de l'entourage, de sorte que, par exemple, après un séjour de trois ou quatre mois en Jutland elles commencent déjà à parler un peu avec des intonations jutlandaises, tandis que d'autres n'ont pas la même facilité pour changer leur prononciation, et conservent très rigoureusement les habitudes qu'elles ont contractées dans l'enfance. Mais tout le monde est plus ou moins incapable de résister aux phrases et aux tournures qu'on entend tous les jours, comme, par exemple, les mots lancés dans les revues, dans les journaux ou dans la vie politique, et qui se répandent quelquefois avec une rapidité étonnante comme une contagion mentale, très souvent pour disparaître aussi vite qu'ils sont devenus à la mode.

En matière de prononciation je veux encore rappeler deux faits qui montrent l'importance d'une imitation qui ne cesse jamais. Si on a parlé de la forme héréditaire du palais à laquelle on a attribué une influence sur les sons du langage, on n'a pas pensé au fait incontestable que de nos jours un assez grand nombre de personnes ont un palais artificiel fait par un dentiste et donc nullement héréditaire. Or on peut observer que pendant les premiers jours une telle personne a une prononciation distinctement différente de celle qu'elle avait auparavant; mais généralement quinze jours ou trois semaines suffisent pour détruire cette impression. Sans le savoir, la personne a imité les sons habituels et a trouvé les petites modifications des mouvements de la langue qui rétablissent l'équilibre entre ses sons à elle et ceux des autres.

Autre fait: on a souvent observé que ceux qui par accident ou par maladie ont perdu l'ouïe complètement oublient peu à peu comment il faut faire pour émettre des sons corrects et commencent à parler indistinctement: on les comprend de plus en plus difficilement. Cela semble montrer qu'un contact perpétuel avec les sons des autres par l'oreille est nécessaire pour conserver la prononciation normale. Je me souviens aussi d'avoir lu quelque part que, quand on a trouvé Alexander Selkirk dans l'île de Juan Fernandez — on sait qu'il a été le modèle du Robinson Crusoé de Defoë, — «il ne prononçait les mots qu'à demi» (he spoke his words by halves), ce qui veut dire probablement qu'il articulait très indistinctement. Je tire donc de tout ceci la conclusion que l'imitation continue des parlers d'autrui est une condition de la plus haute importance pour la vie du langage.

Si on demande une définition du langage ou d'une langue, la réponse doit être que l'essentiel c'est toujours l'activité des individus, activité conditionnée par l'activité correspondante d'autres individus avec qui ils parlent. Il y a action et réaction perpétuelles entre les individus, sans qu'il soit possible de déterminer ce qui est action et ce qui est réaction dans ces influences réciproques. L'individu reçoit des impressions et y répond par des expressions; il reçoit quelque chose du dehors et apporte lui-même quelque chose au dehors. Si nous désignons notre individu par la lettre A, nous disons que A entend parler les individus B, C, D, etc., beaucoup plus d'individus qu'on ne saurait indiquer par notre maigre alphabet, même si on a recours en outre à alpha, béta et à tout le reste des alphabets grec et hébreu. Parmi ces innombrables individus, il y en a quelques-uns que notre A entend plus souvent que les autres et qui par ce fait même peuvent l'influencer très fortement; il y en a aussi quelques-uns (pas

nécessairement les mêmes) dont la façon de parler lui plaît mieux
que celle des autres et qu'il prend conséquemment très volontiers
comme modèles. Mais, qu'il le veuille ou non, il ne saurait se
soustraire à l'influence exercée par ce qu'il entend dans sa vie
journalière, et de son côté il exerce une influence, très petite peut-
être, mais tout de même une influence, sur les parlers de son
entourage.

C'est cette manière d'envisager les faits du langage qu'on trouvera
comme la base invariable de tout ce que j'ai écrit sur la linguistique
générale. Je me suis efforcé ici de présenter mes points de vue aussi
clairement que possible, vu quelques critiques qu'on a dernièrement
adressées à mon petit livre *Mankind, Nation and Individual from
a linguistic point of view* (Oslo, Aschehoug et Co., Paris, H. Cham-
pion, 1925).

On m'a reproché d'entretenir «certaines conceptions ultra-indivi-
dualistes», de croire «qu'il n'y a pas de psychologie sociale ou collective, c'est-à-dire que la pensée individuelle n'est déterminée en
rien par l'existence des hommes en société», que j'ai une «phobie
de la psychologie collective» et que j' «affiche le parti pris d'indi-
vidualisme» (Ch. Bally, *Journal de Psychologie*, 1926, p. 694—700).
Qu'il me soit permis de citer quelques passages du livre incriminé
pour faire voir que ces expressions ne correspondent nullement à
ce que j'ai dit. «L'individu est seulement ce qu'il est, et son langage est seulement ce qu'il est, en vertu de sa vie dans la communauté, et la communauté n'existe que par les individus qui la constituent par leur vie d'ensemble» (p. 4). «La parole la plus individuelle est conditionnée socialement, puisqu'un individu n'est jamais
complètement isolé de son entourage, et dans chaque mot ou phrase
qu'il prononce (in every utterance of «la parole»), il y a un élément
social» (p. 19). «Si je m'amuse à dire *finatjuskskia*, groupe de sons
avec lequel ni moi même, ni personne d'autre que je sache, ne sait
associer d'idée, mon action ... tombe en dehors de ce que j'appelle-
rais soit parole soit langue, parce que l'élément social y fait défaut ...,
l'empreinte sociale est nécessaire avant qu'un groupe pareil de sons
puisse faire part d'une langue» (p. 23). Je crois donc avoir pris dès
les premières pages de mon livre toutes les précautions possibles pour
éviter le reproche de méconnaître le point de vue social.

C'est pour cette raison aussi que je me suis opposé à la théorie de *langue* et *parole* comme elle a été élaborée d'abord par l'éminent linguiste Ferdinand de Saussure. Pour Saussure, la parole et la langue sont deux choses absolument distinctes: la parole est individuelle, et la langue est sociale; la parole est une activité, «un acte individuel de volonté et d'intelligence» dont l'individu est toujours le maître. La langue, au contraire, est une institution sociale sur laquelle l'individu n'a pas d'influence; elle est extérieure à l'individu; il faut qu'il la prenne telle qu'il la trouve, sans pouvoir la changer à volonté. La langue peut être comprise dans un dictionnaire et dans une grammaire, ce qui n'est pas possible pour la parole. La science linguistique a pour objet la langue, tandis que la parole est pour le linguiste secondaire, accessoire et plus ou moins accidentelle.

Or ce contraste absolu entre la parole individuelle et la langue comme deux entités tout à fait distinctes me paraît exagéré des deux côtés: la *parole* de l'individu est chose sociale et non pas absolument individuelle, puisqu'elle est influencée et déterminée entièrement ou presqu'entièrement par les expériences linguistiques de l'individu; de l'autre côté la *langue* n'est pas indépendante des individus et ne peut pas être appelée une institution qui s'impose aux individus et qui arrive à eux exclusivement du dehors. Là où Saussure voit deux choses séparées par un abîme et essentiellement différentes l'une de l'autre, je suis porté à voir deux activités humaines séparées seulement par une nuance. Et n'est-ce pas Ernest Renan qui dit que la vérité est dans une nuance.

Il y a dans l'activité linguistique quelque chose qui vient du dehors et quelque chose qui vient du dedans, mais il est impossible de séparer ces deux côtés nettement, puisque la vie psychique est trop complexe pour être coupée en deux d'une manière mécanique.

Dans mon livre j'ai cité consciencieusement plusieurs passages du livre posthume de Saussure, et je les ai critiqués; mais maintenant M. Bally me dit que je n'aurais pas dû les prendre au pied de la lettre, qu'il aurait fallu les interpréter symboliquement. A quoi je réponds que, quand un grand savant du rare mérite de Ferdinand de Saussure importe dans sa science une distinction nouvelle et à laquelle il attache une grande importance, les lecteurs ont le droit d'exiger du grand maître une précision de langage telle qu'on puisse voir ce qui doit être interprété littéralement et ce qui n'a qu'une valeur figurative. Si maintenant l'interprétation symbolique de ses élèves conduit à une conception de la vie linguistique pareille à celle que j'ai esquissée plus haut, alors je peux me féliciter d'être en accord substantiel avec un maître dont je révère les autres travaux; mais il faut avouer qu'en relisant ses expressions il m'est toujours difficile de voir comment quelques-unes de ses phrases les plus marquantes peuvent être conciliées avec les faits de la vie linguistique.

C'est justement parce qu'en matière de langue je ne crois pas à une psychologie tout à fait individuelle et exempte d'influence sociale, c'est justement parce que je me suis efforcé de montrer que les actions linguistiques de l'individu sont toujours et partout colorées socialement, c'est-à-dire par l'imitation des autres parlers, — c'est justement à cause de ce point de vue que j'ai pu partout parler d'individus, ce qui a pu produire l'impression chez un lecteur quelque peu superficiel que j'étais ultra-individualiste.

La langue française, ou la langue anglaise, est donc pour moi l'ensemble des activités linguistiques des individus parlant le français, ou l'anglais. Ou, mieux encore, la langue française est, par rapport à la «parole» individuelle de ceux qui la parlent, ce qu'une idée générique comme celle exprimée par les mots *le chien* dans une phrase comme «le chien est un animal intelligent» est par rapport à tous les chiens individuels qui existent. Il me semble qu'en regardant la «langue» ainsi comme une idée, platonicienne si on veut, on trouve une manière plus naturelle de rendre compte, d'une part, des variations individuelles, et d'autre part, de l'unité idéale entre ces variations, que si on établit comme le veut Saussure, un contraste absolu entre la parole et la langue.

Cette manière de voir nous permet de mieux comprendre aussi comment les langues changent et évoluent. Nul individu ne se contente de répéter seulement les phrases toutes faites qu'il a entendues; la vie journalière le force de moment à moment à essayer des combinaisons nouvelles pour communiquer ses expériences personnelles et souvent différentes en quelque détail de tout ce qu'il a vu ou vécu auparavant. D'un autre côté, nul individu ne peut en chaque moment avoir présent à son esprit tout ce qu'il a entendu préalablement en fait de mots et de formules grammaticales; il est donc quelquefois

9

obligé de former un mot nouveau ou de formuler une expression nouvelle. C'est ce qu'il fait le plus souvent sans s'en rendre compte, mais, quoi qu'il en soit, son innovation peut en quelques cas être acceptée par ceux qui l'entendent, et se répandre de la sorte dans la communauté. Naturellement ceci est moins improbable s'il s'agit d'une innovation capable d'être créée indépendamment par plusieurs individus, parce qu'elle répond à un besoin réel et parce qu'elle est conforme à l'esprit de la langue, c'est-à-dire qu'elle ressemble à ce qui se trouve déjà dans la langue. Les innovations les plus importantes dans l'histoire des langues ont été créées de cette manière par des hommes humbles qui non seulement parlent en prose sans le savoir, mais qui peuvent même quelquefois produire quelque chose qui n'a jamais existé auparavant dans leur langue.

Il faut se garder de la superstition des grands hommes et des grands auteurs. On croit souvent que la langue est, sinon créée par les grands auteurs, du moins influencée considérablement par eux, tandis que la vérité semble être que les grands génies peuvent çà et là créer un mot spécial dans la science ou donner à une phrase formée selon les lois ordinaires de la langue une signification spéciale ou une empreinte qui sera adoptée et retenue par la communauté, mais que la plupart des changements dans la langue sont dus à des anonymes, c'est-à-dire à des hommes ordinaires qui ne figurent ni dans l'histoire ni dans la littérature et même à des enfants qui ne savent pas encore à perfection leur langue maternelle.

Sous une autre forme on rencontre la superstition des grands hommes quand les grands auteurs sont censés élevés au-dessus des lois qui régissent les actions de tout le reste de la nation. Je me permettrai de citer un passage du dernier volume de la grande grammaire historique du français que publie mon excellent collègue Kr. Nyrop. Il s'agit d'Anatole France qui écrit quelque part:

«Dix minutes après, une femme tout habillée de rose, un bouquet de fleurs à la main, selon l'usage, accompagnée d'un cavalier en tricorne, habit rouge, veste et culotte rayées, se glissèrent dans la chaumière.»

Ce qui fait Nyrop s'écrier:

«Il ne faut pas demander qu'un grand auteur, maître souverain du langage et interprète inconscient du sens et des tendances linguistiques de son temps, écrive selon les règles souvent pédantesques, étroites et surannées des grammaires; il est sa propre norme, sa propre règle. Les grammairiens dignes de ce nom et qui savent qu'une langue ne se fixe jamais, doivent s'empresser d'enregistrer un usage qui se présente sous les auspices et la garantie d'un Anatole France."

Ici encore nous rencontrons l'expression «maître souverain du langage», seulement cette fois ce n'est pas l'homme ordinaire, mais le grand écrivain, et ce n'est pas seulement de la «parole», mais du «langage» qu'on dit qu'il est maître souverain. Mais, comme auparavant, il faut protester contre ce qui est une exagération évidente: pas même le plus grand écrivain est «sa propre norme, sa propre règle». Comme tout le monde, il doit suivre les règles ordinaires s'il ne veut pas se rendre ridicule. Il ne peut pas dire: «une femme se glissèrent», ni «moi est» au lieu de «je suis», etc. Et si on regarde le passage cité sans se laisser éblouir par le grand nom d'Anatole France, on découvre qu'il a fait seulement ce que beaucoup d'écoliers ont fait d'innombrables fois: quand il est venu au verbe, il a simplement oublié le commencement de sa propre phrase un peu longue et a cru qu'au lieu de «une femme accompagnée d'un cavalier» il avait écrit «une femme *et* un cavalier», combinaison qui aurait exigé le pluriel du verbe.

Il y a une autre chose à apprendre par cet exemple: pourquoi est-ce que dans ce cas-ci le grand auteur, tout comme n'importe quelle personne insignifiante dans une lettre sans aucune valeur littéraire, est tenté de désobéir à la règle ordinaire? C'est que la phrase «accompagnée de» et la conjonction *et* sont ici synonymes, il y a addition dans les deux cas. Et puis la règle porte ici sur l'accord du verbe. Or cet accord est une de ces choses dont fourmillent les anciennes langues de notre famille, mais qui sont logiquement superflues: quand le pluriel est indiqué dans le sujet, il n'y a pas de nécessité logique pour l'indiquer aussi dans le verbe. C'est ce qu'on voit dans les langues artificielles modernes, telles que l'espéranto, l'ido, le latino sine flexione[1], etc., qui toutes se sont passées de ce trait caractéristique et qui n'emploient qu'une forme pour le verbe dans n'importe quel nombre et dans n'importe quelle personne. Dans

---

[1] [Et naturellement, aussi le novial].

le développement des langues naturelles on voit aussi la même tendance: les langues modernes scandinaves emploient une seule forme verbale pour les trois personnes et pour les deux nombres; cela se fait de la même manière en anglais dans tous les prétérits et aussi dans bon nombre de presents (ceux qui ont commencé par être prétérits, tels que *can, may, must,* etc.). Même en français, qui a préservé tant de formes verbales, la langue prononcée fait voir la même tendance, puisqu'il n'y a pas de différence entre le son de *glisse* et celui de *glissent* au présent: *une dame se glisse,* et *plusieurs dames se glissent.*

Si donc Anatole France avait employé le présent au lieu du parfait historique dans le passage cité, personne n'aurait pu savoir, en entendant la phrase sans la voir écrite, s'il avait commis ou non ce que les grammairiens regardent comme une grave faute.

Je reviens donc à une théorie à laquelle j'ai déjà fait allusion, à savoir que dans les évolutions phonétiques la signification joue un rôle considérable: si la distinction des terminaisons verbales dans *je glisse, tu glisses, il glisse, les hommes glissent* avait eu une valeur nécessaire pour la compréhension des phrases, on ne les aurait jamais confondues dans la prononciation. Mais la distinction étant superflue, on s'est laissé aller, et le résultat a été une simplification qui malheureusement n'a pu se répandre à toutes les formes verbales, puisque les deux premières personnes du pluriel, *nous glissons, vous glissez,* ont résisté à cause de leurs sons trop différents et de leur forme accentuelle.

Les grandes tendances qui se trouvent partout et dans toutes les langues ont pour objet de se débarrasser de ce qui est superflu dans la langue traditionelle: on prononce indistinctement ce qui n'a pas de valeur pour la compréhension, et malgré le conservatisme naturel des hommes on arrive ainsi à une simplification de plus en plus grande du système grammatical, ce qui n'empêche pas qu'au même temps la vie complexe des sociétés modernes conduit à une augmentation énorme du vocabulaire. Mais quand les linguistes sont si portés à accentuer les changements et à dire qu'une langue ne se fixe jamais, il faut de l'autre côté dire avec une certaine force que ce qui tend à changer, du moins dans le système grammatical, c'est seulement ce qui ne répond pas exactement à une notion bien précise et logique.

Là où une langue a déjà atteint une simplification parfaite, de sorte qu'une terminaison distincte correspond partout à une modification nette de la pensée ou de la réalité, l'homme parlant n'est pas tenté de la changer, et la langue peut à cet égard rester fixe pendant des siècles et des siècles. Pourtant il faut admettre que le nombre d'expressions grammaticales aussi précises n'est pas très grand dans nos langues indo-européennes, et conséquemment nous les voyons toujours dans une certaine fluctuation.

Les changements qui se glissent dans la langue sont toujours en dernier ressort causés par des individus, et si un individu peut influencer la langue qui après tout appartient à toute la nation, c'est tout simplement parce que l'homme est un animal social, zōon politikon, comme le disait déjà Aristote.

WESEN UND SYSTEM DER SPRACHLAUTE[1]

UNTER den phonetikern hat es zwei lager gegeben, von denen das eine das hauptgewicht auf die erzeugung der laute (die genetische oder organische seite) legte, während die andere sie wesentlich als physisch-akustische phänomene betrachtete. Wo man bei dem einen meist von artikulationen der lippen, zunge usw. las, da war das buch des andern voll von worten wie lautwellen, partialtönen, resonanz usw. Ganz rein finden sich diese standpunkte jedoch nicht, wenigstens nicht bei den meistern der wissenschaft: akustiker wie Helmholtz und Pipping operieren in ihren schriften auch mit organstellungen, und genetiker wie Bell und Sweet sprechen doch auch von dem akustischen wert der laute und stellen z. b. skalen sowohl über konsonanten wie vokale nach der (relativen) höhe ihrer eigentöne auf.

Wir wollen aber versuchen, die beiden betrachtungsweisen so klar wie möglich einander gegenüberzustellen. Also auf der einen seite wird gesagt:

Es gilt in der wissenschaft immer auf die ursachen zurückzugehen: nun verhält sich die wirksamkeit der sprachorgane zu den lautwellen, die sich draussen in der luft bewegen und ins ohr hineingelangen, wie die ursache zur wirkung; die artikulationen sind also das primäre, das gehörte dagegen das sekundäre. Hierzu kommt für den sprachforscher der umstand, dass es nur sehr wenig veränderungen in der sprache geben dürfte, von denen man sagen kann, dass sie auf ihrer eigenschaft, ein akustisches phänomen zu sein, beruhen.

---

[1] „Phonetische Grundfragen" 1904, kap. IV und V, das erstere hier ganz beträchtlich verkürzt. Die belegstellen der zitierten äusserungen verschiedener phonetiker und akustiker sind hier ausgelassen. Das meiste war ursprünglich dänisch geschrieben, s. „Fonetik" 1897—99 kap. XVII und XVIII.

Die allermeisten sind rein mechanischer art, „beruhend auf der art der hervorbringung" (Flodström). Ebenso Sievers: „das was wir *laut-*wandel nennen, ist ja erst eine sekundäre folge der veränderungen eines oder mehrerer derjenigen *bildungs*faktoren, durch deren zusammenwirken ein laut erzeugt wird", und Joh. Schmidt: „Mag man über die 'funktion', die akustische wirkung unserer lautverbindungen denken, wie man will, für die wandlungen, welche sie im laufe der sprachgeschichte erleiden, ist ihre 'funktion' überhaupt ganz bedeutungslos, ihre artikulation das allein massgebende, denn jede wandlung beruht eben auf einer veränderung der artikulation." Und Hoffory schreibt: „Als akustisches phänomen betrachtet, ist *m* allerdings als ein reiner stimmtonlaut zu bezeichnen: eine solche definition gehört aber gar nicht in die sprachphysiologie, die ... überall von der genetischen seite auszugehen hat."

Aber bevor wir in der sache unser urteil fällen, müssen wir hören, was die advokaten der andern seite zu sagen haben:

„Die eigenschaft der sprache, dass sie gehört werden kann, ist unzweifelhaft die wichtigste; denn wenn die sprache durch den gehörsinn nicht aufgefasst werden könnte, hätte sie wohl kaum irgend eine bedeutung" (Flodström). „Welches wird, wenn es sich um die einteilung der sprachlaute handelt, das entscheidende sein? Es kann nicht zweifelhaft sein, dass wir nach dem *klange* einzuteilen haben; denn logischer weise liegt die frage: „was *ist* ein ding?" näher als „wie entsteht es" (Trautmann). „In jeder untersuchung über die wesentliche natur der sprachlaute muss die akustische klassifikation unser natürlicher führer sein" (Lloyd, Auerbach). Auch bei Pipping finden wir es immer wieder ausgesprochen, dass die wesentlichen eigenschaften der sprachlaute die akustischen sind, so dass ein auf die artikulationen aufgebautes system ein künstliches ist, während ein akustisches system das natürliche bleibt. Und der behauptung, dass die artikulation das primäre, die luftbewegung usw. das darauf beruhende sekundäre sei, setzt Bremer die entgegengesetzte entgegen: Das unverrückbare fixum ist in der sprache der akustische eindruck; „jedes kind ist bestrebt, gleichviel mit welchen mitteln, ein bestimmtes nach dem gehör reguliertes schallbild, wie es dasselbe von seinen sprachgenossen hört, zu erreichen ... die artikulation eines bestimmten lautes ist also nur die folge des bestrebens, eine bestimmte

akustische wirkung zu erzielen. Diese ist das prius, jene das posterius."

So steht es also: jeder sieht die sache von seiner seite an und
scheint kaum zu ahnen, dass sie auch von einer andern seite angesehen
werden kann, nimmt sich jedenfalls nicht die mühe, sich in die betrachtungsweise des gegners hineinzuversetzen oder sie zu wieder-
legen. Die parteien können nicht jede für sich recht haben, aber —
sie könnten zusammen recht haben. In einer anzeige von Hofforys
streitschrift gegen Sievers[1] schrieb ich 1884 folgendes: „bei sprachlicher tätigkeit (im gespräch) sind fünf faktoren mitwirkend, nämlich

des redenden		die luft (und eventuell andere medien wie telephon und ähnl.)	des hörenden	
$\{$ gedanke $\}$ gehirn $\}$	sprachorgane		hörorgane	$\{$ gedanke $\}$ gehirn $\}$
G¹	M	L	O	G²

Die wissenschaften, die sich mit diesen verschiedenen faktoren beschäftigen, sind, a) psychologie (G¹ und G²), b) physiologie, nämlich
teils die physiologie der atmungsorgane und des mundes (M), teils
die des ohres (O), und c) die physik (L). Die „akustische" seite
bedeutet L und O. Ebenso wie *alle fünf faktoren gleich unentbehrlich
sind* für menschen, die sich „mündlich" einander mitteilen wollen —
wie Flodström sagen kann, dass die gehörtätigkeit die wesentlichste
ist, begreife ich nicht — so muss auch der sprachforscher seine aufmerksamkeit auf sie alle gewandt haben und sich in die teile der
erwähnten hauptwissenschaften hineinversetzen, die besonders die
sprache angehen. Sehen wir von der psychischen seite ab, die uns
hier in diesem zusammenhang nicht angeht, müssen also, *theoretisch*
angesehen, die drei faktoren in der „naturseite" der sprache gleich
gestellt werden, auf der andern seite aber auch scharf auseinander
gehalten werden. Auch kann man nicht sagen, dass die sprachphysiologie besonderes gewicht auf M legen soll, weil veränderungen in
der sprache meist auf den sprachorganen beruhen. Im gegenteil kann
man gewiss mit ebenso grossem fug behaupten, dass kein solches
privilegium für den einen faktor besteht, veränderungen zu bewirken;

---

[1] Nord. tidskr. f. filol. n. r. VI 324. G = Gehirn, Gedanke, M = Mund, L = Luft,
O = Ohr. In der anzeige schrieb ich dafür A1, B1, C, B2.

sie haben alle teil an jeder veränderung, schon aus dem grunde, weil
eine veränderung, um (statt individuell zu bleiben) in einem sprach-
gebiet allgemein gültig zu werden, grade den weg M-L-O sogar viele
male machen muss, und weil kinder ja nicht ihre muttersprache anders als auf diesem wege lernen können; gerade in diesem überführen
auf neue individuen liegt vielleicht der keim zu vielen sprachlichen
veränderungen.... Dagegen muss eingeräumt werden, dass *praktisch*
sich die sache so stellt, dass der sprachforscher sich von den drei gebieten besonders mit M, den sprachorganen, beschäftigen muss, aus
dem einfachen grunde, weil weder die lehre von den lautwellen noch
die physiologie des ohres so weit fortgeschritten ist, dass wir auf ihr
eine allgemeine einteilung und beschreibung der sprachlichen phänomene basieren könnten, während die bei der erzeugung des wortes
wirkenden organe zum teil ja mit grosser leichtigkeit untersucht werden können ...... Beschreibungen von den stellungen und bewegungen der organe können verhältnismässig leicht und allgemeinver-
ständlich gegeben werden. Wird aber morgen ein instrument erfun-
den, wodurch z. b. die wirksamkeit der luftwellen mit noch grösserer
bestimmtheit beobachtet und systematisiert werden kann, dann muss
der, welcher die äussere wirkungsweise der sprache studiert, auch
hieraus vorteil zu ziehen wissen neben den schon gewonnenen resultaten inbetreff der sprachorgane." Diese vor so vielen jahren nieder-
geschriebenen worte kann ich noch festhalten; jedoch muss ich bemerken, dass die untenstehende art, die verschiedenen gebiete darzu-
stellen, besser ihr gegenseitiges abhängigkeitsverhältnis zeigt. (Die
sprechtätigkeit wird durch den linken, die hörtätigkeit durch den
rechten pfeil angedeutet).

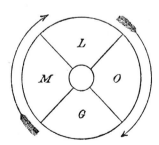

Welches gewicht soll man nun dem umstand beimessen, dass es nicht zwei menschen gibt, deren sprachorgane in jeder beziehung absolut gleich sind? Diese frage wird auf ganz verschiedene weise beantwortet.... Und hier sieht man denn das recht komische, dass dieselben prämissen — das verhältnis zwischen den dimensionen des kindes und des vaters — als beweismittel auf beiden seiten benutzt werden. Der eine teil, repräsentiert von Viëtor, Beckman und Lloyd, sagt: das kind artikuliert wie der mann, aber da sein mund kleiner ist, entstehen höhere töne; also können die vokale überhaupt nicht durch feste resonanztöne charakterisiert werden. Der andere teil, von Pipping repräsentiert, sagt: das kind bringt dieselben vokale hervor wie der mann; die vokale werden aber durch feste resonanztöne im munde charakterisiert; da das kind wegen des unterschiedes in den dimensionen unmöglich dieselbe resonanz durch dieselbe artikulation erhalten kann, muss es also seine organe anders stellen; also kann das vokalsystem nicht auf organstellungen begründet werden. Von beiden seiten wird Helmholtz' formel für die resonanzhöhe in kugeln angeführt und benutzt, und von beiden seiten ist die voraussetzung von grossen unterschieden in den dimensionen dieselbe. Lloyd geht aus von einem kind mit sprachorganen, die in jeder linearen dimension halb so gross sind wie die des erwachsenen, und rechnet aus, dass dann dessen vokale eine oktave höher sein würden als die des mannes, wenn es dies nicht dadurch kompensiert, dass es die öffnung bei den lippen 64mal so klein macht; wozu Pipping bemerkt, dass das kind es natürlich nicht allein dadurch aufzuwiegen braucht, dass es die äussere öffnung kleiner macht, sondern es auch dadurch tun kann, dass es mit grösserem kiefernwinkel spricht. An einer anderen stelle setzt Lloyd gradezu proportionalität zwischen der körperhöhe und der länge der mundhöhle voraus. Beckman nimmt als beispiel einen 6 fuss hohen vater und einen 4 fuss hohen sohn und geht davon aus, dass dann ihre mundhöhlen dasselbe verhältnis haben, so dass der abstand von der stimmritze zur mundöffnung anderthalb mal so gross beim vater als beim sohne ist, woraus folgt dass dieselbe artikulation den unterschied einer quinte in ihren tönen gibt. Aber ist das alles richtig? Es ist doch eine bekannte sache, dass der kopf bei den neugeborenen durchaus unverhältnismässig gross im vergleiche mit dem übrigen körper ist und dass er auch in dem ersten lebensjahre des kindes relativ stark wächst, so dass er zu der zeit, wo das kind rein sprechen kann, gar nicht so viel kleiner als der des erwachsenen ist. Leider finden sich die betreffenden masse für die verschiedenen altersklassen in keinem der mir zugänglichen anatomischen handbücher; aber ich selbst bin bei messungen an kindern darüber erstaunt gewesen, wie klein der unterschied zwischen dem unterkiefer von kindern und von erwachsenen ist. Das mass, das hier eigentlich gebraucht werden sollte, nämlich von den stimmbändern hinauf durch die rachenhöhle und den mund zu den lippen, ist aus guten gründen bei lebendigen individuen nicht leicht zu erlangen; ich habe mich daher der bequemlichkeit wegen begnügt, das äussere mass von mitten unterem kinn (promontorium menti) bis zur hintersten winkelspitze des unterkieferknochens (angulus maxillae) zu nehmen; es hat bisweilen seine schwierigkeiten, genau diesen letzten punkt zu treffen, wenn der knochen dort ungewöhnlich abgerundet ist; bei einzelnen individuen musste ich auch wegen allzu vielen fetts es aufgeben, den abstand zu messen, aber bei den meisten ist es doch ziemlich leicht, es mit hinlänglicher genauigkeit zu messen, und es kann nicht bedenklich sein, dieses mass als *ungefähren* verhältnismässigen ausdruck für die länge des luftweges zu nehmen. Die ersten masse, die ich erhielt, waren die folgenden, die mir ein arzt für die kiefern seiner eigenen kinder aufgab:

Tochter	14	jahr	—	90 mm
„	12	„	—	90 mm
Sohn	8½	„	—	90 mm
Tochter	6¾	„	—	85 mm
„	5½	„	—	75 mm
Sohn	3½	„	—	90 mm
Tochter	2½	„	—	80 mm

Diese zahlen genügen um zu zeigen, dass kiefernlänge unmöglich proportional mit dem alter oder der körperhöhe sein kann. Seitdem habe ich eine ganze reihe von kindern (knaben in einer Kopenhagener schule und mädchen in einem Kopenhagener kinderheim) sowie erwachsenen gemessen und gebe die resultate in der unten stehenden tabelle, wobei ich bedaure, dass die untersten altersklassen ziemlich schlecht repräsentiert sind:

Alter (volle jahre)	Männliche				Weibliche			
	Anzahl der messungen	Durchschnitt	Maximum	Minimum	Anzahl der messungen	Durchschnitt	Maximum	Minimum
3	—	—	—	—	2	71	72	70
4	—	—	—	—	6	75	78	72
5	3	88.3	90	87	3	73	74	72
6	21	83	96	76	4	81	82	80
7	30	82.8	92	72	2	79.5	81	78
8	32	82.8	95	72	8	83.7	90	80
9	36	87.6	97	80	7	83.9	88	80
10	44	84.3	96	76	9	83	86	80
11	37	87	102	74	6	84.2	90	78
12	23	89	98	77	15	85.5	96	80
13	33	90.3	100	80	11	87.3	95	77
14	34	93.2	106	85	14	88.9	93	82
15	15	92.7	101	90	10	91.2	100	85
16	8	90.1	103	84	—	—	—	—
17	7	95.1	103	85	—	—	—	—
Erwachsene	20	99.5	110	90	20	93	106	82

Man sieht, dass in den durchschnittszahlen im ganzen sich wohl eine steigerung mit zunehmendem alter bemerkbar macht, aber bei weitem nicht die, die man nach der körperhöhe erwarten könnte: ein kind von 5 jahren kann dieselbe kiefernlänge wie ein mann von 37 jahren haben. Der wichtigste zuwachs findet sicher in dem alter statt, wo das kind noch nicht spricht. Mein eigener junge hatte wenige tage nach der geburt das kiefernmass 45 mm, und drei monate später 60 mm. Seine vokale waren in dieser zeit mit den unsrigen ganz inkommensurabel und könnten nicht einmal als zwischenstufen einer der bekannten vokalreihen betrachtet werden. Von der elften woche an fingen aber die vokale allmählich an, immer mehr „menschlich" zu lauten; und als er elf monate alt war, war die abweichung in laut und in hervorbringungsart, so weit ich hören und sehen konnte, sehr geringfügig: sein kiefer mass damals 75 mm.

Hierzu kommt, dass die zunge im munde liegt wie ein ei in der schale; und es ist möglich, dass sie an und für sich verhältnismässig mehr wächst als der kiefer. Jedenfalls ist sicher der unterschied zwischen der grösse des resonanzraumes bei erwachsenen und kindern viel geringer, als gewöhnlich angenommen wird; das zweischneidige schwert, das von dem einen gebraucht wird, um nach rechts zu schlagen, und von dem anderen für einen gewaltigen hieb nach links, zeigt sich also bei näherer untersuchung als stumpf auf beiden seiten. … Wir scheinen berechtigt zu sagen: sowohl die artikulation wie der klang ist für denselben vokal *im wesentlichen* für alle eins; absolute identität ist ausgeschlossen, sondern bei der sprache ist und muss sein wegen des wesens der sprache ein gewisser spielraum, innerhalb dessen das „richtige", d. h. die für die absicht der sprache notwendige leichte wiedererkennbarkeit, sich bewegt. Keiner der genetiker wird eine solche richtigkeitsbreite für die einzelnen sprachlaute bestreiten, nicht einmal diejenigen, die auf das genaueste in millimetern den abstand zwischen munddach und zunge angeben; und selbst wenn es unter den akustikern einige gibt, die die von ihnen angegebenen eigentöne für die einzelnen vokale als absolut aufgefasst wissen wollen, so dass eine geringe abweichung nach oben oder unten den charakter des vokals ändern sollte, so wird ein solcher standpunkt heutzutage kaum von einem einzigen aufrecht erhalten werden können, der nur ein wenig den exakteren analysen der resonanztöne der vokale gefolgt ist. …

Psychologisch scheint vieles dafür zu sprechen, dass die vorstellungen von den artikulationen eine viel grössere rolle als die von den lauteindrücken spielen; das denken (in worten) ist ein „stilles sprechen", d. h. artikulieren, nicht ein „stilles hören", weshalb es denn u. a. auch den meisten menschen absolut unmöglich ist, sich ein beliebiges wort vorzustellen, so lange sie laut diesen oder jenen vokal, z. b. [i·····] sprechen. Das sprachliche verständnis, auch die genaue auffassung von der eigenart eines lautes, ist viel intimer mit den für die aussprache des betreffenden wortes oder lautes erforderlichen muskelbewegungen verknüpft als mit den akustischen eindrücken. Aus platzrücksichten muss ich mich hier mit diesen andeutungen begnügen.[1]

Und endlich muss doch auch der umstand einige bedeutung haben, dass wir in der sprachgeschichte auf jedem blatt lautübergängen

---

[1] Ich schliesse mich hier im grossen und ganzen an Stricker an, siehe seine *Studien über die Sprachvorstellungen*, Wien 1880, *Du langage et de la musique*, Paris 1885. Von der recht reichen literatur über den gegenstand will ich hier nur nennen G. Ballet, *Le langage intérieur*, Paris 1886, und R. Dodge, *Die motorischen Wortvorstellungen*, Halle 1896.

begegnen, die sich akustisch recht schwierig, genetisch aber sehr leicht erklären lassen, so z. b. die meisten assimilationsvorgänge. Wenn intervokalisches [p] in stimmhaftes [b], ein intervokalisches [f] in stimmhaftes [v] übergeht, so ist das akustisch ein übergang in eine ganz andere klasse; dem genetiker ist aber alles unverändert geblieben ausser einem element, wo der zustand des vorhergehenden und nachfolgenden lautes auf den dazwischenstehenden übertragen worden ist. Überhaupt bleiben ja bei den meisten lautveränderungen alle elemente bis auf eins unverändert.

Man scheint nach dem eben gesagten zu der behauptung berechtigt zu sein, dass die artikulatorische seite *mindestens* ebenso wichtig für das sprachleben selbst ist wie die akustische. Dazu kommt der theoretisch vielleicht unwesentliche, aber praktisch ausserordentlich bedeutungsvolle umstand, dass die artikulationen viel leichter zugänglich sind, die hierher gehörigen phänomene sich viel leichter beschreiben lassen, und es herrscht infolgedessen viel grössere einigkeit zwischen den forschern auf diesem gebiet als zwischen den akustikern. Dies gilt in hohem masse von den vokalen. ... Aber es gilt in noch höherem masse von den konsonanten, wo man sagen darf, dass man zu einem auf den artikulationen aufgebauten system gelangt ist, das in allen hauptzügen so unverrückbar feststeht, wie die lehre von der sonne als zentrum für unser planetensystem. Aber gerade diesen lauten stehen die akustiker fast ratlos gegenüber und haben kaum noch eine wissenschaftliche untersuchung begonnen. ... Und ich kann auf keine weise eine so bestimmte grenze zwischen den beiden klassen von sprachlauten entdecken, dass sie zu einem grundverschiedenen prinzip für die behandlungsweise und einteilungsweise von vokalen und konsonanten berechtigen würde: das artikulatorische system ist für beide klassen natürlich; das würde ein akustisches system auch sein — *falls* wir eins hätten (oder: das wird das akustische system auch sein, *wenn* wir es einmal haben werden).

Betrachten wir denn ein wenig den beitrag der akustik zur einteilung und bestimmung der sprachlaute. In fast allen darstellungen findet man die bemerkung, dass die laute in drei klassen eingeteilt werden, die etwas verschieden benannt werden, aber im prinzip dieselben sind, nämlich 1) reine stimmlaute oder töne, wie die vokale — und nach einigen auch z. b. [m, l]; 2) reine geräusche, wie z. b.

[s, f]; 3) gemischte, wie z. b. [z, v], wo sowohl ein ton von den stimmbändern wie ein geräusch oben im munde hörbar ist, indem [z] = [s] + stimme, [v] = [f] + stimme ist. — Hierzu kann indessen bemerkt werden, dass die einteilung nicht erschöpfend ist; die in den sprachen nicht selten vorkommenden vokale ohne stimme können wohl nicht zu den geräuschen gerechnet werden — jedenfalls erinnere ich mich nicht, sie als geräuschlaute oder konsonanten klassifiziert gesehen zu haben. Wichtiger ist es indessen, dass bei der oben genannten dritten klasse [z, v usw.] nicht geräusche hervorgebracht werden, jedenfalls nicht von derselben art wie bei [s, f], ganz einfach deswegen, weil der stimmhafte luftstrom nicht kräftig genug dazu ist. Man kann die einfache probe darauf machen, indem man seine hand oder ein brennendes licht in kurzem abstand vom munde hält: ein stimmloser luftstrom von ebenso geringer stärke wie wir ihn bei den stimmlauten [z, v] haben, bringt gar kein geräusch hervor. Ein *wirkliches* [s] oder [f] + stimme ist absolut unmöglich für menschliche organe. Die angegebene dreiteilung der sprachlaute reduziert sich dadurch auf die ganz einfache zweiteilung: laute mit ton = stimmhafte (laute mit $\varepsilon\,1$), und laute ohne ton = alle andern (laute mit $\varepsilon\,0$, $\varepsilon\,2$, $\varepsilon\,3$, $\varepsilon\,I$); und man sieht, dass die einteilung der laute in vokale und konsonanten nicht auf den akustischen unterschied zwischen tönen und geräuschen basiert werden kann.

[Hier folgte in den Phon. Grundfragen s. 90—102 eine ausführliche darstellung und kritik der akustischen theorien von eigenton der vokale und resonanz.]

Noch ein punkt muss hier behandelt werden. Ein vokal kann in verschiedenen „zustandsformen" auftreten: als gesungen, als gesprochen, als geflüstert, als gehaucht und als geblasen. Dasselbe gilt auch von den konsonanten. Der Hensen-Pippingsche apparat ist nur brauchbar bei untersuchungen der beiden ersten zustandsformen, die gut in *eine* zusammengefasst werden können (die stimmhafte), aber er vermag uns nicht bei der analyse der andern zu helfen. Wir sahen auch oben dass es nicht angeht, [z] (die stimmhafte form die dem [s] entspricht) als akustisch aus dem durch [s] hervorgebrachten geräusch und stimmton zusammengesetzt anzusehen; ebenso ist es wenigstens höchst zweifelhaft, ob wir berechtigt sind, z. b.

ein gewöhnliches stimmhaftes [o] als aus der durch geflüstertes [o] hervorgerufenen mundresonanz + stimmton bestehend zu betrachten. Und doch haben wir keinen zweifel inbetreff des engsten zusammenhangs der laute: ein gesungenes [o], ein gesprochenes [o], ein geflüstertes [o], ein gehauchtes [o] und ein geblasenes [o] fühlen wir als denselben vokal in verschiedenen zustandsformen, die nicht einmal so verschieden sind wie eis, wasser und dampf, weil man schon unmittelbar die einheit wahrnimmt. Es muss, wie es scheint, hier etwas gemeinschaftliches vorhanden sein, das die wiedererkennung bedingt; das gemeinsame im gebiete M (s. oben 136) ist die stellung aller organe oberhalb der stimmbänder; aber was ist das gemeinsame in den gebieten L und O? Das hat uns kein akustiker sagen können, und — es *gibt vielleicht* gar nichts gemeinsames weder in den schwingungen der luft noch im eindruck des ohres; wir sind jedenfalls berechtigt, mit der möglichkeit als gedankenexperiment zu operieren. Dies braucht uns aber nicht zu beunruhigen. Bei der lautempfindung jedes individuums spielen zweifellos die von ihm selbst hervorgebrachten laute eine ausserordentlich wichtige rolle; das kind hat, schon lange ehe es eigentlich anfängt zu sprechen, viele male selbst eine menge laute hervorgebracht und gleichzeitig durch das ohr kunde von diesen lauten erhalten; es gibt eine zeit, wo es dem kinde gradezu spass macht und das liebste spiel ist, sich selbst etwas vorzuschwatzen, wobei es dazu kommt, ein mal nach dem andern die wichtigsten sprachlaute hervorzubringen (ausser nicht wenigen lauten, für die es später in der sprache keinen gebrauch hat). Es entstehen dadurch sicher recht früh feste assoziationen zwischen gewissen artikulationen und gewissen ohreindrücken als immer mit einander verbunden. Die oben besprochene mundstellung mit stimme verknüpft sich unauflöslich mit dem eindrucke X des gehörten, stimmhaften [o], und wenn das kind nun hört, dass dieselbe mundstellung mit flüstereinstellung der stimmbänder den eindruck Y auf das ohr macht, so wird dadurch eine solche ideenassoziation hervorgerufen, dass X und Y hinfort vor dem bewusstsein als wesentlich identisch dastehen, selbst wenn sie vielleicht akustisch gar kein gemeinsames element haben, und so aufs neue für jeden laut.[1] Mehr ist jedenfalls

---

[1] Vgl. damit auch den Strickerschen gedanken oben s. 141.

nicht *nötig* um zu erklären, dass geflüstertes [o] sprachlich als substitut für [o] der lauten rede verwandt werden kann. Aber das denken würde sich unleugbar mehr befriedigt fühlen, wenn es dem physiker glückte, zu beweisen, dass es hier in dem akustischen wirklich etwas gemeinsames gibt, das die grundlage für unsere empfindung „derselben laute" in verschiedenen zustandsformen abgibt — und was dieses gemeinsame ist.

Die frage: „Was ist ein sprachlaut?" sehe ich mich nach allem hier erörterten berechtigt so zu beantworten, dass ich die artikulatorische seite in erster linie hervorhebe, ohne doch die beiden anderen seiten zu übersehen, z. b. durch folgende definition: Ein sprachlaut ist ein erzeugnis der menschlichen sprachorgane, die eine solche bewegung in der luft hervorbringen, dass man imstande ist, sie mittels des ohres mit einer bestimmtheit wahrzunehmen und wiederzuerkennen, die hinreicht, um den ganzen prozess als mitteilungsmittel von dem einen menschen zum andern benutzen zu können.

Wie soll man nun ein genetisch-artikulatorisches system der sprachlaute aufbauen? Verschiedene schwierigkeiten stellen sich ein. Die erste ist die, dass man nicht weiss, was als selbständiger sprachlaut aufgestellt werden muss und was als bloss untergeordnete varietät gelten soll. Brücke und nach ihm Hoffory[1] stellen die forderung auf, dass der sprachphysiologie ebenso wie der zoolog oder botaniker nur die charakteristischen typen klassifizieren solle; „um diese gruppieren sich dann von selbst die zahllosen varietäten, die natürlich in dem system selbst keinen platz finden können." Leider gibt es aber, wie schon von Sievers angedeutet, auf unserem gebiete keine so natürlichen „typen" wie im tier- oder pflanzenreiche; auf vielen punkten wird der engländer das als einen typischen laut betrachten, was der franzose oder deutsche eine nebensächliche „varietät" nennen würde, und umgekehrt. Es hängt eben zum grössten teil davon ab, wie weit jede sprache lautdifferenzen zur differenzierung von bedeutungen benutzt.[2]

---

[1] Professor Sievers und die prinzipien der sprachphysiologie. Berlin 1884.
[2] [Man bemerke diese frühzeitige hervorhebung des jetzt sogenannten phonologischen gesichtspunktes.]

Ferner: Brücke will in das system nur einfache laute aufnehmen, also zusammengesetzte laute ausschliessen; einfache laute sind bei ihm laute mit nur *einer* artikulationsstelle. Der laut [b] hat eine artikulationsstelle; wie viele hat aber [m]? Hat es zwei, weil das gaumensegel hier artikulieren muss, um den nasenweg zu öffnen? Nein, lautet die antwort Brückes (s. 42): unter artikulationsstelle versteht er diejenige stelle in der mittelebene des mundkanals, an welcher die artikulierenden teile einander genähert, beziehungsweise in berührung gebracht sind; folglich erhält [m] ebenso wie [b] nur *eine* artikulationsstelle. Und nun der kehlkopfverschluss (ɛ 0)? Er hat ja nach dieser definition gar keine artikulationsstelle. Und die vokale? Falls [i] *eine* artikulationsstelle hat, hat dann [y] deren zwei? Es ist ja streng genommen, obgleich es doch alle tun, inkonsequent, [y] in das system aufzunehmen, da es ausser der stelle an der vorderzunge eine artikulationsstelle an den lippen hat, also einem gerundeten [r] oder [x] gleichgestellt werden muss — aber solche gerundeten konsonanten lässt man nicht ins system ein.

Noch eine schwierigkeit: was sollen wir als den leitenden gesichtspunkt für unsere einteilung nehmen? Wenn wir einen laut wie z. b. [m] nehmen, was ist dann das wichtigste? Wenn der haupteinteilungsgrund stimme oder stimmlosigkeit ist, dann gehören z. b. [m] und [a] in dieselbe hauptklasse hinein. Wenn offenheit und geschlossenheit des nasenwegs das wichtigste einteilungsprinzip bildet, dann gehören [m] und [a] zu verschiedenen hauptklassen, während das stimmhafte [m] und das stimmlose [m̥], die nach der ersten einteilung weit auseinander standen, jetzt zusammengehören. Oder sollen wir zuerst laute mit verschluss von lauten ohne verschluss scheiden, und in zweiter linie die erste klasse nach ort und stelle des verschlusses einteilen? Dann werden [m] und [p], die nach den anderen einteilungsprinzipien nichts miteinander zu tun hatten, sehr eng zusammengehören. Jede einzelne dieser methoden ist an und für sich berechtigt, woraus wir schliessen dürfen, dass das systematisieren der sprachlaute etwas ganz anderes wie das systematisieren der tiere sein muss, denn dort kann man nicht mit demselben recht den löwen bald in dieselbe klasse mit dem tiger, bald mit dem papagei und bald mit dem floh hineinbringen. — Man vergleiche einmal die konsonantentabellen verschiedener phonetischer handbücher. Sweet teilt zunächst in stimmhaft und stimmlos; innerhalb jeder dieser klassen wird eine kreuzeinteilung vorgenommen: einerseits nach der stelle (worin sowohl das artikulierende organ als die stelle, gegen die es wirkt, berücksichtigt wird), andererseits in 'open', 'side', 'stop' und 'nasal'; seiten- und engelaute mit nasenöffnung finden dabei keinen platz. Die oberste einteilung Trautmanns ist in 'reine konsonanten' (d. h. mit ð0) und 'genäselte konsonanten' (mit ᵟ2); innerhalb jeder klasse wird in 'schleifer' (engelaute) und 'klapper' eingeteilt; die letzteren werden wieder in 'eigentliche klapper' (= verschlusslaute), 'l-laute' und 'r-laute', jede von diesen klassen wieder in stimmhafte und stimmlose eingeteilt, und mit dieser letzten einteilung kreuzt sich die nach 'gebieten', d. h. nach der stelle. Sievers hat als haupteinteilung die nach der stelle, und mit ihr sich kreuzend die folgende aufstellung:

Momentane laute	Geräuschlaute	Explosivlaute	{ stimmlos stimmhaft
		Spiranten	{ stimmlos stimmhaft
Dauerlaute	Sonorlaute	Nasale l-laute r-laute	

Bei seiner tafel findet sich u. a. die besonderheit, dass 'laterale' eine eigene rubrik (unter zungengaumenlauten) — also als glied einer senkrechten reihe — bilden, während unter der benennung 'l-laute' in der zweitletzten wagerechten reihe l, l¹, l² (zerebrales l, interdentales l, postdentales l) usw. angebracht sind; wo die beiden reihen, die senkrechte und die wagerechte, sich begegnen, steht dann in parenthese 'alle l-laute', was eine gelinde systematische überraschung hervorruft, da man nicht recht versteht, wie sie alle hier sein sollen, da man ja eben den verschiedenen l-lauten anderswo begegnet ist. Ausserdem hat Sievers in seiner aufstellung eigentlich keinen platz für stimmlose nasale, stimmlose l- und r-laute, deren existenz er doch in seinem buch anerkennt. — Dies sind nur ein paar proben; noch andere aufstellungsarten kommen vor, und sieht man näher zu, entdeckt man leicht, dass das system eigentlich sehr wenig bedeutung für die auffassung der laute hat. Der eine rechnet [m] unter die verschlusslaute, der andere unter offene laute, aber alle stimmen darin überein, dass bei [m] der nasenweg offen und die lippen verschlossen sind. Die sache ist nämlich die, dass alle zur einteilung der konsonanten gebrauchten benennungen einseitig sind (nasenlaute, stimmlaute, verschlusslaute, laterale, lippenlaute usw.); sie nehmen sämtlich nur auf *etwas* von dem bezug, was den lauten charakteristisch ist. Jeder laut ist aber gleichzeitig durch die stellung *aller* organe bestimmt. *Jeder sprachlaut ist gleich zusammengesetzt.* Da es nun viele zusammensetzende faktoren gibt, ihr ordnen aber verhältnismässig gleichgültig ist, so können natürlich selbst diejenigen, die mit genau denselben bestimmungen rechnen, in ihren systematischen aufstellungen verschiedene wege einschlagen. In der regel wird man aber in den konsonantentafeln nicht gleichmässig alle zusammenwirkende faktoren berücksichtigen, schon deshalb nicht, weil man unmöglich auf einer papierfläche, die ja nur zwei dimensionen hat, für die grosse mannigfaltigkeit der konsonantenbildungen platz finden kann; jeder konsonant hat sozusagen viele dimensionen. Man könnte dann natürlich die konsonantentafel auf mehrere papierflächen verteilen, die einander gegenseitig ergänzen; das ist aber wenig praktisch und übersichtlich. Man tut wohl besser daran, einfach den gedanken einer einigermassen erschöpfenden konsonantentafel aufzugeben.[1]

Was hier von den konsonanten gesagt worden ist, gilt auch von den vokalen. Die meisten vokalsysteme oder vokaltafeln, die man aufgestellt hat, nehmen jeden vokal als einheit und ordnen dann die vokale in reihen, die oft gar nicht benannt werden, bei anderen aber ungenügende namen tragen, die lippenreihe, zungenreihe, lippenzungenreihe (bezw. für u — o — ɔ, i — e — ɛ, y — ø — œ). Eine eigentliche analyse der einzelnen artikulationselemente, die für jeden vokal erforderlich sind, wird dabei entweder gar nicht gegeben oder in mehr oder weniger summarischer weise bei besprechung der ein-

---

[1] Ich spreche hier nur von wissenschaftlichen werken; in einer elementaren darstellung für schulzwecke kann man recht gut eine tafel aufstellen, indem man die sache vereinfacht und nur die allernotwendigsten bestimmungen mitnimmt.

zelnen vokale oder vokalreihen vorgenommen, ohne auf das aussehen
der vokaltafel selbst sichtbaren einfluss zu üben. Hier bezeichnet die
Bellsche vokaltafel den entschiedenen bruch mit der vergangenheit.
Wie bekannt, bestimmt er jeden vokal mit hilfe von vier einteilungs-
gründen, 1. nach dem abstand zwischen zunge und munddach: high,
mid, low, 2. nach dem vor- und zurückschieben der zunge: front,
mixed, back, 3. nach der form oder dem spannungsgrad der zunge:
narrow (primary), wide, 4. nach der lippenrundung: not round,
round. Wenn man aber fragt, welche von diesen vier einteilungen
die wichtigste sei, und daraufhin die verschiedenen aufstellungen der
anhänger Bells vergleicht, dann sieht man, dass hier gar keine einigkeit herrscht. Die engländer stellen die einteilung narrow — wide
obenan, Sievers dagegen back — mixed — front, und Lundell not
round — round; so dass high — front — narrow [i] in dem system
der ersteren von high — front — wide [i̬] sehr weit entfernt, bei den
letzteren dagegen in seiner unmittelbaren nähe steht; andererseits
stehen [i] und [y] bei Lundell einander viel näher als bei Bell,
Sweet und Sievers. Und auch hier muss man sagen, dass diese differenzen eigentlich nicht die spur von bedeutung haben; die eine
aufstellung besagt genau dasselbe wie die andere. Ein näheres ein-
gehen auf das reale, d. h. die wirklich in den sprachen vorkommenden vokale und ihre bildungsart, belehrt uns aber, dass es unmöglich
ist, in irgend einem schema platz für alle vokale zu finden.

Wenn man sich nun deswegen dazu entschliesst, die landläufige
art der systematisierung fallen zu lassen, so heisst das doch durchaus
nicht jede art von systematisierung aufgeben oder die bestrebungen
um eine systematische phonetik überhaupt unterschätzen. Im gegenteil bedeutet es nur, dass man die systematik in ein anderes gebiet
verlegt, nämlich in die lehre von den artikulationen der einzelnen
sprachorgane. Diese „elemente", wie ich sie genannt habe, können
systematisch behandelt werden (s. den abschnitt „Analyse" in meinem
Lehrbuch), und die einzelnen laute gehen dann ganz natürlich aus
dem zusammenwirken dieser elemente hervor (s. „Synthese" ebenda).
Dieses verfahren gestattet die grösstmögliche genauigkeit in allen
einzelheiten ohne das herumspringen in verschiedenen gebieten, das
unumgänglich scheint, wenn man gleich von anfang an mit den

lauten als einheiten zu tun hat.[1] Dieses system hat auch beträchtliche
pädagogische vorteile, wie ich aus langjährigen erfahrungen als
lehrer der phonetik bezeugen kann; der lernende fühlt sich erst in
einem, dann in einem anderen artikulationsgebiete zu hause, lernt
den bau der einzelnen organe gleichzeitig mit ihrer sprachlichen
funktion kennen und gewinnt durch diese allmähliche bewältigung
des stoffs einen überblick, der bei anderen verfahren sehr schwer zu
erhalten ist.

Um die zusammensetzung der sprachlaute an einem beispiel an-
schaulich zu machen, nehmen wir wieder den laut [m]; dessen elemente sind die folgenden:

$\alpha 0^b$ = lippenverschluss; hierin stimmt [m] mit [m̥ p, b] überein,
  ist aber von z. b. [f, t, n, i, a, ã] verschieden.

β,, = zungenspitze in ruhestellung hinter den zähnen des unter-
  kiefers; hierin stimmt [m] mit [m̥, p, b, f], teilweise auch
  mit [i, a, ã] überein, unterscheidet sich aber von [t, n].

γ,, = zungenrücken ruhend; in dieser hinsicht geht [m] mit [m̥,
  p, b, f, t, n] zusammen, ist aber von [i, a, ã] verschieden.

$\delta 2$ = gaumensegel hängt herab; dasselbe ist der Fall bei [m, n, ã],
  nicht aber bei [p, b, f, t, i, a].

$\epsilon 1$ = stimmbänder in schwingungen; ebenso [n, i, a, ã], dagegen
  nicht [m̥, p, f, t].

$\zeta +$ = ausatmung aus den lungen; dasselbe findet auch bei allen
  übrigen hier verglichenen lauten statt, nicht aber bei den
  inspiratorischen lauten.

Man wird hier aber wohl einwenden, dass man nicht gut von
einem zusammenwirken aller dieser elemente reden kann, wenn zwei
von den organen ausdrücklich als ruhend bezeichnet werden. Diese
ruhestellung ist jedoch eine bedingung für die hervorbringung des
[m] oder vielmehr *dieses* [m]. Wenn die zungenstellung so sehr
von der ruhelage abweicht, dass ein verschluss gebildet wird, kommt
überhaupt kein [m] mehr zustande. In sprachwissenschaftlichen

---

[1] Um das unsystematische verfahren anderer lehrbücher beurteilen zu können, nehme
man sie vor und lese genau ihre beschreibung der konsonanten durch, am besten in der
art, dass man am rande oder auf einem besonderen blatt mit hilfe der antalphabetischen
bezeichnung die verschiedenen gebiete (α β γ δ ϵ ζ) und die anderen bestimmungen
(0 1 2 usw.) der reihe nach vermerkt; dann sieht man, wie alles bunt durcheinander
geht und vieles gesagt wird, das eigentlich erst später erklärt wird.

werken wird nicht selten vorausgesetzt, dass man gleichzeitig ein [m]
und ein [n] aussprechen kann, z. b. in engl. *open,* indem der lippenverschluss von anfang des [p] bis zum schluss des wortes festgehalten
wird, was man etwa $\left[\text{oup}^{\text{m}}_{\text{n}}\right]$ schreiben könnte.[1] Das ist jedoch
nicht richtig: [m] setzt voraus, dass der ganze mund bis zu den lippen
als resonanzraum wirken kann; was aber durch die genannte organ-
stellung ($\alpha 0 \;\beta 0\; \gamma_{,,}\; \delta 2\; \varepsilon 1$) hervorgebracht wird, ist ja ein [n] mit
einer unwesentlichen modifikation. Wenn es der zungenrücken wäre,
der verschluss bildete ($\alpha 0\; \beta_{,,}0\; \gamma\; \delta 2\; \varepsilon 1$), würde aus denselben gründen
ein [ŋ] mit einer kleinen modifikation, nicht aber ein gleichzeitiges
[m] und [ŋ] lauten. Falls nun die zunge zwar etwas aus ihrer
ruhelage gehoben wird, aber nicht genug, um das munddach zu berühren, dann erhalten wir zwar ein [m], es ist aber nicht genau dasselbe [m] wie oben. Man vergleiche die [m]-laute solcher wörter
wie i*m*itieren, a*m*ateur, ho*m*olog, ku*m*ulieren; bei einiger übung wird
das ohr imstande sein, diese laute auseinander zu halten;[2] die unterschiede beruhen aber eben auf kleinen differenzen der zungenlage,
die durch die umgebenden vokale bedingt sind. Tatsächlich hat ja
jedes [m], das in der sprache, d. h. in zusammenhängender rede, vorkommt, die eine oder die andere bestimmte zungenstellung, gewöhnlich dieselbe oder ungefähr dieselbe, die für den vorhergehenden oder
nachfolgenden vokal erforderlich ist, oder aber eine zwischenstellung,
oft auch ein gleiten zwischen beiden. Man sieht jetzt, dass, wenn wir
die zungenruhelage ($\beta_{,,}\; \gamma_{,,}$) als elemente des [m] ansetzen, es eigentlich eine abstraktion ist; die genannte antalphabetische analyse und
ebenfalls das lautschriftsymbol [m] ist streng genommen ein grup-
pennamе für mehrere laute. Es ist auch eine abstraktion, wenn man
in der gewöhnlichen beschreibung solcher laute wie z. b. [s] die
lippenstellung gar nicht erwähnt; jedes [s], das je von einem normalen menschen ausgesprochen worden ist, hat die eine oder die andere
lippenstellung gehabt. Was damit gemeint ist, dass man die lippen

---

[1] Sweet, Handbook of Phonetics s. 213. Ähnlich oft dänisch ome*n*dskönt, åb*n* porten,
samme*n* med. Deutsch wohl auch in lippe*n* u. dgl., falls die zungenspitzenbewegung
nicht gänzlich fortfällt.

[2] Wenn man eine melodie auf einem [m] hervorbringt (was die engländer *to hum*
nennen), wird man immer die zungenstellung ändern, also wirklich verschiedene [m]
nacheinander anwenden. Ein gedehntes unverändertes [m] wird dagegen gebraucht, um
nachdenken auszudrücken.

nicht berücksichtigt (oder die lippen als in der ruhelage befindlich ansetzt), kann nur das sein, dass man, um die sache zu vereinfachen, von der lippenstellung absieht und nur das ziemlich negative fordert, dass die lippen weder ganz noch annähernd verschlossen sein dürfen.

In phonetischen werken begegnet man ziemlich häufig dem wort „timbre" ('ein *r* mit *u*-timbre', 'zwei *l* mit verschiedenem timbre' u. dgl.); und es sieht oft genug so aus, als wäre damit etwas gesagt, das von der artikulation unabhängig wäre oder über der artikulation schwebte. Man muss gegen die anwendung des begriffes warnen und hervorheben, dass eine klangänderung immer von einer artikulations-änderung bedingt ist. Wenn man also von einem besonderen timbre spricht, so kann man dabei nur meinen, dass eins oder mehrere von den artikulationselementen, von denen man in der üblichen unvoll-ständigen bestimmung des betreffenden lautes absieht, von der ge-wöhnlichen stellung merkbar abweicht. Es ist daher entschieden vor-zuziehen, in jedem einzelnen fall genauer auf die artikulation ein-zugehen; ein *u*-timbre kann z. b. in einem fall auf lippen-, in einem anderen auf zungenstellung oder auf beiden beruhen — und ist dementsprechend auch verschieden. Ein konsonant, den wir gewöhnt sind in einer reihe von wörtern als identisch zu betrachten, kann den-noch ziemlich verschieden sein, wie ein genaues aufpassen zeigt, so z. b. wenn wir den schlusslaut von *hat, hut, schnitt* vergleichen. Wir sind nicht einmal zu der auffassung berechtigt, dass in wörtern wie *tun* oder *kuh* das [t] und [k] eigentlich mit neutraler lippenstellung hervorgebracht werden sollten, dass sie aber häufig die gerundete lippenstellung wegen des [u] annehmen; in der sprache existieren ja nur die wörter — nicht die laute in abstracto — und in diesen haben normalerweise die lippen schon vor der öffnung des zungen-verschlusses die für [u] erforderliche stellung $\alpha 3^a$ oder $\alpha 3^{ab}$ einge-nommen. Wir sprechen nie ein [t] ohne lippenstellung oder ein [m] ohne zungenstellung, genau wie wir nie einen ton ohne irgend einen stärkegrad, ohne irgend eine tonhöhe hervorbringen oder auffassen.[1] Wenn einige phonetiker dem [h] eine sonderstellung zuschreiben, indem sie behaupten, dass man eigentlich ebenso viele [h]-laute

---

[1] Über die modifikationen der laute, die man labialisierung (rundung), palatalisie-rung (mouillierung) und velarisierung (gutturalisierung) nennt, vgl. Lehrbuch **8**. 12.

unterscheiden müsse wie es vokale gibt, indem [h] in [ha, hi, hu usw.] jedesmal die stellung des folgenden vokals einnimmt, so übersehen sie, dass [h] in dieser hinsicht eigentlich nur ein wenig weiter geht als die anderen konsonanten (vgl. la, li, lu), nicht aber von ihnen prinzipiell verschieden ist; ferner dass es bei [h] wie bei den anderen konsonanten eigentlich keine strenge notwendigkeit, sondern nur tendenz ist; wenn wir vor einem [i] das [h] so aussprechen, wie es vor [e] lautet, so dass es also die stellung der oberen organe mit [e] gemeinsam hat, wird jeder doch die verbindung als [hi] hören.

Im Lehrbuch 10.2 habe ich von den zwischenstellungen gesprochen, die notwendigerweise in einer lautreihe beim übergang von dem einen laut zum nächsten durchlaufen werden müssen, und den satz ausgesprochen, dass das wesen eines jeden lautes von diesen „anglitten" und „abglitten" durchaus unabhängig ist. Dieser satz wird nie bestritten, wenn von einem [s] in der lautverbindung [asi] oder von einem [u] in der lautverbindung [lut] usw. die rede ist; anders aber bei der klasse von lauten, die man unter der benennung verschlusslaute oder klusile zusammenfasst. Hier werden viele folgende auffassung verteidigen:[1] In einer lautgruppe wie [pa] oder [ti] oder [ku] usw. ist das wichtigste (das, was das wesen der [p, t, k]-laute ausmacht) nicht der augenblick, wo die organe der ausströmenden luft den weg versperren, sondern der folgende, in welchem der verschluss mit einem kleinen puff gesprengt wird. Diese laute [p, t, k] werden daher explosivlaute oder sprenglaute, von Trautmann klapper genannt. Da ferner diese explosion nur einen augenblick dauert und nicht nach belieben verlängert werden kann, müssen die genannten laute als eine besondere klasse von lauten, momentanlaute, im gegensatz zu allen andern lauten, die dauerlaute sind, aufgestellt werden. Da diese auffassung weit verbreitet ist, wird es nicht überflüssig sein zu zeigen, dass sie nicht konsequent durchgeführt werden kann, ohne zu vielfachen künsteleien zu führen, die man vermeidet, wenn man den verschluss selbst, die geschlossene

---

[1] Bei vielen anderen forschern, die diese theorie zwar nicht direkt aussprechen, wird man doch finden, dass sie sich mehr oder minder bewusst von ihr in der auffassung und behandlung vieler sprachlichen erscheinungen beeinflussen lassen.

stellung der organe, als das für die gesamte lautklasse allein wesentliche betrachtet.

Wir haben nicht immer explosion bei [p, t, k]; wir können sehr
wohl äusserungen wie „na, und ob!", „kommt doch mit", „viel
glück!" so beenden, dass gar keine explosion nach dem [p, t, k] gehört wird. Wenn diese aussprache auch seltener ist als die explo-
dierende, müssen wir sie doch bei unserem system mitrechnen.[1] Hier
hätten wir also gar kein [p, t, k], wenn die explosion das wesen der
laute ausmachte. Man sagt dann etwa: dies ist eine neue art von
lauten, deren wesen in der bewegung von der offenen stellung bis
zur verschlossenen besteht; man nennt sie *implosives* [p], implosives
[t] usw., beiläufig bemerkt mit einem namen, den ein lateiner schwerlich verteidigen würde. Viele rechnen auch das [p] in der verbindung
[apma], das [t] in [atna] u. dgl. unter die implosivlaute, und man
müsste wohl auch das [p] in *bleibt* [blaipt], das *k* in *akt* hierher
rechnen, wenn sie so ausgesprochen werden, dass der [t]-verschluss
früher als das auflösen des ersten verschlusses gebildet wird. — Nun
kann aber nicht geleugnet werden, dass wir in einigen verbindungen
weder „explosion" noch „implosion" haben, nämlich wenn ein [p]
zwischen zwei [m] steht, so dass wir in [ampma] die lippen von dem
abglitt des ersten bis zum anglitt des zweiten [a] verschlossen halten;
ebenso [t] in [antna], [k] in [aŋkŋa]: man nehme als beispiele
etwa *lumpenbrei* [lumpmbrai], *luntenstock* [luntnʃtok], *denken
kann man* [deŋkŋkanman], eng. *stampmill* [stæmpmil], *vintner*
[vintnə]. Hier hat man nun bisweilen eine dritte art von lauten aufstellen wollen, die man (ohne rücksicht auf latein oder etymologie)
plosive genannt hat. Die lehre von den [p, t, k]-lauten wäre also
folgendermassen zu formulieren: das eigentliche wesen dieser laute
ist die explosion, in gewissen fällen aber müssen wir uns mit einer
implosion begnügen, und endlich haben wir in anderen fällen keins
von beiden, sondern nur eine plosion! Mir scheint, es ist viel natürlicher zu sagen: das wichtigste bei [p, t, k] ist das, was wir überall,
in allen verbindungen, wiederfinden, nämlich die verschlossene organstellung; die explosion ist einer der verschiedenen möglichen ab-

---

[1] In einigen sprachen (u. a. Mech in Assam, Santhal) finden sich verschlusslaute
ohne explosion in selbständiger verwendung, so dass sie und die explodierenden laute
auseinander gehalten werden.

glitte und tritt natürlich immer dann ein, wenn die notwendige bedingung dafür (offene organstellung beim folgenden laut) erfüllt
ist; die explosion ist aber genau so wie alle anderen abglitte aller
anderen laute zu behandeln.

Nach andern anhängern der explosivtheorie haben wir in verbindungen wie [pm, tn, kŋ] — man denke z. b. an wörter wie *Siep-
mann, Ätna, necken* in der aussprache vieler [nekŋ], eng. *topmost,
button, bacon,* wo doch [beikən] häufiger ist — zwar eine explosiva,
doch nicht die gewöhnliche (mit mundexplosion), sondern eine
eigentümliche art, bei der die eingesperrte luft durch die nase hindurch explodiert, und die von einigen faukalexplosiva, von anderen
nasalexplosiva und wiederum von anderen velarexplosiva oder nasen-
stosslaut genannt wird. Über das tatsächliche lässt sich nicht streiten,
wohl aber über die auffassung und stellung im system. Hier sind
aber die einzelnen anhänger der explosivlehre nicht einig: nach der
meinung einiger gibt es in diesen verbindungen gar kein [p], bezw.
[k] und [t], sondern bloss drei verschiedene nasalexplosive; andere
betrachten die verbindung als bestehend aus einem [p], bezw. [t, k]
(das dann „implosiv" sein muss) + nasalexplosiva, die in allen
fällen dieselbe ist, da die bewegung des gaumensegels ja dieselbe ist,
+ endlich dem betreffenden gewöhnlichen nasal. Warum spricht
man aber nicht in derselben weise von einer faukal- oder nasalexplosiva in der verbindung [aã], wo wir zwischen dem reinen mund-
vokal und dem nasalen vokal genau dieselbe bewegung des gaumensegels haben? Warum spricht man auch nicht in den verbindungen
[mp], [nt], [ŋk] von der entsprechenden bewegung in entgegengesetzter richtung zwischen [m] und [p] usw., und nennt sie faukal-
(oder nasal- oder velar-)implosiv? Das würde offenbar genau ebenso
vernünftig sein. Noch vernünftiger ist aber doch wohl die auffassung,
die sich u. a. in der überall üblichen schreibung zeigt: in allen diesen
fällen hat man ein und dasselbe [p], ein und dasselbe [t], ein und
dasselbe [k], und es macht dabei keinen unterschied, dass vor oder
nach dem laut verschiedene andere laute kommen, und dass der
anglitt, bezw. der abglitt demnach verschieden ausfällt.

Auch in der verbindung [tl], z. b. in *Atlas,* eng. *kettle* hat man
eine besondere art explosiva ansetzen wollen und dafür den namen
seitliche explosiva oder lateralexplosiva in anwendung gebracht. Man

führt zugunsten dafür an, dass hier nicht wie in [ta] usw. auf einmal
für die ganze breite der zunge geöffnet wird, indem die zungenspitze
natürlich fortfährt, das munddach in der mittellinie der zunge zu
berühren. Mit eben demselben recht kann man von noch einer anderen art von explosiva in [ts] reden, wo umgekehrt die berührung
an beiden seiten fortgesetzt wird; von noch einer in [ti], noch einer
in [ta], usw. usw. Die explosion wird in wirklichkeit für jeden neuen
laut, der dem [t] nachfolgt, verschieden, und wenn man das für ein
[t] charakteristische in dieser explosion findet, dann muss man konsequenterweise ebensoviele arten von [t] aufstellen wie es explosions-
arten gibt.

Die zahl der schwierigkeiten ist aber noch nicht erschöpft. Wie
soll man die fälle abgrenzen, wo eine explosion stattfindet? Wir
haben bisher die laute [p, t, k] als typen genommen, und hier ist es
ja unzweifelhaft, dass die verbindungen [pa, ta, ka] usw. eine explosion enthalten. Aber wenn wir zu [ba, da, ga] gelangen, namentlich in dem fall, wo [b, d, g] mit voller stimme gesprochen wird
wie z. b. im französischen, dann hat schon die explosion ein anderes
gepräge, obschon man wohl nicht ihre existenz bezweifeln kann. Bei
[ma, na, ŋa] ist es ziemlich zweifelhaft, ob wir etwas haben, das den
namen explosion verdiente; man untersuche auch die verbindungen
mit nasalvokalen: [mã, nã, ŋã]. So werden denn auch [m, n, ŋ] von
einigen zu den explosivlauten mitgerechnet, von anderen aber nicht.
Trautmann hört nicht allein hier, sondern auch in [la, ra] das klapp-
geräusch, das den explosivlauten — oder wie er sagt, den klappern
— eigentümlich ist; er will aber doch die l- und r-laute von den
„eigentlichen klappern" sondern. Noch weiter geht Bremer, der von
verschluss überall dort spricht, wo der eine oder der andere punkt
berührt wird, auch wenn ein vollständiges absperren des luftstroms
(antalphab. 0) gar nicht stattfindet, also z. b. bei [s], ja sogar bei
solchen vokalen wie [o, u, e, i], so dass er das nasalierte [ã] als den
einzigen laut ansieht, bei dem wir auf keinem punkte „verschluss-
bildung" haben. Konsequenterweise muss man dann bei jeder verbindung von einem laute mit einem anderen, dessen berührung („verschluss") eine kleinere fläche umfasst, von einer explosion reden z. b.
in [sa, si, iɛ, ia, ua, oa] usw. Es muss ja zugegeben werden, dass es
wirklich, wenn man sehr genau nachhört, in diesen übergängen etwas

gibt, das an die explosion nach einem verschlusslaut erinnert; es ist
auch wirklich erquickend, einmal einem verfasser zu begegnen, der
ganz gelassen alle konsequenzen. seines standpunktes zieht — und
weiter als Bremer kann man in dieser beziehung ja unmöglich gehen!
Es scheint jedoch in anbetracht der schwierigkeiten, die sich bei der
bestimmung der grenze für das vorkommen des explosionsphänomens
darbieten, viel besser, diesem phänomen gar nicht die grosse bedeutung für die lautbestimmung beizumessen, die es bei allen diesen
verfassern erhält.

Dies ist um so ratsamer, als wir eine sehr wichtige schwierigkeit,
die mit der auffassung einer explosion als das wesen eines [p, t, k]
ausmachend verbunden ist, noch nicht behandelt haben. Die explosion kann, wie schon bemerkt, nicht verlängert werden; daher ja
die benennung momentanlaute für [p, t, k]. In den sprachen, die wie
schwedisch, italienisch und finnisch, neben kurzen (oder einzelnen)
konsonanten auch lange (oder verdoppelte, geminierte) konsonanten
in regelmässiger verwendung haben, begegnen wir nun auch langem
(verdoppeltem) [p], langem [t] und langem [k]. So z. b. in schwedisch *kappa, fatta, flicka*, die für das sprachgefühl mit dem langen
(verdoppelten) laut in *alla, Anna, kassa, skaffa* ganz parallel stehen.
So auch im italienischen *cappa, atto, bocca*, die ebenfalls mit *ll, nn,
ss, ff*, in *alla, Anna, cassa, caffè*, parallel laufen, und die z. b. auch
in denselben syntaktischen fällen eintreten (ohne geschrieben zu
werden), so dass man z. b. [ɔpparla·to, ettu, akka:sa] *ho parlato, e tu,
a casa* sagt, ganz wie man den anlaut verlängert (verdoppelt) in
[ɔffato, ennɔ·i, arro:ma] *ho fatto, e noi, a Roma*. Auch im finnischen
entsprechen *pp, tt, kk* verbindungen wie *ll, nn*. In keiner von diesen
sprachen hat man nun doppelte explosion in der art, dass man bei
[pp] die lippen erst verschlösse, dann öffnete, dann wieder verschlösse und abermals öffnete. Vielmehr wird einfach die dauer der
zeit, in welcher die organe die verschlossene stellung einnehmen, verlängert, ganz wie bei [ll, nn] die für diese laute erforderliche organstellung längere zeit hindurch inne gehalten wird. Man kann aber von
einem langen [p] natürlich nur dann sprechen, wenn man als das
charakteristische eben die verschlossene organstellung ansieht.

Man kann natürlich auch nicht, wie nur zu viele phonetiker es
tun, von einem „halben p" sprechen, wenn die öffnungsbewegung

fehlt, oder von dem fortfall „der zweiten hälfte des p" usw.[1] Ein
ganzes und unteilbares [p] ist jedes mal vorhanden, wenn die dazu
gehörige organstellung (lippenverschluss, zungenruhe, gaumensegel-
verschluss usw.) vorhanden ist.[2] Ein notwendiger bestandteil der hier
vorgezogenen auffassung wird jedoch viele phonetiker bedenklich
machen, nämlich der, dass man den lautlosen augenblick, die pause,
als das wichtigste bei einem [p] oder [t] oder [k] ansieht. Unter
normalen verhältnissen wird man sich des umstandes, dass das hörbare, der „laut", für einen augenblick aufhört, sobald ein [p], ein [t]
oder ein [k] im laufe der rede vorkommt, gar nicht bewusst, ebensowenig wie man den lichtlosen augenblick bei jedem blinzeln bemerkt.
Die pause ist aber doch eine realität, und wenn man sie mit in betracht zieht, so heisst das doch nicht dasselbe, „als wenn man behaupten wolle, das wesentliche in der musik seien nicht die töne, sondern die pausen"[3]; es heisst vielmehr die rolle anerkennen, die jede
pause ebenso gut wie jede einzelne note zu spielen hat. So wenig wie
wir musik mit überwiegenden pausen haben, ebensowenig haben wir
ja sprachen mit überwiegenden [p], [t] und [k]. Flodström und
Hoffory ziehen aus dem umstand, dass [p, t, k] also unhörbare, lautlose momente sind, den schluss, dass wir den gemeinsamen namen
„laut" somit auch „lautlehre" usw., aufgeben müssen und statt dessen
in zukunft von „elementen", „elementenlehre" oder sogar „buchstaben"(!), „buchstabenlehre" reden sollten; das ist aber gar nicht
nötig. Wie die mathematiker 0 zur zahlreihe mitrechnen, ebenso können wir auch diese erscheinungen (antalphabetisch 0) zur lautreihe
mitrechnen. — Was die wahrnehmung dieser „laute" betrifft, so ist
es zwar so, dass die pause an und für sich bei [p], bei [t] usw. ganz

---

[1] [So noch z. b. in Daniel Jones, An Outline of English Phonetics, 3rd ed. 1932,
p. 143 „Incomplete Plosive Consonants". Ebenfalls verfehlt ist die bei französischen
sprachforschern übliche benennung „mi-occlusive" für [t]usw.]
sprachforschern übliche benennung „mi-occlusive" für [tʃ, dʒ] usw.]

[2] „Falls der t-laut zwischen zwei n, z. b. in *präntning* steht, dann wird sein anfang
durch das vorhergehende n ausgeschlossen und sein ende wird durch das folgende n
aufgehoben und durch einen gaumensegelstoss ersetzt ... Von dem ganzen t-laut ist
also nur übrig das lautlose moment (in welchem der stimmton des vorhergehenden n
aufhört) samt dem gaumensegelstoss" (Lyttkens & Wulff, Svenska språkets ljudlära
286). Nein! das ganze t ist da, nur sind die umgebungen nicht dieselben wie in *ata*.

[3] Wie Storm (Engl. philologie 89) sagt. Er fährt fort: „Wenn in der sprache das
lautlose mehr als die laute gelten soll [?], so muss ich gestehen, dass mir hier die luft
zu dünn wird."

dieselbe ist; es gibt, wie Noreen sagt, nur eine muta. Es wäre uns ganz
und gar unmöglich, ein vollständig isoliertes [p] von einem absolut
alleinstehenden [t] oder von jeder anderen pause zu unterscheiden.
In lautverbindungen, in der rede, ist es ja aber immer anders; hier
wird ein [p] von einem [t] verschieden mittelst des verschiedenen
anglittes und (oder) abglittes. Hier spielen also die an- und abglitte
die bedeutungsvolle rolle, dass sie den gedanken des zuhörers in das
richtige gleise hinein führen; sie suggerieren ihm, welche von den verschiedenen verschluss-artikulationen er sich als die ursache der betreffenden pause denken soll. Man kann in dieser beziehung sehr
wohl anerkennen, dass die an- und abglitte, wenn es gilt das gesagte
sprachlich aufzufassen, unentbehrlich sind, wie sie ja auch unaus-
bleibliche folgen der zusammenhängenden artikulation der ganzen
lautgruppe sind, und dennoch bestimmt leugnen, dass sie den wichtigsten bestandteil des [p, t, k] ausmachen oder dass man darauf die
systematische bestimmung des [p, t, k] aufbauen solle. Dafür eignen
sie sich durchaus nicht, weil sie variabel sind und ebenso sehr von den
umgebungen wie von dem [p, t, k] selbst abhängen. Der richtige
wissenschaftliche standpunkt ist doch der, ein phänomen immer mit
hilfe dessen zu definieren, das unter den variierenden verhältnissen
konstant bleibt, folglich muss man sagen, dass das für ein [p]
charakteristische, artikulatorisch betrachtet, die vollständige absper-
rung des luftstromes von der aussenwelt mittelst des lippenverschlus-
ses, und, akustisch betrachtet, das dadurch bedingte nichtaussenden
von luftwellen, mit anderen worten die pause, ist. Dadurch erhalten
wir grosse wissenschaftliche vorteile, nämlich einen vollständigen
parallelismus und gleichartige behandlung 1. aller [p] unter sich, wo
wir sie auch finden (und ebenso aller [t] und aller [k]), 2. dieser
ganzen lautklasse und aller andern lautklassen, 3. der an- und abglitte bei diesen und bei allen anderen lauten, und 4. der lautlänge,
wo sie sich auch findet. Wir können also die natürliche harmonie
wieder herstellen zwischen der wissenschaftlichen auffassung und
derjenigen, die in der schreibung (auch in der lautschrift aller
phonetiker!) den ausschlag gegeben hat, und bleiben ausserdem mit
einer unmenge unfruchtbarer untersuchungen über natur, abgrenzung
und einteilung der explosionen verschont.

ZUR LAUTGESETZFRAGE. A. (1886)

DIESE abhandlung ist in allem wesentlichen ein vortrag, den ich
in der philologisch-historischen gesellschaft in Kopenhagen
am 29. april 1886 gehalten.[1] Die nächste veranlassung dazu war für
mich das erscheinen von Kr. Nyrops interessantem buche *Adjektiver-
nes könsböjning i de romanske sprog* ... Die in dem einleitenden
abschnitte „Om lydlov og analogi" enthaltene klare darstellung der
sogenannten junggrammatischen prinzipien regte mich vielfach zum
widerspruch an, und da ich fast gleichzeitig Schuchardts gedanken-
schwere und geistreiche schrift „über die lautgesetze" zu lesen bekam,
wurde ich dazu gebracht, mich in diese brennende frage zu vertiefen
und die in mir entstehenden gedanken und zweifel zu veröffentlichen,
um sie der prüfung kompetenterer richter zu unterwerfen.

Ich werde im folgenden die junggrammatische richtung oft zu
kritisieren haben; dem gegenüber fühle ich mich gedrungen, von
vornherein meiner verehrung für die führer derselben ausdruck zu
geben, und besonders mit bewunderung hervorzuheben, wie viel ich
Pauls Prinzipien der sprachgeschichte verdanke: dieses buch hat mich
zuerst zum nachdenken über mannigfache erscheinungen des sprachlebens angeregt und ist für die richtung meiner studien von grösster
bedeutung gewesen.

Der satz, der wohl von den meisten, sowohl anhängern als
gegnern, für den wichtigsten im junggrammatischen systeme gehalten
wird, ist dieser: 'die lautgesetze wirken ausnahmslos', oder besser —
man muss Schuchardt darin recht geben, dass obige formulierung

---

[1] In Nordisk tidskrift for filologi, ny række VII, 207 ff. gedruckt. Deutsche übersetzung in Techmer's Zeitschrift für allgemeine sprachwissenschaft III, 1886 und (nur
wenig verkürzt, aber sonst nicht geändert) als kap. VII der Phon. Grundfragen, 1904.

nicht gut ist —: 'der lautwandel geht nach ausnahmslosen gesetzen vor sich.' Genauer erklärt heisst dies 'alle gleichartigen lautgruppen werden unter denselben lautlichen bedingungen und innerhalb desselben zeitlichen und örtlichen gebietes sich gleichartig entwickeln.'

Finden wir nun in der welt der tatsachen, in irgend einer existierenden sprache, eine solche gesetzmässig einheitliche behandlung der laute? Nein, wird seitens der junggrammatiker geantwortet; denn die allmähliche verschiebung der laute, worin die lautgesetze zutage treten, ist nicht der einzige faktor in der entwickelung der sprachen. Wären wir aber imstande, in einer sprache die lehnwörter und analogiebildungen vollständig wegzuschaffen, dann würden wir die lautgesetze in ihrer reinheit ohne irgend welche ausnahme erblicken.

Einige beispiele werden zeigen, dass es unerlaubt ist, wozu laien so geneigt sind, die produkte dieser andern faktoren als ausnahmen von den lautgesetzen anzuführen. Es gibt ein lautgesetz, das sagt: lat. *a* vor einfachem nasal wird in betonter silbe franz. zu *ai,* bleibt dagegen in unbetonter (mittelstarker) silbe, z. b. *fame(m) > faim; amat > aime;* aber *amaru(m) > amer; amore(m) > amour.* Nun ist es hiervon keine ausnahme, dass die franzosen heute *aimer* und *aimé* sagen; diese formen sind nämlich erst entstanden, nachdem das lautgesetz seine wirksamkeit vollendet hatte; sie entsprechen dem lat. *amare* und *amatu(m)* durchaus nicht auf dieselbe weise wie *aime* dem *amat.* Der sachverhalt ist der, dass die direkten abkömmlinge von *amare* und *amatum: amer* und *amet,* die lange gelebt haben und von den franzosen des mittelalters unzähligemal sowohl gesprochen als geschrieben worden, ausgestorben sind; und der umstand, dass man dann statt derselben neue formen mit *ai* gebildet hat, kann doch unmöglich eine ausnahme vom erwähnten lautgesetze heissen.

Ebensowenig spricht der umstand, dass wir im französischen doppelformen derart wie *chose* und *cause,* beide aus lat. *causa,* haben, gegen die konsequenz der lautgesetze, da *cause* auf literarischem ('gelehrtem') wege ins französische herübergekommen ist, nachdem die lautgesetze, die in der volkstümlichen entwickelung *causa > chose* zum vorschein kommen, zu wirken aufgehört hatten; sie sind also nicht 'ebenbürtige ausläufer von der grundform', und man kann unmöglich *cause* eine ausnahme von den lautgesetzen nennen.

Wir haben also eine dreiteilung des sprachstoffs unternehmen müssen, indem wir ausser den erbwörtern zweitens neubildungen, neuschöpfungen, analogiebildungen haben und drittens fremdwörter, lehnwörter, worunter auch gerechnet werden müssen entlehnungen aus einer frühern periode derselben sprache, wie das erwähnte französische *cause* aus dem klassischen latein (mots savants). Wollen wir die frage von der konsequenz eines lautgesetzes studieren, dann müssen wir der obigen auseinandersetzung gemäss von den beiden letzten klassen absehen und uns ausschliesslich an die erbwörter halten. Hierbei ist aber zu bemerken, dass von dem augenblick an, wo ein lehnwort oder eine neubildung in die sprache aufgenommen worden, sie natürlich denselben weitern entwickelungen unterworfen sind wie alle andern wörter der sprache — wörter wie *bursche* und *kochen* sind allerdings fremdwörter im deutschen, für die heutige generation aber und für mehrere generationen vor derselben sind diese wörter, wie sich von selbst versteht, denselben bedingungen unterworfen gewesen, wie alle echt deutschen wörter und sind also jetzt auch wohl heimatliche erbwörter, obschon in mehr beschränktem sinn. Wenn man hierauf rücksicht nimmt, reduziert sich die forderung, dass man von lehnwörtern und analogiebildungen absehen soll, auf den satz: Ein lautwandel kann nur die wörter affizieren, die zu der zeit, wo derselbe tätig ist, sich in der sprache finden — ein hübsches beispiel von dem, was die engländer truism nennen.

II.

Da die *analogiebildungen* so oft als das gegenteil der lautgesetze aufgestellt werden, wird vielleicht eine betrachtung über die wirkung der analogie die lautgesetze ins rechte licht stellen können. Zunächst müssen wir konstatieren, dass es auch auf dem gebiete der syntax analogiebildungen gibt. Da nun aber lautwandel und analogie als gegensätze aufgestellt werden, so fragt es sich, ob es etwas derart wie syntaktische lautgesetze gibt, oder besser: was es ist, das für die syntax den lautgesetzen in der morphologie entspricht. Die antwort kann nicht zweifelhaft sein, wenn wir einen fall syntaktischer analogiebildung betrachten, wie das vulgärfranz. *se rappeler de quelque chose,* wo *se rappeler* nach der analogie von *se souvenir* mit *de* verbunden wird. Der gegensatz hierzu ist offenbar die erhaltung des

ältern ausdrucks *se rappeler qch.*, und wir sehen nun, dass während
das analogieprinzip das neubildende, das reformierende oder sogar
das revolutionäre im sprachleben ist, dagegen das sich in den lautgesetzen geltend machende prinzip in seinem innersten kern verhältnismässig mehr das konservative element der sprache ist, das, was
die traditionen mehr in ehren hält. Aber lautgesetze — das sind ja
doch gesetze der veränderungen in der sprache, nicht des stillstandes.
Allerdings; aber dabei ist zu bemerken, dass wir in der wirklichkeit
gar keinen stillstand kennen, da gilt das wort Diderots: tout change,
tout passe, und wenn er hinzusetzt: il n'y a que le tout qui reste, ist
dies natürlich nicht auf die sprache anwendbar, die ja nur ein teil
und zwar ein kleiner teil des weltalls ist. In der sprache wie auf
andern gebieten gibt es nur relativen stillstand: während dieselbe
sprachform einmal ums andre gebraucht wird, ändert sie sich unvermerkt, so dass man sie vielleicht am ende kaum wiederkennen kann.
Es ist eine ähnliche erscheinung wie die, welche wir im tier- und
pflanzenleben wachstum nennen: das individuum ist dasselbe heute
wie gestern und ist doch verändert; und analogiebildungen lassen
sich dann, natürlich nur in gewissem sinn, mit der fortpflanzung vergleichen: zwei elemente vereinigen sich und schenken dadurch einem
neuen wesen das leben, ohne dass sie deshalb selbst notwendig zu-
grunde gehen müssten.

Aber das gleichnis hinkt — natürlicherweise. Das einzelne wort
ist ja kein selbständig lebendes wesen, sondern nur die formel für
eine tätigkeit bei einem menschen, welche den zweck hat eine vorstellung zum bewusstsein eines andern menschen zu bringen. Und
der punkt, wo das gleichnis, was die analogiewirkung betrifft, nicht
stimmt, ist der umstand, dass durch die analogiewirkung oft, ja
wohl zumeist ein resultat hervorgebracht wird, das sich von demjenigen nicht unterscheiden lässt, das zum vorschein gekommen wäre,
wenn keine andern kräfte mitgewirkt hätten als die lediglich kon-
servierenden, die reproduktion des früher gehörten und gesprochenen. Dieser punkt scheint mir von der allergrössten bedeutung zu
sein, wo es sich darum handelt das sprachleben zu verstehen.[1]

Will ich z. b. den superlativ eines adjektivs wie *fröhlich* oder

---

[1] Vgl. Paul, Prinzipien, s. 68 ff. [= 3. aufl. s. 99].

glücklich gebrauchen, so ist es durchaus gleichgültig, ob ich die form
früher gehört und gebraucht habe und sie jetzt nur nach dem gedächtnis reproduziere, oder ob ich dieselbe ganz neu bilde nach
analogie der zahlreichen andern superlative ähnlicher adjektive, die
ich in meinem gedächtnis bewahre: *herrlichste, trefflichste* usw.; ja
es wird mir ganz unmöglich sein, selbst durch die eingehendste analyse meiner geistestätigkeit, ausfindig zu machen, welches verfahren
ich in jedem einzelnen falle anwende. Nehmen wir ein beispiel einer
analogiebildung aus der kindersprache. Ich hörte letzten sommer
als den plural mit suffigiertem artikel von *blåbær*, also statt *blå-
bærrene* 'die heidelbeeren, blaubeeren', vielfach von dänischen kindern die form *blåberne* [blɔbərnə] verwenden; indem der auf der
silbe *-bær* stehende nebenakzent in der regel geschwächt wird, reimt
sich auch in der sprache der erwachsenen *blåbær* auf *kopper* [kɔbər],
propper 'tassen, korke' usw., und nach dem vorbild von *kopperne,
propperne* wurde also das wort *blåberne* gebildet. Hier liegt es auf
der hand, dass wir es mit einer analogiebildung zu tun haben; gesetzt
aber, dass das kind das wort *tropper* 'truppen' nicht vorher gelernt
hat, in demselben augenblick aber, wo es dasselbe zum erstenmale
hört, fragt: *jamen, mor, hvor er tropperne?* 'aber, mama, wo sind
denn die truppen?' so ist es hier also genau so verfahren, wie oben
bei *blåberne;* die form *tropperne* ist auch eine analogiebildung; es
besteht aber der unterschied, dass während das resultat dort vom
sprachgebrauche abweichend war, es hier völlig zu demselben stimmt.
Wir gelangen somit zu einer *einteilung der analogiebildungen je
nach dem ergebnisse in zwei gruppen:* eine wo die neubildende oder
(für diesen fall besser) selbständig schaffende tätigkeit in derselben
richtung arbeitet wie die konservierende, wo also das neue sich vom
alten nicht unterscheiden lässt, und eine andre, wo etwas abweichen-
des hervorgebracht wird, etwas andres als das, was bisher gebraucht
wurde. Während die sprachpsychologie die beiden gruppen durchaus
nicht voneinander trennen kann, ist in der sprachgeschichte eigentlich
nur von der letztern gruppe die rede, wenn der ausdruck 'analogiebildungen' verwendet wird; und wir sehen nun, dass es eigentlich
nicht so völlig verkehrt war, wie es die junggrammatiker gern darstellen, von 'falschen analogiebildungen' zu reden, wie man es früher
tat. Die benennung ist nur dann unstatthaft, wenn man in dieselbe

eine wertbestimmung legen und die hergebrachte form für besser
und richtiger als die neugebildete halten will. Wie Noreen so treff-
lich gezeigt hat,[1] hängt der wert einer sprachform durchaus nicht von
ihrem ursprung ab, sondern von der schnelligkeit und genauigkeit,
mit welcher sie sich auffassen lässt, und daneben von der leichtigkeit,
mit welcher der sprechende sie hervorbringt. Wollte man deshalb
einen namen für jede der beiden klassen haben, so wäre es am
passendsten, wenn man irgend einen andern namen finden könnte
als falsche und richtige analogiebildungen, etwa *schaffende und
erhaltende* oder *umschaffende und wiederschaffende* analogiebildungen.

Noch auf einen punkt möchte ich hier die aufmerksamkeit lenken.
Wir sind von der schule her namentlich durch die in der schrift gebrauchte worttrennung so sehr daran gewöhnt worden, die wörter
eines satzes als für sich bestehende zu betrachten, dass es uns ziemlich
schwer fällt, das tatsächliche verhältnis recht zu erkennen, welches
in neuerer zeit vielerseits mit recht betont worden ist, und zwar, dass
in natürlicher rede durchaus keine worttrennung stattfindet. Der
sprechende wird den strom seiner rede nur dann abbrechen, wenn er
ausser atem kommt, oder wenn ihm das rechte wort nicht zur hand
ist, so dass er danach suchen muss, oder endlich wenn er durch eine
'kunstpause' ein einzelnes wort besonders hervorheben oder den zuhörer auf das folgende gespannt machen will. Ein satz wie: Was ist
denn los? kann also in seine bestandteile nur künstlich und von demjenigen zergliedert werden, der den sinn versteht und die einzelnen
teile in andern kombinationen hat anwenden hören. Dieselbe schwierigkeit aber, mit welcher man so den zusammenhängenden satz
zerlegt, wenn man zum erstenmal eine fremde sprache reden hört,
dieselbe schwierigkeit hat auch das kind seiner muttersprache gegenüber. Auf die frage: *Hvad er det for et dyr?* (was ist denn das für
ein tier?) erhielt ich von einem dreijährigen mädchen die antwort:
Jeg veed ikke hvad det for et dyr er statt *Jeg veed ikke* (ich weiss
nicht) *hvad det er for et dyr*; die unrichtige wortstellung kann nur
darin ihre ursache gehabt haben, dass es die verbindungen *de(t)foret*
noch nicht in die einzelnen wörter zerlegt hatte. Von einer gebildeten

---

[1] Noreen: Om språkriktighet.

dame habe ich den satz gehört: *Det må da let kunne få-at-ses* (das muss man ja leicht zu sehen bekommen können); die häufig vorkommende verbindung *få at se* 'zu sehen bekommen' war also wie ein wort gefasst und mit der passivendung *-s* versehen worden; die sprachgeschichte ist an ähnlichen fällen reich. Ich will nur an die zusammenschmelzung mit dem artikel im dän. *verden* (welt) und franz. *lendemain* usw. erinnern und daran, dass in der portug. umgangsprache *ha de* 'hat zu' oft als eine einfache verbalform empfunden wird, so dass man *hadem fazer isso* (sie haben es zu tun) sagen kann statt *hão de fazer isso*.[1] — Die aussonderung der einzelnen elemente wird auf diese weise nicht immer mit unsrer gewöhnlichen worttrennung zusammenfallen, sondern bald mehr, bald weniger mitnehmen;[2] mehrere ableitungssuffixe, flexionsendungen und vorsilben werden durch diesen prozess als selbständige elemente empfunden, natürlich nicht so selbständig, dass sie ganz allein stehen oder mit jedem beliebigen worte verbunden werden könnten — gibt es doch auch zahlreiche wörter, die das auch nicht können, z. b. deutsch *statten*, das nur in ganz vereinzelten verbindungen fortlebt (von statten gehen, zu statten kommen) — aber doch relativ selbständig. Wie früh z. b. das dän. suffix *-s,* womit jetzt im gegensatz zu der frühern flexionsweise alle genitive ohne rücksicht auf geschlecht oder zahl gebildet werden, als abgetrennter sprachteil empfunden wird, erhellt aus dem folgenden beispiele aus der sprache eines zweijährigen kindes: statt *Hvis* (*hvems*) *er det?* (Wessen ist das, wem gehört das?) sagte es: *Hvem-er-de(t)-s?* Also war das *s* losgerissen, *hvem-er-det* aber noch nicht zerlegt. Andre lose sprachteile sind z. b. im deutschen die komparationsendungen, ableitungsendungen wie *-heit, -ung,* die vorsilbe *un-* usw.

Man sieht nun, dass bei weitem die meisten analogiebildungen nur darin bestehen, diese elemente mit andern elementen zu verbinden, und dass eine flexivische verbindung *blåbær* + *ne* sich psychologisch gar nicht trennen lässt von einer syntaktischen verbindung wie *mine blåbær* (meine heidelbeeren); in beiden fällen haben wir

---

[1] Sweet, Spoken Portugueze p. 27.

[2] Hierher gehört natürlich die bekannte erscheinung, dass ein vermeintlicher artikel losgerissen wird, wie im franz. *azur* (Diez, Grammatik I.[3] 204); dass im schwed. die endung in *satan* als der bestimmte artikel empfunden wird, erhellt aus der pluralform *de der små satarna,* Strindberg, Röda Rummet 229.

eine auf dieselbe weise zustande gebrachte verbindung von zwei auf dieselbe art und weise angeeigneten sprachelementen. Diese auffassung, nach welcher wir also hier *kombinationsbildungen* haben, erscheint mir besser begründet als die gewöhnliche, namentlich von Paul vertretene erklärung, es seien proportionsbildungen; indem der sprechende in seiner seele etwa aus der gleichung *kopper: kopperne = blåber : x* die unbekannte grösse *x = blåberne* findet.[1]

Wir haben gesehen, wie die zwei prinzipien, die man als scharf getrennte, ja entgegengesetzte prinzipien aufgestellt hat, sich in der tat voneinander gar nicht scheiden lassen, sondern im gegenteil hand in hand arbeiten, wo beide darauf ausgehen altes aufs neue hervorzubringen. Dass auch da, wo sie etwas neues in die welt der sprache einführen, keine kluft zwischen ihnen besteht, hat Schuchardt gezeigt (s. ausser seiner erwähnten schrift seine bemerkungen gegen Paul in Literaturbl. f. germ. u. rom. philol. 1886 febr. sp. 81). Seine reihe ist: *conte = comite, dunque = nunc, treatro = teatro, eglino amano = egli amano, non grieve ma lieve = non grave, magis leve;* und er fügt die bemerkung hinzu: 'Es werden nicht nur unmittelbar folgende, sondern auch ernferntere lautliche vorstellungen antizipiert, und wiederum beruhen die analogiebildungen zum grossen teil nicht bloss auf einer ideellen, sondern auf einer tatsächlichen nebeneinanderstellung von wörtern' (Lautges. 7). — Man wird sehen, dass die analogiebildungen, von welchen hier die rede ist, eigentlich von einer von den oben erwähnten sehr verschiedenen beschaffenheit sind. Es ist deshalb höchst merkwürdig, dass sie meines wissens von allen unter dem namen 'analogiebildungen' mit einbegriffen worden sind. Bei bildungen derart, womit wir es hier zu tun haben — andre beispiele sind franz. *chercher* für *cercher*, dialektisch *zehn ölf zwölf* für *zehn elf zwölf* —, ist ja von keiner proportion die rede, aus welcher 'die unbekannte grösse' sich finden liesse, noch von freier kombination selbständiger oder halbselbständiger elemente. Was hier stattgefunden hat, ist am besten als eine vermischung im bewusstsein, eine k o n f u s i o n,[2] aufzufassen, indem man durch 'zu schnelles

---

[1] Vgl. Paul, Prinzipien, s. 64. Die proportionserklärung kann doch vielleicht nicht entbehrt werden in fällen wie deutsch *frage — frug* nach *trage — trug.*

[[2] Diese bildungen werden jetzt gewöhnlich kontaminationsbildungen, engl. blendings, genannt, s. mein buch „Language" und „Die sprache" XVI § 6.]

denken' das nicht zeitlich getrennt hat, was man hätte getrennt halten sollen: während man noch eins sagt, ist der gedanke schon mit etwas folgendem beschäftigt (in demselben oder einem folgenden worte), welches bewirken kann, dass die sprachorgane verleitet werden, zu früh eine gewisse lautgruppe oder einen einfachen laut hervorzubringen, besonders wenn eine lautähnlichkeit verführerisch einwirkt. In vielen fällen werden aus ähnlichen gründen laute und lautgruppen ausgelassen, wie im griech. *amphoréus* statt *amphiphoreus,* in latein. wörtern wie *st(ip)ipendium, (vi)vipera, nu(tri)trix* u. m. (Bréal-Bailly, Dictionnaire étymologique latin, 1885, 368), und in *heroi(ko)-komisch, tragi(ko)komisch,* in gewöhnlicher dän. aussprache *kun(st)-stykke, po(st)stempel, et vi(st) sted, engel(sk) stil,*[1] *rib(s)gelé;* im deutschen oft *je(tz)tzeit, du wei(st) schon;* franz. *po(st)scriptum.* Hier entsteht für den hörenden eine lautliche illusion, ein akustischer betrug, indem z. b. *-st-* in *kunstykke* teils in verbindung mit *kun-* gehört wird und also *kunst* bildet, teils in verbindung mit *-ykke,* welches es zu *stykke* ergänzt; und deshalb kann die gekürzte form leicht die gewöhnliche werden. Dies ist aber nicht der fall mit anderen formen, die bei dem sprechenden in ähnlicher weise entstehen, so mit den von Nyrop s. 43 besprochenen vermischungen von zwei wörtern derselben bedeutung. Der sprechende schwankt einen augenblick zwischen den beiden synonymen *prop* und *told* 'kork', er entscheidet sich für das erstere wort; indem er bei diesem zum vokale ɔ gelangt ist, lässt ihn der umstand, dass dieser vokal auch im worte *told* steht, das ihm „auf der zunge schwebt", in dieses wort übergehen,

also *prold* sagen. Graphisch dargestellt hat er in $\mathrm{pr} \underset{t}{\overset{\mathrm{o}}{\diamond}} \overset{\mathrm{P}}{\underset{\mathrm{ld}}{}}$ die richtung *o-l* statt der punktierten *o...p* gewählt. Verwandte arten von bildungen findet man in der syntax, wo sie als 'ausgleichung' von gedanken- oder sprachformen eine sehr grosse rolle spielen.[2] Diese bildungen weiter zu verfolgen liegt ausserhalb meiner aufgabe, die darin bestand, zu zeigen, dass auch auf diesem gebiete keine sehr grosse kluft besteht zwischen erscheinungen, die gewöhnlich zu den lautwandlungen gezählt werden (namentlich assimilation) und andern, die 'analogiebildungen' genannt werden.

---

[1] In allen diesen fällen mit langem oder geminiertem *s.*
[2] S. namentlich Ziemer, Junggrammatische streifzüge, 1883.

III.

Gehen wir nun dazu über die *lehnwörter* zu untersuchen, so können wir hier ganz ähnliche betrachtungen anstellen wie oben über die analogiebildungen. Um die konsequenz der lautgesetze zu zeigen, oder besser um da, wo wir in einer sprache erscheinungen finden, die sich mittels der lautgesetze nicht erklären lassen, nachzuweisen, warum diese erscheinungen ausserhalb der tragweite der lautgesetze liegen, hat man oft gesagt: das betreffende wort ist ein lehnwort. In vielen fällen hat man natürlich recht: es leuchtet ein, dass z. b. ein wort, das nachweislich nach der hochdeutschen lautverschiebung aus dem niederdeutschen ins hochdeutsche gedrungen ist, keine inkonsequenz in der lautverschiebung beweisen kann; in andern fällen ist man aber in der benutzung der erklärung mit lehnwörtern meines erachtens zu weit gegangen. Curtius hatte z. b. gefragt: Wo haben wir lautgesetze in den veränderungen, die in den kosenamen *Bob* für *Robert*, *Beppo* für *Giuseppe* usw. zum vorschein kommen? Darauf antwortet Delbrück:[1] Wir können hier gar nicht nach lautgesetzen fragen, denn die wörter sind natürlich aus einer andern sprache, und zwar der kindersprache herübergenommen.

Dadurch ist aber die sache doch nicht abgemacht. Haben wir, wenn wir hören, dass nhd. *echt* ein lehnwort aus dem ndd. ist, nicht das recht zu fragen: Nach welchen lautgesetzen hat sich also die form auf ndd. boden entwickelt, ehe sie ins hd. herübergenommen wurde? Wenden wir aber dasselbe auf die kosenamen an, fragen wir nach den lautgesetzen, nach welchen sie sich in der kindersprache entwickelt haben — ja, dann sind wir nicht besser dran: weder durch lautgesetze noch durch analogie können die formen erklärt werden. Es geht nicht an, die kindersprache als selbständige sprache der der erwachsenen gegenüberzustellen, in derselben weise wie man das hochdeutsche dem niederdeutschen gegenüberstellt. Es lässt sich zwischen dem kinde und dem erwachsenen keine feste grenzlinie ziehen; in der sprachlichen welt hat man keinen konfirmationsschein, zu beweisen, dass man erwachsen ist, und kein gesetz kann entscheiden, wann man in sprachlicher hinsicht volljährig ist. Die ersten versuche des kindes, die rede seiner umgebung zu verstehen und

---

[1] Die neueste sprachforsch. 29.

nachzuahmen, sind linkisch und ungeschickt; allmählich werden sie immer gewandter; niemals aber gelangt irgend ein mensch so weit, dass seine rede der eines andern menschen durchaus gleich würde, weder was die laute, noch was die mit den lauten verbundene bedeutung betrifft. Überall haben wir wegen der ganzen natur des verhältnisses nur annäherungen. Die gröbsten fehler in der aussprache, die grössten misstände betreffs der bedeutung der wörter, werden nach und nach beseitigt, indem das individuum fortwährend unter dem drucke der sozialen notwendigkeit steht, sich verständlich zu machen und andre zu verstehen. Einige unsicherheit, einige reste von abweichungen bleiben aber noch immer bestehen. — Koseformen von namen wie die erwähnten *Bob, Beppo* usw. sind genau auf dieselbe weise entstanden wie z. b. *tat* für *tak* (danke) oder *dol* für *stol* (stuhl) in der sprache dänischer kinder; und wenn sie sich über die zeit hinaus erhalten, wo dergleichen augenfällige fehler sonst abgelegt sind, ist der grund teils der, dass es nicht so schwierig gewesen ist, sich durch die anwendung dieser namen verständlich zu machen als bei andern wörtern, teils der, dass überzärtliche mütter und tanten die vom kinde selbst 'erfundene' benennung 'süss' gefunden und dieselbe deshalb adoptiert haben, wie sich auch formen wie *dengsen* statt *drengen* (der knabe) u. dgl. gebrauchen. 'Fremdwörter' sind sie aber jedenfalls für das kind nicht, das sie gebildet hat, und für die erwachsenen nur durch einen unnatürlichen gebrauch des wortes.

Eine zweite klasse von „lehnwörtern" muss ich noch besprechen. Man behandelt beeinflussung der aussprache durch die schriftsprache als eine einwirkung seitens einer fremden sprache. Auf ein beispiel angewendet heisst dies: die auf natürlichem wege entwickelte form des dänischen wortes *morgen* ist [mɔ·rn]; diese aussprache findet sich auch in zusammensetzungen wie *morgensko* 'morgenschuh' usw.; wenn wir dagegen befinden, dass wir (oder viele von uns) *morgenrøde* mit kurzen [ɔ] und mit g = [γ] sprechen, dann muss die orthographie die ursache sein, es ist eine aussprache nach den buchstaben; ebenso die aussprache [gi·və] und [ta·γə] die wir z.b. in der bibelsprache anwenden, *det er bedre at give end at tage* 'geben ist seliger denn nehmen', während man sich bei ungezwungenem tagtäglichem sprechen mit den formen [gi] und [ta] begnügt. Diese erklärung sieht ja recht ansprechend aus und ist auch in der sprachwissenschaft häufig angewandt worden; allein ich glaube nicht, dass sie eine genauere prüfung bestehen kann. Wenn man kinder buchstabieren hört — es ist hier von der alten methode die rede, nach welcher die kinder zunächst die namen der buchstaben lernen, nicht von neuern und bessern lautiermethoden —, so sieht man, wie sie immer, nachdem sie *længe* buchstabiert haben [ɛl ɛ' ɛn lɛ n'—ge' e' ge'], die silben nicht zu [lɛn'ge'], sondern zu dem richtigen [lɛŋə] kombinieren, mit andern worten: das kind muss fortwährend die buchstabengemässe aussprache in die oft ziemlich weit abliegende wortform umsetzen, die ihm aus der mündlichen rede bekannt ist. Oft wird es dem kinde, auch wenn es die einzelnen silben gelesen hat, schwierig sein, dieselben richtig zusammenzufügen, was nicht verwundern kann bei dem grossen unterschiede, der oft zwischen der buchstabierform und der wirklichen form besteht: aber der lehrer, der in der regel sehr weit davon entfernt ist, von der grösse dieses unterschiedes eine idee zu haben, wird dann das wort sprechen, das kind spricht es nach, wie es dasselbe hört, ohne dass ihm klar wird wie [lɛn'ge']:[lɛŋə] werden kann, so wenig wie [kɔ' o']:[ko'] aber [kə' o' ɛm]:[kɔm']. Das kind wird dadurch gewöhnt, grossenteils durch erraten bekannte lautverbindungen an die stelle unbekannter oder sinnloser zu setzen. Warum setzt es nun aber in *morgenrøde* nicht die form, die es alle tage spricht, für die beiden ersten silben ein? Die antwort kann nur diese sein: weil der lehrer hier selbst mit kurzen [ɔ] und hörbarem [ɣ] liest und keine andere aussprache gestattet. Die einwirkung geschieht also hier nicht direkt von der schriftform — dieselbe kann an und für sich auf beide weisen ausgelegt werden —, sondern von dem mündlichen worte des lehrers. Woher hat sie der lehrer? Schwerlich wiederum von der schrift, sondern von der aussprache, mit welcher seine lehrer oder seine eltern lasen; ja man darf wohl behaupten, dass diese aussprache sich durch mündliche tradition von einer generation zu der andern fortgepflanzt hat von der zeit her, wo man *morgen* immer so sprach und noch nicht angefangen hatte [mɔ·rn] zu sagen. Ich will damit der orthographie nicht jeden einfluss auf die aussprache absprechen; ein solcher findet namentlich da statt, wo wörter durch druck und schrift aus einer fremden sprache mit einem von dem unsrigen verschiedenen lautbezeichnungssystem herübergenommen werden; wo aber von einheimischen wörtern die rede ist, glaube ich freilich, dass *die ein-wirkung der schrift auf die aussprache grösstenteils nur darin be-steht, die mündliche tradition zu stützen und eine ausspracheform einige zeit länger am leben zu erhalten als sie sonst bestanden haben würde.* Mehr kann sie in der regel nicht tun, schon weil die schrift in den meisten sprachen in zahlreichen fällen so ausserordentlich mehrdeutig ist; man gedenke z. b. der fünf verschiedenen lautwerte, welche die buchstabenverbindung *ort* in den dän. wörtern *stort, sort* (adj.), *sorte, bort, borte* hat. — Wie ich oben gesagt habe, dass man die kindersprache nicht als eine selbständige sprache betrachten darf, so muss ich hier behaupten, dass auch die schriftsprache und die um-gangssprache einander nicht wie selbständige dialekte oder sprachen gegenüberstehen.

Wenn man ferner sagt, dass einwirkung [also mündliche ein-wirkung] von lehrern, predigern, schauspielern, rednern usw. vor-liegen kann und dass diese wörter und wendungen alle dem höhern stile angehören: „sie zirkulieren (in den erwähnten verbindungen) nicht alltäglich in der sprache, sie sind auf rein künstlichem wege hineingebracht und sind also als lehnwörter, oder wenn man es vor-zieht, als fremdwörter zu betrachten" — dann ist auch dieser gedan-kengang schwerlich richtig. Was ist darin künstlich, dass man ein wort von einem lehrer oder schauspieler hört und es wieder ge-braucht, wie man es aufgefasst hat? Geht nicht genau dasselbe vor sich, wenn das kind ein wort von seinen eltern oder geschwistern lernt? Ist der unterschied, dass die einwirkung in dem einem falle etwa im dritten lebensjahre, in dem andern zehn oder zwanzig oder dreissig jahre später vor sich geht, von so durchgreifender bedeutung, dass wir in dem einen falle eine natürliche spracherlernung, in dem andern ein künstliches herübernehmen von lehnwörtern haben?

Der richtige gesichtspunkt ist wohl dieser: auf ähnliche weise wie wir in den sprachen wegen der satzphonetik oft doppelformen ein und desselben wortes haben (franz. *fol—fou* je nach dem anlaut des folgenden wortes), so haben wir in einigen fällen wegen der ver-schiedenheit des stiles doppelformen, die nebeneinander in der sprache desselben individuums leben und sich immerfort auf neue generationen fortpflanzen, wodurch oft im laufe der zeit zwei von anfang an nur wenig verschiedene formen sich voneinander immer weiter entfernen (wiederum wie *fol* und *fou*), so dass wir am ende zwei so verschiedene formen haben wie [mɔ·ɪn] und [mɔr·ɣən] und *gi* und *give* 'geben', *ha* und *have* 'haben', *far* und *fader* 'vater', usw. Die innerste ursache zu diesen differenzierungen finde ich in dem ausserordentlich wichtigen, bei diesen untersuchungen aber fast immer übersehenen prinzip der *rücksicht auf die verständlichkeit.* Wegener hat in seinen *Untersuch. über die grundfragen des sprachlebens,* 1885, eine ausführliche darstellung der bedingungen für sprachliches verstehen überhaupt gegeben und namentlich auf dem gebiete der syntax dargelegt, wie ausserordentlich vieles ein sprechender in seinen worten auszudrücken unterlassen kann, weil der hörende nach den begleitenden umständen das fehlende ergänzt. Das rein lautliche behandelt dieser verfasser nicht; auch hat er seine theorien in gar keine verbindung mit der frage gesetzt, die uns hier beschäftigt. Eine seiner bemerkungen können wir aber hier benutzen; er sagt s. 186: „in kleinen kreisen, deren glieder sich nahe stehen, z. b. innerhalb einer familie, innerhalb einer dorfschaft, macht man sehr häufig die beobachtung, dass die worte im gespräche dieser glieder untereinander viel mangelhafter artikuliert werden und mit viel geringerer exspirationsstärke gesprochen werden als im gespräche derselben leute mit fremden. Jeder einzelne kennt eben so ziemlich die besondern eigentümlichkeiten der artikulation des andern — und solche hat jeder mensch. Man erkennt sich daher an der blossen stimme, — man versteht den sprechenden, wenn er die hand vor den mund hält, wenn er gähnt, wenn er die pfeife zwischen den zähnen oder den lippen hat, wenn er isst u. s. f. Man darf daher wohl sagen: Je ferner stehend die miteinander sprachlich verkehrenden menschen, je mehr wert wird auf eine genaue artikulation gelegt".

Besonders deutlich muss man auch sprechen, um verstanden zu werden, wenn man wie der schauspieler oder volksredner sich an eine grössere menge auf einmal wendet; hier kann man sich eben nicht einmal mit dem gedanken beruhigen: werde ich nicht verstanden, so werde ich schon durch ein 'wie?' unterbrochen werden. Es wird hier grössere sorgfalt für die sprachform überhaupt gefordert; wahl von worten, die keine missdeutungen zulassen, genaue satzverbindung usw., was uns aber hier besonders angeht, ist der umstand, dass wir, wie wir an einen fremden deutlicher schreiben müssen, als an jemand, der alle

tage unsre handschrift liest, ebenso rücksichtlich der aussprache verschiedene deutlichkeitsstufen, verschiedene stilarten haben. Und wie
deutlich man sprechen muss, hängt zugleich und nicht am wenigsten
davon ab, wieviel dem sprechenden daran liegt, verstanden zu werden; ein redner wird deshalb unwillkürlich das einleitende nichtssagende 'meine herren', viel ärger abhudeln als das, was für den
inhalt der rede bedeutung hat, was er seinen zuhören ans herz legen
will. Daher rührt es, dass wir im sprachleben so häufig sehen, dass
worte und wortverbindungen, die als gleichgültige mitteilungen verwendet werden, ja kaum den namen mitteilungen verdienen, weit
grössern kürzungen unterliegen, weit mehr abgeschliffen werden, als
andre worte, so dass der lautwandel derselben sich unter die lautgesetze gar nicht bringen lässt. *Guten morgen* wird auf diese weise
zu [gmɔin, gmɔ̃], *guten abend* zu [na·mt], dän. *goddag* zu [gda']
oder gar [da'], *vær så god* zu [værˌsgo'] oder nur [sgo'], franz.
s'il vous plaît zu [splɛ], ebenso oft titel und anredewörter, wie span.
vuestra merced zu *Usted,* russ. *gosudar'* 'mein herr' sogar zu blossem
s, das in höflicher anrede fast jedem beliebigen worte enklitisch ange-
hängt werden kann.

Wir sind nun an die sehr strittige frage gekommen, ob *der
häufige gebrauch eines wortes* bei der lautlichen entwickelung desselben eine rolle spielt, so dass er dadurch ausserhalb der lautgesetze
steht. Dies wird von Paul entschieden geleugnet, der unter anderm
sagt (Litbl. 1886, sp. 6): 'wir sind jetzt zu der einsicht gekommen,
dass die singuläre stellung häufig gebrauchter wörter vielmehr darin
ihre ursache hat, dass die wirkungen alten lautwandels an ihnen noch
zu erkennen ist, während sie bei den seltnern wörtern durch die
wirkungen der analogie verdeckt sind'. Dagegen wird die frage von
Schuchardt mit ja beantwortet, ebenso von V. Thomsen, der in seiner
scharfsinnigen abhandlung über die rom. wörter für 'gehen' (*andare,
andar, anar, aller*),[1] indem er die erwähnten wörter trotz des gewöhnlichen lautwandels aus lat. *ambulare* ableitet, dieses u. a. dadurch
motiviert, dass dieses verbum 'einer gruppe von wörtern angehört, die

---

[1] Filologisk-historisk samfunds mindeskrift. København 1879, s. 197 ff., s. besonders s. 207—208 [wieder abgedruckt in Samlede afhandlinger II 406, wo es mich ge-
freut hat, dass Thomsen nach den oben zitierten worten „haufigen anwendung" hinzugefügt hat „und daraus folgender leichteren verständlichkeit selbst bei mehr verwischter
aussprache" — also meinen gesichtspunkt angenommen hat.]

in allen sprachen mehr oder weniger sozusagen ausserhalb des gesetzes stehen, d. h. wörtern, die wegen ihrer häufigen anwendung weit stärkern und gewaltsamern änderungen ausgesetzt sind als andre wörter und daher z. t. ganz ihre eignen wege gehen'.

Nach dem oben ausgeführten kann meine stellung zur frage nicht zweifelhaft sein: dass die häufigkeit das zumeist entscheidende wäre, kann ich nicht glauben; dieses verhältnismässig äussere moment tritt bei Schuchardt zu grell hervor, welcher (Lautges. s. 24) sogar bemerkt, dass eine form (ein laut) 10 000 wiederholungen[1] brauchen kann, um zu einer andern zu werden, und dass deshalb ein wort, das innerhalb derselben zeit nur 8000 mal verwendet wird, jener an lautentwickelung nachstehen muss, wenn es von derselben nicht beeinflusst wird. Nein, wäre die häufigkeit das allein entscheidende, so müsste ja z. b. das wort *morgen* in allen andern verbindungen genau auf dieselbe weise behandelt werden wie in *guten morgen,* und das ist eben nicht der fall.

Das richtige scheint deshalb zu sein: nicht die häufigkeit, sondern die allerdings in beziehung zu der häufigkeit stehende *leichtverständlichkeit und wertlosigkeit* für die auffassung des sinnes des sprechenden gestattet bei gewissen wörtern und wortverbindungen eine exzeptionelle lautentwickelung. Hierdurch sind wir aber in offenbaren streit mit der orthodoxen junggrammatischen lehre geraten, dass aller lautwandel nach ausnahmslosen gesetzen vor sich geht, welche auf bedeutung oder häufigen gebrauch keine rücksicht nehmen. Es scheint mir aber, dass man durch anerkennung der richtigkeit meiner schlüsse teils in grössere übereinstimmung mit dem sprachleben kommt, dessen wirken wir täglich an uns selbst und andern sehen, teils eine natürliche erklärung gewisser geschichtlich entwickelter erscheinungen gewinnt, die man sonst auf gezwungene und gesuchte weise erklären müsste. Wenn wir z. b. in der dän. umgangssprache immer [sa·] und [la·] (sagte und legte) sprechen, während die passivform nur [saɣdəs] und [laɣdəs] heissen können, wenn wir statt *fader, moder, broder* (vater, mutter, bruder) fast immer *far, mor, bror* sagen und bisweilen schreiben (ebenso *farbror,*

---

[1] Übrigens eine viel zu kleine zahl, da man z. b. eher zu niedrig als zu hoch rechnet, wenn man die male, wo ein wort wie *er* j e d e n t a g bloss in einer stadt wie Berlin gesprochen wird, auf 50 millionen schätzt.

morfar u. dgl.), aber *faderlig,* väterlich, *moderlig,* mütterlich, *broder-lig,* brüderlich *faderløs,* vaterlos, *modersmål,* muttersprache, *broder-sind,* brudersinn usw. nie kürzen, so kann ich für diese fälle kein lautgesetz auffinden, ich kann nicht glauben, dass sie andern sprachen oder dialekten entlehnt sind, und es kann schwerlich analogie-bildung mit im spiele sein: wenn ich mich also an die bei den jung-grammatikern gegebenen erklärungsweisen halten will, bleiben nur zwei möglichkeiten übrig: entweder sind die kürzern formen mit konsonantenschwund die lautgesetzlich entwickelten, und dann sind die formen mit erhaltenen konsonanten als der schriftsprache ent-lehnte fremdwörter zu betrachten — was dann auch in fällen wie *hader, boder, roder* (hasst, buden, wühlt) anzunehmen ist — oder aber, der konsonant bleibt lautgesetzlich erhalten, und alle die kürzern formen — und mit ihnen *lar* für *lader, har* für *haver* (lässt, hat) usw. — sind auf dieselbe weise wie die kosenamen *Bob, Beppo* usw. aufzufassen, sie sind der kindersprache entlehnte fremdwörter. Welchen der beiden wege wir aber einzuschlagen haben, darüber gibt uns die theorie keinen aufschluss; statt auf dem scheidewege stehen zu bleiben, ohne uns für den einen oder den andern entscheiden zu können, schlage ich also vor, dass wir keinen derselben wählen, son-dern den pfad einschlagen, den ich oben angewiesen habe; dadurch werden wir u. a. der schwierigkeit überhoben, irgend eine der beiden klassen guter dänischer wörter, womit wir es zu tun haben, fremd-wörter zu nennen: sie bleiben gleich heimisch und natürlich ent-wickelte formen.

IV.

In enger beziehung hierzu steht die frage, ob es in den sprachen als hindernis für den normalen verlauf des lautwandels ein streben gibt, *die bedeutungsvollen laute und silben zu konservieren.* Dies behauptete Curtius, welcher dadurch u. a. die erhaltung des *i* in den griech. optativformen erklärt, die, wenn *i* wie sonst geschwunden wäre, unkenntlich geworden sein würden. Dagegen wendet Delbrück ein (Einleitung [1]105 [2]106), teils dass man im einzelnen plausiblere erklärungen finden kann — und darin hat er wohl ohne zweifel für viele der von Curtius genannten beispiele recht, — teils dass man nicht annehmen darf, dass die inder und griechen noch ein gefühl

von der bedeutsamkeit der einzelnen laute einer sprachform gehabt
hätten: von generation zu generation würden nur fertige wörter überliefert. Nyrop (s. 21) wendet sich ebenfalls gegen Curtius und sagt:
die stammsilben sind gegen den lautwandel ebensowenig gewahrt wie
die übrigen silben, 'was ist von *avus* im franz. *oncle* erhalten?' —
Läge hierin nicht ein missverständnis, das von einer vermischung
zweier verschiedener auffassungen desselben wortes zu zwei verschiedenen zeiten herrührt? Zu der zeit, wo die römer das wort
avunculus bildeten, trug allerdings die silbe *av-* die eigentliche bedeutung von 'onkel', während *-unculus* als träger einer liebkosenden
nebenbedeutung empfunden wurde. Dieses verhältnis hat sich aber
schwerlich durch die zeiten erhalten, während *avunculus* als fertiges
wort überliefert wurde; *avus* selbst wurde vergessen, und damit war
für die jüngern generationen auch die bedingung dafür, in *av-* den
bedeutsamen teil des wortes zu sehen, verloren gegangen; nun musste
deshalb der sinn 'onkel' an das ganze wort geknüpft werden, und
demzufolge war durchaus kein grund vorhanden, die silbe *av-* mehr
als irgend welche gleichgestellte vorsilbe zu konservieren. Dann kann
aber der schwund von *av-* auch nicht als beweis gegen die annahme
verwendet werden, dass wortteile, die als die bedeutsamsten *empfunden* werden, besonders gewahrt werden. Und wenn Delbrück behauptet, dass die griechen von der bedeutung der einzelnen suffixe
keine empfindung gehabt hätten, so ist es zwar richtig gegen die
ansicht zu polemisieren, dass die griechen eine empfindung von der
ursprünglichen, etymologischen bedeutung dieser suffixe gehabt, also
z. b. das -s- des sigmatischen aorists als mit der wurzel *as* 'sein' identisch empfunden hätten — vorausgesetzt, dass der aorist wirklich
mittels dieser früher oft in anspruch genommenen wurzel gebildet ist,
was man ja heute sehr bezweifeln darf —; dagegen hat er gewiss darin
nicht recht, dass die griechen von der bedeutung, d. h. der aorist-
bedeutung dieses lautes gar keine empfindung gehabt hätten: wie
hätten sie sonst die formen richtig anwenden können? Und wenn, wie
die genannten verfasser beide zugeben (s. besonders Delbrück, Die
neueste sprachforschung s. 14 ff., Nyrop s. 22), ehe ein lautgesetz
durchgeführt ist, eine übergangsperiode besteht, wo man zwischen
der alten und der neuen aussprache schwankt, so glaube ich nicht,
dass man so entschieden leugnen darf, dass in einer solchen über-

gangsperiode ein laut erhalten bleiben kann da, wo ein bestimmter bedeutungsinhalt damit verbunden ist, während er sonst schwindet. Ich muss aber gestehen, dass ich sichere beispiele dafür nicht anführen kann, was aber nicht übel gedeutet werden darf, da fast überall andre formen vorliegen werden, in welchen der betreffende laut (aus einem „rein lautlichen" grunde) erhalten ist, so dass man die bewahrung in den wenigen übrigen wörtern als analogieeinwirkung von jenen erklären kann. — Man sagt nun, dass eine solche erhaltung wegen der bedeutung nur unter der voraussetzung denkbar wäre, dass der sprechende etwas von der drohenden veränderung wüsste und sich im voraus davor zu hüten suchte. Darauf kann geantwortet werden: der sprechende braucht gar nicht zu wissen, dass er selbst im begriff ist ein lautgesetz durchzuführen und zu wünschen, demselben entgegenzuwirken; er *braucht nur zu merken, dass er nicht verstanden wird,* wenn er undeutlich spricht: dann wird er schon, wenn er seine worte wiederholen muss, dem bedeutsamen elemente recht wiederfahren lassen, ja, er mag sogar zum übertreiben geneigt sein.

Dieses wird ferner durch eine beobachtung bestätigt, die man alle tage machen kann, dass nämlich mehrere wörter, die wie *real, formal* gewöhnlich den druck auf der letzten silbe tragen, eine andre betonung erhalten, wenn sie einander entgegengesetzt werden: sowohl *réal* als *fórmal,* ebenso *sýmpathie — ántipathie.* Dieser lautwechsel, der weder zu den lautgesetzen noch zur 'analogie' gezahlt werden kann, kommt auch vor, wo die wörter im gegensatz zu wörtern mit anderen endungen stehen: *die mínisterielle partei, nicht die volksvertretung;* er ging nicht nach Brasilien, sondern nach *Nórdamerika.* Aus dem deutschen kann ich noch anführen: *sékundaner und prímaner,* sonst *primáner, Órient und Óccident,* aber nur *Oriéntreise* ... In einigen fällen hat sich diese betonung festgesetzt, z. b. im dän. *direkte,* wo man ziemlich selten die form *dirékte* hört, vgl. *índirekte.*[1] Man wird aus diesen beispielen ersehen, dass ich oben, wo ich von einwirkung der bedeutung auf die lautentwicklung sprach, an kein gefühl für die etymologie oder ursprüngliche bedeutung der wortteile gedacht haben kann — eine solche findet sich natürlich gar nicht bei

---

[1 Ich lasse hier viele der 1886 gegebenen beispiele aus, da sie sich in meinem Lehrbuch d. phon. 14.52 ff. finden.]

den hier besprochenen wörtern und hätte z. b. die betonung *direkte*
nimmermehr bewirken können —; ich habe nur behaupten wollen,
dass was für *das aktuelle sprachgefühl* das bedeutsamste ist, was der
sprechende dem zuhörer genau zum verständnis bringen will, dieses
eben dadurch eine besonders geschützte stellung gewinnen kann.

Ja, die bedeutung hat auf die lautentwickelung noch grössern einfluss. Sie ist es ja, die in den allermeisten fällen den *satzdruck* regu-
liert, und, wie bekannt, spielt eben der satzdruck eine sehr bedeutende
rolle in der geschichtlichen lautlehre. Franz. *moi* und *me* sind beide
aus lat. *mē* entstanden; ersteres hat sich aber da entwickelt, wo *me*
satzstark war, letzteres wo es schwachen druck hatte, und so noch in
zahlreichen fällen. Nun wird man in der regel sagen: doppelformen
wie *moi* und *me* beweisen keinen verstoss gegen die lautgesetze, denn
die laute finden sich hier nicht unter denselben 'lautlichen bedingungen' und entwickeln sich dann auf verschiedene weise, wie altfranz.
fol unter verschiedenen lautlichen bedingungen (je nach dem anlaut
des folgenden wortes) teils zu *fol,* teils zu *fou* geworden ist. Dazu ist
doch zu bemerken, dass die veränderung, durch welche aus einem
druckstarken worte ein druckschwaches wird, ebensogut ein lautüber-
gang ist wie z. b. übergang von verschlusslaut in reibelaut, oder von
stimmhaftem laut in den entsprechenden stimmlosen. Man darf ja
doch nicht den akzent als etwas äusseres in bezug auf die übrige laut-
masse des wortes auffassen, obgleich viele es ohne zweifel tun, wahrscheinlich dadurch verleitet, dass der akzent in der schrift so selten
bezeichnet wird, und wenn es geschieht, in der regel durch zeichen,
die ausserhalb der gewöhnlichen buchstabenreihe stehen. Die organe
(das zwerchfell usw.), die durch ihre tätigkeit den 'exspiratorischen'
akzent bestimmen, sind für die artikulationen des wortes ebenso
wichtig als z. b. die zunge. Der wechsel des druckes innerhalb des
satzes ist also nichts äusseres, keine 'lautliche bedingung' derart wie
der wechselnde anlaut des folgenden wortes. Wenn wir sagen, dass
der unterschied zwischen *moi* und *me* sich auf verschiedenen druck-
grad gründet, so haben wir dadurch nur den *sekundären* lautüber-
gang erklärt; übrig bleibt die erklärung des primären, des akzentunter-
schieds selbst, welcher nur durch die verschiedene bedeutung, oder
besser durch den verschiedenen *wert* bewirkt ist, den das wort in den
verschiedenen verbindungen des satzes für den sprechenden hat.

V.

Nach dieser beschiessung der aussenwerke können wir nun wohl wagen, die hauptfestung selbst anzugreifen, die junggrammatische *deduktion des satzes von der ausnahmslosigkeit der lautgesetze.* Das folgende wird eine hoffentlich korrekte, obgleich nicht wenig gekürzte wiedergabe des gedankengangs sein, welchem man bei Paul, Brugmann u. a. begegnet.

Der grund, warum sich die sprachen im laufe der zeit überhaupt in lautlicher beziehung verändern, muss erstens in dem umstande gesucht werden, dass der mensch seine sprachorgane so wenig wie seinen übrigen körper völlig in seiner gewalt hat; es ist ihm deshalb, genau genommen, unmöglich, dasselbe wort zweimal mit genau denselben bewegungen der sprachorgane, also mit genau denselben lauten zu sprechen. Ferner lernt niemand ganz wie ein anderer mensch sprechen; es gibt also unendlich viele nuancen der aussprache bei den verschiedenen gliedern derselben sprachgenossenschaft, nuancen, die sich indessen innerhalb enger grenzen halten müssen, weil sonst das verständnis und damit der gebrauch der sprache als mitteilungsmittel gehindert werden würde. Die aussprache des einzelnen wird fortwährend durch die der übrigen kontrolliert, womit seiner neigung zum 'individualisieren', zum sprechen, wie es ihm eben bequem ist, eine schranke gesetz wird. Veränderungen können nur dann eintreten, wenn kleine verschiebungen gleichzeitig bei mehreren derselben sprachgenossenschaft entstehen, und alle veränderung in sprachlauten können wir deshalb als die summierung betrachten von den oft fast unmerkbaren verschiebungen im organgefühl,[1] die gleichzeitig und gleichartig bei mehreren individuen eintreten. Weil nun aller lautwandel unbewusst vor sich geht, und weil aller lautwandel auf veränderung im organgefühl zurückgeht, ist es klar, dass dieselbe veränderung im organgefühl überall eintreten muss, wo dasselbe element in der rede wiederkehrt, denn das organgefühl wird ja nicht für das einzelne wort, sondern für den einzelnen laut gebildet; die aussprache wird nicht für jedes einzelne wort gelernt.

---

[1] Ich setze dieses wort ein statt bewegungsgefühl, weil es sich nicht allein um die empfindung handelt, die *bewegungen* der sprachorgane entspricht, wie bei den 'glides', sondern auch um die, welche einer bestimmten *stellung* der sprachorgane entspricht.

Gegen diese letzte kategorische behauptung wäre man versucht die gerade entgegengesetzte zu stellen: die aussprache muss immer für jedes einzelne wort gelernt werden, denn die aussprache ist ja nichts als das wort selbst oder besser die eine, die nach aussen gekehrte seite des wortes im gegensatz zu der innern der bedeutung. Der sinn jener behauptung ist aber offenbar der, dass das kind, nachdem es soweit gelangt ist, dass es in einigen wörtern, z. b. k und t unterscheidet, d. h. ein organgefühl für die genannten laute in diesen verbindungen erworben hat und, müssen wir hinzusetzen, gelernt hat, die verschiedenen akustischen lauteindrücke damit fest zu assoziieren, dann weiter, wenn es in andern wörtern ähnliche laute in andern verbindungen hört, diese mit denselben bewegungen nachahmt.

Wenn die folgerungen völlig richtig wären, müssten wir offenbar, wenn immer eine veränderung einen laut x betraf, denselben übergang haben überall, wo der laut x besteht: weil das organgefühl für jedes x der frühern sprachstufe dasselbe ist, muss die veränderung, die nach den folgerungen in allen fällen eintritt, wo das organgefühl dasselbe ist, alle x betreffen. Nun zeigt aber die sprachgeschichte auf jeder seite, ja fast auf jeder zeile, fälle, wo der laut x in einer verbindung zu x_1, in einer andern zu x_2 wird, wo ein konsonant auf eine weise zwischen vokalen, auf eine andre zwischen vokal und konsonant behandelt wird. Ein vokal wird etwa vor einem nasal nasalisiert, auf eine zweite weise vor *l*, auf eine dritte vor *r* beeinflusst usw. Kurz, die meisten lautgesetze sind eben der ausdruck lautlicher differenzierung: wo wir vorher denselben laut (dasselbe organgefühl) gehabt, haben wir nachher zwei oder drei verschiedene.

Man wird vielleicht die begründung durch einsetzung von 'lautgruppe' statt 'einfachen lautes' zu retten suchen. Ist denn aber das organgefühl verschieden für genau denselben laut in verschiedenen verbindungen? Hat es nicht eine zeit gegeben, wo das organgefühl für *b* in lat. *bonus* und *habere*, oder für *n* in *bonus* und *bona* identisch war? Und haben wir nicht hier dessenungeachtet verschiedene behandlung von *b* in *bon*, *avoir*, von *n* in *bon*, wo *n* geschwunden ist, nachdem es den vokal nasaliert hat, und *bonne* mit erhaltenem *n?* Wenn der beweis in jeder beziehung richtig wäre, würden solche spaltungen offenbar unmöglich sein. Er ist aber auch nicht richtig; er ruht auf dem völlig unbeweisbaren postulat, dass der sprechende,

weil er an einer stelle den laut x mit x_1 vertauscht hat, eo ipso denselben tausch vornehmen soll, so oft x wieder 'unter denselben lautlichen bedingungen' vorkommt.[1] Es ist durchaus kein grund vorhanden, eine so vollständige konsequenz in einer menschlichen *gewohnheit* anzunehmen und eben davon ist hier ja die rede. Es spricht im
gegenteil vieles dafür, dass die überschreitung der frühern grenze
für den spielraum des lautes in einer richtung in einigen fällen es
mit sich bringen kann, dass das nächste mal eine überschreitung in
der entgegengesetzten richtung stattfindet. Und wo wir zeugen des
entstehens eines lautgesetzes werden, bemerken wir denn auch immer
ein schwanken zwischen dem alten und neuen. Man kann z. b. hier
in Dänemark nicht gar zu wenige menschen hören, welche anfangen,
das lautgesetz durchzuführen: intervokalisches [s] wird vor betonten
vokal zu halb stimmhaften oder gar stimmhaftem [z]. Noch ist es
eine rein individuelle aussprache, es würde mich aber nicht wundern,
wenn es mitte des 20. jahrhunderts ein durchgehendes 'lautgesetz'
geworden wäre. Diejenigen aber, bei denen man es hören kann, gebrauchen es durchaus nicht überall; man kann sie fast in demselben
atemzuge mit derselben betonung und in demselben worte, bald [s]
bald [z] sprechen hören, z. b. in *besøge, basar, i sinde*. Ich habe einmal über das andre den präsidenten des 'landsting' [Liebe], wenn er
stimmzettel vorlas, *'de samme, de samme, de samme'* usw. sprechen
hören, mit bald eintretender, bald fortbleibende stimme beim *s;* ich
erinnere mich aber nicht, jene aussprache mit [z] in irgend einer anderen verbindung bei ihm gehört zu haben.

Man sagt ferner, dass die veränderung gleichzeitig bei mehreren
individuen eintreten muss; andererseits wird aber behauptet, dass der
lautwandel bei einem individuum anfangen und sich von da aus ausbreiten muss. So sagt Delbrück (Einleitg. s. 119), dass man nur die
frage aufzuwerfen braucht, ob die umwandlungen, von denen hier
gesprochen wird, bei allen mitgliedern einer sprachgemeinschaft auf
einen schlag hervortreten, um eine verneinende antwort zu bekommen; und dergleichen übergangszustände, wo bei einigen das neue,
bei anderen das alte sich findet, werden wohl allerseits zugegeben.
Damit gesteht man aber zu, dass es zeiten gibt, wo irgend ein laut-

---

[1] Vgl. hier auch Schuchardts schneidige kritik des begriffs 'gleichheit der lautlichen
bedingungen', Lautges. 18 ff.

gesetz innerhalb derselben sprachgenossenschaft begonnen, aber noch
nicht durchgeführt ist. Aber, sagt man nun, weil es keine zwei menschen gibt, die gleich sprechen, müssen wir, um die unverbrüchlich-
keit der lautgesetze zu konstatieren, genau genommen bis zum einzelnen individuum, ja sogar — denn auch der einzelne spricht auf
den verschiedenen stadien seines lebens nicht gleich — bis zu einem
'momentandurchschnitt' in der sprache eines einzelnen individuums
gehen (Delbrück). Also, der höchst wichtige satz, den 'die sprachwissenschaft als lebensbedingung behaupten muss', reduziert sich darauf, dass wir nur durch abnehmen einer augenblicksphotographie von
der sprache eines menschen die lautgesetze ausnahmslos befinden
können. In einem einzelnen momente existiert aber für das individuum genau genommen — und wir müssen es auf diesen theoretischen höhen stets genau nehmen — nur ein wort, das, welches er
eben spricht oder denkt, oder noch genauer genommen, nur ein
bruchteil von diesem worte. Und wenn wir auch all die wortkeime
mitrechnen wollen, die ungeboren in seiner seele ruhen, den ganzen
sprachstoff, den er 'beherrscht', d. h. der unter gewissen bedingungen zu artikulierten worten werden kann, so müssen wir fragen:
Welche lautgesetze sehen wir denn dort in all ihrer strahlenden reinheit? Die alten, die erste lautverschiebung z. b.? Schwerlich. Es werden wohl die in der gegenwart wirkenden sein. Ein lautgesetz ist ja
aber, wie ausdrücklich hervorgehoben wird, ausdruck einer gewissen
gleichmässigkeit in der geschichtlichen entwickelung; allein, wie
kann man aus einer augenblicksphotographie regelmässigkeit der geschichtlichen entwickelung ersehen? Und wie lässt sich die behauptung, dass das eintreten eines lautgesetzes gleichzeitige veränderung
bei mehreren voraussetzt, mit der vereinigen, dass wir, um die konsequenz der lautgesetze zu konstatieren, uns an die sprache eines einzelnen halten müssen, weil die laute nicht gleichzeitig bei mehreren
sich ändern? — Haben die junggrammatiker wirklich diese von ihnen
aufgestellten sätze vollständig durchgedacht?

VI.

Ausserdem ist in diesen folgerungen der junggrammatiker keine
rücksicht auf umstände genommen, die doch ohne zweifel bei lautlicher entwickelung eine grosse rolle spielen. Man spricht nur von

der entwickelung innerhalb derselben generation, von den änderungen, welche die sprache der erwachsenen allmählich erleidet. Paul
hebt rücksichtlich der bedeutungsübergänge, rücksichtlich des losreis-
sens eines wortes vom zusammenhange mit der gruppe, womit es
früher als etymologisch zusammengehörig empfunden wurde, an
mehreren stellen hervor, dass hier nicht sowohl vom vergessen bei
einer generation die rede ist, als davon, dass das alte der neuen
generation nicht überliefert wird[1]; es ist auffällig, dass er rücksichtlich des lautwandels dasselbe nicht behauptet.[2] Hätte nämlich Havet
nicht recht, wenn er gegen Kruszewskis zu Pauls theorie stimmende
lehre von kontinuierlichen mikroskopischen lautänderungen (Über
die lautabwechselung, 1881; Internat. zeitschr. f. allg. sprachw. I
302) sagt (Revue critique 17. okt. 1881): „Or, en pareille matière,
natura facit saltus; il y a discontinuité d'une génération à l'autre ...
Le changement d'l en l mouillée après une consonne, qui s'est ac-
compli dans tant de dialectes romans, n'est qu'une prononciation
enfantine non rectifiée, prononciation qui aujourd'hui encore naît
brusquement sous nos yeux, tels parents disant très nettement *fleur
blanche* et leur enfant, non moins nettement, *flleur bllanche?"* Und
eben bei der mangelhaften nachahmung der sprache ihrer umgebung
seitens der kinder sieht man eine solche regelmässigkeit im lautwandel, dass man sich versucht fühlt, *hier* von ausnahmslosen lautgesetzen zu sprechen; wenn sie z. b. t statt k einsetzen, tun sie es
überall: ganz natürlich, sind sie ja noch nicht imstande, ihre sprachorgane in die für hervorbringung des k erforderliche stellung zu bringen; vielleicht kann ihr ohr auch noch nicht die beiden laute unterscheiden. Ein kind, dessen aussprache ziemlich genau kennen zu lernen ich gelegenheit gehabt habe, setzte überall [g] statt [γ] nach
langen vokalen z. b. in *kage, bage, bøger* 'kuchen, backen, bücher'
und ebenso [b] statt [v] unter derselben bedingung, womit es oft
sich einer der 'buchstabengetreuen' feierlichen form gleichen aussprache bediente, so in *løbe, kæbe* 'laufen, kiefer', wo die aussprache

---

[1] Dies gilt auch von der verallgemeinerung einer form, die früher nur in bestimmten fällen, z. b. vor konsonantischen anlaut, gebraucht wurde. Diese übertragung wird
man wohl in der regel, wenigstens stillschweigend, unter die umfassende kategorie
'analogiebildung' einreihen.

[2] Vgl. jedoch jetzt Prinzipien [2], s. 58; diese betrachtung scheint aber seine weitern
ausführungen nicht zu beeinflussen.

mit v die einzig gebräuchliche ist; öfter aber davon abwich, z. b. war
[sgi·bə] sowohl *skibe* 'schiffe' als *skive* 'scheibe' und der stadtname
Skive; ferner in *skriver, haven,* und sogar [la·bi] *lagde vi* 'legten wir'
u. dgl., dagegen nicht in *fik vi* 'kriegten wir' — kurz ein vollständiges
lautgesetz, aber ohne irgend eine 'verschiebung des bewegungsge-
fühls', da es offenbar niemals die genannten verbindungen auf andre
weise hat aussprechen lernen. Wo die abweichung von der sprache
der erwachsenen so gross ist, wird dieselbe ja früher oder später ver-
bessert werden (die kosenamen zuweilen ausgenommen, vgl. oben);
wo die abweichung aber geringer ist, wird sie sich leicht festsetzen
können.

Die unzulänglichkeit der geläufigen theorie von der verschiebung
des organfühls wird ferner durch die folgende betrachtung dargelegt.

Das dän. [ð] in *hade, boede,* steht, wie es Sweet zuerst beobachtet hat, rücksichtlich seiner bildung dem [j] viel näher als das is-
ländische [ð] und englische *th;* bei kindern hört man sehr oft statt
[ð] entweder [j] oder jedenfalls einen laut, der dem [j] weit näher
steht als das normale dän. [ð]; wenn man nun dann und wann bei
einem erwachsenen ein solches stark palatalisiertes [ð] hört, ist es
wenig wahrscheinlich, dass die bewegung bei ihm vom normalen [ð]
aus gegen [j] hin gegangen ist; vielmehr ist er von haus aus dem
[j] näher gewesen als jetzt, so dass die verschiebung seines organ-
gefühles in der demjenigen lautübergange entgegengesetzten richtung gegangen ist, an dessen durchführung er doch selbst mitwirkt.

Ferner haben die junggrammatiker auf die sprachmischung nicht
genügende rücksicht genommen, die immer stattfindet, weil kein
individuum unter sprachlicher einwirkung von personen steht, die
im eigentlichen sinne des wortes 'gleich' sprechen. Dieses moment,
das namentlich von Schuchardt stark betont worden ist (s. namentlich dessen Slawo-deutsches und slawo-italienisches, 1885) will ich
hier nicht weiter verfolgen, mich dagegen zur besprechung noch
eines faktors wenden, der in eine theoretische untersuchung wie die
vorliegende mit hineingezogen werden muss, wenn er auch nicht
viele bleibende wirkungen in der sprache zurücklässt. Es ist der umstand, dass die menschlichen sprachorgane nicht nur sprachorgane
sind, sondern aus ganz andern gründen, als um sprachlaute hervorzubringen, bewegt werden können. Treten nun diese bewegungen

gleichzeitig mit der rede ein, so können sie in eigentümlicher weise auf die sprachlaute einwirken. „Die lippentätigkeit, sagt Winteler[1], entspricht für *i* der mundgebärde der heiterkeit oder des spottes, für *u* derjenigen der sammlung, des ernstes oder eifers. Daher üben auch diese affekte einfluss auf die sprache aus, wie man besonders bei kindern beobachten kann." Die stellung, welche die lippen beim lächeln einnehmen, macht die lippenschliessung schwierig, die notwendig ist um ein *m* hervorzubringen; ich habe deshalb manchmal das labiodentale [m] statt des bilabialen von leuten, wenn sie lächelten oder lachten, gebrauchen sehen — denn hören ist hier nicht so leicht. Schuchardt erwähnt ähnliche verhältnisse im andalusischen (Gröbers Zeitschr. f. röm. philol. V. 314): „in *¡Josu!* scheint die verstärkung eines unbetonten vokals eingetreten zu sein; in der tat werden aber hier und bei *¡quia!* für *¡ca!* die lippen unter dem drucke eines affekts in bestimmter weise geformt (verwundernd vorgestülpt, verächtlich auseinander gezogen) und so ein lautwandel hervorgerufen. [Man vergleiche dän. *jøsses!* für jesus!] In schmerz oder zorn klingt (bei zusammengepressten zähnen) ein italienisches s manchmal (besonders vor einer tenuis) fast wie š: mi duole la tešta, ti do uno šchiaffo hörte ich, wo sonst š unbekannt war. Man vgl. auch das im bühnenpathos oder in wirklicher erregung stark aspirierte franz. *haine*." Im dän. kann man auf ähnliche weise [š] für [s] hören, in wörtern wie *sludder* (dummes zeug), *svineri* (schweinerei); ebenso [nœ·] für [nɛ·] (= *nej* 'nein') und 'man kan få höra *lylla vön* för *lilla vän* i smeksamt tal'. (Lundell, Rättstafningsfrågan, 1886, s. 16). — Auch die tonhöhe u. dgl. gehört zum grossen teil hierher, und in einer gewissen beziehung zu den erwähnten lautänderungen steht auch der umstand, dass wir in wörtern wie *nå, næ* (*nej*), *ja* nicht selten den anlautenden konsonanten dehnen, was sonst im dänischen durchaus unbekannt ist, und zwar wenn wir zögern und ungern eine bestimmte antwort geben wollen; ferner das gewöhnliche [untə·] statt *und* u. dgl. als übergang zu einer bemerkung, wofür man noch nicht worte gefunden hat.

Eigentlich sollten nach der ansicht der junggrammatiker die lautänderungen, die durch minimalverschiebungen am organgefühl zu-

---

[1] Die Kerenzer mundart des kantons Glarus, 1876, s. 100.

stande gebracht wurden, die alle wörter gleichartig betreffen und sich deshalb unter gesetze bringen liessen, die allein möglichen 'rein lautlichen' änderungen sein. Jetzt wird jedoch von Brugmann (Zum heut. st. d. sprachw. 50) anerkannt, dass es ausserdem eine andere art von lautübergängen gibt, welche sporadisch und gleichsam in sprüngen vor sich gehen; wie die beispiele zeigen, wird dabei an umstellung von *ks* in *sk, ps* in *sp*, umstellungen wie im ital. dialekt *crompare* statt *comprare, grolioso* statt *glorioso* u. dgl. gedacht. Ich konstatiere nur die erfreuliche tatsache, dass man jetzt die absolute formel aufgegeben hat: *aller* lautwandel geht nach ausnahmslosen gesetzen vor sich.

Zum schluss muss hier noch kurz besprochen werden Schuchardts theorie von einer '*rein lautlichen analogie*', bei welcher bedeutungsähnlichkeit gar keine rolle spielt. Sicherer als das von Schuchardt gegebene beispiel ist das bei Nyrop (s. 52) aus dem provençalischen, wo die doppelformen *bo bon, ma man* ein *fon* als nebenform zu *fo* (*fuit*) und umgekehrt *vendo* als nebenform zu *vendon* (*vendunt*) hervorgerufen haben. Lautlicher analogie begegnet man auch in der bekannten südenglischen einschaltung von r in verbindungen wie *idea-r-of, America-r-and England, the law-r-of the land* u. ä., weil ein ursprünglich im auslaut stehendes r, z. b. in *far better* verstummt ist, ausser vor folgendem vokal: *far away, better off*. Auch die unter den namen 'cuirs' und 'velours' bekannten einschaltungen von z und t im französischen gehören hierher, und ebenso spielt lautliche analogie keine geringe rolle bei der bestimmung von der aussprache eines fremdwortes, z. b. rücksichtlich der anwendung von dem 'stoss' im dänischen. Nun meint Schuchardt, dass diese lautliche analogie, vielleicht mit andern faktoren verbunden, ein lautgesetz hervorrufen kann; indem ein lautwandel, welcher aus irgend einem grunde in einem oder mehreren wörtern entstanden ist, durch lautliche analogie weiter geführt werden und vielleicht am ende all die wörter sozusagen anstecken kann, wo sich derselbe ursprüngliche laut unter denselben lautlichen bedingungen fand. Es wird schwierig sein, dies durch ein beispiel zu beweisen, die möglichkeit lässt sich aber nicht leugnen. Sicher ist, dass wir in mehreren fällen eine '*metamorphose der lautgesetze*' nachweisen können, indem wörter, die heute denselben laut haben und in einem früheren sprachstudium ebenfalls

denselben laut gehabt, in einem mittleren stadium verschiedenen laut
gehabt haben; vgl. lat. *amat clarus* — heute franz. *aime clair,* altfranz. aber, indem der folgende konsonant unterschied bewirkte,
aime cler, wo wir durch zahlreiche reime verschiedene aussprache
konstatieren können. Und ist es nicht wahrscheinlich, dass wir auf
ähnliche weise an zahlreichen anderen punkten, wenn die mittleren
stadien uns bekannt wären, ein ähnliches vorgehen auf verschiedenen wegen nach demselben ziele finden würden? (Vgl. Schuchardt,
Lautg. 21.)

VII.

Unsere untersuchung hat auf allen punkten zum zweifel geführt
gegenüber der behauptung von dem ausnahmslosen wirken der lautgesetze, sowie gegenüber der gewöhnlichen darstellung der weise,
in welcher die lautübergänge zustande kommen sollen. Nun wird
aber gesagt, dass man, wenn man dieser lehre nicht huldigt, damit
überhaupt auf die möglichkeit verzichtet, die grammatik zum range
einer wissenschaft zu erheben (Paul); dass es dann keine etymologische wissenschaft geben kann, dass alles etymologisieren erraten
wird, weshalb die sprachwissenschaft den satz als lebensbedingung
behaupten müsse (Nyrop). Steht es wirklich so schlecht? Um dies
zu entscheiden, müssen wir kurz untersuchen, wo wir die lautgesetze
brauchen.

Die vergleichende sprachforschung ist vor allen dingen eine er-
klärende sprachforschung. Wird nun gefragt, was erklärung heisst,
so kann man antworten: Sie ist beziehung einer erscheinung auf eine
oder besser mehrere andere, die bereits bekannt sind. Newton erklärte
die bewegung des mondes, d. h. er bezog diese erscheinung auf eine
reihe bekannter erscheinungen, namentlich auf die wirkung der
gravitation auf der erde; und ganz derselben art sind auch diejenigen
erklärungen sprachlicher erscheinungen, welche die sprachwissenschaft gibt. Eine verbindung, wie dän. *til lands* 'zu lande', mit dem
auf den ersten blick befremdenden genitiv erklärt sich durch verweisung auf den umstand, dass im altnordischen die präposition *til*
immer den genitiv regiert. Dies erklärt sich wiederum durch verweisung darauf, dass das wort ursprünglich ein substantiv war, etymologisch mit deutsch *ziel* identisch, und dass wir deshalb hier wie bei

andern aus substantiven entstandenen präpositionen den genitiv verwenden als den kasus, dessen funktion eigentlich die ist, zwei substantive zu verknüpfen. Fragt man aber, was uns dazu berechtigt, *til*
mit dem *t* mit *ziel*, das mit *z* anlautet, zusammenzustellen, so wird
der zweifel beseitigt durch verweisung auf die wortpaare: *tunge—
zunge, tid—zeit, tære—zehren, tegne—zeichnen* usw., mit andern worten dadurch, dass eben dieselbe veränderung vor sich gegangen ist
in einer reihe von wörtern, wo übereinstimmung in bedeutung und
form so gross ist, dass kein kind bezweifelt, dass es 'dieselben wörter' sind, die wir in beiden sprachen finden. Bei derartigen erklärungen, bei dem etymologisieren, ist es, dass wir es mit dem begriffe
'lautgesetz' zu tun haben, indem die in mehreren wörtern befundene
übereinstimmung zum 'lautgesetze': dän. *t* = nhd. *z* formuliert
wird.[1] Lautgesetze brauchen wir also, wo es gilt, die etymologie eines
wortes zu finden oder zu zeigen, dass es mit einem worte einer andern
sprache in verbindung steht.

Der satz von der ausnahmslosigkeit der lautgesetze, als *methodologisches prinzip im etymologisierenden teile*[2] *der sprachwissenschaft*
verwendet, ist somit nichts weiteres als dieser: wo die zusammenstellung von zwei wörtern nicht völlig augenscheinlich ist, da muss
man, um sein recht, dieselben etymologisch zu identifizieren, darzu-
tun, durchaus zutreffende parallelen zur lautentwickelung nachweisen können. Leuchtet die übereinstimmung unmittelbar ein, so brauchen wir kein lautgesetz, um unsere identifizierung zu verteidigen,
und es sind gerade diese wörter schlagender ähnlichkeit, aus welchen
wir das lautgesetz folgern, das wir auf die aus irgend einem grunde
zweifelhaften fälle anwenden. Besonders wo wir in unserm eignen
bewusstsein unmittelbar ein gefühl von zusammengehörigkeit haben,
fragen wir durchaus nicht nach lautgesetzen, z. b. wenn wir im dänischen neben [reçtinɔk] *rigtignok* (allerdings) die form [renɔg] haben, wo wir keinen einzigen analogen fall nachweisen können;

---

[1] Eine strengere wissenschaftliche fassung würde allerdings die sein, dass hier *zwei*
lautgesetze vorliegen: einmal urgerm. t = dän. t, und zweitens urgerm. t = nhd. z.

[2] Methodologisches prinzip für die ganze sprachwissenschaft kann er ja nicht sein,
da diese eben auch anderes einschliesst als das etymologisieren, ja als das historische
erklären sprachlicher erscheinungen überhaupt. Sprachphysiologische und sprach-
psychologische werke müssen doch wohl auch sprachwissenschaftliche werke genannt
werden, wenngleich geschichtliche erklärungen keine oder keine grosse rolle darin
spielen.

ebenso kann kein vernünftiger zweifel daran sein, dass [kan' kan kən kn ka kə k] sämtlich formen desselben wortes sind, des *kan* der schriftsprache. Ist aber zweifel möglich, was ja namentlich der fall sein wird, wo wir wörter einander verhältnismässig fern stehender sprachen oder perioden, z. b. wörter des altnord. und altind., oder wörter eines lebenden roman. dialektes mit latein. vergleichen, so kann der zweifel nur dadurch beseitigt werden, dass man nachweist, dass dieselbe lautgruppe in anderen wörtern der betreffenden sprachen auf genau dieselbe weise behandelt worden ist, mit anderen worten dadurch, dass man die lautgesetze unverbrüchlich befolgt. Bereitet die bedeutung schwierigkeiten, so müssen wir uns auf dieselbe weise auf analoge übergänge stützen, nur dass wir hier nicht wie auf dem gebiete der laute verhältnismässig bestimmt abgegrenzte erscheinungen und ziemlich leicht übersehbare möglichkeiten für veränderungen haben, sondern weniger bestimmte und greifbare erscheinungen, die ins unendliche ineinander hinüberspielen können. Wenn wir in zwei ziemlich fernstehenden europäischen sprachen zwei wörter fanden, die in lautlicher hinsicht möglichst genau zueinander stimmten, von denen aber das eine 'sandiger platz, bes. am meere', das andere 'arbeiterstreik' hiesse, so würden wir schwerlich sagen dürfen: es ist ein und dasselbe wort; die so verschiedenen bedeutungen würden es nicht gestatten. Nun haben wir indessen im französischen zwei wörter *grève* mit den beiden erwähnten bedeutungen und hier dürfen wir sagen: Es ist in etymologischer hinsicht ein und dasselbe wort. Hierzu berechtigt uns nämlich der umstand, dass wir auf anderem, aussersprachlichem, historischem wege den zusammenhang der beiden wörter dartun können; wir können nämlich zeigen, dass auf jenem bestimmten kiesigen oder sandigen platze am Seineufer, der vorzugsweise *la Grève* genannt wurde, eine art von gesindemarkt war, wo arbeiter, die stellen suchten, sich aufstellten, um ihre arbeitskraft feil zu bieten, dass sich dahin begeben, um besser gelohnte arbeit zu suchen, *faire grève* hiess, und dass sich davon das wort *une grève* losriss mit der bedeutung: arbeitseinstellung zur erzwingung höheren lohns, kurz: streik. Unsre zusammenstellung von den beiden wörtern ist also berechtigt, trotz des grossen sprungs der bedeutung, und zwar aus ähnlichen gründen wie unsere obige zusammenstellung von [reçtinɔk] und [renɔg] trotz des lautlichen sprungs.

Man wird sehen, dass mit der hier dargestellten auffassung der lautgesetze, nach welcher sie nichts weiter sind als formeln für lautliche übereinstimmung, als normen dafür, wie weit wir in unserem etymologisieren gehen dürfen, ohne uns auf unsichern boden hinauszuwagen — mit dieser auffassung es sich nicht vereinigen lässt, die lautgesetze mit den naturgesetzen, z. b. dem gravitationsgesetze oder dem gesetze der geschwindigkeit des falls, zu vergleichen, wie man es zuweilen getan hat. Es wäre deshalb vielleicht für die sprachwissenschaft am geratensten, das wort lautgesetz nicht zu gebrauchen, sondern lieber etwa von *lautformeln* zu sprechen. Jenes wort hat sich indessen festgesetzt und lässt sich auch fernerhin sehr wohl verwenden: lassen sich doch diese formeln von einer seite betrachtet als eine art von gesetzen im *juridischen* sinne auffassen. Wenn wir in kritiken von linguistischen werken so oft wendungen begegnen wie diesen: das und das widerstreitet den lautgesetzen; die lautgesetze gestatten diese etymologie nicht; das buch ist schlecht, weil der verfasser ohne weiteres die lautgesetze übertritt, oder auf die lautgesetze keine rücksicht nimmt usw., liegt es dann nicht nahe, die lautgesetze mit strafgesetzparagraphen zu vergleichen? 'Wenn du bei den etymologien, die du aufstellst, diese lautübereinstimmungen nicht streng beobachtet, wenn du es z. b. wagst griech. *kaléō* = dän. *kalde,* engl. *call* zu setzen, obgleich gr. *k* sonst germ. *h* entspricht, so wird dir die härteste strafe der wissenschaft zuerkannt, deine etymologie wird für falsch gehalten, und du verlierst dein bürgerrecht in der gelehrtenrepublik.'

Die methodologische bedeutung unserer frage beruht ja aber auf diesem in den lautformeln enthaltenen und an den forscher gerichteten imperativ. Und in diesem sinne können wir ohne widerspruch die 'junggrammatische methode' aufrecht erhalten, obgleich wir nicht glauben, dass eine weitere untersuchung der bedingungen sprachlichen lebens die junggrammatische lehre von dem lautwandel bestätigen wird, wenn wir teils abstrakt das wesen und wirken der sprache erwägen, teils durch eine analyse unserer eigenen sprache und derjenigen unserer nächsten verkehrsgenossen, wie es Ellis ausdrückt, 'hear the (linguistic) grass grow'.

Die sache hat aber ausser dieser methodologischen seite eine historische, und man gestatte mir hier einen letzten vergleich, der viel-

leicht meine auffassung klarer machen wird. Das genannte lautgesetz: indogerm. *k* = griech. *k* = germ. *h* möchte ich mit solch einem
Spencer-Darwinschen satze in parallele stellen, wie z. b.: die vorderfüsse des ursäugetieres haben sich bei menschen und affen zu händen,
bei walfischen aber zu flossen entwickelt. Es besteht in der tat nicht
wenig ähnlichkeit zwischen den beiden arten von sätzen. Wenn wir
eine reihe von 'momentandurchschnitten' in einer grösseren zahl von
walfischflossen machten, würden wir schwerlich in irgend einem
derselben etwas finden, das einem ausnahmslosen entwickelungsgesetze für die vorderfüsse entspräche, gerade wie wir bei sprachlichen
momentandurchschnitten keine lautgesetze finden. Durch eine mi-
kroskopische untersuchung, ja schon durch genaues zusehen mit blossen augen entdecken wir auf beiden gebieten zahllose kleine abweichungen; keine zwei flossen sind genau gleich. Der umstand aber,
dass wir die ursachen all dieser nuancen nicht nachweisen können,
braucht uns nicht die überzeugung zu benehmen, dass alles natürlich
zugeht, dass *kausalität* überall und ausnahmslos besteht, braucht uns
auch nicht unsern glauben an die wissenschaft zu verkümmern. Denn
wissenschaft ist, wie Herbert Spencer sagt, *unified knowledge;* das
hat aber zur folge, dass ihr eigentlicher gegenstand verallgemeinerun-
gen aus vielen einzelnen fällen sind. Wir finden also keine wissenschaftlichen entwickelungsgesetze durch die betrachtung einer einzelnen walfischflosse für einen einzelnen augenblick; dagegen kann
es uns gelingen, solche zu finden, wenn wir eine anzahl von flossen
aus der heutigen zeit vergleichen, das für alle typische absondern und
mit einem typus für die vorderfüsse der ureltern der heutigen wal-
fische zusammenhalten, falls wir solche finden können, oder mit den
vorderfüssen ihrer gegenwärtigen stammverwandten. Ebenso bei den
lautgesetzen: wir können solche nur dann aufstellen, wenn wir von
dem sprachgebiete, das wir sozusagen *mikroskopisch* untersuchen
können, dazu übergehen, sprachgebiete zu behandeln, die zeitlich und
örtlich einander ferner stehen; für die *teleskopische* betrachtung
existieren kleine nuancen nicht, wir erblicken nur die grossen, regel-
mässigen züge, die grossen hauptströmungen, die als resultanten unendlich vieler kleinen bewegungen in den verschiedensten richtungen
entstehen.

B. NACHTRAG (1904)[1]

Immer mehr drängt sich mir die betrachtung auf, dass in der sprache äusseres und inneres, laut und bedeutung, in der allerengsten beziehung zueinander stehen (vgl. oben s. 173 ff.), und dass es ein grober fehlgriff ist, der einen seite ein genaues studium zu widmen, ohne auf die andere rücksicht zu nehmen. Sehr vieles in der lautlehre einer sprache kann man weder verstehen noch darstellen, ohne auf die bedeutungslehre einzugehen, wie man namentlich aus meiner darstellung der dauer- und akzentverhältnisse (Lehrbuch kapitel XII, XIV, XV) ersehen kann. Oft genug kommen auch in den anderen abschnitten meiner Phonetik bemerkungen vor, die auf die innere seite der sprache zielen. Erst wenn man eine sprache so beherrscht, dass man das in ernst und scherz gesprochene versteht und sich selbst in ernst und scherz auszudrücken vermag, erst dann kann man recht eigentlich alle ihre lautlichen verhältnisse beurteilen, womit natürlich nicht geleugnet werden soll, dass sehr wertvolle einzelbeobachtungen von forschern gemacht worden sind, die die betreffende sprache nur unvollkommen beherrschten.

Viele erscheinungen in der sprachgeschichte werden in ein anderes licht gerückt, wenn man äusseres und inneres zusammen betrachtet und sein auge auf mögliche wechselbeziehungen zwischen beiden gebieten richtet. Anderswo habe ich die frage nach der tiefsten ursache der zerrüttung des altenglischen kasussystems aufgeworfen und so beantwortet, dass alles (sowohl was man nach der gewöhnlichen auffassung den lautgesetzlichen änderungen als was man der analogie zuzuschreiben pflegt) in den vielfachen inkongruenzen zwischen laut und funktion der endungen begründet ist. Hätte dieselbe endung immer dieselbe von allen anderen scharf geschiedene syntaktische bedeutung gehabt, dann hätte das ganze system sich viel leichter halten können; nun war aber *u* bald die endung des nom. sg., bald des

---

[1] Statt, wie ich ursprünglich beabsichtigte, für dieses buch [Phonetische grundfragen] ein ganz neues kapitel über den lautwandel zu schreiben, habe ich mich damit begnügt, meine abhandlung von 1886 neu zu drucken, wobei ich sie an einigen wenigen stellen, wo die ausführungen mir jetzt ziemlich überflüssig vorkamen, gekürzt habe. Ich kann jedoch nicht umhin, einige supplierende bemerkungen hinzuzufügen, die ich nur als vorläufige andeutungen aufgefasst haben möchte.

nom. pl., *e* bald die endung des nom. sg., bald des akk., bald des
dat., bald des gen. sg., bald des nom. und akk. pl., usw.; auch die
funktionen der einzelnen kasus waren teilweise sehr ungenau abgegrenzt; die folge war, dass die immer und überall vorhandene
tendenz zur nachlässigen lippen- und zungenartikulation druckschwacher vokale (zum übergang in [ə]) sich hier ungehindert ausbreiten
konnte.[1] Und ähnliches lässt sich auch anderswo beobachten.

Für jeden bestandteil der sprache — ich nehme das wort bestandteil in dem weitesten sinn — gibt es eine gewisse *richtigkeitsbreite,*
ein gewisses gebiet, innerhalb dessen er wiedererkannt werden kann.
Je näher der sprechende dem zentrum dieses gebietes kommt, desto
leichter und besser wird seine mitteilung von dem oder den hörenden
aufgefasst. Nur wenn er den grenzen des gebietes sich nähert, wird
es schwer, den betreffenden bestandteil seiner rede in übereinstimmung mit seiner absicht aufzufassen; überschreitet er aber die grenzen nach der einen oder der anderen richtung, dann gelingt es dem
hörer vielleicht nur mit schwierigkeit, aus den übrigen bestandteilen
derselben äusserung zu erraten, was mit diesem einen teil gemeint
war; das verständnis trifft oft genug mit einem ruck ein, nachdem
man einen augenblick dem ganzen ratlos gegenübergestanden ist. —
Die grösse des spielraumes ist nicht nur wenn man verschiedene
sprachen unter einander vergleicht, sondern auch innerhalb jeder einzelnen sprache höchst variabel. In einer sprache macht eine veränderte wortstellung einen satz ganz unverständlich, in einer anderen ist sie verhältnismässig gleichgültig, und so mit vielen grammatischen bestandteilen. Was die bedeutung der einzelnen wörter betrifft, so ist z. b. *lampe* viel enger beschränkt als *licht,* wo die rän-
der der bedeutung auch viel rauher sind, so dass die anwendung des
wortes oft eine sehr unbestimmte ist. Die unbestimmtheit der ab-
grenzungen läuft oft mit verhältnissen in der aussenwelt zusammen
(wo ist die grenze zwischen *sand—kies—gries* zu ziehen?), oft ist
sie aber rein sprachlich, was sich darin zeigt, dass eine sprache für

---

[1] Progress in Language (1894) s. 174 ff. (Über eine mögliche *beschleunigung* der
bewegung durch völkermischung vgl. ebd. 172 ff.) — Man vergleiche auch, was ich
über wegfall des lat. schluss-*s* im romanischen sage, ebd. s. 98, und die allgemeine bemerkung s. 55. [Alles dies ist in mehr oder weniger geänderter form in mein buch
Language und Die Sprache übergegangen.]

gewisse begriffe scharfumrissene bedeutungen haben kann, wo die andere nur verschwommene hat.

Über die *lautliche* richtigkeitsbreite schreibt Sievers die folgenden treffenden bemerkungen[1]: „Fur die beurteilung der frage nach der ausnahmslosigkeit der lautwandelprozesse ist übrigens von wesentlicher bedeutung der grad der genauigkeit in lautauffassung und lautreproduktion, den der einzelne sprecher oder die einzelne sprachgenossenschaft besitzt. Auch bei dem routiniertesten und exaktesten sprecher bleibt doch für alle artikulationsbewegungen ein gewisser spielraum übrig, ebenso wie z. b. auch bei dem besitzer der gleichmässigsten handschrift ... kleine verschiedenheiten in der bildung der einzelnen zeichen bestehen. Aber diese zone des schwankens kann eine sehr verschiedene breite haben. Manche sprachen (und zu ihnen gehören von hause aus auch die indogermanischen) zeichnen sich durch eine fülle von feinen lautunterscheidungen aus, weisen also auch notwendig grosse exaktheit der auffassung und nachbildung auf, während andere idiome lautformen unterschiedslos durcheinander werfen, die einem feineren hörer als grundverschieden erscheinen können (ein papua, den ich untersuchte, sprach z. b. in dem satze *ramamini voka* 'ich trinke kaffee' das wort für 'kaffee' unterschiedslos bald *voγa* mit sanfter stimmhafter spirans, bald *voga* mit stimmhafter media, bald *voka* mit tenuis, bald *vok'a* mit tenuis asp., bald *vokxa* mit stark kratzender affricata aus)".[2] Andere interessante beispiele ähnlicher unbestimmtheit der lautrichtigkeit in exotischen sprachen finden sich bei G. v. d. Gabelentz (Die sprachwiss. 1891 s. 201 ff.)

Man würde sich aber täuschen, wenn man etwa glaubte, dass einige sprachen überhaupt mit der aussprache aller ihren laute lax wären, andere dagegen überall genau. Die sache liegt vielmehr so, dass jede sprache bald weite, bald enge grenzen für die laute zieht. Im deutschen z. b. ist das lange [i·] in *sie, ziehe, ziege* nur äusserst wenig schwankend; dagegen wird der diphthong, der mit *eu, äu*

---

[1] Grundzüge der phonetik[4] § 682.

[2] Sievers fügt hinzu: „Konsequente lautvertretung wird man also überall nur innerhalb der grenzen erwarten dürfen, die durch die breite jener zone des schwankens im einzelnen bestimmt werden" — also scheint er zu meinen, dass wir dort, wo die zone eng ist, ausnahmslose lautgesetze erwarten können, sonst aber nicht. (Was ist dann aber eng?)

geschrieben wird (in *eule, träume* usw.), nicht nur von verschiedenen deutschen, sondern auch von demselben individuum, höchst verschieden ausgesprochen. Die lautverbindung wird wiedererkannt, sobald wir zwei vokale nacheinander hören, von denen der erstere gerundet ist und der zweite höher im munde und ziemlich weit vorne liegt; wie tief aber die zunge für den anfangslaut gesenkt ist, und wie weit nach hinten sie gezogen ist, ist so ziemlich gleichgültig, ebenso ob der schlusslaut gerundet oder ungerundet ist; ja in einigen gegenden ist nicht einmal der anfangslaut gerundet. Die *lautliche ökonomie* der sprachen ist überhaupt ziemlich uneben — hier verschwenderisch und dort knauserig.[1]

In jedem einzelnen falle ist aber — und das ist für mich eine sache von entscheidender wichtigkeit — *die breite des lautlichen schwankens* und die festigkeit der grenze von der *bedeutungsseite* der sprache abhängig. Wenn eine sprache viele wortpaare besitzt, die nur durch den unterschied zwischen [e·] und [i·] (oder z. b. zwischen kurzem und langem [i], oder zwischen stimmhaften [b] und stimmlosen [p], oder zwischen anfangsdruck und schlussdruck, oder zwischen steigendem und fallendem ton) auseinander gehalten werden, dann wird der in diesem bestimmten fall ausschlaggebende lautliche unterschied von den sprechenden streng innegehalten, da sonst zu oft missverständnisse entstehen würden. Wo dagegen keine nennenswerte verwechselungen entstehen können, wird man sich leichter gehen lassen können. Im französischen und namentlich im englischen ist es sehr leicht, lange listen von wortpaaren aufzustellen, die sich nur dadurch unterscheiden, dass das eine wort einen stimmhaften verschlusslaut im auslaut hat und das andere den entsprechenden stimmlosen; deshalb wird auslautendes [b] und [p], [d] und [t], [g] und [k] sauber auseinandergehalten; im deutschen dagegen gibt es äusserst wenige solche wortpaare, weshalb man ja auch der natürlichen neigung, den auslaut stimmlos zu machen,[2] nicht hat widerstehen können: jeder auslautende verschlusslaut ist jetzt stimmlos geworden. Auch im anlaut und inlaut gibt es im deutschen sehr wenige beispiele desselben unterschieds (s. die listen Lehrbuch

---

[1] Vgl. Lehrb. d. phon. 16.22.
[2] Die auf vorwegnahme der für die pause notwendigen offenen stimmbänderstellung beruht.

9.78), und das macht es erklärlich, dass der unterschied zwischen [b d g] und [p t k] überhaupt in Deutschland so sehr verwischt ist. Dagegen wird der unterschied zwischen langem und kurzem vokal im deutschen viel strenger als im französischen beobachtet, weil im deutschen wohl zehn- oder zwanzigmal so viele verwechselungen durch lang- oder kurzsprechen an unrichtiger stelle entstehen könnten. Andere beispiele: französischer druck; aussprache von *e* in solchen sprachen wie spanisch, wo [e] und [ɛ] nicht unterschieden werden; stoss (ɛ0) im nordenglischen.

Lautliche verschiebungen gibt es zweierlei: entweder fällt der verschobene laut mit einem schon vorhandenen zusammen oder nicht. Im letzten falle entstehen keine neuen verwechselungsmöglichkeiten. Man sieht oft, dass eine derartige verschiebung mehrere laute gleichzeitig trifft, deren abstand innegehalten werden kann, indem der laut x in das gebiet des lautes y rückt und y in das gebiet des lautes z; das könnte man folgendermassen graphisch veranschaulichen, indem die reihen 1—3 etwa die aussprache dreier verschiedener jahrhunderte darstellen:

	A	B	C	D	E	F	G
1.	x		y		z		
2.		x		y		z	
3.			x		y		z

So ist es z. b. im englischen mit den langen lauten *a* (dehnung von ae. kurzem *a*), offenem *e*, geschlossenem *e* gegangen[1]; als das letzte bis zum lautwert ([i·] gelangte, war das frühere lange [i·] schon diphthongiert. Erst als im siebzehnten jahrhundert der laut in *sea* (ae.sǣ) zu [i·] wurde, während der laut in *see* (ae. sēon) nicht gut weiter schreiten konnte, konnte diese vokalverschiebung anfangen zweideutigkeiten hervorzurufen — und wenn die zahl dieser beträchtlich gewesen wäre, würde diese letzte verschiebung wohl nie zustande gekommen sein. Die zahl war aber nicht gross, und die betreffenden wörter waren zufälligerweise meistens derart, dass ihr gleichlaut nicht viel schaden konnte: eine gewisse zahl von homonymen kann in einer sprache erträglich sein; homonyme verschiede-

---

[1] Gleichzeitig haben wir ein ähnliches heben in der hinterzungenreihe, wo jedoch nicht so viele laute vorhanden waren. Vgl. auch schwedisch a—å—o—u.

ner wortklassen, also mit verschiedener funktion im satze, sind immer viel erträglicher als homonyme, die in derselben stellung verwandt werden können.[1] In verbindung mit jeder lautverschiebung dieser art, wo zwei laute zusammenfallen, finden wir dann auch ein aussterben oder seltenwerden gewisser wörter. Es kann in vielen fällen zweifelhaft sein, ob das seltenwerden, bezw. aussterben, eine folge des durch den lautwandel eingetretenen gleichklanges ist,[2] oder ob das wort schon früher so selten geworden war, dass die gefahr der verwechselung nicht bedeutend genug war, um der lautverschiebung hinderlich zu sein.

Ich bitte zu beachten, dass mein standpunkt von einer auffassung der älteren schule, wo auch die bedeutung der wörter als den lautwandel kreuzend gedacht wurde, durchaus verschieden ist. Wenn ich also die bedeutungsseite der sprache als etwas betrachte, das in einigen fällen lautlichen änderungen konservativ entgegentritt, muss ich natürlich auch die frage nach den *treibenden kräften* aufwerfen, mit anderen worten: Warum verschieben sich dann und wann die laute? warum bleiben sie nicht innerhalb der einst abgesteckten grenzen? Ich glaube, dass man auf dem heutigen standpunkte unseres wissens im wesentlichen von den bisweilen gegebenen klimatischen, geographischen und ähnlichen erklärungen absehen kann,[3] da dieselben lautübergänge sich oft in sehr verschiedenen ländern finden, und ich teile dann die ursachen ein in

---

[1] Die wichtigsten wörter, die bei dem besprochenen englischen übergang zusammengefallen sind, sind die folgenden: Derselben wortklasse angehörig: beer bier, breech† breach, mead† meed†. — Subst. und vb.: bean been, flea flee†, heel heal, reed read, sea see, seam seem, steel steal, team teem† 'leeren'. — Subst. und adj. deer dear, leaf lief. — Adj. und vb. lean lean (wohl zweifelhaft, ob hierher gehörig). — Subst., adj. und vb. meat meet†. Die mit † bezeichneten sind nach dem 17. jahrh. nicht sehr lebenskräftig. — Eine *chronologisch* geordnete englische lautgeschichte mit berücksichtigung derartiger verhältnisse gehört zu meinen seit jahren geplanten arbeiten [ist 1909 als band I von Modern English Grammar erschienen].

[2] So wird die sache von Liebich (Paul und Braune's Beitr. XXIII 228) aufgefasst, vgl. auch O. Weise, Unsere muttersprache³ 206, wo viele deutsche beispiele zu finden sind.

[3] Wie ich z. b. lese, dass die hochdeutsche konsonantenverschiebung der verschlusslaute auf dem gesteigerten und beschleunigten atmen beruhen soll, das eine folge des bergsteigens war, als die alemannen und bayern im alpengebiet sich ausbreiteten, dann fällt es mir ein, dass die dänen in ihrem flachen lande eben im begriffe stehen, genau dieselbe verschiebung durchzuführen. Ob das dann damit in verbindung steht, dass zweifelsohne jetzt viel mehr dänen jeden sommer nach der Schweiz und Norwegen reisen als früher?

1. Übertragung auf neue individuen, und

2. Ursachen, die nicht mit einer solchem übertragung in verbindung stehen.

Jedoch muss ich bemerken, dass eine scharfe trennung dieser klassen eigentlich nur theoretisch, auf dem papier besteht; in der wirklichkeit besteht ja das sprachleben jedes individuums in einer beständigen wechselwirkung zwischen ihm und den wechselnden umgebungen, einem kontinuierlichem *give-and-take*.

Innerhalb der ersten klasse müssen wir wieder zwischen übertragung auf individuen, die noch keine sprache haben (*kinder derselben sprachgenossenschaft*), und übertragung auf schon sprechende individuen sondern.[1] Was die ersten betrifft, muss ich zu dem oben (s. 184 f.) bemerkten hinzufügen, dass ich nach meiner jetzigen kenntnis der sprache verschiedener kinder — und es steht mir ein ziemlich grosses material für dänische kinder zu gebote — behaupten darf, dass kinder, selbst wenn sie in einem frühen alter ein „lautgesetz" sehr regelmässig durchführen, dennoch später beim aufgeben der bisherigen sprechgewohnheit durchaus nicht konsequent vorgehen, so dass überreste der früheren abweichungen von dem usus, oft in geschwächter form, in einzelnen wörtern stecken bleiben. — Diese art von übertragung kann also jedenfalls keine ausnahmslosen lautgesetze konstituieren.

Der übertragung auf *glieder einer fremden sprachgenossenschaft* legen einige forscher (namentlich Hirt und Wechssler) eine so grosse wichtigkeit bei, dass sie darin den wesentlichsten grund der dialektspaltungen überhaupt sehen; nach ihnen wären die meisten jetzigen unterschiede (oder alle?) innerhalb des indogermanischen sprachgebietes und ebenfalls innerhalb des romanischen und germanischen gebietes usw. nachwirkungen der sprachen verschiedener urbevölkerungen. Ich kann das nur als eine gewaltige übertreibung betrachten. Wenn wir — wie zuerst wohl von Schuchardt, später von vielen anderen hervorgehoben — sehr oft auf langen strecken keine scharfen dialektgrenzen antreffen, sondern nur die allmählichsten übergänge, so dass jede dorfschaft in einigen beziehungen mit ihren

---

[1] Hierher gehört auch die art der übertragung, in der Benj. Ide Wheeler „the Causes of Uniformity in Phonetic Change" sieht, s. seine interessante abhandlung in Transactions of the American Philological Association 1901.

nachbarn gegen osten, in anderen mit denen gegen norden u. s. f.
übereinstimmt, wie ist denn das mit dieser theorie zu vereinigen? Die
annahme einer urbevölkerung mit anderen (nicht-indogermanischen
bezw. nicht-romanischen usw.) sprachen, deren lautsysteme in grad-
weiser abstufung verliefen, hiesse ja nur den schwerpunkt auf einen
nur um eine stufe entlegneren elefanten verlegen.[1] Auch mit der
voraussetzung eines graduell abnehmenden numerischen übergewichts
der einen rasse wäre uns nicht viel geholfen. Ferner sieht man ja
dialektspaltungen an stellen, wo wir positiv wissen, dass sich überhaupt keine frühere bevölkerung fand: Island und die Färöer waren
unbewohnt, als die norweger sie besiedelten, aber bald sprachen die
dortigen kolonisten in einer von allen norwegischen dialekten abweichenden weise; und jetzt muss man isländisch und färöisch als
zwei unabhängige sprachen betrachten, die beide in verschiedene
dialekte zerfallen; namentlich auf den Färöern ist die dialektspaltung
durchaus nicht unbedeutend. — Niemand bezweifelt die bedeutung
von rassen- und sprachenmischungen für die sprachgeschichte; ich
bezweifle aber sehr, dass sie alles das erklären können, was ihnen
jetzt zugeschrieben wird.[2] Wie kann auch die ausdehnung einer
sprachgemeinschaft über eine ursprünglich fremde alle die historisch
datierbaren lautlichen änderungen erklären, die z. b. seit dem 15.
jahrhundert im französischen und englischen vor sich gegangen
sind?

Während ich oben (s. 185) sprachmischung als einen der faktoren genannt habe, die der regelmässigkeit des lautwandels entge-
genwirkten, hat umgekehrt Wechssler gerade in dem einfluss seitens
der sprache der urbewohner das wirksamste argument zu gunsten
der ausnahmslosigkeit der lautgesetze sehen wollen. Seine beweisführung ist die folgende: wenn ein volk eine fremde sprache annimmt, so wendet es seine artikulationsbasis auf die neue sprache an;
dieselbe ist die gleiche bei allen mitgliedern der sprachgemeinschaft,
also können die dadurch hervorgerufenen änderungen sich nicht nach
und nach von bestimmten zentren aus verbreiten, sie sind mit anderen

---

[1] Nach einer alten indischen vorstellung ruht die erde auf einer schildkröte, und
diese auf einem elefanten — aber worauf der elefant ruht, erfährt man nicht.

[2] Ich widerstehe der versuchung, auf die von Wechssler, Gibt es lautgesetze? (Halle
1900) angeführten einzelheiten einzugehen. Beweiskräftig scheinen sie mir nicht.

worten generell. Ferner wird das fremde lautsystem in dem ganzen er-
lernten wort- und formenbestand substituiert, so dass ausnahmen
durch das wesen der sache ausgeschlossen sind.[1] Dabei ist jedoch zu
bemerken, dass die artikulationsbasis[2] hier zu einem mystischen, über
den individuen schwebenden wesen gemacht wird, als ob nicht die artikulationsbasis ebenso wie alles andere sprachliche von mann zu
mann wechselte. Wenn man von der artikulationsbasis einer sprache
oder eines dialektes spricht, meint man eben den durchschnitt der
mundlagen der einzelnen glieder der sprachgenossenschaft, ebenso
wie man unter einem „englischen t" oder „französischen u" den durch-
schnittswert versteht. Die neue sprache wird ja von jedem einzelnen
für sich gelernt; er mag aber von anfang an nicht die identischen
laute seines nachbar gehabt haben, so dass er nicht genau dieselben
substitutionen in der neuen sprache unternimmt; auch ist ja die
geistige veranlagung sehr verschieden, so dass A besser als B die
fremden laute auffasst und nachahmt. Man kann doch nicht alle
lateinlernenden gallier über einen kamm scheren. Wenn man sagt,
der franzose könne kein breites [i̯], der deutsche kein stimmhaftes
[d̥] im auslaut, der finne keine konsonantengruppe im anlaut fertig
bringen, dann ist dieses ja nur eine populäre verallgemeinerung, die
eigentlich nur das besagt, dass diese lautlichen erscheinungen in
der eigenen sprache des betreffenden nicht vorkommen; er bringt sie
also nur mit einer gewissen anstrengung hervor, die eben dem durch-
schnittsmenschen zu gross ist; man gibt bei derartigen formulierun-
gen eigentlich nur an, dass, *wenn* der franzose usw. in einer fremden
sprache fehler macht, sie in dieser richtung gehen—genau wie man gewisse syntaktische fehler als für den franzosen, der deutsch sprechen
will, andere als für den engländer typisch bezeichnen kann, ohne dass
man dadurch besagen will, dass alle franzosen und engländer diese
fehler immer und überall machen. Jeder sprachlehrer ist ja auch mit
der erscheinung vertraut, dass ein laut, der einem schüler ziemlich leicht
in einem worte gelingt, in einem anderen schwierigkeiten macht, ohne

---

[1] Wechssler, Gibt es lautgesetze? S. 122.

[2] Beiläufig bemerkt dehnt Wechssler diesen begriff, so dass er bei ihm eigentlich
alle sprachgewohnheiten eines volkes (die „akzent"-verhältnisse etwa ausgenommen),
umfasst; vgl. z. b. s. 94: „Der franzose ist stets genötigt, unser *h* wegzulassen, da er
diesen kehlkopflaut mit seiner artikulationsbasis schlechterdings nicht sprechen kann"
— was jedenfalls übertrieben ist.

dass man es immer den umgebungen zuschreiben, also ein „lautgesetz" konstatieren könnte. Ein zwischen zwei bekannten lauten A
und C liegender dritter B wird bald als A, bald als C wiedergegeben.
Weiter als zu einer gewissen regelmässigkeit (zu einer regel mit einzelnen ausnahmen) gelangen wir hier ebensowenig wie auf anderen
gebieten, wo es sich um menschliche gewohnheiten handelt.[1]

Wir gelangen in unserer schnellen übersicht zu den änderungen,
die die übertragung auf neue individuen nicht zur voraussetzung
haben, also auf dem *täglichen sprachleben in der schon erworbenen
muttersprache* beruhen. Wenn man diese änderungen so oft nicht
sehr hoch schätzt und also den grad der lautlichen änderungen anderswo zu suchen bestrebt ist, so beruht das meiner überzeugung nach
darauf, dass man über diese frage zu viel in der stille des studier-
zimmers nachgedacht und nicht genug tagtägliche gespräche und un-
befangene plaudereien belauscht hat. R. Meringer und K. Mayer
haben in ihrem verdienstlichem buche „Versprechen und verlesen"
gezeigt, wie viele sprechfehler man jeden tag in seinem umgangs-
kreise beobachten kann.[2] Sie verzeichnen aber nur die gröberen „fehler", die sich in der gewöhnlichen rechtschreibung fixieren lassen
und die ohne phonetische schulung bemerkt werden können. Wenn
man aber genau aufpasst, kann man im gewöhnlichen leben fast in
jedem satz eine oder mehrere dieser kleinen oder kleinsten abweichungen von der norm beobachten, die der gewöhnliche mensch
gar nicht hört, weil er das ganze verstanden hat, was für ihn die
hauptsache ist. Ein vokal oder konsonant wird ein klein wenig länger
oder kürzer gesprochen als sonst, die lippen öffnen sich ein bischen

---

[1] Es lohnt sich nicht, Wechsslers weitere beweisgründe für die ausnahmslosigkeit
gewisser arten von lautlichen änderungen zu verfolgen. An allen entscheidenden punkten trifft man nur postulate, z. b. (s. 140): „Durchdringen können alle diese [akzentuel-
len — das wort im weitesten sinne genommen —] veränderungen nur, wenn sie von
anfang an zugleich generell und allgemein sind, d. h. von allen gliedern der sprachgemeinschaft gleichzeitig und am gesamten sprachgut vollzogen werden. Damit ist aber
aller akzentuelle lautwandel als lautgesetzlich erwiesen". Ja, wenn ein wissenschaftlicher beweis immer so leicht zu führen wäre!

[2] Wobei ich freilich nicht umhin kann zu bemerken, dass die art von sprechfehlern,
die besonders von Meringer und Mayer untersucht werden, sehr ansteckend sind, dass
sie also mit besonderer häufigkeit dort auftreten werden, wo man „auf versprechen
aus" ist wie in der von Meringer s. 11 besprochenen gesellschaft, die regelmässig zu-
sammenkam und einander daraufhin beobachtete.

zu sehr, ein *e* wird unbedeutend geschlossener als gewöhnlich, der abglitt nach einem auslautenden *t* nähert sich einem indistinkten *s,* der verschluss für ein *d* wird ziemlich lose gebildet, so dass vielleicht ein minimales quantum luft entweicht, usw. usw. — alles so klein, so unbedeutend, und doch, wenn zahllose kleine verschiebungen in derselben richtung gehen, genügend, um die grössten veränderungen im laufe der zeit zu erklären.

Viele ursachen können bewirken, dass der sprecher augenblicklich sich der einen oder anderen grenze der zone des schwankens nähert bezw. dieselbe überschreitet: eile, müdigkeit, faulheit, trunkenheit, zorn, eifer, wichtigtuerei, dozierlust, hohn, verschiedene andere stimmungen, zustände und umstände; vgl. oben s. 186 über die anwendung der sprachorgane für aussersprachliche zwecke, deren einfluss ich dort sicher zu niedrig angeschlagen habe.[1] Der wichtigste grund solcher überschreitungen ist unzweifelhaft faulheit, bequemlichkeit oder wie man sonst die gemeinmenschliche tatsache, dass man sich gewöhnlich mit einem minimum der anstrengung begnügt, benennen will.[2] Die meisten argumente, die gegen ihre bedeutung für die lautliche entwickelung gemacht sind, sind nicht stichhaltig; nur muss man den begriff nicht zu eng fassen: manche artikulation, die augenscheinlich grössere muskelbewegungen erfordert, ist doch leichter auszuführen als eine andere, wo die bewegung kleiner ist, aber mit grösserer genauigkeit ausgeführt werden muss: es ist leichter holz zu spalten als den star zu operieren. Ferner muss man bedenken, dass nicht selten das, was in einer hinsicht eine erleichterung der aussprache ist, in einer anderen eine gewisse schwierigkeit herbeiführen kann; man denke z. b. an die unterlassung, schwache vokale zu artikulieren, wodurch oft konsonantenhäufungen entstehen können, oder an palatalisierungen statt verbindungen von nichtpalatalen konsonanten mit [i] oder [j] usw. Dies sollte uns jedoch nicht hindern, das bequemlichkeitsprinzip auch hier zu erken-

---

[1] Ferner die mehr oder minder bewusste vorstellung einer eben gesprochenen oder eben zu sprechenden artikulation oder eines verwandten wortes u. dgl.

[2] Ob man hier von einem „trieb" sprechen will oder darf, ist mir ganz gleichgültig. — Die beste parallele zu der wirkung der bequemlichkeit beim sprechen bildet die art und weise, in der man beim schreiben die buchstaben und buchstabenverbindungen innerhalb entsprechender grenzen ungenau hervorbringt. In beiden fällen muss man sich natürlich hüten, sich die tendenz als eine „bewusste" vorzustellen.

nen; man schlägt einen richtweg ein, um bequemer das ziel zu erlangen, selbst wenn es sich nachher zeigen sollte, dass der richtweg
ziemlich unbequem ist.[1] Und anderswo (in *Progress in Language*,
vgl. auch *Phon. grundfragen* (§ 61 f., 73)) habe ich die wirkungen
dieses prinzips als auf die dauer für die sprache (d. h. die sprechenden menschen) segensreich zu erweisen versucht, was man sehr gut
annehmen kann, ohne an teleologie *im schlechten sinne* oder an
zweckmässigkeitsmotive als für den sprechenden bestimmend zu
glauben.

Im täglichen leben ziehen die erwähnten kräfte bald nach der
einen, bald nach der anderen richtung, so dass dadurch das zentrum
der richtigkeitsbreite nicht verschoben wird; nur wenn aus dem einen
oder dem anderen grunde die bewegungen in einer periode vorzugsweise in einer richtung gehen, findet eine lautverschiebung statt. Dieselbe wird dann im grossen und ganzen alle die wörter abändern,
in denen derselbe laut vorkommt, oder falls die nachbarschaft eines
anderen lautes mitbestimmend ist, dann alle die wörter, wo der
laut in dieser bestimmten umgebung sich findet. Somit erklärt sich
der regelmässige lautwandel. Die meisten unregelmässigkeiten dürf-
ten unter der formel subsumiert werden können, dass *die lautliche
richtigkeitsbreite für das wort als gesamtheit betrachtet nicht immer
durch die summe der richtigkeitsbreiten der einzelnen laute ausschliesslich bestimmt wird.* So wird z. b. ein wort wie *chokolade*
leicht wiedererkannt selbst ohne das zweite *o,* obschon ein schwaches
o in anderen wörtern nicht so fortfallen kann. Besonders können
lange, nichtssagende oder wenigsagende wörter und wortverbindungen ziemlich stark verstümmelt werden; dänisch *således* z. b. mehr
als das gleichbedeutende deutsche *so;* ferner frz. *pas s(eu)lement,*
engl. *partic(u)l(ar)ly,* dän. *naturl(ig)vis, ri(gtig)nok* usw. Ganz
besonders gilt dies von den wörtern, deren bedeutung aus der ge-
sammten situation leicht erraten werden können, selbst wenn herz-
lich wenig von den beabsichtigten lauten das ohr des angeredeten
trifft, wie begrüssungen u. dgl. Somit bin ich hier wieder zu gedanken zurückgekommen, die mich schon 1886 beschäftigten (oben s.

---

[1] Der vergleich ist berechtigt, obschon beim artikulieren natürlich nicht von einem
bewussten wählen eines weges um dessen kürze oder bequemlichkeit willen die rede
sein kann.

173 ff., leichte verständlichkeit, vgl. s. 189), und kann als letztes wort hinzufügen: Das sprachleben ist viel zusammengesetzter, als unsere wissenschaftlichen doktrinen und besonders solche sätze wie der von den ausnahmslosen lautgesetzen uns ahnen lassen. Gott sei dank gibt es noch vieles zu untersuchen, zu erforschen, zu bedenken!

C. LETZTE WORTE (1933)

Der neudruck meiner alten arbeiten gibt mir veranlassung, mich nochmals mit den darin behandelten problemen zu beschäftigen. Meiner erstlingsabhandlung von 1886 gedenke ich trotz ihrer unreife noch mit grosser freude: sie erwarb mir den beifall Vilh. Thomsens und bildete die einleitung einer freundschaft mit Hugo Schuchardt, die bis zu seinem tod dauerte: er war es, der mir vorschlug, eine deutsche übersetzung herauszugeben und der mich in verbindung mit Fr. Techmer, dem redakteur der „Zeitschrift für allgemeine sprachwissenschaft" brachte. Die abhandlung wurde von meinem freunde Chr. Sarauw übertragen, der zu jener zeit noch keine wissenschaftliche arbeit veröffentlicht hatte. Jetzt freut es mich zu sehen, dass einige ideen der abhandlung, die damals ziemlich unbeachtet blieb, in der jüngsten forschung anklang finden. E. H. Sturtevant beruft sich in einer ausgezeichneten abhandlung „Phonetic Law and Imitation" (Journ. of Amer. Oriental. Soc. 44.38 ff.) mehrfach auf sie; dasselbe tut Ed. Hermann in „Lautgesetz und analogie" (1931); was W. L. Graff in dem abschnitt „Phonetic Law" (Language and Languages, 1932 s. 235—251) lehrt, stimmt in allem wesentlichen mit meinen ausführungen überein (meine alte abhandlung wird auch angeführt). Und wenn Ch. Bally in seinem jüngsten werk, „Linguistique générale et Linguistique française" (1932) s. 13 sagt, dass

La linguistique historique commence à reconnaître que ......
les mots soumis à une „loi phonétique" ne la subissent pas tous
de la même manière, mais diversement selon ...... le rôle qu'ils
jouent dans le discours ...... les signifiants n'évoluent pas indépendamment des signifiés ...... La tâche de la phonétique de

demain sera de serrer le détail de ces distinctions, qui sont à peine
esquissées aujourd'hui —

dann hätte er auf meine alte arbeit verweisen können, wo dies ziemlich deutlich „esquissé" war.

Bei der beurteilung sprachlicher erscheinungen ist die ursprüngliche einstellung des einzelnen forschers gar nicht gleichgültig. Der-
jenige, der seine sprachliche ausbildung wesentlich oder ausschliesslich durch den gewöhnlichen schulunterricht in den klassischen sprachen erhalten und der diese unterweisung dann auf der universität
durch kurse im altindischen u. dgl. ergänzt hat, kann sich nur mit
schwierigkeit von dem so erzeugten geistigen habitus frei machen.
Er wird sich zu leicht die natürliche spracherlernung des kindes so
vorstellen, als ob sie ungefähr in derselben weise vor sich ginge wie
der gymnasiast ein gefühl für die lateinischen deklinationen erwirbt
(dies sieht man deutlich z. b. E. Hermann, *Lautges. u. anal.* 95). Er
wird auch geneigt sein, trotz aller warnungen, in schriftformen und
buchstaben zu denken statt sich mit wirklich sprechenden menschen
zu beschäftigen.

Ganz anders steht es mit dem, der vom anfang an sich für die
in den achtziger jahren aufkommende reform des modernen sprachunterrichts interessiert hat, in welcher das hauptgewicht auf die
aneignung der lebenden, gesprochenen sprache gelegt wurde. Das
führt zu dem, was man persönliche phonetik nennen könnte, wo es
sich darum dreht, die fremden laute und lautgruppen vollständig zu
beherrschen, also nicht nur theoretisch zu kennen. Im unterricht spielen natürlich die verwechslungsmöglichkeiten eine grosse rolle, die
für jede sprache verschieden sind; daher das interesse für wort-
scheidende laute und lautnuancen (s. unten). Von wichtigkeit ist
auch die beschäftigung mit zusammenhängenden texten in phonetischer umschrift: nur wer sich mit solchen eingehend beschäftigt hat
(wo dann natürlich nicht bloss wörter in lexikalischer form, sondern
ganze sätze in natürlicher zusammenhangender rede gegeben werden) und selbst umschriften von der eigenen und anderen sprachen
anzufertigen sich gewöhnt hat, gewinnt eine wirkliche einsicht in die
sprechsprache. Man macht es sich ferner zur gewohnheit, immer auf

seine eigene aussprache und auf die anderer aufzupassen, man belauscht in phonetischer hinsicht jedes, auch das gleichgültigste gespräch, man notiert augenblicksaussprachen seiner verwandten, der
dienstboten, schauspieler, redner usw. — um ja die kinder nicht zu
vergessen — und so kommt man unvermerkt zu einer sammlung mit
tausenden von aufzeichnungen individueller aussprachen,[1] die man
vielleicht nie systematisch bearbeitet, die aber doch auf die gesamt-
beurteilung des sprachlebens einen entscheidenden einfluss ausüben
werden.

Diese einstellung führt mit naturnotwendigkeit zu einer starken
abneigung gegen jede art von **papierphonetik.** Man schüttelt bedenklich den kopf, wenn man in sprachwissenschaftlichen werken
rekonstruierten formen mit einer häufung von konsonanten begegnet,
zu welcher in den zahlreichen von phonetikern untersuchten lebenden
sprachen noch kein seitenstück zu finden war: so besonders infolge
der allgemein angenommenen lehre von „nasalis sonans". Einige
beispiele habe ich in „Language" (und „Die Sprache") kap. XVI
§ 10 gegeben; ein paar weitere mögen hier platz finden: das
alte wort für 'kampf', *gūþ* wird auf *gʷhntia* (Boisaq u. a.)
zurückgeführt, gr. *khthṓn* 'erde' auf *gðhm̥m-* (ebd.). Vor vielen
jahren schrieb Herman Möller in bezug auf die damals üblichen
zeichen $\bar{a}^1$, a_1, a^2 u. dgl. die folgenden worte, die auch auf die hier
genannten formen bezogen werden können: „es nimmt überhaupt in
den sprachwissenschaftlichen büchern der jüngsten zeit eine schriftsprache überhand, die nur für die augen leserlich, für die zunge
unlesbar ist" (ESt. 3.151).

Papierformen finden sich übrigens nicht nur in rekonstruierten
ursprachen-wörtern; in einer der ersten neusprachlichen grammatiken,
die lautschrift verwendeten (1884), wurde *je ne te le dis pas* als
[žntldipa] umgeschriben. Jedes der kleinen wörter wird zwar sehr
oft ohne vokal gesprochen, aber alle zusammen in dieser form sind
sie eine ungeheuerlichkeit.

In anderer weise zeigt sich papierphonetik z. b. in sehr vielen

---

[1] Neben phonetischen beobachtungen habe ich auch zahlreiche ähnliche aufzeichnungen von gehörten eigentümlichkeiten in bezug auf grammatik und wortgebrauch gemacht.

ausführungen P. Fouché's (Études de Phonétique générale, 1927).
Er bringt die wundervollsten hypothetischen zwischenformen, z. b.
s. 55 um die ganz einfache assimilation altnord. *stafkarl* > *stakkarl*
zu erklären: (1) **staf/fkarl*, (2) **staf/pkarl*, (3) **staf/kkarl*, (4)
*stafk/karl (/ bedeutet silbengrenze): aus diesen und ähnlichen übergängen leitet er s. 62 das folgende gesetz ab, das durch die schrift
besonders hervorgehoben wird: „quand, au cours de l'évolution
phonétique, la première géminée disparaît et qu'il s'en produit une
autre, la coupe syllabique, qui tombait à l'intérieur de la première,
se déplace à l'intérieur de la seconde". Also ein „gesetz" von einer
imaginären verschiebung der silbengrenze in einigen durchaus zweck-
los angenommenen zwischengliedern! Und man darf wohl fragen,
was gemination in einer folge wie *staf/kkarl* mit *kk* in derselben
silbe heissen soll? Es sei auch darauf aufmerksam gemacht, dass die
ursprüngliche form keine geminata hatte.

Einen andern triumph feiert die papierne phonetik in der beurteilung der verbindung *mpn*. Diese ist im mittelalter sehr häufig, im
lat. (*dampnare, dampnum, sollempnis* usw.), altfrz. (*dampné* u. a.),
altprov. (*dampnar, dampnatge* u. a.), altkatal. (*dampnar, solempne*),
altsp. (*dampnado*), altčech., altschwed. (*nampn, hampn* u. a.), me.
(*dampne, dampnation, nempne, solempne* usw.). Wie erklärt sich
nun dieses einschiebsel? Falls *p* wirklich ausgesprochen wurde, haben
wir hier eine phonetische entwickelung, die in einzig darstehender
weise um ungefähr dieselbe zeit, in weit auseinander liegenden und
völlig verschiedenen sprachen vor sich geht um dann später, wiederum
nahezu gleichzeitig in den verschiedenen ländern, spurlos zu ver-
schwinden. Was sagen die gelehrten dazu? A. Pedersen (Arkiv f.
nord. fil. 28) sieht im *p* des schwed. eine bezeichnung des stimm-
bänderverschlusses und findet darin eine bestätigung seiner hypothese
von der skandinavischen verbreitung des dänischen stosses — eine
annahme, die ich in Arkiv 29 und „Tanker og studier" (København
1932) 249 f. zurückgewiesen habe. Millardet (Lingu. et Dialectologie
rom. 1923, 291) meint, dass diese formen in den romanischen sprachen nicht rein graphisch sein können, „car les faits romans sont
parallèles aux faits scandinaves par exemple dont le caractere phonétique semble assuré". Dazu wäre doch zu bemerken, dass schon die
ältesten schwedischen grammatiker nachdrücklich bestätigen, das ge-

schriebene *p* sei in diesen verbindungen stumm. Millardet erklärt das *p* als eine „différenciation" im sinne Meillets: „La première des deux nasales primitivement en contact se segmente en deux éléments, le premier qui reste sonore, le deuxième qui, au contact de l'*n* sonore, devient sourd par réaction, d'où *mpn.* La différenciation est donc régressive". Aber ein stimmloses *m* ist mit *p* doch nicht identisch. Fouché (s. 65) sagt: „A une époque où dans le parler populaire -*mn*- passait à -*nn*-, les milieux cultivés se sont appliqués à conserver l'articulation de l'*m:* en la renforçant, ils ont prévenu l'assimilation". Zuerst sprach man -*m*/*mn*-; „par différenciation, le nouveau segment explosif *m* a passé ensuite à *b,* d'où -*m*/*bn*-. Le groupe explosif -/*bn*, étant inconnu dans le système phonique de la langue, tendait à être remplacé par le groupe voisin -/*br*-. ...... Mais la langue voulant à tout prix maintenir l'*m* et l'*n,* l'évolution n'a pas eu lieu. La langue a adopté la seule solution qui lui restait: elle a fait passer -*m*/*bn*- à -*mb*/*n*-, c'est-à-dire qu'elle a dissocié *b* et *n̉.* Cette phase a été sans durée, le groupe implosif -*mb*/- étant inconnu dans son système. Elle a été suivie immédiatement de la phase -*mp*/*n*-, le groupe -*mb*/- ayant été remplacé par le groupe existant -*mp*/-". Das ganze ist so unnatürlich wie nur möglich. Die sprache (das heisst doch wohl, der sprechende mensch) will um jeden preis (!) *mn* beibehalten und schaltet deshalb ein *b* ein; das geht aber nicht, denn dadurch würde eine dem system unbekannte kombination entstehen (sieht man denn nicht jederzeit bisher unbekannte verbindungen in eine sprache durch assimilationen u. dgl. eindringen?); das schlussergebnis ist -*mpn*-: aber diese verbindung war ja auch dem system fremd! Der ganze gedankengang setzt zu viel bewusstsein, ja eigentlich schlauheit, bei den sprechenden menschen voraus. Und diese phonetische berechnung sollte sich in so vielen ländern ganz unabhängig von einander finden, auch in England, wo doch zuletzt die assimilation, die man um jeden preis vermeiden wollte, durchdrang (*damn* spr. [dæm]).

Viel einfacher und natürlicher wird alles, wenn man in diesem *p* nur ein graphisches zeichen sieht. In der zeit, wo uns grammatikerzeugnisse zu gebote stehen, hören wir nichts von einer aussprache dieses buchstabens; für das schwedische s. oben, für das katalanische s. Gröbers Grundriss 1.864 anm. 2. In dem engl. ortsnamen *Lympne,* wo die schreibung sich erhalten hat, ist die aussprache [lim]; Allan

Mawer teilt mir mit: „It goes back to OE *Limene,* a Celtic rivername. The *p* is late, and I doubt if it was ever pronounced".

Aber weshalb schrieb man es? Man war gewöhnt, ein *p* nach *m* in den verbindungen *mps* und *mpt* (*sumpsi, sumptum* usw.) zu setzen, denn ihre aussprache war sehr unsicher, aus dem einfachen phonetischen grund, dass der einzige unterschied zwischen *ms, mt* einerseits und *mps, mpt* andererseits in einer minimalen zeitlichen verschiebung der bewegung des gaumensegels besteht (s. Lehrbuch der Phon. 11.8, s. 177, MEG I. 7.7). Von hier aus übertrug man die schreibung mit stummem *p* auf andere fälle und hatte bei *mn* eine besondere veranlassung dazu: die schreibung *mpn* liess nämlich keinen zweifel aufkommen, dass man es wirklich mit *m* und *n* zu tun hatte; das erwies sich bei der damaligen schriftart als sehr praktisch, weil sonst die fünf geraden striche leicht als andere buchstabengruppen gelesen werden konnten, als *nm,* oder *um* oder *mu* oder *nin* oder *inn* oder *imi.* Die schreibweise *mpn* fing zuerst im lateinischen an, da man aber in der damaligen kirchen- und gelehrtenwelt sehr international war und namentlich ein wort wie *dampnare* sich allgemeiner beliebtheit erfreute, konnte die schreibung *mpn* sich leicht in verschiedenen nationalsprachen verbreiten — bis endlich die buchdruckerkunst mit ihren deutlicheren buchstabenformen diesen kunstgriff überflüssig machte.

Die oben (s. 206) genannte einstellung führt auch leicht zu einer vorwegnahme des **phonologischen** standpunktes, wie es nunmehr genannt wird, oder jedenfalls zu einer annäherung an denselben. Wer sich mit praktischem unterricht moderner sprachen auf phonetischer grundlage beschäftigt, wird naturnotwendig grosses gewicht auf diejenigen laute legen, die in der anderen sprache zur unterscheidung sonst gleicher wörter dienen. Deshalb findet man in meiner *Fonetik* (1897—99) und ebenfalls in der deutschen bearbeitung (*Lehrbuch der Phon.* 1904 und später) viele belege für solche wörter, die sich z. b. nur durch [s] und [z], [ʃ] und [ʒ] unterscheiden. Bei der behandlung der verschlusslaute wird darauf aufmerksam gemacht, dass man es nicht bloss mit zwei phonetischen klassen, tenues und mediæ, sondern mit sechs zu tun hat: „Wir bemerken dabei einen gewissen parallelismus, indem jede sprache in gegensätzlicher ver-

wendung (d. h. um wörter zu unterscheiden)[1] nur zwei klassen hat,
und zwar diejenigen, welche sich stark von einander unterscheiden,
das dänische die erste und vierte, das norddeutsche und englische die
zweite und fünfte, das französische und im allgemeinen die romanischen und slavischen sprachen die dritte und sechste". (Lehrb. 6.77).
Darauf folgen zahlreiche beispiele von wörtern, die sich nur durch
b/p usw. unterscheiden mit hervorhebung des umstandes, dass die
anzahl solcher wortpaare im deutschen viel geringer ist als in anderen
sprachen, und mit betonung der, wie man jetzt sagen würde, phonologischen folgen dieses umstandes. In den kapiteln über dauer, druck
und ton wird „innerliche" und „äusserliche" bestimmung geschieden (s. unten). Und der ganze letzte hauptteil, „Nationale systematik", gibt für jede der im buche besonders ausführlich behandelten
sprachen (d., engl., frz.) eine charakteristik der lautlichen eigentümlichkeiten, die nicht nur die „mundlage" oder „artikulationsbasis"
umfasst, sondern sich eigentlich nicht prinzipiell von der jetzigen
phonologischen beschreibung verschiedener sprachen unterscheidet.
In verbindung mit „phonologie" steht auch § 16.22 über die lautliche „ökonomie" der sprachen; s. besonders die einleitende bemerkung: „Gewisse unterschiede, die in einigen sprachen eine grosse
rolle spielen und zur unterscheidung sonst gleichlautender wörter gebraucht werden, spielen in andern gar keine oder eine ganz ver-
schwindende rolle"; dies wird durch viele beispiele beleuchtet.

In der englischen lautgeschichte legen die meisten neueren forscher das hauptgewicht auf die genaue bestimmung des zeitpunktes,
wo jeder lautwandel zuerst auftritt, und auf seine örtliche abgrenzung. Schon im kapitel „Stemmeforhold i deklinationen"
(dänisch 1891, unten englisch in erweiterter fassung) untersuchte
ich darüber hinaus die wirkungen, die die dort behandelten lautwandel auf das ganze lautliche und morphologische system der sprache
ausübten. In grösserem massstabe tat ich das gleiche im ersten band
(1909) meiner *Modern Engl. Grammar.* Die bedeutungsseite der

---

[1] Diese stelle beweist die unrichtigkeit der behauptung, die in den letzten jahren
von verschiedenen seiten aufgestellt wurde und dahin lautet, dass F. de Saussure der
erste gewesen sei, der den gedanken der gegensätzlichen verwendung von lauten als
für die lautsprache entscheidend hingestellt habe. Wenn man in der älteren sprachwissenschaftlichen litteratur nachsuchen wollte, würde man wahrscheinlich auch an anderen
stellen diesen naheliegenden gedanken finden.

14*

sprache fand u. a. dadurch beachtung, dass für jeden lautwandel angegeben wurde, welche neue homophonen durch ihn entstanden. In verbindung damit steht die art und weise, in welcher das gegenwärtige lautsystem im letzten kapitel aufgestellt wurde, mit ausführlichen listen von wörtern, die sich nur durch *eine* lautdifferenz von einander abheben. Dadurch wird auch, wenigstens teilweise, der weg der in zukunft möglichen lautänderungen bestimmt, insofern sie nämlich die vorhandenen verwechslungsmöglichkeiten nicht ungebührend vermehren sollen. Durch zusammenfassung solcher lautwandel, die nicht einen laut *allein,* sondern gleichzeitig ganze lautklassen betreffen, ist die darstellung vielleicht auch weniger „atomistisch", wie das schlagwort jetzt lautet, als in vielen lautgeschichten. Ich bin mir bewusst, dass mein buch erst einige schritte in der richtigen richtung getan hat, und falls es jetzt wieder zu schreiben wäre, würde ich manches ganz anders gestalten, aber ein anfang ist damit doch vielleicht immerhin gemacht worden.

Ich darf wohl auch hier auf meine abhandlung „Monosyllabism in English" (unten abgedruckt) hinweisen, wo ich das entstehen und die semantische bedeutung neuer phoneme beleuchtet habe und das problem der durch homophone hervorgerufenen nachteile erörtert habe, was jedenfalls indirekt für die phonologie von bedeutung sein kann.

Man verzeihe mir diese „abrechnung" mit der phonologie, die hoffentlich nicht zu persönlich ausgefallen ist.[1] Die rechtfertigung dafür darf ich vielleicht darin suchen, dass N. Trubetzkoy (Journ. de psych. 1933.234) in meinem abschnitt „Nationale systematik" nur die lehre von artikulationsbasis findet, die eine „notion purement phonétique, n'ayant aucun rapport avec la phonologie" ist, während in der jüngsten zeit andere forscher mich unter den vorläufern der phonologischen schule gerechnet haben.[2] Wie ich auf dem Genfer

---

[1] Phonologisch ist auch die ganze betrachtung oben s. 193 f. (1904).

[2] N. van Wijk, De nieuwe taalgids 26.65; J. Schrijnen, Nova et vetera, Archives Néerland. de phon. expérimentale 1933; J. Vachek, Engl. Studies 15.89 (June 1933). Im dezember 1930 hatte ich die grosse freude, ein telegramm von der phonologischen versammlung in Prag zu erhalten (deren verhandlungen in dem bedeutsamen band IV der Travaux du Cercle Linguistique de Prague enthalten sind), in dem es heisst: „La réunion phonologique internationale salue en votre personne un des pionniers des nouvelles méthodes en linguistique".

sprachforscherkongress sagte, hege ich die aufrichtigste verehrung für die führer der phonologischen schule und glaube, dass durch sie sehr vieles von grösstem wert in die sprachwissenschaft gekommen ist. Das hindert mich aber nicht der ansicht zu sein, dass die schule bisweilen über das ziel hinausschiesst, namentlich wenn sie (wie man so oft bei einer jungen, kräftigen bewegung sieht) den abstand zwischen früheren forschern und sich selbst überschätzt. Wozu die immer wiederkehrenden angriffe auf die junggrammatiker? Ich habe ihre theorien schon in 1886 (s. oben) ziemlich kräftig angegriffen, es verstösst aber gegen meinen gerechtigkeitssinn, wenn man von dieser richtung jetzt gar nichts anerkennen will und immer von ihrer mechanistischen und atomistischen auffassung redet; Vachek spricht von den „prejudices" aller älteren lautforscher; Trubetzkoy meint, für die junggrammatiker sei die regelmässige struktur eines lautsystems „quelque chose de fortuit, quelque chose d'inattendu et d'inexplicable, et surtout quelque chose de gênant" (l.c.). In der phonologischen litteratur finden sich nur allzuviele derartige äusserungen gegen alle ältere sprachforschung, die kurzweg mit den junggrammatikern identifiziert wird; ohne sie würde die ganze richtung zweifellos grössere wirkung erzielen und schneller zu allgemeiner anerkennung gelangen als eine vortreffliche weiterführung und systematisierung von früher nur im keim vorhandenen gedanken.

Den gegensatz zwischen phonetik und phonologie sollte man auch nicht zu scharf hervorheben: Mathesius (Xenia Pragensia 1929.433) stellt es als etwas verdienstliches hin, dass man die linguistik „von dem druck der lautphysiologie befreite". (Ist dies vielleicht der grund, warum die phonologen die tendenz haben, vokaldreiecke auf den kopf zu stellen?) Nein, ohne phonetik (lautphysiologie) gibt es keine phonologie! Wir müssen, wie ich in Genf sagte, phonetik und phonologie scheiden, aber dürfen sie nicht trennen: der phonetiker muss phonolog werden, und der phonolog muss phonetiker sein.

Es ist sehr wertvoll, dass die phonologen in jeder sprache das ihr eigentümliche system heraussuchen, dieses als eine strukturelle ganzheit betrachten, und die stellung jedes phonems im system bestimmen. Nur verstehe ich nicht recht, wie Trubetzkoy behaupten kann, dass „c'est le système phonologique dans son ensemble qui est *le point de départ* du phonologue": um das system aufzustellen muss

man doch zuerst die einzelnen phoneme festlegen und ihr gegenseitiges verhältnis untersuchen. Auch sollte man nie vergessen, dass
keine sprache wie überhaupt nichts menschliches vollständig systematisch ist: in der unvollkommenheit des systems liegt eben der keim
künftiger veränderungen.

Man gestatte mir hier einen terminologischen vorschlag. In der
phonologischen schule arbeitet man immer mit dem gegensatz laut
(son, sound) / phonem (phonème, phoneme). Dieser letztere ausdruck war schon früher ziemlich oft gebraucht worden, aber erst
die phonologen verwenden ihn in einem präzisen sinn, wenn man
sich auch nicht immer über seine definition einig ist. Das wesentliche
scheint mir zu sein, dass ein phonem zwei oder mehrere objektiv un-
terscheidbare lautnuancen umfassen kann, aber innerhalb ein und derselben sprache insofern einheitlich ist, als es für begriffliche unterscheidungen zu verwenden ist. Zwei phoneme können demnach genügen um zwei worte auseinanderzuhalten. Der unterschied zwischen
zwei lauten ist also in dem betreffenden idiom nicht immer sprachlich relevant, das ist aber stets der fall mit zwei phonemen. Phonetische differenzen die „font partie du signe linguistique", um mit F. de
Saussure zu sprechen, konstituieren phonologische differenzen und
werden als phoneme anerkannt. Nun gibt es aber lautliche gebiete,
wo derselbe prinzipielle unterschied gemacht werden kann und soll,
wo man aber den ausdruck phonem nicht gebrauchen kann und somit
terminologisch in verlegenheit gerät. Am besten würde es sein, wenn
ein gemeinschaftlicher ausdruck zur verfügung stände, der sowohl
den unterschied zwischen laut und phonem als auch den auf den
anderen gebieten zu bezeichnen hätte. Ich schlage deshalb vor, den
ausdruck **glottisch** (glottique, glottic)[1] für das innerhalb des (phonologischen) systems einer sprache linguistisch bedeutungsvolle, also
für das was eine bestimmte sprache verwendet oder verwenden kann,
um semantische unterscheidungen zu machen. Einige beispiele werden das klar machen.

Mit hilfe der bezeichnung „glottisch" ist es möglich zusammen-
fassungen vorzunehmen, die ohne ein solches wort, selbst mit anwendung des ausdrucks „phonem" recht schwer fielen. So kann man

---

[1] Man könnte auch an die wörter *effektiv* und *funktionell* denken: ich ziehe aber
das wort *glottisch* als nur auf die sprache bezüglich vor.

z. b. sagen, dass in einigen sprachen stimme (stimmhaftigkeit) glottisch ist für alle konsonanten, in anderen jedoch nur für verschlusslaute (im sächsischen wohl überhaupt nicht für konsonanten, ausser vielleicht für *l* und die nasale); dagegen ist wahrscheinlich in keiner sprache der gegensatz zwischen stimmhaft und stimmlos für vokale glottisch (s. unten die abhandlung über Verners gesetz, schluss). Nasalität ist überall glottisch für verschlusslaute, in einigen sprachen, z. b. im französischen, auch für vokale. Am nützlichsten erweist sich aber der begriff glottisch, wenn man über den bereich der phoneme hinauskommt.

In einigen sprachen ist die druckstelle ein für allemal für alle wörter gegeben, man kann also eine ganz mechanische regel aufstellen, der druck kann daher nie das einzige zwei wörter unterscheidende merkmal sein. So hat man z. b. anfangsdruck im čechischen, isländischen, finnischen, schlussdruck im französischen (abgesehen freilich von dem „e caduc" wie in *poste, arbre,* usw.), druck auf der zweitletzten silbe im polnischen. Dagegen gibt es in einer grossen anzahl sprachen keine solche feste druckstelle; hier können zwei wörter ausschliesslich durch den druck auseinandergehalten werden, z. b. griech. *bíos* leben, *biós* bogen, russ. ǀ*gory* 'berge' nom. pl., *go*ǀ*ry* gen. sg., deutsch *gebet* 'donnez', *gebet* 'prière', engl. *subject* subst., *subject* verbum, usw. (Sehr oft führt der druckunterschied auch andere unterschiede, namentlich in den vokalen, herbei, davon können wir aber in diesem zusammenhang absehen). Im ersten falle spreche ich (Lehrb. 14.2) von äusserlich bestimmtem druck, im zweiten von innerlich bestimmtem druck; jetzt will ich lieber von nicht-glottischem (oder mechanischem) und von glottischem druck sprechen.

Entsprechende verhältnisse finden wir auch bezüglich des tons (Lehrb. 15.9). Tonunterschiede sind in einigen sprachen glottisch (innerlich bestimmt), so z. b. dient der ton im schwedischen dazu, wörter wie *buren* 'der käfig' und *buren* 'getragen' auseinanderzuhalten, oder norwegisch *tømmer* 'holz' und *tømmer* 'zügel, pl.'; weitere sprachen, in denen der ton glottisch verwendet wird, sind serbokroatisch, litauisch, mehrere afrikanische sprachen; das am besten bekannte beispiel ist das chinesische.

Auch lautlängen (dauer) wird in vielen sprachen glottisch verwendet (Lehrb. 12, namentlich 12.3). Im finnischen unterscheidet

man sowohl vokalische wie konsonantische länge und kürze, z. b.
(länge wird orthographisch durch verdoppelung bezeichnet) *tuli*
'feuer', *tuuli* 'wind', *tulli* 'zoll', *luulla* 'denken'. So reine verhältnisse
sind in anderen sprachen nicht häufig anzutreffen; sehr oft hat man
mechanische regeln für einige verbindungen, während man für andere die lautdauer glottisch nutzbar gemacht hat. So ist frz. ein vokal
immer lang in drucksilben vor *r* (z. b. *nature, cuir*) und stimmhaften
engelauten (z. b. *vive, page, creuse*); nasalvokale sind lang vor allerlei konsonanten (*monde, monte, singe, peintre,* usw.). Dagegen
herrscht bei anderen verbindungen grosses schwanken, und in einigen
fällen werden quantitative unterschiede glottisch verwendet, z. b.
bête bette, maître mettre. Im deutschen und englischen wird bekanntlich eine viel grössere anzahl von wörtern durch vokallänge und
-kürze geschieden, s. des näheren Lehrb. 12.3 ff. Dagegen spielt vokallänge im russischen gar keine glottische rolle, so dass ganz einfache regeln aufgestellt werden können (halblang in offener, kurz
in geschlossener drucksilbe, überkurz in druckschwacher silbe). Kon-
sonantenlänge aber ist glottisch zu verwenden, wie z. b. in *v' ·esti*
'einführen', *v'esti* 'führen'.

Die drei hier behandelten abteilungen der lautlehre, druck, ton
und quantität, gehören zusammen, und es wäre praktisch, einen allgemein anerkannten umfassenden terminus zu haben. In englischen
phonetischen arbeiten der jüngsten zeit begegnet man dem ausdruck
„sound attributes", der mir aber wenig glücklich vorkommt. Ich ziehe
den ausdruck *prosodie* vor, den ich also (natürlich mit dem adjektiv
prosodisch) in dieser zusammenfassenden bedeutung verwende.[1] Die
drei prosodischen eigenschaften zeichnen sich nun dadurch aus, dass
sie sehr oft in den dienst der gemütsbewegung treten, um einzelne
teile einer äusserung hervorzuheben (um ihnen das zu geben, was die
engländer *prominence* nennen). Diese affektive anwendung scheint
allen sprachen gemein zu sein, wenn auch der grad und teilweise die
art der anwendung durch die glottische rolle des betreffenden mittels begrenzt ist. In sprachen, die wie englisch einen stark markierten
druckakzent haben, geschieht die emphatische hervorhebung (wie
Coleman bemerkte) namentlich durch tonbewegungen.

---

[1] Dasselbe tut Trubetzkoy (Cercle de Prague 4.102).

Im cingalesischen, wo länge ein wichtiges glottisches mittel bildet, gilt das nicht vom druck: „stress is not a 'significant' element of speech in Sinhalese. In other words, it is not possible to convert one Sinhalese word into another by altering the position of the stress. ...... All stress in Sinhalese is weak, i.e. the difference in force between stressed and unstressed syllables is not so great as in English. It is sometimes quite difficult to say which syllables in a sentence are stressed. If a word of more than one syllable requires to be stressed in the sentence [d. h. wenn es affektisch hervorgehoben werden soll], the speaker may put the stress on any syllable he likes", wenn man auch gewisse tendenzen beobachten kann; auch spielt der rhythmus dabei eine rolle. Der ton ist in dieser sprache auch nicht glottisch. (A Colloquial Sinhalese Reader, by H. S. Perera and Daniel Jones, 1919, s. 13 ff.).

Schliesslich will ich bemerken, dass es mir nützlich und natürlich erscheint, das wort glottisch auch ausserhalb des bereiches der lautlehre zu gebrauchen, so in der syntax. Die wortstellung, z. b. die stellung verbum vor subjekt, kommt in vielen sprachen ohne besondere bedeutung vor, sobald sie aber zur bezeichnung einer frage benutzt wird, ist sie glottisch, d. h. übt auf die auffassung des gesprochenen in der betreffenden sprache einen entscheidenden einfluss aus.

In dem phonologischen system einer sprache treten nicht selten verschiebungen der art ein, dass etwas, was zuerst die sekundäre folge einer lautunterscheidung war, später primär wird, wonach der ursprüngliche unterschied vernachlässigt werden, ja eventuell sogar fortfallen kann. So wenn quantitätsunterschied zu einem gegensatz zwischen geschlossenem (narrow, dünnem) und offenem (wide, breitem) vokal führt, wonach die länge verkürzt oder die kürze gelängt wird. Im heutigen englisch sehen wir, dass die stimmverhältnisse eines auslautenden konsonanten für die länge der vorhergehenden laute bestimmend sind. Daher ist jetzt die länge oder kürze der vokale und diphthonge und der auf sie unmittelbar folgenden konsonanten für das unterscheidende auffassen von wörtern wie *bead / beat, raise / race, eyes / ice, pens / pence, felled / felt, cold / colt, joined / joint* usw. ebenso wichtig oder vielleicht noch wichtiger als die stimmhaftigkeit oder stimmlosigkeit des auslautenden konsonanten; es ist also nicht ausgeschlossen, dass dieser letztere umstand in zukunft ganz vernachlässigt werden wird; dann wird in diesem fall länge statt stimme das glottische mittel sein.

Wenn man eingehende beobachtungen über die tagtägliche natürliche aussprache seiner umgebung macht und dabei gewöhnt ist,
über die dinge nachzudenken, kommt man sozusagen von selbst auf
das ausserordentlich wichtige **wertprinzip**. Wörter und laute, die
scheinbar dieselben sind, werden nicht stets mit derselben sorgfalt
gesprochen; und der grund ist der, dass es für den sprechenden bisweilen wichtig, bisweilen aber ganz unerheblich ist, dass der hörende
eine einzelheit genau auffasst. Was gleichgültig ist, wird vernachlässigt. Dieses wertprinzip wurde schon 1886 (oben s. 175 ff.) klar
formuliert. Es betrifft teils die äusserung als ganzes, wo es ja jetzt in
allen darstellungen für grussformeln u. dgl. anerkannt wird, teils
auch einzelheiten in wörtern und äusserungen, die in ihrer gesamtheit als wichtig betrachtet werden müssen. Dadurch erklärt sich der
wertdruck sowohl innerhalb der wörter wie innerhalb des satzes, also
z. b. der unterschied zwischen frz. *moi* und *me* oder zwischen engl.
that [ðæt] als demonstrativum und *that* [ðət] als konjunktion (auch
„relativ").

Innerhalb der wörter zeigt sich das prinzip u. a. dadurch, dass
diejenigen laute, die im lautsystem glottisch sind, genauer als andere
ausgesprochen werden; darauf beruhen die je nach der umgebung verschiedenen lautungen ein und desselben phonems; im italienischen
und anderen sprachen (čechisch usw.) gibt es keinen glottischen unterschied zwischen [n] und [ŋ], deshalb ist das für das verständnis
wichtige nur, dass irgend ein zungenverschluss (gleichgültig ob durch
die spitze oder den rücken) mit nasenresonanz gebildet wird; dabei
wird in jedem fall der bequemste weg eingeschlagen: gewöhnlich
bildung mit der spitze, mit dem rücken aber vor [g] und [k]. So
war es auch im altenglischen, später verstummte jedoch [g] in
sing(*e*) usw., und [ŋ] wurde dadurch zu einem selbständigen
phonem, so dass man sich jetzt in acht nehmen muss um *sing* und
sin, thing und *thin* usw. nicht zu verwechseln.

Das wertprinzip oder, was auf dasselbe hinausläuft, die rücksicht
auf verständlichkeit ist ein faktor, welcher der universellen tendenz
zur bequemen, nachlässigen aussprache entgegenwirkt und somit als
wichtiges konservatives, kontrollierendes mittel in der sprachentwickelung tätig ist. Das negative, verlust von dem für das verständnis
des ganzen überflüssige, zeigt sich auch in den „stutzwörtern, stump-

words". Die schwerfälligen dänischen zahlwörter für die höheren
zehner *tresindstyve* usw. werden in der umgangsprache zu *tres* usw.
verkürzt, weil diese kurzen formen für das verständnis genügen;
ebenso *ørentvist* für *ørentvestjert* 'ohrwurm': der zweite bestandteil
ist eine zusammensetzung aus *tve* 'zwei' und *stjert* 'schwanz', wird
aber als solche nicht mehr gefühlt. Hierher gehören auch fälle wie
eng. *ink*, afrz. *enque* aus lat. *encaustum*, gr. *egkauston*, d. im zuruf
ober für *oberkellner;* ferner *auto, kilo* usw.

Für solche fälle lassen sich keine „lautgesetze" aufstellen, ebensowenig wie für den im amerikanischen und vielfach auch schon im
britischen englisch üblichen ausfall von *d* in *you better* für *you'd, you
had,* so in dem satz *you better do it at once.* Ein lehrreicher beispiel
ist auch das in lässigem ton gesprochene „I don't know" (das weiss
ich nicht) als [ˈaidəˈnou] oder [ˈaidnˈnou], in romanen vielfach
als „I dunno" wiedergegeben, wo die sonst emphatische negation
don't fast ganz verschwunden ist, denn der satz als ganzes ist eben
verständlich genug: dieselbe verkürzung wäre nicht möglich in dem
satz „I don't knock at the door", ja nicht einmal in „I don't know
his brother" (ich kenne seinen bruder nicht).

Von den veränderungen, die durch ein gefühl von geringerem
wert begünstigt werden, will ich nur noch eine nennen: die sehr
häufige verstümmelung von reduplikationssilben, z. b. in lat. *spo-
pondi, steti,* got. *fæfrais;* die verkürzte silbe in verbindung mit dem,
was folgt, genügt als andeutung der bedeutungstragenden wurzel.
Ferner kürzungen wie it. *tò* für *togli, gua* für *guarda* als nichtssagende einleitungen („auftakte") zu einer äusserung.

Der wert eines lautes, der für seine behandlung in der sprachgeschichte entscheidend werden kann, kann teils darin liegen, dass
er (intellektuelle) missverständnisse verhindert, teils darin, dass er
an sich expressiv ist; deshalb sehen wir, dass bisweilen ein sonst
durchgeführter lautwandel onomatopoietische wörter unberührt lässt,
ja, dass unter umständen ein vokal von symbolischem wert in ein
wort eingeschaltet werden kann; beispiele finden sich in der unten
abgedruckten abhandlung „Symbolic Value of the Vowel I" und in
Language kap. XV § 8 und kap. XX. Hierher gehört auch engl.
alarum, das für den laut einer weckeruhr (*alarum-clock*) ausdrucks-
voller ist als die regelmässig entwickelte form *alarm* mit vokalisiertem

oder verschwundenem *r.* Vgl. ebenso die beiden nebeneinander be-
stehenden formen *chirp* und *chirrup.*

Auch die folgenden betrachtungen stehen in engem zusammenhang mit dem wertprinzip. Das **wort** ist kein rein phonetischer begriff, die abgrenzung der einzelnen wörter im fluss der rede lässt
sich nicht rein phonetisch, sondern nur durch hineinziehen der bedeutung vornehmen. Gewöhnlich übersieht man aber *die* logische
konsequenz dieser allgemein anerkannten wahrheit, dass man durch
aufstellung besonderer regeln für anlaut und auslaut in der lautgeschichte sich eigentlich ausserhalb der „rein phonetischen" bedingungen eines lautwandels stellt, und demnach implicite einen einfluss auf die lautentwickelung von seite der bedeutung anerkennt.

Das wort ist, wie gesagt, kein phonetischer begriff,[1] aber dennoch übt die aufteilung der gesprochenen lautreihen in einzelwörter
auf die lautgestalt in verschiedener hinsicht einen beträchtlichen einfluss aus. Man denke z. b. an die tatsache, dass die dauer langer
vokale in langen wörtern kürzer ist als sie in kürzeren sein würde,
s. Lehrb. d. phon. 12.22: der redende beschleunigt das tempo, wenn
er sich bewusst ist, dass er ein langes wort zu sprechen hat; vgl. auch
die kürzung in *hochzeit, vierzig,* engl. *holiday* usw.

Da das abtrennen einzelner wörter auf der bedeutung beruht,
hängt es von verschiedenen umständen ab, was als ein und dasselbe
wort aufgefasst werden muss. Ein beispiel wird das klar machen.
In der englischen umgangssprache hört man fast immer die verbindung *at all* so gesprochen, dass das *t* zur zweiten silbe gezogen
und aspiriert wird, ganz wie in *a tall man.* Das ist also das gleiche
prinzip wie in der französischen liaison, wodurch z. b. *les aunes* ganz
wie *les zones* lautet. Während dies aber im frz. eine feste gewohnheit ist, kann fürs englische nicht dasselbe behauptet werden: hier
ist das gefühl für worttrennung viel stärker, so dass man z. b. *an aim*
und *a name* auseinanderzuhalten vermag und es oft wirklich tut,
wenn auch nicht durch das einschieben eines kehlkopfverschlusses
wie im deutschen. Wodurch kommt es denn, dass man *at all* wie
[ə ˈtɔ·l] spricht? Es beruht auf der bedeutung: die verbindung bildet

---

[1] Darauf beruhen bekanntlich die sogenannten sandhi-erscheinungen.

ein semantisches ganzes, und das *t* wird deshalb wie in *attack, attempt* gesprochen. Das gilt aber nicht, wenn dieser semantische zusammenhalt nicht besonders stark ist: in *at all other places, at all times, at all risks* wird *at* im zusammenhang gesprochen ohne starke aspiration nach dem öffnen des verschlusses: *at* und *all* werden hier als selbständige wörter gefühlt und als solche gesprochen. (In der geläufigen verbindung *at all events* wird das *t* oft zu *all* gezogen, ebenso in *at any rate*). Vgl. auch die behandlung in *alone* dem *all one* gegenüber.

In verbindung mit diesem prinzip stehen auch die sogenannten **auslautsgesetze:** das wesentliche für das verständnis ist vielfach schon erreicht, ehe man bis zum schluss des wortes gelangt ist; deshalb können schlusssilben anders behandelt werden als der anfang des wortes. Das ist natürlich von sprache zu sprache verschieden, und akzentverhältnisse und die ganze morphologische struktur der sprache spielen dabei eine grosse rolle. In diesem zusammenhang darf ich vielleicht einige bemerkungen über die ursachen des flexionsschwundes im englischen einschalten, da sie von prinzipieller bedeutung sind. In der einleitung zu G. Hübeners aufsatz über diesen gegenstand in PBBeitr. 45.85 ff. (1920) schreibt er: „Jespersen führte bekanntlich den flexionsschwund auf äussere einwirkung, auf sprachmischung zurück". Dies kann ich nicht als meine auffassung gelten lassen. Ich behandelte die frage in „Progress in Language" (1894), wo ich zuerst (s. 96—99) im allgemeinen das entstehen einer festen wortstellung als eine bedingung für die vereinfachung der flexion besprach, die im verhältnis dazu das posterius, die wirkung, sein muss — also genau die jetzt von Hübener verfochtene ansicht. Dann kam ich s. 166 ff. auf die spezielle frage in bezug auf die englische deklination zu sprechen und lehnte die annahme eines gewichtigen französischen einflusses ab; dagegen schrieb ich der mischung mit dem skandinavischen eine viel grössere einwirkung zu, weil wegen der weitgehenden ähnlichkeit zwischen beiden sprachen viele grammatische nuancen aufgegeben werden konnten, ohne das verstehen wesentlich zu beeinträchtigen. Deshalb waren die von den dänen besiedelten nördlicheren landstriche in der vereinfachung den südlicheren gegenden um ein paar jahrhunderte voraus. In dieser mischung sehe ich jedoch hauptsächlich ein beschleunigendes moment; wie in Progr. s. 175 ff. ausgeführt wurde, sehe ich nämlich

die tiefste ursache des flexionsschwundes in dem unsystematischen
charakter des altenglischen deklinationsapparats[1]: ein und dieselbe
endung wurde für mehrere zwecke verwendet, und umgekehrt wurden verschiedene mittel für den gleichen kasus in verschiedenen
wortklassen gebraucht, auch war die syntaktische verwendung der
kasus nicht genau abgegrenzt. Dies machte es begreiflich, dass die
vokalischen endungen zuerst verwischt wurden, und dass die *s*-endun-
gen gegen die auflösenden tendenzen kräftigeren widerstand zu leisten vermochten, u. a. weil die durch sie bezeichneten syntaktischen
verhältnisse fest abgegrenzt waren. Für einzelheiten ist hier kein
raum (etwas ist in „Chapters on English" wieder abgedruckt, die
allgemeinen betrachtungen sind zum teil in das grössere werk „Language" („Die Sprache")[2] übergegangen). Hier fasse ich meine anschauung kurz zusammen.

Die vereinfachung der englischen flexion ist nicht einseitig auf
eine einzige ursache zurückzuführen. Vorbedingung dafür war eine
ziemlich regelmässige wortstellung; ein beschleunigender umstand
war die sprachmischung; der gemeinmenschliche hang zur bequemlichkeit konnte hier besonders kräftig ausleben, weil vielen der in
der flexion gebrauchten vokale und dem *n* kein fester semantischer
(glottischer) wert innewohnte.

Für den auslaut ist es möglich gewisse universelle tendenzen festzustellen, die auf das genannte prinzip zurückzuführen sind, dass man
es nämlich mit dem oder den letzten lauten nicht so genau nimmt,
weil sie für das gesamtverstehen weniger wichtig sind. Hierher gehört die neigung, auslautende konsonanten stimmlos zu sprechen (die
aber in den sprachen weniger stark hervortreten kann, in welchen
sich zahlreiche wörter nur durch stimmverhältnisse der auslautenden
konsonanten unterscheiden). In sehr vielen sprachen begegnet man
einem übergang von auslautendem -*m* in -*n,* wohingegen der entsprechende übergang von *m* zu *n* im anlaut und im inlaut unerhört
wäre (abgesehen natürlich von fällen der assimilation). Hier ist nur
für sehr wenige belege platz. Die annahme, die einzelne sprachforscher für einige der angeführten fälle bevorzihen, dass der übergang

---

[1] Vgl. oben s. 193 f.

[2] Vgl. auch Growth and Structure § 179 und § 79.

zunächst im satzsandhi vor dentalen eingetreten und dann verallgemeinert worden sei,. ist überflüssig.

Griechisch *ton,* vgl. ai. *tam;* acc. *lukon,* vgl. ai. *vrkam,* lat. *lupum*
usw. Französische sprachforscher neigen, allerdings etwas zögernd,
der ansicht zu, *-n* sei hier ursprünglich, s. u. a. R. Gauthiot, La fin
de mot en indo-européen, 1913, s. 158 ff. Die meisten sprachforscher
halten jedoch an *-m* als dem ursprünglichen laut fest.

Romanisch: lat. *rem* > frz. *rien, meum* > *mien* (wo das *n* später
nach nasalierung des vokals geschwunden ist); *quem* > sp. *quien.*
Die meisten lat. *m* sind früh geschwunden.

Germanisch: dem lat. *septem* entspricht got. *sibun,* ae. *seofon*
usw., dem lat. *tum* entspricht got. *þan.*

Deutsch *bin* aus *bim.*

Altengl. *budon, binden,* vgl. got. *budum, bindaim.*

Mittelengl. dat. pl. *foten* = ae. *fotum;* dat. sg. *þen* = ae. *þæm,*
in ne. *for the nonce* = me. *for þen ones* bewahrt. Sonst ist dies *-n*
später geschwunden.

Finnisch akk. *isän* usw., vgl. wogul, tscheremiss. *-m,* lapp. *-m, -b.*
Auch in der verbalendung der ersten person entspricht finn. *-n* dem
-m der verwandten sprachen.

Arabisch „wurde urspr. frei auslautendes *m,* wenn es nicht durch
systemzwang geschützt war ...... oder erst durch sekundären vokal-
verlust in den auslaut trat ...... zu *n,* hebr. *im* > ar. *in* 'wenn', die
kasusendungen *um, im, am* > *un, in, an*", Brockelmann, Semit.
sprachwissensch. 1906, 67.

Chinesisch: „Final *m* was changed into *n,* and thus the ancient
nam 'south' and *nan* 'difficult' are both *nan*", Karlgren, Sound &
Symbol, 1923, 28.

Der grund dafür, dass der übergang *-m* > *-n* so oft vorkommt,
während *-p* > *-t* oder *-b* > *-d* nicht zu finden ist, obwohl genetisch
p $(b) : t$ $(d) = m : n$ ist, liegt darin, dass *m* und *n* den nasalklang
gemein haben: der unterschied zwischen diesen lauten ist deshalb
akustisch geringer als der zwischen den entsprechenden nicht-nasalen
verschlusslauten. Und wenn man fragt, weshalb der übergang *m* > *n*
weit häufiger ist als der in der entgegengesetzten richtung, *n* > *m,*

muss die antwort dahin lauten, dass die zungenspitze als das beweg-
lichste organ den schwerfälligeren lippen vorgezogen wird, genau
wie in assimilationen von *pt* und *kt* (z. b. in ital. *sette, otto* < *septem,
octo*) der zungenspitzenlaut die oberhand gewinnt.

Dies alles zeigt, wie weit wir uns mit der durchführung des wert-
prinzips und seiner folgen von dem standpunkt entfernt haben,
den Bühler (Cercle de Prague 4.39) folgendermassen charakterisiert:
„Nach der herkömmlichen auffassung ist dies das spezifikum der
lautlehre, dass in ihr von „bedeutungen" überhaupt nicht die rede
ist." Zu bemerken wäre jedoch, dass die Pragerschule nicht die erste
ist, welche die unrichtigkeit dieser auffassung entdeckte, und ferner,
dass das entscheidende eigentlich nicht in der „bedeutung", (engl.
signification), sondern in der „bedeutsamkeit" (engl. significa-
tiveness) des vorzubringenden besteht.

Heutzutage sieht man ohne weiteres ein, dass es unrichtig war,
den satz aufzustellen: „die lautgesetze wirken ausnahmslos", denn
dadurch wurden alle lautwandel über einen kamm geschoren; das
sprachleben ist aber viel zu kompliziert um dergleichen generische
sätze zu rechtfertigen. Falsch ist auch der gegensatz lautgesetz und
analogie (der sich ja gleichfalls in der letzten zusammenfassenden
behandlung der frage findet): die beiden vorgänge sind nicht absolute gegensätze, da es zwischenstufen gibt, und jedenfalls können
sie selbst beide zusammen, die möglichkeit der sprachlichen änderungen nicht erschöpfen — nicht einmal, wenn man wie oben (1886,
s. 161) entlehnungen als dritten faktor miteinbezieht. Viele lautliche
änderungen sind nicht gesetzmässig,[1] brauchen aber deshalb nicht
als analogisch bezeichnet zu werden; umgekehrt gibt es psychologisch
bedingte änderungen, die durchaus nicht unter den begriff „analogie"
fallen.

Vielleicht der grösste fehler, den die sprachforscher des neunzehnten jahrhunderts begingen, war die fast ausschliessliche beschäftigung mit lautgeschichtlichen problemen: die lautlehre wurde
aus dem zusammenhang mit den anderen seiten des sprachlebens

---

[1] So haplologieen, metathesen, dissimilationen; einige, aber nicht alle, assimilationen
sind in mehreren sprachen „lautgesetzlich", d. h. treten mit grosser regelmässigkeit
ein.

herausgerissen und als etwas *sui generis* behandelt, während man sie doch nur dann vollkommen versteht, wenn man sie in verbindung mit bedeutung sieht, ebenso wie man morphologie nur mit der syntax und durch dieselbe verstehen kann.

Ein anderer fehler bestand darin, dass man gewöhnlich nur von der sprache schrieb und dabei die sprechenden menschen vergass. Wie selten kommt z. b. in den sprachtheoretischen schriften das wort „kind" vor! Nicht viel besser als diese vernachlässigung der menschen ist es, wenn man jetzt nach dem vorgang de Saussures zwischen *parole* als der individuellen tätigkeit und *langue* als der ausserhalb der individuen und über ihnen stehenden, für ein volk (oder eine sprachgenossenschaft) gemeinsamen sprachnorm streng scheidet: beide existieren nur zusammen und sind so intim miteinander verwoben, dass sie eigentlich nicht einmal als *zwei* seiten derselben sache betrachtet werden können.[1]

Ich habe im vorhergehenden so vieles gegen die „ausnahmslosigkeit" vorgebracht, dass ich doch noch etwas darüber sagen muss, wie es trotzdem kommt, dass wir in der sprachentwicklung wirklich oft grosse regelmässigkeit finden. Meines erachtens kann man getrost behaupten: wenn ein laut *wirklich als solcher* geändert wird, dann wird er in allen wörtern der betreffenden sprache in genau derselben weise geändert. Diesen satz kann man als einen einfachen fall des kausalitätsgesetzes betrachten: gleiche ursachen, gleiche wirkungen.

In dieser formel macht aber eines schwierigkeiten, dass wir nämlich identität des lautes voraussetzen: was heisst aber der ausdruck *derselbe laut,* der also in allen fällen, wo er vorkommt, gleichmässig behandelt wird? Eigentlich können wir es erst post eventum festsetzen, ob *t* vor *a* und *t* vor *r* in dieser sprache zu jener zeit als identisch oder verschieden gefühlt und behandelt wurden. A priori wissen wir das nicht.

Gewöhnlich ist es nicht der ganze laut, der geändert wird, sondern nur ein lautelement, eine lautpartikel, wie man sagen könnte, während der laut im übrigen unverändert bleibt — sonst wäre es ja

---

[1] Meine kritik dieser Saussure'schen unterscheidung findet sich in „Mankind" p. 11 ff. und in der oben s. 116 ff. abgedruckten abhandlung „L'individu et la communauté".

nicht möglich die wörter, in denen der laut vorkommt, wiederzu-
kennen. Man wird also niemals z. b. einen übergang von [m] zu
[a] antreffen: die beiden laute haben nur das eine element, die
stimmhaftigkeit, gemeinsam, sind aber in allem übrigen verschieden.[1]
Wenn jedoch eine lautpartikel als solche geändert wird, werden gewöhnlich alle laute, die dieselbe partikel haben, in derselben weise
modifiziert[2]; so werden in der germ. lautverschiebung alle *p, t, k*
gleichmässig zu spiranten. Diese parallelität ist aber nicht notwendig: im ungarischen wird *p* zu *f,* die anderen verschlusslaute bleiben;
im keltischen verschwindet anlautendes *p,* aber *t* und *k* bleiben. Solchen verschiedenheiten begegnen wir in der geschichte aller sprachen
auf schritt und tritt. In der jetzigen österreichischen aussprache wird
scharf zwischen *k* und *g* unterschieden, indem jenes aspiriert wird,
vgl. *kalt* und *galt, kälber* und *gelber;* dagegen ist die unterscheidung
von *p* und *b,* von *t* und *d* vielfach unsicher; vgl. *pein* und *bein, tu*
und *du;* vor *l, n, r* unterbleibt die unterscheidung fast immer. (Luick,
Deutsche lautlehre, 1904, 84).

Die oben s. 225 erwähnte regelmässigkeit tritt, wie gesagt, nur
dann auf, wenn der laut *als solcher* geändert wird. Einem laut kommt
somit eine gewisse autonomie zu; er hat gewissermassen ein eigen-
leben. Dasselbe gilt jedoch auch von jedem bedeutungtragenden stück
der rede, sei es wort oder wortteil oder wortverbindung. Eine „analogiebildung" ist nicht anders als eine äusserung dieser autonomie,
die einem bedeutungtragenden bestandteil innewohnt. Weder der
laut noch das bedeutungsstück ist aber suverän, sie können also mit
einander in konflikt kommen, und eben auf solchen konflikten be-

---

[1] Dies ist einer der gründe, warum ich die berühmte theorie von nasalis sonans *in
ihrer extremen form* für verfehlt halte; zum gr. *-a,* z. b. im acc. kommt man sehr leicht
durch die annahme von [ʌm] ([ʌ] wie im engl.*but* oder neuind. *a*) als mittelglied zwischen dem urspr. vollvokal + *m* und *a,* dagegen nicht durch ansetzen eines sonanti-
schen *m.* Ausserdem kommt man durch ansetzen dieses silbigen *m*'s zu unnatürlich
schwerfälligen verbindungen, vgl. oben s. 207. Wo wir in jetzt gesprochenen sprachen
silbige *m* finden (z. b. auch im suaheli, im mexikanischen spanisch), kommen sie nur
nach vokalen oder sonst in leicht sprechbaren verbindungen vor. Zur annahme von
m̥, n̥ in der idg. ursprache ist man nur gekommen, weil man einen schönen parallelismus in der schwachstufe des ablauts finden wollte; dabei wurde aber übersehen,
dass die nasale sich nicht genau wie *r, l* verhalten: *arm, arn* bilden *eine* silbe, *amr,
anr* dagegen zwei.

[2] Die aussonderung von lautpartikeln lässt sich bequem durch antalphabetischen
formeln veranschaulichen.

ruhen zahlreiche der im vorhergehenden besprochenen oder ange-
deuteten erscheinungen.

Selbst wenn es scheinbar möglich ist, für einen kombinatorischen
lautwandel eine rein mechanische formel aufzustellen, z. b. dass in
der und der sprache *k* vor *i* und *e* palatalisiert worden ist, ist der
vorgang in letzter instanz psychologisch bedingt: ein laut *als solcher*
wirkt nicht auf einen vorhergehenden oder folgenden laut ein, aber
der gedanke greift während des moments, wo ein laut gesprochen
wird, entweder voraus oder zurück, und dadurch wird die artikulation modifiziert.

Regelmässigkeit im lautwandel würde nie zustande kommen,
wenn die sprache nicht in erster linie ein soziales faktum und ihre
wesentlichste voraussetzung die nachahmung wäre. Ohne nachahmung keine sprache. Wer nicht gut nachahmt, spricht nicht richtig.
Das kind ahmt seine eltern und die älteren spielgenossen, der er-
wachsene seine vorgesetzten, die vornehmen leute, einen schauspieler
usw. usw. nach, und dadurch wird eine neue aussprache (ganz wie
eine neue redensart u. dgl.) allgemeingut der ganzen bevölkerung.

In diesem abschnitt habe ich vielfach gedanken ausgesprochen,
die sich, meist ausführlicher, in meinem buch „Language" („Die
sprache")[1] finden; die darstellung ist jedoch zum teil so verschieden,
dass sie hoffentlich den lesern meines früheren buches nicht als überflüssige wiederholung erscheint. Meine auffassung von lautgeschichtlichen problemen hat sich herausgebildet während langjähriger be-

---

[1] Die abschnitte, die für die lautgesetzfrage namentlich in betracht kommen, sind
die folgenden: V § 2—6 lautgesetze der kinder. — VIII § 1 erlernung der muttersprache. — IX Einfluss der kinder auf die sprachentwickelung. Ich darf vielleicht darauf
aufmerksam machen, dass ich in der deutschen ausgabe s. 148—9 eine längere an-
merkung hinzugefügt habe, um ein missverständnis von der engl. ausgabe s. 167 aufzu-
klären: wo zwischen zwei in der geschichte sich ablösenden lauten keine artikulatorische
zwischenstufen möglich sind, wo also die akustische ähnlichkeit zweier laute mit
artikulatorischer ähnlichkeit nicht verbunden ist, schreibe ich den sprunghaften lautwandel den kindern zu. Beispiele: þ > f, x > f, kw > p. — IX § 7 stutzwörter. —
X § 1 wortverwirrung. — XI substrat und sprachmischung. — XIII § 6 laute der
frauen. — XIV ursachen der veränderungen: anatomie, geographie, psychologie, tempo,
zeiten raschen wechsels (soziale verhältnisse), bequemlichkeit, ausserordentliche
schwächungen, wertprinzip, druck. — XV übertreibungen, wohlklang, aussersprachliche
verwendung der organe, versprechung, spielraum der richtigkeit, lautabstand, gleich-
klang, bedeutsame laute, erweiterung von lautgesetzen, verbreitung des lautwandels,
gegenwirkung, etymologie, schlussfolgerung. — Auch verschiedenes in kap. XVII (fortschritt oder verfall) und XX (lautsymbolik).

obachtung lebender sprachen und eingehender beschäftigung namentlich mit den teilen der (englischen u. a.) sprachentwickelung, die im
vollen licht der letzten jahrhunderte vor sich gingen; dass ich mich
nicht einseitig in lautgeschichte vertieft habe, hat vielleicht auch sein
gutes gehabt, indem ich dadurch zu einer gesamtauffassung des
sprachlebens geführt worden bin, die ich sonst wohl nicht erreicht
hätte.

In diesem abschnitt („Letzte worte"), ebenso wie in den vorigen, habe
ich mich ausschliesslich mit „lautgesetzen" in dem sinne beschäftigt, der in
der sprachwissenschaft herkömmlich ist, d. h. mit formeln für das *was geschehen ist;* dadurch strebt man einer begrenzung in zeit, ort und „lautlichen
bedingungen" zu, was namentlich für die etymologische erklärung ausschlaggebend ist. Eine ganz andere bedeutung hat das wort „gesetz" in Grammont's
(nach der ansicht einiger sprachforscher epochemachenden) versuchen, allgemeine gesetze für dissimilationen u. dgl. aufzustellen: hier ist „gesetz" eine
formel für das, *was geschehen muss — wenn* überhaupt etwas geschieht. Man
ist nicht imstande vorauszusehen, wann eine dissimilation eintreten wird;
tritt sie aber wirklich ein, so meint man nach allgemeinen formeln feststellen
zu können, welcher laut der stärkere ist, d. h. welcher somit unverändert
bleibt. Das nachprüfen der richtigkeit solcher versuche liegt vollständig ausserhalb meiner jetzigen aufgabe.

VERNERS GESETZ UND DAS WESEN DES AKZENTS[1]

Urgermanisch.

„VERNERS GESETZ" ist ohne zweifel der berühmteste lautwandel der neueren sprachforschung, der am häufigsten besprochene und erklärte. In genialer weise hat Verner den zusammenhang zwischen alten indischen betonungen und modernen westeuropäischen konsonanten entdeckt. Der titel seiner kleinen abhandlung hiess „Eine ausnahme der ersten lautverschiebung", und das war ganz natürlich, denn was er erklären wollte, musste für die damalige forschung als eine ausnahme, oder eigentlich als viele ausnahmen, erscheinen. Was seine untersuchung aber brachte, war die erkenntnis, dass wir es nicht mit *einer* verschiebung der ursprünglichen tenues zu tun haben — wonach z. b. *t* zwar gewöhnlich zu þ, aber doch in einer ziemlich grossen anzahl von wörtern zu *d* geworden wäre —, sondern dass wir *zwei getrennte vorgänge* haben, erstens eine verschiebung, durch welche man statt der ursprünglichen stimmlosen tenues überall stimmlose engelaute bekam — also ein öffnen eines früheren verschlusses, während alles andere, artikulationsstelle und stimmlosigkeit, unverändert blieb — und zweitens eine verschiebung ganz anderer art, wodurch nur die stimmverhältnisse geändert wurden, alles andere aber unberührt blieb; und dann wurde nachgewiesen, dass diese letztere verschiebung im gegensatz zu der ersteren von akzentverhältnissen abhängig war, indem der damals noch vorhandene ursprüngliche akzent den unmittelbar darauf folgenden konsonanten vor stimmhaftwerden schützte. Das merkwürdige war nun, dass beide vorgänge, öffnen und stimmhaftwerden, in einem unerhörten grad

[1] Bisher ungedruckt.

ausnahmslos waren. Der erste ergriff alle tenues, der zweite alle engelaute, die sich damals in der sprache fanden, also — und das ist ausserordentlich wichtig — nicht nur die durch die erste verschiebung entstandenen engelaute, sondern auch den aus der urzeit vererbten s-laut. Dadurch erwies sich deutlich der zweite vorgang als von dem ersten durchaus unabhängig: das stimmhaftwerden hat mit der „germanischen lautverschiebung" — d. h. mit der behandlung der verschlusslaute, durch die das germanische lautsystem sich so deutlich von dem arischen (idg.) unterschied — gar nichts zu tun, es ist eine innergermanische angelegenheit, und das stimmhaftwerden trat einige zeit, wahrscheinlich erst mehrere jahrhunderte, nach dem öffnen der alten verschlusslaute ein.

Man muss also zwei dinge genau auseinanderhalten, (1) die mundverhältnisse, und (2) die stimmverhältnisse.

Dies alles kann man aus der darstellung bei Verner selbst herauslesen, wenn ich es auch hier mit meinen eigenen ausdrücken und in meiner eigenen ordnung gebe — und es ist deshalb recht unerklärlich, dass immer noch in vielen lehrbüchern die sache so dargestellt wird, als ob der zweite vorgang mit der tenuisverschiebung zusammenhinge. Das geniale an Verners entdeckung liegt meines erachtens nicht nur darin, dass er die altindischen akzente mit hereinzog, sondern auch darin, dass er sich nicht durch die schreibung in den altgermanischen denkmälern als *b, d, g, r* beirren liess, sondern klar einsah, dass sich hinter diesen lauten ein früherer zustand verbarg, wobei man die stimmhaften engelaute $[\beta\ \delta\ \gamma\ z]$ sprach. Erst wenn man daran festhält, gewinnt man die rechte einsicht von dem wirklichen wesen dieser erscheinungen.

Der von Verner entdeckte lautwandel kann am bequemsten durch die folgende formel zusammengefasst werden, in welcher a einen beliebigen vokal, s einen beliebigen stimmlosen engelaut, z den entsprechenden stimmhaften engelaut, und fettdruck akzent bezeichnet:

asasa > **a**saz(a)

asa**s**a > az**a**s(a).[1]

---

[1] Die formel Meillets, die er als „plus restreinte et plus précise que celle qui lui a été donnée par Verner" angibt, (Caractères généraux des langues germaniques, 1917, 47), nämlich „La sifflante *s* et les spirantes *f, þ, x, xʷ* sont devenues sonores entre deux éléments sonores, dont l'un est l'élément vocalique de la première syllabe du mot, quand

Ich werde jetzt eine anzahl von sprachen durchnehmen, in denen man wirkungen des akzents auf konsonanten beobachtet oder vorausgesetzt hat, die man mit grösserem oder geringerem recht entweder ausdrücklich mit Verners gesetz verglichen hat oder doch vergleichen könnte, nämlich der reihe nach:

1. finnisch und verwandte sprachen,
2. eskimoisch,
3. japanisch,
4. urindoeuropäisch,
5. iranisch,
6. griechisch,
7. lateinisch (italisch),
8. romanisch,
9. neudeutsch,
10. englisch.

Schliesslich werden wir untersuchen, wie es kommt, dass der akzent eine solche einwirkung auf konsonanten ausüben kann, und ob man von den konsonantischen wirkungen aus schlüsse auf die art des akzents ziehen kann.

Andere sprachen.

1. Im *finnischen* hat man eine die ganze flexion berührende erscheinung, die gewöhnlich unter dem namen „stufenwechsel" geht. Einige beispiele werden dies veranschaulichen:

kukka 'blume'	gen. *kukan*
pappi 'priester'	gen. *papin*
opettaa 'lehren'	1. pers. *opetan*
kaupunki 'stadt'	pl. *kaupungit*
pelto 'feld'	gen. *pellon*
antaa 'geben'	1. pers. *annan*
parempi 'besser'	gen. *paremman*
tapa 'gebrauch'	pl. *tavat*.

---

le ton hérité de l'indo-européen ne tombait pas sur cette syllabe" stimmt weder mit den angaben Verners noch mit den tatsächlichen verhältnissen überein: der lautwandel findet nicht nur nach der ersten silbe statt. Viele belege bei Verner s. 122 ff. (in der kopenhagener neuausgabe s. 33 ff.). Nur dadurch erklärt man z. b. die zahlreichen flexionsendungen -z (nord. -R, -r, westg. oft geschwunden), wenn auch einige -s schwierigkeiten machen, ferner das komparativsuffix usw.

Das der zweiten reihe gemeinsame ist nicht etwa, dass sie stimmhafte laute enthielte, wenn dies auch in einigen fällen wahr ist, sondern dass der konsonant oder die konsonantenverbindung schwächer
ist als in der ersten reihe, so dass der auch gebrauchte ausdruck „kon-
sonantenschwächung" zutreffend ist, nur setzt derselbe das voraus,
was vielleicht erst zu beweisen wäre, dass nämlich die erste
reihe das ursprüngliche verhältnis darstellt. Die bedingung für das
eintreten dieser schwächung ist im finnischen klar: in der ersten reihe
folgt eine offene, in der zweiten eine geschlossene silbe auf den konsonanten; bisweilen jedoch ist der konsonant, der die silbe schloss,
jetzt fortgefallen. In beiden fällen aber ruht im finnischen der akzent
auf der anfangssilbe. Diejenigen forscher, die die erscheinung mit
Verners gesetz vergleichen,[1] müssen also voraussetzen, dass der
„grund in einem von der geschlossenheit der silbe hervorgerufenen
stärkeren expiratorischen akzente der zweiten silbe zu suchen ist"
(Wiklund). Über alter und umfang dieses stufenwechsels ist viel
gestritten worden, und es gebührt sich natürlich nicht für einen, der
nur eine der betreffenden sprachen (und diese bloss oberflächlich)
kennt, partei zu nehmen. Die ausführlichste behandlung des ganzen
gegenstandes ist die von E. Setälä in *Finnisch-ugr. forschungen, an-
zeiger* 12, 1912, der eine imposante menge von tatsachen aus allen
verwandten sprachen, auch samojedisch, beisteuert: klarheit über die
ursache des wechsels hat auch er nicht ganz erreicht, vom akzent spricht
er jetzt nicht, und ich wage es deshalb nicht, die finnisch-ugrischen
(oder gar ural-altaischen) verhältnisse in die parallelen zum Vernerschen gesetz einzureihen.

2. *Eskimoisch.*[2] Ein charakteristischer zug dieser sprache ist es,
dass stimmhafte konsonanten nur kurz vorkommen (mit ausnahme
von nasalen, die lang sein können), während stimmlose konsonanten
lang sein können. Der wechsel zwischen stimmhaft und stimmlos
steht in verbindung mit dem druck (hier durch ein vorgesetzes ǀ bezeichnet), so z. b.

---

[1] U. a. C. N. E. Eliot, Finnish Grammar, 1890, s. xvi, K. B. Wiklund, Thomsen-
festschrift, 1912, s. 89, vgl. A. Sauvageot, Les Langues du Monde, 1924, s. 159, und
G. Royen, Die nominalen klassifikations-systeme 1929, s. 810.

[2] W. Thalbitzer, in „Handbook of American Indian Languages" I 1911, und „A
Phonetical Study of the Eskimo Language" 1904.

*i*ˈ*γa* 'topf'   ˈ *ix·awik* 'topf-stelle, küche'

*il*ˈ*inne* 'bei dir'   ˌ*il̓·it* 'du'

*neri*ˈ*woq* 'isst'   ˌ*neṛiwik* 'tafel' (wo man isst).

Der wechsel ist besonders häufig in der pluralbildung, so z. b.

*a*ˈ*loq* 'sohle'   pl. ˈ*al̓·ut*

*i*ˈ*wik* 'grashalm'   pl. ˈ*iφit* 'gras'

*ta*ˈ*leq* 'arm'   pl· ˈ*tal̓·it.*

In diesen bildungen glaubt Thalbitzer, dass die stimmlosigkeit durch assimilation des verschwundenen schlusskonsonanten hervorgerufen ist (s. *A Phon. Study,* s. 247 ff.); ob das auch für die anderen fälle des wechsels stimmt, scheint mir fraglich. Jedenfalls aber haben wir stimmlosen laut nach einem druckvokal und stimmhaften laut nach druckschwachem vokal.

3. *Japanisch.* E. R. Edwards, *Étude phonétique de la Langue Japonaise* (1903) § 55 sagt, dass im japanischen ein regelmässiger wechsel stattfindet zwischen stimmlosen konsonanten in akzentuierten und stimmhaften in unakzentuierten silben. Seine einzigen beispiele sind *toki* 'zeit', *tokidoki* 'bisweilen', ʃ*ima* 'insel', ʃ*imaʒima* 'eine grosse menge von inseln'. Eine grosse anzahl von beispielen finden sich in R. Lange, *Text-Book of Colloquial Japanese,* Engl. ed. Tokyo 1903, s. xxv und 331, z. b.:

sakana 'fish' : *yakizakana* 'baked fish'.

sin 'heart' : *sinzin* 'piety'.

hukai 'deep' : *sinzinbukai* 'pious'.

tane 'seed' : *pandane* 'yeast'.

tikai 'near' : *tikazika* 'soon'.

(Statt der von Lange gebrauchten s. g. Hepburnschen transkription benutze ich die „nationale" orthographie, Nipponsiki-Rômazi). Der japanische name der erscheinung ist *Nigori,* 'unreinheit, trübung'; der geschwächte laut kommt namentlich im zweiten glied der zusammensetzungen und in reduplikationen vor, die in plural- und adverbialbildungen eine grosse rolle spielen.

Einige weitere beispiele entnehme ich dem *Pocket Handbook of Colloquial Japanese,* 2nd ed. (Tôkyô, 1928), s. 14:

tai 'fisch' : *kurodai* 'schwarz-fisch'.

tuki 'mond' : *mikaduki* 'halbmond'.
sake 'wein' : *sirozake* 'weisser wein'.
hune 'schiff' : *kobune* 'boot'.
ha 'zähne' : *ireba* 'künstliche zähne'.

Vor ein paar jahren habe ich mir eine grosse anzahl der betreffenden wörter von prof. S. Saito, der mich besuchte, vorsprechen lassen: der druck ist im japanischen ziemlich gleichmässig, so dass es oft schwer ist zu entscheiden, welche silbe in einem langen worte die stärkste ist; jedenfalls aber war, so schien es, der vokal unmittelbar vor dem „getrübten" konsonanten nicht stark akzentuiert. Wie der akzent in der vielleicht fernen zeit war, als der wandel eintrat, müssen japanologen entscheiden. Es fiel mir auf, dass was hier *g* geschrieben war, wie [ŋ] lautete; in *tokidoki* (und *tikazika*) lautete ein schwaches *n* nach *i,* oder *i* war nasaliert. Dies könnte darauf deuten, dass ein nasal im auslaut des ersten bestandteiles fortgefallen ist. Als schwachform von *t* erscheint neben *d* auch *z.* Wie man sieht, findet der wandel nicht nur bei engelauten, sondern auch bei verschlusslauten statt. Dass *h* mit *b* wechselt, hängt mit dem ganzen lautsystem zusammen: *h* wird (vor *u*) annähernd als *f* gesprochen und wird im Hepburnschen system dann *f* geschrieben (H. *furo* = Nipp. *huro* 'bad' usw.): ursprünglich wohl *p.*

4. Urarisch (indoeuropäisch). M. Bartoli hat in einer reihe von abhandlungen in italienischen zeitschriften ein uraltes dem Vernerschen analoges gesetz nachzuweisen gesucht.[1] Das soll das vorkommen der viel umstrittenen mediæ aspiratæ erklären. Das gesetz lautet:[2]

Stimmhafte ur-arische (ario-europeo preistorico) konsonanten, die sich im anlaut einer tonsilbe befinden, werden im indischen, griechischen und italischen in verschiedenem grade aspiriert, verbleiben aber einfach in den anderen sprachen, darunter germanisch und armenisch.

Wo wir also *bh* in sanskr. *bhrátar,* *ph* in gr. *phrátōr,* lat. *fr* in

---

[1] U. a. Di una legge affine alla legge Verner (Rivista della Soc. filol. friul. 5.161); Metatonia antichissima dell'ario-europeo (Arch. glottol. it. 21.106); La monogenesi di *theos* e *deus* (Rivista di filol. e d'istruzione class. 8.107); Ancora deus e theos (ib. 423).

[2] Eine andere formulierung gibt er jetzt in dem aufsatz „Ein neues mittel zur bestimmung der idg. akzentstelle", IF 50.204 (1932).

fräter finden, repräsentiert das *b* der übrigen sprachen das ursprüngliche.

Vieles in seinen ausführungen sieht recht ansprechend aus, namentlich die gegenüberstellung von aspirierten und nicht aspirierten wörtern, die augenscheinlich etymologisch zusammengehören; auch ist es ja verlockend auf diese weise das alte rätsel vom zusammenhang zwischen lat. *deus* und gr. *theós* zu lösen (die aspirata im gr. wird durch vorkommen in dem anfangsbetonten *thés-fatos* erklärt). Vieles scheint aber sehr zweifelhaft; ein urteil gestatte ich mir jedoch nicht; Meillets verurteilung (BSL 31.26: étrange illusion) ist vielleicht zu hart.[1] Für meinen zweck in dieser abhandlung muss ich zunächst hervorheben, dass Bartoli den begriff „aspiriert" phonetisch nicht scharf gefasst hat, wenn er ihn auf die altgerman. verhältnisse anwendet, so dass er das wesen von Verners gesetz verkennt, und dass jedenfalls sein gesetz, falls es richtig ist, ausserhalb des rahmens meiner parallele fällt.[2]

5. Iranisch. Gauthiot (MSL 11.195) weist darauf hin, dass nach Bartholomæ *r* in den gruppen *rp, rk* stimmlos wurde, wenn der unmittelbar vorhergehende vokal den ton hatte. Dies wird von Gauthiot mit dem Vernerschen wandel in parallele gesetzt: die ähnlichkeit ist nicht schlagend.

6. Griechisch. In derselben abhandlung nennt Gauthiot auch gr. *rs,* in welcher verbindung nach Wackernagel *s* stimmhaft wird, ausser wenn der indoeur. ton unmittelbar vorausging, und die behandlung der stimmlosen aspiraten (nach Meillets auffassung) als dem Vernerschen gesetz analog. „En effet, le parallélisme des deux alternances *ourá : órros* et *andrós : ánthrōpos* est absolument rigoureux". Auch hier muss ein aussenstehender gestehen, dass er die übereinstimmung nicht schlagend finden kann; übrigens sind sowohl Wackernagels regel wie Meillets erklärung von *ánthrōpos* sehr umstritten. In einem späteren artikel, auf den wir unten zurückkommen, hat Gauthiot seine ansicht wiederholt und verteidigt.

7. Lateinisch (italisch). S. Conway, *Verner's Law in Italy,* 1887,

---

[1] Vgl. auch Debrunner IF 50.212.

[2] Als obiges geschrieben wurde, hatte ich noch nicht Bartolis jüngste darstellung (Le sonore aspirate e le sonore assordite dell'ario-europeo e l'accordo loro col ritmo, Arch. glott. it. 22.63 ff., 1933) gelesen; sie ändert aber nicht meine auffassung.

wollte den italischen wechsel *s/r* durch die stellung des akzentes er-klären. Er hat jedoch keine zustimmung gefunden und scheint auch selbst seine ansicht aufgegeben zu haben.[1]

8. Im romanischen findet man mehr, wiewohl auch hier nicht alles ausser zweifel steht.

Zuerst will ich auf die behandlung der verschlusslaute hinweisen: ital. *p, t, k* nach dem akzente, *v, d, g* vor demselben: *capo, abbate, servito, fuoco : coverta, badessa, servidore, pregare;* vgl. auch *cento : dugento.*

Für. lat. *si* vor vokal haben wir ital. *basiu > bascio, caseu > cascio,* aber vor dem akzent z. b. *prigione, pigione, cagione, fagiuoli* (Meyer-Lübke, Gramm. des L. Rom. 1. 461).

Ascoli (Briefe 180, vor Verners abhandlung) erklärte it. *specchio : spegliare, orecchio : origliare, vecchio : vegliardo* durch den unter-schied im akzente; später trat dann ausgleichung ein: *veglio, vec-chiardo* usw. Hier ist die phonetische erklärung schwierig, denn [kkj] und [l⌐] (palatalisiertes l) entsprechen sich nicht als stimm-los und stimmhaft. (Was Meyer-Lübke, Gr. des L. Rom. 1. 438 § 487 als erklärung gibt, ist unklar und unverständlich). Nun sagt mir aber Kr. Sandfeld, dass die formen mit *gli* als lehnwörter aus dem frz. (galloroman.) erkannt sind, was sehr annehmbar erscheint.

Viel besser steht es wohl mit dem von F. Neumann, *Zur laut- und flexionslehre des altfrz.,* 1878, entdeckten gesetz, das er s. 100 unter ausdrücklicher erwähnung von Verners gesetz so formuliert: „Lat. palat. *c* und *ti* gingen romanisch erst überall in č oder š oder ç (tonl. *s*) über; die so entstandenen tonlosen fricativae wurden weiter inlautend zwischen vokalen und bei nachfolgendem accente selbst tönend (ǧ, ẓ, z), erhielten sich aber als tonlose im nachlaute betonter silben".

Einige von Neumanns beispielen:
Altfranzösisch: (hier der bequemlichkeit wegen in neufrz. schreibung)
c: brasse, face, fasse, paroisse : croiser, disons, loisir, plaisir, voisin.
ti: espace, grace, paresse, place : aiguiser, liaison, raison, puiser, refuser.

---

[1] In seinem buch „The Making of Latin" (1923) finde ich keine spur von der theorie.

In der konjugation findet man natürlich oft ausgleichungen, im prs. konj. z. b. *fassions* nach *fasse*, alt *face*, dagegen *plaise* nach *plaisions* statt des alten *place*. In *revanche* ist der stimmlose, in *venger* der stimmhafte laut verallgemeinert worden. Aber analogie erklärt nicht alles: „Ganz ratlos bin ich in bezug auf *justise* mit tonendem *s* ... neben der regelrechten form mit tonlosen *ç* (*ss*) *justice, service* etc. oder *justesse* etc."

Port. *braço, espaço : cozinha, dezembre, fazemos.* Die span. beispiele sind wegen der verwickelten späteren entwicklungen spanischer konsonanten schwer zu beurteilen.

Man sieht nicht recht, ob Neumann sich den vorgang als gemeinromanisch (vor der sprachenspaltung) vorstellt oder als in den verschiedenen sprachen später unabhängig von einander eingetroffen: das phonetische endergebnis ist ja in den verschiedenen sprachen verschieden, wenn es auch in dem gegensatz stimmlos : stimmhaft übereinstimmt.

Die theorie Neumanns ist nicht ohne widerspruch hingenommen worden; Nyrop lehrt (nach Horning), dass *-ti-* vor vokal im frz. ohne rücksicht auf den akzent überall zu stimmhaftem *z* geworden ist, wobei man sich namentlich an eigennamen wie *Venetia > Venise* hält; der endung *-itia* steht er noch ebenso ratlos gegenüber wie Neumann (Nyrop III s. 218, 400).

9. Neudeutsch. K. Hentrich hat, PBB 44.184, 45.300 und GRM 9.244, verschiedene beobachtungen mitgeteilt, die er mit recht als seitenstücke zu Verners gesetz bezeichnet. In Eichsfeld (Nordwest-Thüringen) hat man *pazīre* 'passieren' : *páse* 'passen', *mazīre* 'massieren', *mazîf* 'massiv', *mazekrīre : máse* 'masse', *interezīre : inträsn* 'zinsen', *kolezǎl* u. a. Das arbeitskommando *ainän žup!* = 'einen schub' (beim verschieben, stossen, heben schwerer gegenstände), das in der mundart als stehend überliefert ist, hat er auch experimentell festgestellt, indem er fünf versuchspersonen das kommando mit stimmlosem *š* vorsprach und es von ihnen wiederholt auf das kymographion nachsprechen liess. „Die ergebnisse waren schwankend und verschieden. Bei 2 vpn war ein einleben in die bedingungen des kommandos nicht zu erreichen. Die kurven der 3 anderen zeigten in einer anzahl von fällen stimmhaftigkeit für den reibelaut. Ihre grade

waren verschieden." Im kommando kommt nach ihm *link-zúm,
recht-zúm* sehr häufig vor. Auch ausserhalb der mundart war z. b.
bei der erstaufführung von Sternheims „Kassette" in Köln die häufigkeit der aussprache *kazétte* der stimmlosen aussprache gegenüber wie
3:1. Auch in stammhaftem sprachgut hört man oft genug *reizáus,
strazáuf, strazáb* = 'strassauf, strassab', *durjáus* nicht, jedoch ohne
konsequenz.

10. Englisch. Hier glaube ich 1891 die vollständigste bisher gefun-
dene parallele zu Verners gesetz nachgewiesen zu haben: alle in der
sprache zur zeit vorhandenen spiranten wurden nach schwachem
vokal stimmhaft, hielten sich aber nach starkem vokal stimmlos: so
haben wir den gegensatz *of* (sprich mit *v*) : *off, with* schwach [wið]
: stark [wiþ], me. *elles > ells* [elz] : *else* [els], *possess* [pəˈzes] :
possible, exhibit [gz] : *exhibition* [ks]; ebenso mit [tʃ] : me. *knaw-
leche > knowledge : etch*. Siehe in diesem band die abhandlung
„Voiced and Voiceless Fricatives, II".

Druck oder ton.

Wenn man die frage aufwirft, wie der akzent eine solche einwirkung auf das konsonantensystem einer sprache ausüben kann,[1]
muss man sich erst darüber klar sein, was akzent ist. Ich habe im
vorhergehenden immer den neutralen ausdruck akzent gebraucht, um
dem resultat der folgenden untersuchung nicht vorzugreifen; jetzt
müssen wir aber unterscheiden. Es werden in der sprachforschung
durchgehends zwei arten von akzent angenommen, die man ver-
schiedentlich benennt:

(1) expiratorischer oder dynamischer akzent, intensitätsakzent,
druckakzent, frz. accent de force, engl. stress, und (2) musikalischer
akzent: da dieser ausdruck irreleitend ist, weil man es in der musik
nicht nur mit tonhöhe, sondern auch mit tonstärke und tonlänge zu
tun hat, ziehen viele den ausdruck „chromatischer akzent" vor; „me-

---

[1] Phonetische erklärungen des Vernerschen gesetzes, oder was dafür gelten soll,
findet man an sehr verschiedenen stellen, ich führe an: Well, Journal of Engl. and
Germ. Philo. 5.522, Kip, Mod. Language Notes 20.16, (von Williams sehr gut kriti-
siert), Gauthiot, MSL 11.193, Williams, Mod. L. Review 2.233, Holger Pedersen, KZ
39.243, Logeman, Tenuis en Media 149, Boer, Neophil. 1.110. Eine im ganzen gute
kritische prüfung dieser theorien findet sich in W. S. Russer, De germaansche
klankverschuiving (Haarlem 1930) s. 95 ff.

lodischer akzent" wird auch bisweilen gesagt, dagegen lässt sich aber dasselbe einwenden wie gegen den ausdruck „musikalischer akzent". Die engländer sagen oft „pitch accent", die franzosen „accent de hauteur".

Der kürze und einfachheit wegen wende ich im folgenden die beiden ausdrücke (1) druck und (2) ton an.

Nach der überall angenommen auffassung gab es im ur-arischen (ur-idg.) einen tonakzent, der im altind., gr. und latein bewahrt blieb, aber später vom druck abgelöst wurde, so dass man, wo früher hohe und niedrige silben unterschieden wurden, es nunmehr mit starken und schwachen silben zu tun hatte. Wie war es nun, als der von Verner entdeckte lautwandel vor sich ging? Hier stehen verschiedene meinungen einander gegenüber.

Der zu früh gestorbene bedeutende französische forscher R. Gauthiot trat energisch für die auffassung ein, dass der ton das entscheidende ist (MSL 11.193 und BSL 1910.371). „En effet, à y regarder de près, il n'y a aucune différence de nature entre l'effort musculaire qui produit la sonorité et celui qui amène l'élévation de la voix. La production des vibrations glottales (sonorité) et leur augmentation dans un temps donné (hauteur) résultent toutes les deux de la contraction des mêmes muscles. Et l'on peut dire que la syllabe frappée de l'accent de hauteur est celle pour laquelle les lèvres de la glotte sont plus tendues." Hiernach sollte man ja stimmhaftwerden in der „betonten" silbe erwarten; statt dessen aber werden nach Verner konsonanten in der „unbetonten" silbe oft stimmhaft, und auf der vorhergehenden seite sagt Gauthiot ausdrücklich, dass griechisch und germanisch „le ton empêche la sonorisation des consonnes sourdes qui le suivent immédiatement". Im sanskrit finden wir, fährt Gauthiot fort, deshalb keine beispiele, weil wir dort „une distention progressive des muscles, c'est-à-dire un passage lent de la syllabe haute (udātta) à la basse (anudātta)" haben. Dies in folge der beschreibungen der alten indischen grammatiker, die jedoch weder sämtlich übereinstimmen noch phonetisch ganz klar sind. Im griechischen dagegen „nous voyons que la détente musculaire est soudaine: il n'y a pas de transition entre l'oxeîa et la bareîa; bien mieux il y a contraste, et ce contraste se traduit par une décontraction

musculaire assez forte pour atteindre presque, dans certains cas
favorables et pour un bref instant, la position de repos, c'est-à-dire
le manque de sonorité, et cela très naturellement, par le fait tout
simple qu'un mouvement donné, s'il est brusquement exécuté, tend à
dépasser son point d'arrivée normal".

Ich habe dies so ausführlich zitiert um dem verehrten verstorbenen forscher nicht unrecht zu tun, muss aber gestehen, dass
ich trotz wiederholtem lesen, auch nach vielen jahren, ganz ausser
stande bin, mit seinen worten einen phonetischen sinn zu verbinden.
Auch verstehe ich nicht, wie er das alles aus den beschreibungen
griechischer grammatiker herauslesen kann, wo *bareîa* doch nur
„tiefton" bedeutet als unbestimmte negation von *oxeîa* (eigentlich
bedeuten die beiden adjektiva ja 'schwer, lastend' und 'scharf, spitz',
das letztere wird „von gellenden, schmetternden tönen, durch-
dringend" gebraucht). Jedenfalls scheint Gauthiots erklärung nur
einen übergang von stimmhaft zu stimmlos zwischen hochton und
tiefton begründen zu können, aber darum handelt es sich weder im
griechischen noch im altgermanischen. (Und wir haben ja im
griechischen oft genug stimmhafte laute zwischen *oxeîa* und *bareîa*!)

Auch R. C. Boer (*Oergermaansch handboek,* 1918, 123) spricht
von ton: „Die ursache der spirantenschwächung ist nicht in dem
expiratorischen akzent zu suchen, sondern in dem musikalischen
akzent der folgenden silbe, der noch vorhanden war, als die silbe
schon nicht mehr den expiratorischen haupton trug [sic! hier ist
ton = druck]. Die spannung der stimmbänder, die für eine silbe
mit hohem ton nötig war, fing schon bei dem vorhergehenden konsonanten an und machte ihn stimmhaft" [holl. tonend, mit noch einer
bedeutung von ton]. Die gewöhnliche formulierung des gesetzes legt
also nach ihm mit unrecht den nachdruck ausschliesslich auf „de
afwezigheid van den hoofdtoon in de voorafgaande syllabe". Boers
theorie führt zwei schwierigkeiten mit sich, erstens das stimmhaftwerden der laute in schlusssilben (wo er s. 125 seine zuflucht zu
satzsandhi nimmt), und zweitens sieht man nicht ein, weshalb diese
spannung der stimmbänder plötzlich mit dem vokal aufhören soll:
er erklärt gar nicht das stimmlosbleiben der spiranten nach dem
„tonvokal".

Gauthiot tadelte mich, weil ich den methodischen fehler begangen habe, die englischen veränderungen mit den altgermanischen zu
vergleichen: die ersteren beruhten auf l'accent d'intensité, die letzteren auf le ton musical indo-européen. „Ce sont là des articulations
que l'on n'est que trop porté à confondre et qu'il convient de
distinguer avec le plus grand soin chaque fois que l'occasion s'en
présente". Der unterschied ist mir nicht unbekannt; die frage ist nur,
ob es sicher ist, dass der altgermanische akzent auf ton beruhte.
Meiner ansicht nach ist man berechtigt zu sagen: wir finden in einer
ganzen reihe von sprachen konsonantische übergänge, die grosse ähnlichkeit mit den Vernerschen aufweisen: in den sprachen, in denen
die ähnlichkeit am grössten ist, eskimoisch, (japanisch,) romanisch,
deutsch, namentlich aber englisch, wo auch die grösste anzahl von
fällen vorliegt, kann der übergang nicht auf ton, sondern muss auf
druck beruhen. Vom germanischen wissen wir, dass der akzent in
historischer zeit ein druck-, nicht ein ton-akzent ist; wie er in vorhistorischer zeit beschaffen war, wissen wir nicht ganz sicher. Also ist
es wahrscheinlich, dass auch der alte lautwandel auf druck beruht
— um so mehr, als eine phonetische (physiologische) erklärung der
erscheinung unter derselben voraussetzung sehr naheliegend ist,
während die versuchten erklärungen auf grund von ton unklar oder
verfehlt waren.

Die erklärungen Hentrichs „ein psychologisch und physiologisch
so verständliches gesetz wie das Vernersche, das nichts anders als
ein sparen der energiemenge für die haupttonsilbe ist" und „der
dynamische accent hat die vorausgehende stimmlose fricativa stimmhaft gemacht; eine vergeudung des expirationsstroms durch stimmlose aussprache der fricativa ist vermieden worden" — sagen mir
gar nichts.

Zu einer befriedigenden erklärung kommt man m. e. durch annahme meiner akzenttheorie (in den neueren ausgaben des *Lehrb.
der phonetik* 7.32, s. 119 ff., vgl. auch *Language* und *Die Sprache*
XIV § 11). Hiernach ist expirationsstärke nicht das entscheidende;
sie ist nur *eine* der manifestationsformen der gesamtenergie, durch
die der sprechende einen teil des ausgesprochenen hervorheben will.
Akzent (druck) ist somit energie, intensive muskeltätigkeit, die nicht

16

an ein einzelnes organ gebunden ist, sondern der gesamten artikulation ihr gepräge gibt.[1] Soll eine starke silbe ausgesprochen werden, so wird in allen organen die grösste energie aufgewendet. Die lungenmuskulatur wird kräftig inerviert, so dass mehr luft aus der lunge entweicht, falls die luft nicht auf ein hindernis stösst (was sowohl an der stimmritze wie oberhalb derselben stattfinden kann). Bei den stimmhaften lauten zeigt sich die kraftentfaltung in einer grossen annäherung der stimmbänder, so dass zwischen ihnen sehr wenig luft entweicht, sie jedoch (wie Georg Forchhammer gezeigt hat) in desto kräftigere schwingungen versetzt werden (grössere amplitude). Die energische stimmbänderartikulation zeigt sich auch in lebhaften tonbewegungen: man findet in den starken silben teils sehr hohe, teils sehr tiefe töne, teils auch starke schwingungen nach oben oder (und) nach unten, kurz grössere entfernungen vom durchschnittston. Bei stimmlosen lauten in starken silben zeigt sich die energie umgekehrt darin, dass die stimmbänder kräftig auseinandergehalten werden, wodurch, da die ausatmungsorgane einen grösseren druck ausüben, eine ziemlich grosse luftmenge zum entweichen gebracht wird. In den oberen organen zeigt sich die energie bei starken silben durch eine ausgeprägte artikulation, die alle lautgegensätze scharf hervortreten lässt, so den gegensatz zwischen nasal und nicht-nasal (gaumensegel), zwischen verschluss und enge u. dgl. Das gesamtresultat ist, dass solche silben sehr laut (d. h. auf grosse entfernung hörbar) und deutlich (leicht auffassbar) sind.

In schwachen silben dagegen ist der energieaufwand überall herabgesetzt. Der atmungsdruck ist geringer. Bei den stimmhaften lauten ist der stimmklang verschwommener — was Sievers murmelstimme genannt hat. Bei den stimmlosen lauten dagegen ist die stimmlosigkeit weniger ausgeprägt als in starken silben. Auch in den oberen organen ist die artikulation schlaffer, so dass u. a. die zunge überhaupt mehr der ruhelage zuneigt, was sich namentlich in der vokalbildung zeigt. Auch die quantität der laute (der vokale wie der konsonanten) ist in schwachen silben gewöhnlich geringer als in starken, und der gesamteindruck des hörenden ist der eines undeutlicheren,

---

[1] Ja oft genug auch ausserhalb der sprechorgane beobachtet werden kann, z. b. an einem nicken mit dem kopfe, an einer geste mit der hand oder dem arm (beinahe wie beim taktschlagen): einige personen sprechen mit dem ganzen körper.

unbestimmteren und auf geringere entfernung vernehmbaren laut-
komplexes.

Es braucht nicht besonders hervorgehoben zu werden, dass es
natürlich nicht nur zwei grade gibt, stark und schwach, sondern dass
es zwischen den stärksten und den schwächsten silben eine unendliche menge von abstufungen gibt; gewöhnlich kann man sich aber
mit der unterscheidung von vier graden begnügen: 4 stark, 3 halb-
stark, 2 halbschwach, 1 schwach — sehr oft kann man 3 und 2 zu-
sammennehmen, also nur drei stufen unterscheiden, wie in der
gewöhnlichen lautschrift: ˈa = 4, ˌa = 3 oder 2; 1 unbezeichnet.

Die sprachgeschichtlichen wirkungen des akzents sind ja altbe-
kannt, was die vokale betrifft: überall findet man die neigung, vokale
in schwacher silbe zu verkürzen, und sie der ruhelage zu nähern, so
dass oft [ə] das resultat wird, oder endlich sie ganz fallen zu lassen
(vgl. unten). Weniger oft, aber doch häufig genug, begegnet man
der tendenz, vokale in schwacher silbe zu *i* zu heben; im engl. hat
man z. b. *i* (genauer ein schlaffes [i̯]) in *passage, fortunate, High-
gate, always,* und namentlich in den flexionsendungen *-es, -ed,* z. b.
passes, ended. Der mit *e* im mittelengl. geschriebene vokal, der in
kings, called, usw. fortgefallen ist, war wahrscheinlich ein *i.* In solchen fällen erklärt sich der übergang zu *i* dadurch, dass dieser vokal
in gewissen umgebungen, namentlich vor zungenspitzenkonsonanten,
weniger artikulationsenergie erfordert als ein niedrigerer vokal.

Wir kommen jetzt zu der je nach der akzentuellen stellung verschiedenen behandlung von konsonanten wie im Vernerschen gesetz.
In der starken silbe mit ihrer energischen artikulation war es natürlich leicht, den scharfen kontrast zwischen dem stimmhaften vokal
und dem darauf folgenden stimmlosen konsonanten festzuhalten.
In schwacher silbe dagegen war der gegensatz zwischen beiden lauten, vokal und darauffolgendem engelaut, nicht so ausgeprägt, da
hier der abstand zwischen den stimmbändern bei dem ersteren grösser
und bei dem zweiten geringer war als bei den entsprechenden starken lauten; bei der schlafferen aussprache waren die engelaute der
assimilation seitens ihrer umgebung ausgesetzt und bekamen wie sie
stimme (murmelstimme). Die hier vorgetragene auffassung über die
natur des akzents (des druckes) erklärt somit beides, sowohl das

16*

stimmlosbleiben nach starkem wie das stimmhaftwerden nach schwachem vokal.[1]

Nun hat man eine schwierigkeit darin gefunden, dass man glaubte, die verschiedene behandlung setze eine unnatürliche silbenteilung für die altgermanische zeit voraus. Verner selbst sagt darüber (s. 117 = 27): „Ich brauche wohl nicht zu bemerken, dass wir die moderne silbentrennung *fa-dar, fin-þan* nicht anwenden müssen; alle dem vocale folgenden consonanten gehörten der vorhergehenden silbe an (*fad-ar, finþ-an*), wie es ja auch die germanische metrik bezeugt (die an. hendingar, assonanzreime)".

Gegen eine silbenteilung *brōþ-ar fad-ar* spricht Holger Pedersen (KZ 39.245): in der idg. ursprache hatte man eine andere silbenteilung, und wenn auch die alte teilung in den germ. sprachen stark geändert worden ist, ist doch eine teilung wie *brōþ-ar* noch heute keineswegs gewöhnlich. Deshalb (und aus anderen gründen, s. unten) glaubt er Verner's gesetz durch die annahme eines musikalischen akzents erklären zu können, „dessen fallende bewegung stimmlosigkeit des folgenden vokals [?] bewirkte".

Angesichts der grossen, ja oft unüberwindlichen schwierigkeiten, die damit verbunden sind, die silbenteilung in sprachen, die man jeden tag spricht und hört, zu bestimmen, bin ich immer skeptisch, wenn ich über eine solche in längst vergangenen sprachperioden etwas lese (Lehrb. d. phon. 13.7). In diesem zusammenhang trifft es sich aber insofern glücklich, als wir gar nichts positives über die silbenscheide in der altgermanischen zeit (und in der zeit, da die englischen änderungen vor sich gingen) zu wissen oder zu sagen brauchen: das einzige, was wir brauchen, ist die tatsache, dass in einem fall der konsonant unmittelbar nach schwachem vokal, im anderen nach starkem vokal folgte (an einer pause zwischen vokal und konsonant denkt doch wohl niemand). Und dass die stellung hinter einem vokal sprachlich von bedeutung sein kann, bezweifelt wohl niemand. Man bedenke auch, dass in allen sprachen, die reime in ihren versen verwenden, der starke vokal mit den folgenden lauten (ohne rücksicht auf silbentrennung) ausschlaggebend ist (*gross : los, rosse : posse,*

---

[1] Meine erklärung ist, wie man sieht, vollständiger als diejenige Verners, der (s. 116 = 26) nur von der stärkeren luftausströmung als dem expiratorischen akzent und den stimmlosen konsonanten gemeinsam spricht.

rose : lose). Und in quantitierender metrik errechnet man die silben-
länge in der weise, dass der vokal mit dem oder den folgenden, nicht
aber mit dem oder den vorausgehenden konsonanten in betracht
kommt. Ob man also *broþ-ar* oder *bro-þar* abteilt, ist für unsere
frage ganz gleichgültig: in natürlicher rede hat man gar nicht ab-
geteilt.

Ablaut.

Ich komme jetzt zu einer anderen frage, die in gewisser verbindung
mit dem bisher behandelten steht, nämlich: Wie war der urarische
(idg.) akzent beschaffen? Die meisten sprachforscher waren (und
sind) wohl der meinung, dass die „schwundstufe" im ablaut auf
druck-, nicht auf ton-akzent deutet: stimmt ja doch die behandlung
hier im grossen ganzen mit dem, was wir durchgängig bei druck-
schwachen silben in modernen sprachen beobachten, wo vom einfluss
eines tones nicht die rede sein kann. Es hat jedoch an widerspruch
nicht gefehlt. Zuerst hat Paul Passy (Étude sur les changements
phonét. 1890, 116) darauf aufmerksam gemacht, dass es hier „toujours et uniquement" die „voyelle la plus sonore" ist, die fortfällt:
das kann er sich unter voraussetzung eines druckakzents nicht gut
vorstellen, denn dann würde z. b. *bheidh* in schwacher stellung eher
bed als *bhidh* geben; dagegen sei alles leicht erklärlich „si la réduc-
tion de la syllabe grave est due au changement habituel des sons
vocaliques en sons chuchés. Car le chuche a précisément pour effet
de renverser l'ordre de sonorité: une voyelle ouverte chuchée s'entend
moins qu'une voyelle fermée chuchée, et toutes deux s'entendent
moins qu'une consonne. Qu'on essaye de chucher les syllabes comme
bheug, gen, derk, etc.: on sentira de suite combien facilement elles
peuvent passer à *bhug, gn, drk,* etc.". Dieses flüstern denkt er sich
also als wirkung eines tiefen tones; er zitiert meine beobachtungen
von geflüsterten vokalen im frz. als sozusagen „der niedrigsten stufe
der tonleiter".[1]

Ganz dieselben argumente wie bei Passy finden sich bei N. Finck
in seiner schrift „Über das verhältnis des baltisch-slavischen nominal-

---

[1] Phon. Studien 2.92, 1888. Ich bemerke jedoch, dass ich dort (wie auch Lehrb. d.
phon. 6.49) nicht von „flüstern", sondern von stimmlosigkeit der silbe spreche. Die
stimmbänderstellung ist verschieden (antalphab. εI und ε3). Das ist aber nebensache.

akzentes zum uridg", 1895, s. 3, 28.38 (er zitiert mit bezug auf
stimmlose oder geflüsterte vokale u. a. Jespersen und Passy). Die
beweisführung Fincks wird mit beifall von Hirt, IF 7.139 und Holger Pedersen KZ 39.234 angeführt, die beide nur ihn nennen.

Die schlussfolgerung Passys und somit auch der anderen forscher
leidet aber an verschiedenen schwächen. Erstens kann ich nicht hören,
dass in geflüsterter rede die (in gewöhnlicher rede) sonorsten laute
leicht fortfallen. Wenn ich z. b. *mein haus* flüstere, ist keine gefahr
vorhanden, dass es als *min hus* (oder als *men hos* oder eine ähnliche
form) mit beibehalten des zweiten bestandteiles des diphthonges aufgefasst wird. Zweitens geht es gar nicht an, tiefton mit flüstern zu
identifizieren; sprachen, die wie z. b. chinesisch, einen tiefen ton als
wortscheidendes („glottisches") element benutzen, sprechen doch
nicht durchgängig diese silben stimmlos oder flüsternd aus: das
müsste aber in unserer ursprache eine feste gewohnheit gewesen sein
um die genannte wirkung hervorzubringen. Im französischen und anderen sprachen, wo ich stimmlose vokale gehört habe, kommen sie nur
gelegentlich vor,[1] und derselbe mensch kann dieselbe verbindung bald
stimmlos, bald mit gewöhnlicher stimme aussprechen: diese stimmlosigkeit ist also kein bestandteil des phonologischen systems der betreffenden sprache. Drittens ist es ziemlich unbegreiflich, dass in
diesen stimmlosen oder geflüsterten silben immer nur der sonorste
laut affiziert wurde, während man nie ein beispiel dafür findet, dass
in denselben silben ein stimmhafter konsonant seine stimme verlor.
(Diesen einwand hat schon Passy gesehen, s. 116 note). Viertens endlich ist es ja gar nicht richtig, dass eine reduktion in folge einer
*druck*schwächung zum fortfall der am wenigsten sonoren laute und
zum beibehalten des offensten oder sonorsten lautes führen müsste.
Das gegenteil beobachten wir ja tagtäglich in sprachen, die eine feste
tonerhöhung oder tonsenkung nicht kennen. In deutsch oder dän.
handel, in engl. *fatal, battle* (aus *bataille*) wird *l* silbenbildend, nachdem der vokal geschwunden ist; dasselbe geschieht mit *n* in d., dän.
hatten, engl. *cotton, sudden* (aus *sudein*) usw. In engl. *captain*

---

[1] Lehrb. d. phon. 6.49. Im japanischen sind sie, namentlich stimmloses *i* und *u*,
ungemein häufig in schneller familiärer sprache zwischen stimmlosen lauten und fallen
dann oft ganz fort. Betreffend slavische sprachen s. O. Broch, Slav. phonetik 239.
Meine frühere bemerkung über russisch beruhte auf einer mündlichen mitteilung Lun-
dells.

schwindet entweder der ganze diphthong, [kæptn], oder der sonorste teil, [kæptin]. Solche beispiele zeigen, dass es gar nicht auf sonorität ankommt: was am meisten widerstandskraft hat, ist der konsonantische bestandteil oder was der konsonantischen artikulation am nächsten kommt.

Das ist genau derselbe vorgang wie in solchen einfachen fällen wie *pt* in gr. *ptésthai* 'fliegen' neben *pétesthai* oder — um ein modernes beispiel zu nehmen, frz. *p'têtre* aus *peut-être*. Die erklärung ist einfach die, dass die neue form weniger *artikulatorische* anstrengung erheischt als die vollere form: um *handel* mit vollem vokal in der zweiten silbe zu sprechen muss die zunge sich senken, eine bewegung, die erspart wird, wenn *l* silbisch wird. Muskeltätigkeit, nicht schallfülle, ist das entscheidende.[1]

Mit anderen worten: die annahme einer flüsterstimme in der ursprache hilft uns gar nicht, dagegen ist alles sehr leicht verständlich, wenn man von einer solchen absieht.

Der teil der alten ablauterscheinungen, der am unzweifelhaftesten mit akzent zusammenhängt, lässt sich also am besten durch einen druckakzent erklären. Es ist hier nicht am platze ausführlich die viel umstrittene frage von der natur des akzents *in den klassischen sprachen* zu behandeln; ich kann doch nicht umhin, ganz kurz meine überzeugung auszusprechen, dass die namentlich von einer so grossen autorität wie Meillet in verschiedenen büchern und artikeln verfochtene ansicht, der altindische[2], griechische und lateinische akzent sei in der klassischen zeit ein reiner tonakzent gewesen, unhaltbar ist: diejenigen forscher (deutsche, engländer, amerikaner), die an einen druckakzent glauben, haben in der hauptsache recht. Die alten grammatiker sprechen zwar von tönen, das ist aber ebensowenig beweisend wie wenn phonetisch ungeschulte beobachter heutzutage (solche findet man ja auch unter grammatikern und sprachforschern!) sehr oft von hochton und tiefton sprechen, wo starker und schwacher druck

---

[1] Um einen fortfall von *i* in schwacher silbe zu begreifen braucht man auch nicht, wie man bisweilen getan hat, seine zuflucht zu tiefton oder zu stimmlosigkeit zu nehmen, vgl. engl. *business, medicine* usw., frz. *droit* aus *directum*, dän. kolloquial *mil(i)tær* usw.; ebenso verhält es sich wohl auch mit lat. *valde* aus *valide.*

[2] Über akzent in alten und neuen indischen sprachen s. S. K. Chatterji, Origin and Development of the Bengali Language, Calcutta 1926, 1.275 mit zahlreichen litteraturangaben.

gemeint ist. Tonerhöhungen und -senkungen waren wie in modernem deutsch usw. begleiterscheinungen, hauptsächlich in der drucksilbe, machten aber nicht das innerste wesen des akzents aus. Zugeben muss man wohl, dass der druckunterschied zwischen stark und schwach nicht so gross war wie jetzt im englischen oder dänischen: der akzent war also nicht „stark markiert" (ich ziehe diesen ausdruck dem von Alfred Schmitt[1] gebrauchten „stark zentralisiert" vor).

Wir brauchen also nicht zuerst in vorhistorischer zeit einen um-schwung von druck zu ton und dann in historischer zeit einen um-schwung in entgegengesetzter richtung anzunehmen.[2] Mehr oder weniger durchgreifende änderungen im *platz* des akzents können z. b. durch quantitätsverhältnisse wie im griechischen und lateinischen oder durch semantischen wert wie im germanischen hervorgerufen werden — im grossen ganzen ist jedoch die *natur* des akzents[3] in unserer sprachfamilie dieselbe geblieben: es war und ist ein energie-akzent, druck, mehr oder weniger kräftig, mehr oder weniger von tonerhöhungen und tonsenkungen begleitet, aber doch in seinem in-nersten wesen einheitlicher druckakzent alle zeitalter hindurch bis heute.[4]

---

[1] „Untersuchungen zur allgemeinen akzentlehre" 1924 und „Akzent und diphthon-gierung" 1931. Ich kann in vielen, wenn auch nicht in allen punkten diesem verfasser beistimmen, der sich ja auch oft genug auf meine ausführungen beruft.

[2] Sehr starke ausdrücke gebraucht William Thomson (The Rhythm of Speech, Glasgow 1923, p. 19): „The idea that in modern Greek and the Romance languages accent is derived from ancient high pitch, is a baseless and stupid blunder, perpetuated in hundreds of books by learned men. It is not that the idea is erroneous or false to fact. To say so would be to pay it a homage beyond its due. The point is that it is void of sense. A high pitch may change to a higher or a lower one, an accented syllable may in time become weaker or still stronger, but it is as foolish to talk of pitch chang-ing to accent as it would be to speak of colour changing to hardness or sweetness." — Vgl. ebd. 214 „If, as Dionysius is taken to assert, every vowel marked with an acute accent was a fifth higher than its neighbours, Greek must have been the ugliest and stupidest language ever invented by man—invented, for it could not have grown— and infinitely inferior in these respects to the most hideous and barbarous dialects now extant."

[3] Tongegensätze innerhalb der silbe („gestossen" und „schleifend" u. dgl.) habe ich in diesem aufsatz ausser acht gelassen.

[4] Zusatz bei der korrektur (zu s. 233). Prof. Sanki Ichikawa (Tokyo) schreibt mir: „As for *nigori* I have often thought of it in relation to Verner's Law, but I have never been able to apply it at all in a consistent manner. The process of nigoriza-tion took place long, long ago, and we cannot ascertain how accent was in the long past".

NOTES ON METRE[1]

§ 1. The iambic pentameter may without any exaggeration be termed the most important metre of all in the literatures of the North-European world. Since Chaucer used it in its rimed form (the heroic line) and especially since Marlowe made it popular in the drama in its unrimed form (blank verse), it has been employed by Shakespeare, Milton, Dryden, Pope, Thomson, Cowper, Wordsworth, Byron, Shelley, Tennyson, by Lessing, Goethe, and Schiller, as well as by numerous Scandinavian poets, in a great many of their most important works. I shall here try to analyse some peculiarities of this metre, but my remarks are directly applicable to other metres as well and indirectly should bear on the whole metrical science, which, if I am right in the theories advanced below, would seem to require a fundamental revision of its principles, system of notation, and nomenclature.

According to the traditional notation the metre mentioned above consists of five iambi with or without an eleventh weak syllable:

$$\smile - \mid \smile - \mid \smile - \mid \smile - \mid \smile - \mid (\smile)$$

Her eyes,│her haire,│her cheeke,│her gate,│her voice.	(1)
Give ev'│ry man│thine ear',│but few│thy voyce:│	(2)
Take each│mans cen│sure, but│reserve│thy judg'│ment.[2]	(3)
Ein un│nütz Le│ben ist│ein früh│er Tod.	(4)
Zufrie│den wär'│ich, wenn│mein Volk│mich rühm│te.	(5)

---

[1] Read in Danish in the "Kgl. danske videnskabernes selskab" on the 16. Nov. 1900, printed as "Den psykologiske grund til nogle metriske fænomener" in *Oversigt* 1900 p. 487. Here translated with a few re-arrangements and many omissions, chiefly with regard to Danish and German examples and the refutation of the views of the Danish metrist E. v. d. Recke.

[2] The places from which quotations are taken will be indicated at the end of the paper. Quotations from Shakespeare are given in the spelling of the 1623 folio, except

§ 2. But pretty often we find deviations from this scheme, a "trochee" being substituted for an "iambus". This phenomenon, which may be called briefly inversion, is especially frequent in the first foot, as in

— ‿ ‿ ·— ‿ — ‿ — ‿ — ‿

Told by | an id | iot, full | of sound | and fu | ry.   (1)

    Even two "trochees" may be found in the same line, as in

— ‿ ‿ — — ‿ ‿ — ‿ — ‿

Tyrants | themselves | wept when | it was | report | ed   (2)
Ihn freu | et der | Besitz; | ihn krönt | der Sieg (*ihn* emphatic).   (3)

Why, now, are such inversions allowed? How is it that the listener's sense of rhythm is not offended by the fact that once or even twice in the same line he hears the very opposite movement of the one he expected, a "trochee" instead of an "iambus"? He expects a certain pattern, a regular alternation in one particular way of ten syllables, and his disappointment at encountering one trochee can be mathematically expressed as affecting two tenths of the whole line; in the case of two trochees his disappointment is one of four tenths or two fifths; and yet he has nothing like the feeling of displeasure or disharmony which would seize him if in a so-called "hexameter" like

    Strongly it bears us along in swelling and limitless billows—an "anapaest" were substituted for a "dactylus":

    It is strong, bears us along in swelling and limitless billows;
or if in
Jack is a poor widow's heir, but he lives as a drone in a beehive—
we substituted an "amphibrach":
Behold a poor widow's heir, but he lives as a drone in a beehive.

    Naturally science cannot rest contented by calling deviations "poetical licences" or by saying that the whole thing depends on individual fancy or habit: as poets in many countries, however different their verse is in various other respects, follow very nearly the same rules, and to a great extent followed these before they were

---

that sometimes an apostrophe is substituted for a mute *e*, and that the modern distinction of *u* and *v*, and of *i* and *j* is carried through.

established by theorists, there must be some common basis for these rules, and it will be our task to find out what that basis is.

§ 3. The permissibility of a trochee in an iambic metre is very often justified by the assertion that purely iambic lines following one another without intermission would be intolerably monotonous and that therefore a trochee here and there serves to introduce the pleasing effect of variety.[1] But there are several objections to this view. In the first place even a long series of perfectly regular lines are not disagreeably monotonous if written by a real poet. In one of Shakespeare's finest scenes we find in the first hundred lines not more than four inversions (*As you like it* II. 7); it can hardly be those four lines which make the whole scene so pleasing to the ear. In Valborg's speech in Oehlenschläger's *Axel og Valborg* III.69 we have 28 beautiful lines without a single deviation from the iambic scheme.

Secondly, if harmony were due to such irregularities, it would be natural to expect the same effect from similar deviations in trochaic and other metres. The reader of Longfellow's *Hiawatha* will no doubt feel its metre as much more monotonous than the five-foot iambus, yet here no deviations would be tolerated; an iambus in a trochaic metre is an unwelcome intruder, while a trochee in an iambic line is hailed as a friendly guest.

Thirdly, the theory gives no explanation of the fact that the use of trochees is subject to some limitations; if the only purpose were to relieve monotony, one would expect trochees to be equally welcome everywhere in iambic verses, but that is very far from being the case. True, the rare occurrence of trochees in the fifth foot is explained by saying that deviations from the ordinary pattern are always best tolerated in the beginning of the verse, because then there is still time to return to the regular movement. But if this were the only reason, we should expect trochees to tend to decrease as we approached the end of the line, the second foot presenting more instances than the third, and the third than the fourth; but this again does not tally with the actual facts, for the second foot has fewer

[1 "Their attractiveness may be due precisely to the fact that the accent of the first foot comes as a surprise to the reader", Sonnenschein, *Rhythm* 105.]

inversions than any other foot except the fifth. König gives the following numbers for Shakespeare:

> first foot more than   3000,
> second foot only   34,
> third foot more than   500,
> fourth foot more than   400.

(*Der Vers in Shakespeares Dramen.* Strassburg 1888, Quellen und Forschungen 61, p. 79, cf. 77. Only "worttrochäen" are here numbered, not "satztrochäen".)

§ 4. If we are to arrive at a real understanding of the metre in question and of modern metre in general, it will be necessary to revise many of the current ideas which may be traced back to ancient metrists, and to look at the facts as they present themselves to the unsophisticated ears of modern poets and modern readers. The chief fallacies that it is to my mind important to get rid of, are the following:

(1) *The fallacy of longs and shorts.* Modern verses are based primarily not on length (duration), but on stress (intensity). In analysing them we should therefore avoid such signs as — and ⌣ , and further get rid of such terms as iambus (⌣—), trochee (—⌣), dactylus (—⌣⌣), anapaest (⌣⌣—), pyrrhic (⌣⌣), choriamb (—⌣⌣—), etc. To speak of an iambus and interpret the term as a foot consisting of one weak and one strong syllable is not quite so harmless a thing as to speak of consuls and mean something different from the old Roman consules. It is not merely a question of nomenclature: the old names will tend to make us take over more than the terms of the old metrists.—There are other misleading terms: what some call "arsis" is by others termed "thesis", and inversely.

(2) *The fallacy of the foot,* i. e. the analysis of a line as consisting of parts divided off by means of perpendicular straight lines ⌣—|⌣—|⌣—| etc. Such signs of separation can only delude the reader into "scanning" lines with artificial pauses between the feet —often in the middle of words and in other most unnatural places. On the other hand a natural pause, occasioned by a break in the meaning, may be found in the middle of a foot as well as between

metrical feet. It is also often arbitrary where we put the division-mark: Are we to scan Tennyson's line

> The de|light of|happy|laughter—or
> The delight|of hap|py laugh|ter?

The line mentioned above (§ 1, 1) is analysed by E. K. (now Sir Edmund) Chambers in his Warwick ed. of Macbeth as having "the stress inverted in every foot" and a dactylus in the first:

> Told' by an|i'diot,|full'of|sound' and|fu'ry.

Some metrists (Bayfield among them) even incline to treat such lines as § 1.3 as "trochaic" with an anacrusis:

> Take|each mans|censure,|but re|serve thy|judg'ment.

In such cases it would almost seem as if the vertical stroke were used as the bar in music, to indicate where the strong note or stress begins, though most metrists would deny the legitimacy of that analogy.

We shall see below that the abolition of the fallacy of the foot will assist us in understanding the chief irregularities of blank verse.

(3) *The fallacy of two grades.* The ancients recognized only longs and shorts though there are really many gradations of length of syllables. In the same way most of the moderns, while recognizing that stress is the most important thing in modern metres, speak of two grades only, calling everything weak that is not strong. But in reality there are infinite gradations of stress, from the most penetrating scream to the faintest whisper; but in most instances it will be sufficient for our purposes to recognize four degrees which we may simply designate by the first four numbers:

> 4 strong
> 3 half-strong
> 2 half-weak
> 1 weak.

It is not always easy to apply these numbers to actually occurring syllables, and it is particularly difficult in many instances to distinguish between 3 and 2. Unfortunately we have no means of measuring stress objectively by instruments; we have nothing to go by except our ears; but then it is a kind of consolation that the poets themselves, whose lines we try to analyse, have been guided by nothing else but *their* ears—and after all, the human ear is a wonderfully delicate apparatus.

§ 5. Verse rhythm is based on the same alternation between stronger and weaker syllables as that found in natural everyday speech. Even in the most prosaic speech, which is in no way dictated by artistic feeling, this alternation is not completely irregular: everywhere we observe a natural tendency towards making a weak syllable follow after a strong one and inversely. Rhythm very often makes itself felt in spite of what might be expected from the natural (logical or emotional) value of the words. Thus syllables which ought seemingly to be strong are weakened if occurring between strong syllables, and naturally weak syllables gain in strength if placed between weak syllables. *Uphill* is 24 in *to walk uphill*, but 42 in *an uphill walk*. *Good-natured* is 44, but becomes 43 or 42 in *a good-natured man*. The last syllable of *afternoon* is strong (4) in *this afternoon*, but weaker (2 or 3) in *afternoon tea*. *Back* is weaker in *he came back tired* than in *he came back with sore feet*, etc.

Illustrations of this principle are found in the following verse lines in which the middle one of the three italicized syllables is weakened, giving 434 (or 424) instead of 444:

But *poore old man,* thou prun'st a rotten tree.   (1)
The course of *true love nev*er did run smooth.   (2)
Oh that this *too too sol*id flesh would melt.   (3)
You are my ghests: do me no *foule play, friends.*   (4)
The *still sad mus*ic of humanity.   (5)
A *long street climbs* to *one tall-tow*er'd mill.   (6)
Doch sein geschwungner *Arm traf ih*re Brust (*ihre* emphatic).   (7)

§ 6. Of two successive weak syllables that one is the relatively stronger which is the further removed from the strongly stressed syllable; consequently we have the formula 412 in *happily, gossiping, lexicon, apricot, Socrates,* etc., and the inverse 214 (or 314) in *condescend, supersede, disinter;* 2141 in *collocation, expectation, intermixture,* 21412 in *conversational, international, regularity.*

The effect of surroundings is seen clearly in the following line, where *when one* is 23 after the strong *know,* and 32 before the strong *lives:*

I know when one is dead, and when one lives. (1)

Other examples (*I, and, when*—now "weak", now "strong" without regard to meaning) are found in the passage analysed below in § 24. *It is* according to circumstances may be 12 or 21, and the same is true of *into* in Shakespeare and other poets. *Is* is "strong", i.e. 2 between two weak syllables (1) in

A thing of beauty is a joy for ever—

and any page of poetry affords examples of the same phenomenon.

§ 7. Our ear does not really perceive stress relations with any degree of certainty except when the syllables concerned are contiguous. If two syllables are separated by a series of other syllables, it is extremely difficult even for the expert to tell which of them is the stronger, as one will feel when comparing the syllables of such or long word as *incomprehensibility: bil* is the strongest, *hen* is stronger than both *pre* and *si,* but what is the relation between *hen* and *vom?* or between *in* and *ty?* Another similar word is *irresponsibility,* only here the first syllable is stronger than the second. What is decisive when words have to be used in verse is everywhere the surroundings: the metrical value of a syllable depends on what comes before and what follows after it.

Even more important is the fact that we have to do with *relative degrees of force only:* a sequence of syllables, a verse line may produce exactly the same metrical impression whether I pronounce it so softly that it can scarcely be heard at two feet's distance, or shout it so loudly that it can be distinctly perceived by everyone in a large theatre; but the strongest syllables in the former case may have been weaker than the very weakest ones in the latter case.

§ 8. This leads us to another important principle: the effect of a *pause:* If I hear a syllable after a pause it is absolutely impossible for me to know whether it is meant by the speaker as a strong or as a weak syllable: I have nothing to compare it with till I hear what follows. And it is extremely difficult to say with any degree of certainty what is the reciprocal relation between two syllables separated by a not too short pause.

§ 9. Let us now try to apply these principles to the "iambic pentameter". The pattern expected by the hearer is a sequence of ten syllables (which may be followed by an eleventh, weak syllable), arranged in such a way that the syllables occupying the even places are raised by their force above the surrounding syllables. It is not possible to say that the scheme is

     14   14   14   14   14   (1),

for this is a rare and not particularly admired form, as in

     Her eyes, her haire, her cheeke, her gate, her voice. (1)

     Of hairs, or straws, or dirt, or grubs, or worms.   (2)

Lines of that type were pretty numerous in the earliest days of blank verse, in Gorboduc and in Peele. But it was soon felt that it was much more satisfactory to make the difference in force between the strong and the weak elements of the line less than that between 1 and 4 and at the same time less uniform, for the only thing required by the ear is an upward and a downward movement, a rise and a fall, an ascent and a descent, at fixed places, whereas it is of no importance whatever how great is the ascent or the descent. It is therefore possible to arrange the scheme in this way, denoting the odd syllables by *a* and the even ones by *b:*

a╱b╲a╱b╲a╱b╲a╱b╲a╱b(╲a) —

or, if we denote relative strength by a capital,

     aBaBaBaBaB(a).

§ 10. It is the relative stress that counts. This is shown conclusively when we find that a syllable with stress-degree 2 counts as strong between two 1s, though it is in reality weaker than another with degree 3 which fills a weak place in the same line because it happens to stand between two 4s. This is, for instance, the case in

     The course of true love never did run smooth (1):

did (2) occupies a strong place though no sensible reader would make it as strong as *love,* which counts as weak in the verse.

In consequence of this relativity it is possible on the one hand to find lines with many weak syllables, e.g.

     It is a nipping and an eager ayre. (2)

Here *is* and *and* on account of the surroundings are made into 2s; the line contains not a single long consonant and only two long vowels.

On the other hand there are lines with many strong and long syllables, such as

And ten low words oft creep in one dull line.   (3)

The long day wanes: the slow moon climbs: the deep

Moans round with many voices.   (4)

Thoughts blacke, hands apt, drugges fit, and time agreeing.   (5)

Day, night, houre, tide, time, worke, and play.   (6)

Rocks, caves, lakes, fens, bogs, dens, and shades of death.   (7)

In lines like the last two, however, the pauses make the regular alternation of 3 and 4 difficult or even impossible.

With inversion in the beginning we have Browning's dreadfully heavy

> Spark-like mid unearthed slope-side figtree-roots (8).

A comparison of such extremes of light and heavy lines shows conclusively that *quantity as such has no essential importance in the building up of blank verse.*

The principle of relativity allows an abundance of variety; there are many possible harmonious and easy-flowing verses, with five, or four, or three really strong syllables (degree 4); and the variety can be further increased by means of pauses, which may be found between the lines or at almost any place in the lines themselves, whether between or in the middle of so-called feet.

So much for the normal "iambic pentameter".

§ 11. Let us now analyse a line with inversion, e.g.

> Peace, children, peace! the king doth love you well. (1)

The stress numbers for the first four syllables are 4314 (or possibly 4214, though 3 seems more likely than 2 for the second syllable). Here the ear is not disappointed in the first syllable: after the pause preceding the line one does not know what general level to expect: a syllable which objectively is pretty strong might turn out to be a relatively weak introduction to something still stronger. A mathematician might feel tempted to express this in the following way: the proportion between the 0 of the pause and the 4 of a strong syllable is the same as between 0 and the 1 of a weak syllable.

It is therefore not till this strong syllable is followed by one that is weaker instead of stronger that the ear experiences a disappointment and feels a deviation from the regular pattern. But the transition from the second to the third syllable is a descent in strict conformity with the pattern; and in the same way there is perfect

17

regularity in the relation between the third and the (strong) fourth, and indeed in the whole of the rest of the line. The scheme accordingly is the following:

a\b\a╱b\a╱b\a╱b\a╱b,

which should be compared with the scheme given above, § 9, as normal.

This amounts to saying that while according to the traditional way of notation one would think that the departure from the norm concerned two-tenths (one-fifth) of the line if one heard a "trochee" instead of an "iambus", the ear is really disappointed at one only out of ten places. The deviation from the norm is thus reduced to one-tenth—or even less than that, because the descent is only a small one. The greater the descent, the greater will also be the dissatisfaction, but in the example analysed the descent was only from 4 to 3. A beginning 4114 is comparatively poor, but 4314 or 4214 does not sound badly, for from the second syllable (or from the transition to the third) one has the feeling that everything is all right and the movement is the usual one. In the case of two inversions in the same line we have in two places (not in four!) disappointments, each of them amounting to less than one-tenth, and so far separated from the other that they do not act jointly on the ear.

§ 12. We shall now collect some classified examples which tend to show that poets have instinctively followed this hitherto never formulated principle.

A. First we have instances in which the three syllables concerned belong to the same word. Such words, of the stress-formula 431 or 421, are very frequent in Danish and German; I have therefore been able to find a great many lines like the following:

Sandhedens kilder i dets bund udstrømme.   (1)
Staldbroder! hav tålmodighed med Axel.   (2)
Granvoxne Valborg! — Elskelige svend!   (3)
Kraftvolles mark war seiner söhn' und enkel. (4)
Unedel sind die waffen eines weibes.   (5)
Hilfreiche götter vom Olympus rufen.   (6)

In English, on the other hand, words of this type are comparatively rare, and in Elizabethan times there was a strong tendency to shift the stress rhythmically so as to have 412 instead of 431 or 421, thus in *torchbearer, quicksilver, bedfellow,* etc. (references in my *Modern Engl. Gr.* I 5.45). Cf. also the treatment of *berry* in *gooseberry, blackberry,* and of *kerchief* in *handkerchief.* But we have 431 in

Sleek-headed men, and such as sleepe a-nights.	(7)
Grim-visag'd warre hath smooth'd his wrinkled front.	(8)
All-seeing heaven, what a world is this?	(9)

§ 13. B. The first two syllables form one word.

Doomesday is neere, dye all, dye merrily.	(1)
Welcome, Sir Walter Blunt, and would to God ...	(2)
England did never owe so sweet a hope.	(3)
Something that hath a reference to my state.	(4)
Nothing that I respect, my gracious lord.	(5)
Ofspring of Heav'n and Earth, and all Earths Lord.	(6)
Noontide repast, or Afternoons repose.	(7)

This is frequent in Danish:

Valborg skal vorde Axel Thordsøns brud.	(8)
Alting er muligt for et trofast hjerte.	(9)

§ 14. C. The first word is one syllable, the second two or more.

Urge neither charity nor shame to me.	(1)
Dye neyther mother, wife, nor Englands queene!	(2)
Peace, master marquesse, you are malapert.	(3)
Peace, children, peace! the king doth love you well.	(4)
First, madam, I intreate true peace of you.	(5)

Danish and German examples:

Tak, høje fader, for din miskundhed!	(6)
Spar dine ord! Jeg kender ikke frygt.	(7)
Den bære kronen som er kronen voxen.	(8)
Frei atmen macht das leben nicht allein.	(9)
Sie rettet weder hoffnung, weder furcht.	(10)

In cases like the following one may hesitate which of the first two syllables to make 4 and which 3:

Yong, valiant, wise, and (no doubt) right royal.   (11)
Friends, Romans, countrymen, lend me your ears.   (12)
Foule wrinkled witch, what mak'st thou in my sight?   (13)
Ros, rygte, folkesnak i sold den ta'er.   (14)
Rat, mässigung und weisheit und geduld.   (15)

§ 15. D. Two monosyllables.

Here there will naturally be a great many cases in which the correct distribution of stresses is not self-evident: one reader will stress the first and another the second word. I think however that in the following lines most readers will agree with me in stressing 4314 or 4214 (or 5314):

Long may'st thou live, to wayle thy childrens death.   (1)
Greefe fils the roome up of my absent childe.   (2)
God will revenge it. Come, lords, will you go.   (3)
Their woes are parcell'd, mine is generall.   (4)
Sweet are the uses of adversitie.   (5)
Lye there what hidden womans feare there will.   (6)
Cours'd one another downe his innocent nose.   (7)
Knap var det sagt, så stod for dem den tykke.   (8)
Klog mand foragter ej sin stærke fjende.   (9)
Dank habt ihr stets. Doch nicht den reinen dank.   (10)
Wohl dem, der seiner väter gern gedenkt.   (11)

In the middle of a line:

As it is wonne with blood, *lost be it* so.   (12)
Den nordiske natur. *Alt skal du* skue.   (13)
So kehr zurück! *Thu, was dein* Herz dich heisst.   (14)

§ 16. While in the lines examined so far a natural reading will stress the second syllable more than the third, it must be admitted that there are many lines in which the words themselves do not demand this way of stressing. Nevertheless the possibility exists that the poet had it in his mind, and expert elocutionists will often unconsciously give a stronger stress to the second syllable just to minimize the deviation from the scheme and avoid the unpleasant effect of the sequence 4114. I think this is quite natural in cases like the following, in which a proper name or another important word calls for an emphatic enunciation which makes the second syllable stronger than it might have been in easy-going prose:

Clarence still breathes; *Edward* still lives and raignes. (1)
Never came poyson from so sweet a place. (2)
Never hung poyson on a fowler toade. (3)
Tyrants themselves wept when it was reported. (4)
Hakon er konge, Valborg er en mø. (5)
Himlen er ej så blå som disse blomster. (6)

Even in a line like:

Cowards dye many times before their deaths (7)

an actor may feel inclined to express his contempt and to point the contrast to the following words "The valiant never taste of death but once" by giving special stress (53 or 54) to *cowards* and by extra stress on *many* to weigh down *die* to something comparatively insignificant, which is all the more natural as the idea of death has been mentioned in the preceding lines, while *cowards* is a new idea: new ideas are well known to attract strong stress. It is worth noting how often the figure is used as a rhetorical device to emphasize a contrast, in exclamations and in personal apostrophe (cf. König, p. 78). It is particularly apt for this use because a forcible attack of the voice after a pause will immediately catch the attention, before the verse settles down in its usual even course.

§ 17. In spite of all this there will remain some instances in which the second syllable cannot easily be made stronger than the third. Metrics is no exact science aiming at finding out natural laws that are valid everywhere. All we can say is that by arranging syllables in such and such a way the poet will produce a pleasing effect; but of course a poet is free to sacrifice euphony if other things appear more important to him—not to mention the possibility that he is momentarily unable to hit upon anything more felicitous.

§ 18. In all the cases dealt with in the preceding paragraphs there was a pause immediately before the strong syllable which had taken the place of a weak. The pause is often, but of course not everywhere indicated by a full stop or other punctuation mark. A natural explanation of the varying frequency of inversion at different places in the line (see above § 3) is found in the fact that a pause is not equally natural at all places. In the vast majority of cases inversion is found at the very beginning of a line, because the end of the preceding line is more often than not marked by a break in the thought and, even where this is not the case, a reciter or actor will often make a pause between two lines. Not quite so frequently comes a pause and inversion in the middle of a line, after the second or third "foot". It is necessarily rarer after the first foot, because a division of the line into two such unequal parts (2 + 8 syllables) is not natural: the two syllables are awkwardly isolated and cut off from organic cohesion with the rest. This is even more true of a pause after the eighth syllable: a strong syllable here will not leave us time enough to regain the natural swing of the verse before the line is ended. In such a case as

> It is his Highnesse pleasure, that the Queene
> Appeare in person here in Court. Silence! (1)

it would not even be unnatural to shout out the two last syllables as 44 or 45.

§ 19. In yet another way a pause may play an important role in the verse. If we analyse the following lines in the usual way we find that the syllables here italicized form trochees where we should expect iambs, and if we read them without stopping they are felt to be inharmonious:

Like to a step-*dame, or* a dowager.	(1)
Lye at the proud *foote of* a conqueror.	(2)
As wilde-*geese, that* the creeping fowler eye.	(3)
And let the soule *forth that* adoreth thee.	(4)
To bear the file's *tooth and* the hammer's tap.	(5)
John of the Black *Bands with* the upright spear.	(6)
A snow-*flake, and* a scanty couch of snow	
Crusted the grass-*walk and* the garden-mould.	(7)
Den, der er blind*født el*ler blind fra barndom.	(8)
Nu, det var smukt *gjort, det* var vel gjort, godt gjort.	(9)
Denn ihr allein *wisst, was* uns frommen kann.	(10)

If, on the other hand, we read these lines with the pause required (or allowed) by the meaning, the ear will not be offended in the least. The line is in perfect order, because in the first place *dame* with its 3 is heard together with *step* (4) and thus shows a descent in the right place, and secondly *or* with its 2 is heard in close connexion with *a* (1), so that we have the required descent between these two syllables. Graphically:

Like to	a step-	dame, or	a dow	ager
. . . . . .	iamb	trochee	iamb	. . . .
. . . . . . 1 4		3 2	1 4	
. . . . . . a ╱ b		╲ a (╲) b ╲	a ╱ b	

The descent marked in parenthesis between *dame* and *or* is not heard, and is thus non-existent. Similarly in the other examples.[1]

§ 20. The phenomena dealt with here (in § 12 ff. and 19) are singularly fit to demonstrate the shortcomings of traditional metrics (cf. above § 4). In the first case (inversion after a pause) we had a "trochee", whose second syllable acts in connexion with the first syllable of the following foot, as if the latter had been the second syllable of an iambus. In the second case (§ 19) we had a "trochee" whose first syllable as a matter of fact will be perceived in the verse as if it were the first part of an iambus, and whose second syllable is similarly playing the role of the latter part of an iambus, and yet it is impossible to call these two successive iambic syllables a real iambus. In both cases the ear thus protests against the paper idea of a "foot". In the former case the perpendicular line | is made to separate the two syllables whose mutual relation is really of great rhythmic importance and which accordingly ought to go together. In the latter case two similar straight lines join together syllables which are not to be heard together, and whose relation to one another is therefore of no consequence, while the syllables that have to be weighed against one another are by the same means separated as if they did not concern one another. Could anything be more absurd?

---

[1] A corresponding interpretation of the metre of Shakespeare's *Lucrece* 1611 and 1612 is found in A. P. van Dam, *W. Shakespeare, Prosody and Text*, Leyden 1900, p. 206.

§ 21. The irregularities in lines like

And they shall be one Flesh, one Heart, one Soule. (1)
The wretched annimall heav'd forth such groanes   (2)

might be explained by means of a pause after *be* and *animal: shall be* is 12, and *one flesh* 34, and similarly *animal* is 412 and *heav'd forth* 34, but the irregular ascent between 2 and 3 is concealed by the pause: $1 \diagup 2 (\diagup) 3 \diagup 4$ or $a \diagup b (\diagup) a \diagup b$.

This explanation does not, however, hold good for numerous groups of a similar structure, e.g.

In the sweet pangs of it remember me.   (3)
And the free maides that weave their thred with bones. (4)
In the deepe bosome of the ocean buried.   (5)
But the queenes kindred and night-walking heralds.   (6)
Of the young prince your sonne: send straight for him. (7)
I will feede fat the ancient grudge I beare him.   (8)
As his wise mother wrought in his behalfe.   (9)
Of a strange nature is the sute you follow.   (10)
Whose homes *are the dim caves* of human thought.   (11)
The ploughman lost his sweat, *and the greene corne*. (12)
Did I deserve no more *then a fooles head?*   (13)

This figure is frequent in English verse, but not in other languages. I incline to read it with 1234 and thus to say that the ascent is normal between the first and the second as well as between the third and the fourth syllable, so that there is only the one small anomaly of a slight ascent instead of a descent between the second and the third syllable. It is worth noting how frequently this figure contains an adjective (stressed 3) before a substantive (stressed 4); *fool's* before *head* is equivalent to an adjective.

Some metrists here speak of a double iambus ($\smile \smile - -$). Robert Bridges (*Milton's Prosody,* 1894, p. 56) calls it "a foot of two unstressed short syllables preceding a foot composed of two heavy syllables" and says, "Whatever the account of it is, it is pleasant to the ear even in the smoothest verse, and is so, no doubt, by a kind of compensation in it".

§ 22. The role of a pause which covers and hides away metrical irregulatities is seen also in the case of extra-metrical syllables. In Shakespeare these are particularly frequent where a line is distributed between two speakers. The pause makes us forget how far we had come: one speaker's words are heard as the regular beginning, and the next speaker's as the regular ending of a verse, and we do not feel that we have been treated to too much, though this would not pass equally unnoticed if there had been no break. Examples may be found in any book on Shakespeare's verse;[1] one occurs in the passage of Henry IV analysed below (§ 24, line 33). An interesting use of an extra-metrical syllable is made in King Lear IV. 1. 72

(Let the superfluous ... man ... that will not see,)

Because he do's not feele, feele your power quickly:

the second *feel,* which is necessary for the meaning, is heard as a kind of echo of the first and therefore enters into its place in the line.

§ 23. There is one phenomenon which is even more curious than those mentioned so far, namely that which Abbott has termed *amphibious section.* Recent metrists do not as a rule acknowledge it, but its reality seems indisputable. It will not be found in poets who write for the eye, but Shakespeare was thinking of the stage only and was not interested in the way his plays would look when they were printed. He could therefore indulge in sequences like the following:

He but usurpt his life. | Beare them from hence. | Our present businesse | is generall woe. | Friends of my soule, you twaine | Rule in this realme | and the gor'd state sustaine. (1)

This is a sequence of $6 + 4 + 6 + 4 + 6 + 4 + 6$ syllables, and in all the places here marked | (except perhaps two) a pause is necessary; after *life* a new speaker begins. The audience will not be able to notice that anything is missing: they will hear the first $6 + 4$ as a full line, but the same four syllables go together with the following six to form another full line, and so on. A modern editor is in a difficult dilemma, for whichever way he prints the passage one line is sure to be too short:

---

[1] But it is necessary to read these writers with a critical mind, for very often lines are given as containing such supernumerary syllables which are perfectly regular in Shakespeare's pronunciation, e. g.

I am more an antique Roman than a Dane (I am = I'm).

The light and careless livery that it wears (livery = livry).

He but usurped his life. Bear them from hence.
Our present business is general woe.
Friends of my soul, you twain
Rule in this realm and the gored state sustain,

or

He but usurped his life.
Bear them from hence. Our present business
Is general, etc.

A second example is:

Utter your gravitie ore a gossips bowles,
For here we need it not. | — You are too hot. | 6 + 4
Gods bread! it makes me mad. | (2)   6

or

For here we need it not.—   6
You are too hot. Gods bread! it makes me mad.   4 + 6

And a third:

Who, I, my lord! We know each others faces,
But for our hearts, | he knowes no more of mine | 4 + 6
Then I of yours; | 4
Nor I no more of his,[1] | then you of mine. | 6 + 4
Lord Hastings, you and he | are neere in love. | (3) 6 + 4

Such passages are thus elaborate acoustic delusions which are
not detected on account of the intervening pauses.

§ 24. It may not be amiss here to give the analysis of a connected
long passage according to the principles advocated in this paper. The
passage (Henry IV A I. 3. 29 ff.) is metrically of unusual interest.

29 My liege, I did deny no prisoners.
30 But I remember when the fight was done,
   When I was dry with rage and extreame toyle,
   Breathlesse and faint, leaning upon my sword,
   Came there a certain lord, neat and trimly drest,

---

[1] Folio: Or I of his, my Lord.

34 Fresh as a bride-groome, and his chin new reapt
   Shew'd like a stubble land at harvest-home.
   He was perfumed like a milliner,
   And 'twixt his finger and his thumbe he held
38 A pouncet-box, which ever and anon
   He gave his nose, and took't away againe:
   Who therewith angry, when it next came there,
   Tooke it in snuffe: and still he smil'd and talk'd:
42 And as the souldiers bare dead bodies by,
   He call'd them untaught knaves, unmannerly,
   To bring a slovenly unhandsome coarse
45 Betwixt the wind and his nobility.

Line 29. *I* in weak position, but in 30 and 31 in strong position (2) on account of the surroundings, § 9. Similarly *when* strong (2) in line 30, but degree 1 in line 31.

Line 31. *Extreme* with rhythmic stress on *ex-* on account of its position before a strongly stressed word, see A. Schmidt, *Sh-Lex.* II, p. 1413, my *Mod. Engl. Gr.* I 5. 53 f., above § 5. In the same way *untaught* line 43, but *unmannerly* and *unhandsome* with weak *un*.

Line 32 two examples of inversion, § 13.

Line 33. Which of the two words *Came there* is the stronger, may be doubtful, § 15.—*Neat* an extra-metrical syllable, which is not felt as such on account of the pause, § 22.

Line 34 beginning inversion according to § 15.—*groom* 3, *and* 2 with pause between them, § 19; *new* 3 between two 4's, § 5.

Line 35. *Showed like* inversion § 15.

Line 36. *Was* 2, stronger than *he* and *per-*. *Perfumed* 141. This is the ordinary stressing of the verb, also in our times; but in H4B III. 1. 12 we have rhythmic shifting 41 before 4: "Then in the perfum'd chambers of the great".—*Like* 2 as in preceding line.

Line 37. First *and* 1, second *and* 2 between weak syllables, § 6. The two following *ands* also 2; this is likewise the case with *when* in line 40.

Line 41 inversion § 17.

Line 42 *As* 2 § 6, but *dead* 3 or 2 between strong syllables, § 5.

Line 43 *untaught* see above.

Line 44 *slovenly* 412 or perhaps 413 before *un-*, § 6.

Line 45 *his* 2 or 3, probably not emphatic.

§ 25. We have not yet offered an answer to the question raised in § 2: why is a trochee among iambs easier to tolerate than inversely an iamb among trochees? But the answer is not difficult on the principles we have followed throughout. Take some trochaic lines, e.g.

> Tell me not, in mournful numbers,
> Life is but an empty dream—

and substitute for the second line something like

> A life's but an empty dream,—or
> To live's but an empty dream.

The rhythm is completely spoilt. Or try instead of

> Then the little Hiawatha
> Learned of every bird its language—

to say:

> The sweet little Hiawatha
> Acquired every sound and language.
> (*Every* of course in two syllables as in Longfellow).

In such cases with 14 instead of 41 we have the disagreeable clash of two strong syllables, further, we have two disappointments per line. It is true that if we pronounced the first strong syllable weaker than the second, thus made the whole 1341, we should have only one disappointment: $a \diagup b \diagup a \diagdown b$ instead of the regular $a \diagdown b \diagup a \diagdown b$; but it will be extremely hard to find examples of the sequence 34 as regularly occurring in any of the cognate languages. We shall see in the next paragraph the reason why 34 is not found within one and the same word; and when a word of the formula 14 is placed before a strongly stressed word, it is not generally reduced to 13, as the ordinary tendency in such cases is rather to substitute for it 31 or 21, see many examples from English in my *Mod. E. Gr.* I 156 ff.: "The other *upon* Saturn's bended neck" (Keats), "Protracted *among* endless solitudes" (Wordsworth), "a spirit *without* spot" (Shelley), "in *forlorn* servitude" (Wordsworth). Danish examples see *Moders-*

mâlets fonetik 139. The disinclination to "invert" in trochaic rhythms is thus seen to be deeply rooted in linguistic habits and in the phonetic structure of our languages.

§ 25. What is the essential difference between a rising and a falling rhythm? (or, in the old terms, between an "iambic" or "anapaestic" rhythm on the one hand and a "trochaic" or "dactylic" rhythm on the other?) Some writers minimize this difference and say that they are virtually identical, as the "anacrusis" has no real importance; instead of the sequence 14 14 14... ($\smile$ —$|\smile$ —$|\smile$ —$|$...) they would write 1 41 41 41..., ($\smile|$—$\smile|$—$\smile|$—$|$...). According to them the initial weak syllable is just as unimportant as an up-beat (auftakt, mesure d'attaque) is in music.

But is such an up-beat (a note before the first bar begins) really unimportant in music? I have taken a number of music books at random and counted the pieces in which such an up-beat occurs; I found that it was less frequent in pieces with a slow movement (largo, grave, adagio, andante) than in those with a quick movement (allegro, allegretto, rondo, presto, prestissimo, vivace):

Slow	Beethoven	Schubert	Schumann	Sum
with up-beat	5	1	5	11
without up-beat	17	7	7	31
Quick				
with up-beat	31	14	12	57
without up-beat	19	11	10	40

This agrees with the general impression of verse rhythms: a sequence didúm didúm didúm ... tends to move more rapidly than dúmda dúmda dúmda ... I think this depends on a deeply rooted psychological tendency: there is a universal inclination to hurry up to a summit, but once the top is reached one may linger in the descent. This is shown linguistically within each syllable: consonants before the summit of sonority (which in most cases is a vowel) are nearly always short, while consonants after the summit are very often long; cp. thus the two *n*'s of *nun*, the two *t*'s of *tot*, the two *m*'s of *member*. Words of the type 43 with long second syllable are frequent: *football, folklore, cornfield, therefore,* while corresponding words with 34 are rare: they tend to become 24 or even 14:

throughout, therein, austere, naïve, Louise, forgive—with more or less distinct shortening of the vowel.

In this connexion it is perhaps also worth calling attention to the following fact. As a stressed syllable tends, other things being equal, to be pronounced with higher pitch than weak syllables, a purely "iambic" line will tend towards a higher tone at the end, but according to general phonetic laws this is a sign that something more is to be expected. Consequently it is in iambic verses easy to knit line to line in natural continuation.[1] Inversely the typical pitch movement of a "trochaic" line is towards a descent, which in each line acts as an indication of finality, of finish. If a continuation is wanted, the poet is therefore often obliged to repeat something—a feature which is highly characteristic of such a poem as Hiawatha, where each page offers examples like the following:

> *Should you ask* me, *whence* these stories?
> *Whence* these *legends and traditions,*
> *With* the odours of the forest,
> *With* the dew and damp of meadows,
> *With* the curling smoke of wigwams,
> *With* the rushing of great rivers,
> *With* their frequent repetitions, (N.B.)
> And their wild reverberations,
> As of thunder in the mountains?
> *I should answer, I should tell you,*
> *From the* ... etc. (*From the* 6 times.)
> *Should you ask* where Nawadaha
> *Found* these songs, so wild and wayward,
> *Found* these *legends and traditions,*
> *I should answer, I should tell you*
> *In the* ... (*In the* 4 times) ...[2]

These, then, seem to be the distinctive features of the two types of metre: rapidity, ease of going on from line to line without a break

---

[1] Two rimed lines in succession will, however, produce the impression of finish—a feature that is often found in the Elizabethan drama, more particularly when a scene or a speech ends with a sententious saying.

[2] These two things, a trochaic metre and constant repetition, are found together in Finnish popular poetry, which Longfellow imitated.

on the one hand,—and on the other slowness, heaviness, a feeling of finality at the end of each line, hence sometimes fatiguing repetitions. Tennyson utilized this contrast in a masterly way in *The Lady of Shalott,* where the greater part of the poem is rising, but where a falling rhythm winds up the whole in the description of her sad swan-song:

> Heard a carol, mournful, holy,
>
> Chanted loudly, chanted lowly,
>
> Till her blood was frozen slowly,
>
> And her eyes were darkened wholly,
>
> > Turned to tower'd Camelot.

References for the lines quoted.

Sh = Shakespeare. The titles of plays indicated as in A. Schmidt's Shakespeare-Lexicon. Numbers of act, scene, and line as in the Globe edition.

PL = Milton's *Paradise Lost,* as in Beeching's reprint of the original edition of 1667.

Ø = Øhlenschläger, *Axel og Valborg,* number of page according to A. Boysen's edition of *Poetiske skrifter i udvalg,* III. 1896.

P-M = Paludan-Müller, *Adam Homo.* Anden deel. 1849.

H = Hertz, *Kong Renés datter.* 7de opl. 1893.

G = Goethe, *Iphigenie auf Tauris.* Number of act and line according to Sämtliche werke XI in Cotta's Bibl. d. weltlitt.

§ *1.* 1. Tro. I. 1. 54. — 2, 3. Hml. I. 3. 68, 69. — 4. G I. 115. — 5. G I. 226.

§ *2.* 1. Mcb. V. 5. 27. — 2. R3 I. 3. 185. — 3. G I. 27.

§ *5.* 1 As II. 3. 63. — 2. Mids. I. 1. 134. — 3. Hml. I. 2. 129. — 4. Lr. III. 7. 31. — 5. Wordsw. Tint. Abb. — 6. Tennyson, En. Arden 5. — 7. G III. 317.

§ *6.* 1. Lr. V. 3. 260.

§ *9.* 1. Tro. I. 1. 54. — 2. Pope.

§ *10.* 1. Mids. I. 1. 134. — 2. Hml. I. 4. 2. — 3. Pope Ess. Crit. 347. — 4. Tennyson Ulysses. — 5. Pope. — 6. Rom. III. 5. 178. — 7. PL II. 621. — 8. The Ring and the Book I. 6.

§ *11.* 1. R3 II. 2. 17.

§ *12.* 1. P-M 21. — 2. Ø 8. — 3. Ø 23. — 4. G I. 329. — 5. G I. 483. — 6. G III. 242. — 7. Cæs. I. 2. 193. — 8. R3 I. 1. 9. — 9. ib. II. 1. 82.

§ *13.* 1. H4A IV. 1. 134. — 2. ib. IV. 3. 31. — 3. ib. V. 2. 68. — 4. As I. 3. 129. — 5. R3 I. 3. 295. — 6. PL IX. 273. — 7. ib. IX. 403. — 8. Ø 7. — 9. Ø 21.

§ *14.* 1. R3 I. 3. 274. — 2. ib. I. 3. 209. — 3. ib. I. 3. 255. — 4. ib. II. 2. 17. — 5. ib. II. 1. 62. — 6. Ø 17. — 7. H 95. — 8. Ø. Hakon Jarl. — 9. G I. 106. — 10. G III. 71. — 11. R3 I. 2. 245. — 12. Cæs.

III. 2. 78. — 13. R3 I. 3. 164. — 14. P-M 40. — 15. G I. 332.

§ *15.* 1. R3 I. 3. 204. — 2. John III. 4. 93. — 3. R3 II. 1. 138. — 4. ib. II. 2. 81. — 5. As II. 1. 12. — 6. ib. I. 3. 121. — 7. ib. II. 1. 39. — 8. P-M 12. — 9. Ø 27. — 10. G I. 93. — 11. G I. 351. — 12. R3 I. 3. 272. — 13. Ø 8. — 14. G I. 463.

§ *16.* 1. R3 I. 1. 161. — 2. ib. I. 2. 148. — 3. ib. I. 2. 149. — 4. ib. I. 3. 185. — 5. Ø 15. — 6. Ø 8.

§ *18.* 1. Wint. III. 1. 10.

§ *19.* 1. Mids. I. 1. 5. — 2. John V. 7. 113. — 3. Mids. III. 2. 20. — 4. R3 I. 2. 177. — 5. The Ring and the Book I. 14. — 6. ib. I. 47. — 7. ib. I. 608—9.

§ *21.* 1. PL VIII. 499. — 2. As II. 1. 36. — 3. Tw. II. 4. 16. — 4. ib. II. 4. 46. — 5. R3 I. 1. 4. — 6. ib. I. 1. 72. — 7. ib. II. 2. 97. — 8. Merch. I. 3. 48. — 9. ib. I. 3. 73. — 10. ib. IV. 1. 177. — 11. Shelley Prom. I. 659. — 12. Mids. II. 1. 94. — 13. Merch. II. 9. 59.

§ *22.* Hml V. 2. 352. — ib. IV. 7. 80.

§ *23.* 1. Lr. V. 3. 317. — 2. Rom. III. 5. 178. — 3. R3 III. 4. 11.

POSTSCRIPT

During the more than thirty years since this paper was first written, I have read many books and papers on metre, but have found nothing to shake my belief in the essential truth of my views, though I have often had occasion to regret that I wrote my paper in Danish and buried it in a place where fellow metrists in other countries were not likely to discover it.

If E. A. Sonnenschein had been alive, I should probably have written some pages in refutation of much in his book "What is Rhythm?" (Oxford 1925). Now I shall content myself with pointing out how his inclination to find classical metres in English and to attach decisive importance to quantity leads him to such unnatural scannings of perfectly regular lines as

The véry   spírit   of   Plantágenèt

| ⌣ ⌣ ⌣ | ⌒ ⌣ ⌣ | ⌒ o | ⌒ — | ⌣ ⌣ |

The first foot is an iambus, but as such should contain a long syllable; now both *e* and *r* in *very* are known to Sonnenschein as short; he therefore takes *y* as part of a trisyllabic foot, but it must at the same time be the "fall" of the next foot (his mark for the "protraction" which makes this possible is ⌒); the second iambus again has as its "rise" the two short syllables *spirit,* of which the second again is protracted to form the "fall" of the third foot; but *of* "does not fill up the time of the rise completely, unless it receives a metrical ictus, which would be accompanied by lengthening"— this is marked o. In a similar way are treated

O píty,   píty,   géntle héaven, píty!

| — ‿ ‿ | ⌒ ‿ ‿ | ⌒ — | ‿ ‿ ‿ | ⌒ ‿ ‿ | ⌒

and the shorter

Apollo's summer look

| ‿ ‿ ‿ ⁞ ‿ ‿ ‿ | ⌒ — | (P. 158—9).

We get rid of all such pieces of artificiality by simply admitting that short syllables like *ver-, spir-, pit-, -pol-, sum-* are just as susceptible of verse ictus as long ones.

Unfortunately experimental phonetics gives us very little help in these matters. Sonnenschein and others have used the kymograph for metric purposes, and "the kymograph cannot lie" (Sonn. 33): but neither can it tell us anything of what really matters, namely stress, however good it is for length of sounds. The experimentalist Panconcelli-Calzia even goes so far as to deny the reality of syllables, and Scripture finds in his instruments nothing corresponding to the five beats of a blank verse line. So I am afraid poets and metrists must go on depending on their ears only.

English prosodists are apt to forget that the number of syllables is often subject to reduction in cases like *general, murderous, separately, desperate,* compare the treatment of *garden* + *er,* of *person* + *-al* and of *noble* + *ly* as disyllabic *gardener, personal, nobly,* and the change of syllabic *i* before another vowel to non-syllabic [j] as in *Bohemia, cordial, immediate, opinion,* etc., in which Shakespeare and others have sometimes a full vowel, sometimes syllable reduction, the former chiefly at the end of a line, where it is perfectly natural to slow down the speed of pronunciation. Compare the two lines (Ro II. 2. 4 and 7) in which *envious* is first two and then three syllables:

Arise faire Sun and kill the envious Moone ...
Be not her maid since she is envious.

18

Similarly *many a, many and, worthy a, merry as,* etc., occur in Shakespeare and later poets as two syllables in conformity with a natural everyday pronunciation (my *Mod. E. Gr.* I 278).

I must finally remark that the whole of my paper concerns one type of (modern) metre only, and that there are other types, based wholly or partially on other principles, thus classical Greek and Latin verse. On medieval and to some extent modern versification of a different type much light is shed in various papers by William Ellery Leonard (himself a poet as well as a metrist): "Beowulf and the Nibelungen Couplet"; "The Scansion of Middle English Alliterative Verse" (Both in *University of Wisconsin Studies in Language and Literature,* 1918 and 1920), "The Recovery of the Metre of the Cid" (PMLA 1931) and "Four Footnotes to Papers on Germanic Metrics" (in *Studies in Honor of F. Klaeber,* 1929).

ADVERSATIVE CONJUNCTIONS[1]

THE etymologist will generally consider his task fulfilled and his mission accomplished, once he has succeeded in finding a word in an ancient language which, from the point of view of phonetics and signification, agrees with the word he is desirous of explaining, so that he can set forth the reasons for the changes it has undergone in the course of time or, at least, point out similar instances in the same or other languages. The question why an older word should have been ousted by a newer is less frequently raised and yet it often involves problems which it is worth while probing into more deeply.

This article will deal with a series of adversative conjunctions on whose origin sufficient light would seem to have been thrown—enough at any rate to satisfy the etymological dictionaries in general use. In a recent short article on 'Le renouvellement des conjonctions', (*Annuaire de l'École pratique des Hautes Études* 1915—1916), Meillet has discussed several of the usual causes that lead to conjunctions being replaced in the course of time, in that they are no longer felt to be forcible or bulky enough: he has not, however, specifically grouped together the words which will be commented on in this article and has therefore not discovered the ultimate reason why just those words and those forms have ousted the older.

We have first the familiar fact that, in the Romanic languages, the Latin *sed* is replaced by *magis,* Ital. *ma,* Sp. *mas,* Fr. *mais.* The change in meaning causes no difficulty; from 'more' it is no great distance to 'sooner' which, like Germ. *vielmehr* and Eng. *rather,* is

---

[1] In Danish, *Nogle Men-ord,* in *Studier tillegnade Esaias Tegnér* 1918. Here translated with some additions and slight alterations.

well adapted for use in statements implying correction or contrast. (As regards this change see Tobler, *Vermischte beiträge*, 3, 2. ausg. p. 78 and Richter, *Zeitschr. f. rom. phil.* 39, 656).

Next we have the Scandinavian *men* which came into existence in the 15th century. The explanation usually given, that this word arose through a combination of *meden* (now *medens*), in the shortened form *men*, (cf. *mens*), and Low Germ. *men* (= Fris. *men*), 'aber, sondern', seems unexceptionable.

In early Middle English, at the time when OE *ac* was still in use, (*ac, ah, auh*), and *but* (OE *butan*), had not yet come to be extensively used, we find a word *me* which occurs in a few texts only, Ancrene Riwle and some of the 'Katherine group'. According to NED this word is 'of obscure origin' and its connexion with Scand., MDu. and MLG *men* is regarded as doubtful. It is described there as a particle, (exclamatory or adversative), employed to introduce a question or less commonly a statement—'lo, now, why'. In Mätzner's *Wörterbuch*, where full quotations are given, it is translated 'aber' and this translation seems to fit in all the contexts in which the word occurs.

As far as the MLG word is concerned it is explained by means of *niwan* meaning 'only, merely', arising from the negative *ni* and *wan* 'lacking' (cf. ON *vanr*). 'Die bedeutung "aber" hat sich aus "ausgenommen" entwickelt' (Falk & Torp). The assimilation $nw > m$ is easy to account for from the phonetic point of view (on this see among others Schröder, *Indogerm. Forschungen* 22.195 and 24.25).

We meet with the same sound shift in the third word, Dutch *maar*, Old Fris. *mâr* from *en wâre*, 'it could not be', the same combination which has become *nur* in German.

Thus we have three distinct ways of arriving at the adversative meaning, in none of which those familiar with the changes of meaning of words in different languages will find anything unusual. But why should new words have been resorted to? Were the old not good enough?

Here I shall point out two features common to all these conjunctions. The first is syntactical: all three are placed at the beginning of a sentence; in this they differ from synonyms such as the Latin *autem,* or Germ. *aber,* which can follow one or more words. The second is phonetical: *magis, men* and *maar,* in contradistinction to the words they oust, begin with *m.* We find the same two features outside the Aryan languages in words with the same meaning, 'but', concerning whose origin I can say nothing, Finnish *mutta*[1], Santal *menkhan.* (Heuman, *Gramm. studie öfver Santal-språket* 69). We may compare also Kutenai *ma* 'but' (Boas, *Kutenai Tales,* Bureau of American Ethnol. 59, 1918, p. 94), *mï'ksä'n* 'but' (ib. p. 98).

The explanation is undoubtedly as follows. The sound [m] is produced by keeping the lips pressed tightly together, while the tongue lies quietly in the lower half of the mouth and the soft palate is lowered so that the air can escape freely through the nostrils. Now this is the characteristic position taken up by the organs of speech of a man who is deliberating a matter without saying anything—the only difference being that his vocal chords also remain quiet while in the enunciation of [m] they are set vibrating.

How often it happens that one wants to say something, even knows that one must and will, but is not quite clear as to *what* one is going to say. At this moment of uncertainty, when the thought is being born but is not yet clothed in words, one nevertheless begins the activity of speech: the vocal chords are set vibrating, while the lungs expel the air and, as the upper organs are precisely in the position described, the result is [m]. This is written *hm!,* even if there is no [h] (or more correctly voiceless or breathed [m]), before the voiced [m], and this is just the formless interjection of

---

[1] *Vilhelm Thomsen* wrote to me about this word, (April 4, 1910) 'As far as I know *mutta* occurs only in Finnish and, borrowed from Finnish, in Lappish *mutto.* It is not even found in Esthonian (*aga*), still less in any of the other more remote Finno-Ugrian languages. In all probability it is connected with *muu* 'other', although I am not quite sure how it came to be formed. The particles often present remarkable developments. Some individual dialects are said to show a variant I do not know, *muutta,* with long *u,* but whether this is a legacy from the original form or is due to analogy for example with *muutoin* 'otherwise' or some similar word I do not know.'

protest.[1] Not infrequently an [m] of this kind comes immediately before a real word so that we get for example, Dan. *mja*, Eng. *myes* as a hesitant objection. (See Anker Larsen, *Vises st.* 411 M-jo, jo det kan man godt sige | ib. 149 M-nej | Hamsun, *Segelfoss* 38 M-nej | Garborg, *Mannf.* 91 Mark Oliv stauk upp haaret og var alvorleg; mja —, sa han | Shaw, *Misalliance*. 154: M'yes | Galsworthy, *Swan Song* 183 M'yes | Rose Macaulay, *Potterism* 50 M'm yes | Galsworthy, *Maid-in-W.* 43 M-no.

Now we can understand why words beginning with *m* are so frequently chosen as adversative conjunctions. The starting point is this sound and then recourse is had to some word or other that has some sort of meaning and which just happens to begin with the same sound: *ma, mais, maar.* The Danish *men* may well be an [m] that has slid into the old conjunction *en* in the same way as *mja* is $m+ja$. This is in no way incompatible with the notion that some of the first to use the word had in mind *men = meden,* while others thought of Low German *men.* We have thus three etymologies for this word which, far from being mutually exclusive, have co-operated in rendering it popular and common. (Incidentally, may it not be possible in the case of other words for which etymologists suggest various explanations so that one writer challenges the interpretation put forward by the other, that a similar point of view holds good so that both interpretations are correct, in that the word arose in one way amongst one group of speakers and in another amongst another?).

In the combinations *mais oui, mais non,* so frequently met with in French, is it not possible that, in some instances at least,[2] it is only this deliberative [m] that is being uttered, before the speaker is certain whether he means 'yes' or 'no'? *Mais oui* is very frequently

---

[1] Other ways of writing this interjection *hem, hum* (see NED); *Um* (Kaye Smith, *House of Alard* 295. 300); *Mm* (Lawrence, *Ladybird* 126 cf. 194). This word like a great many others is ably discussed in Hjalmar Ideforss, *De primäre interjektionerna i nysvenskan.* I. Lund, 1928, but the author seems rather too much inclined to suppose conscious literary loans from one language to another and to underestimate the essential uniformity of human nature in all nations. What is taken over may only be the fashion of writing down sounds which have been pronounced and heard from time immemorial.

[2] In other cases *mais oui, mais non,* is emphatic as in *jolie, mais jolie!* (for this observation I am indebted to Schuchardt).

pronounced [mwi] and not [mɛwi]. In the same way remarks are often introduced by [mãfɛ̃], written in books as *mais enfin,* though this expression does not always convey the full force of objection that, strictly speaking, is implied in the word *mais.*

The *ma* meaning 'but' found in modern Greek and Serbian is explained as a borrowing from Italian, in spite of the fact that contact between the Italians and their eastern neighbours has not otherwise been close enough to lead to the adoption of form words from Italian by these peoples. But precisely this word has found its way into these languages because it began with the universal deliberative [m]—or is it possible that it came into being spontaneously in these languages? The Roumanian of Transylvania also has a *ma* 'but', according to a communication by Sandfeld. The Nigger English of Surinam shows a *ma* with the same meaning (in the British Bible Society's translation, and in *Pikin spelle en leri-boekoe vo da evangelische broeder-gemeente,* Paramaibo, 1849). Since, however, H. R. Wullschlägel in *Deutsch-negerenglisches wörterbuch* (Löbau 1856) and H. C. Focke in *Neger-englisch Woordenboek* (Leiden 1885) have both the forms *ma* and *mara,* it is most likely that they are derived from the Dutch *maar.* In *Die nywe Testament ka set over in die Creols taal,* (Copenhagen 1818), the form *maer* is used.

An attempt at another word for 'but' beginning with *m* is found in the Greek *mâllon,* which Bréal has noted once only in a tabula devotionis (*Mém. Soc. Linguist.* 7. 187). The change of meaning is precisely the same as in the case of the Romanic *magis.*

If in English the word *but* meaning originally 'without' has taken the place of OE *ac,* the change of meaning is the same as that in the Swedish *utan.* Yet I am inclined to think that the closing of the lips at the beginning of the word has been a contributory factor, (*mbut* is not unkown), even if the soft palate is raised to pronounce *b,* so that in this instance the point of departure is not the position of complete rest. Something similar applies to the Spanish *pero,* Ital. *però* (from Lat. *per hoc*). The French *bah* is frequently used in a manner suggestive of repudiation, and similar interjections are met with in many languages. Berneker, *Slav. etym. wb.* p. 36, is scarcely justified in differentiating between the *ba* ('ja, freilich, allerdings'), that occurs in several Slavic languages and which he associates with avest. *ba,* 'partikel der beteuerung und hervorhebung', etc., and Russ., Bulg., Serb. *ba,* 'ausruf des staunens', which is taken to be a 'primäre interjektion wie nhd. *ba,* frz. *bah,* osm. *ba*'. These words are identical and serve as more decisive subordinate forms of the rather more uncertain and hesitant *ma.*

There are other words beginning with *m* which one is tempted to mention in this connexion since they express something similar to the reflective, half or wholly reluctant [m]; especially verbs like E. *mope,* Dan. *måbe.* Further E. *mumble, mump* and *mutter,* Dan. *mumle,* Lat. *murmurare,* as a means of expressing partly weakly spoken sounds and partly the unformed objection. We have many similar words with related meaning: Dan. *murre, mukke,* Germ. *mucken, mucksen, muckern,* adj. *mucksch, muckig,* 'peevish, grumbling': in Dan. we have, with the same meaning, the adj. *mut* with its subordinate form *but;* otherwise *m-* and *b-* are not interchangeable in this way: we can understand their being so in the case of these words because here the most important thing is to have the lips closed at the beginning of the words. English has the word *moody* with the same signification; here etymologists no doubt refer it to OE *mōdig* and explain that *mōd* means 'state of mind' generally, not only 'courage' as Dan. *mod,* but also a distinctly unwilling mood. Yet that *moody* should have come to mean 'sulky, sullen' and thus acquired the same unfavourable shade of meaning as Dan. *mut* is undoubtedly connected with the use of [m] commented on in this article. We may also compare Eng. *mum,* 'silence, silent, quiet' (originally, not as is stated in NED an 'inarticulate sound made with closed lips', but rather, the sound emerging when one begins to speak first with closed lips, then opens them and at once breaks off speech and closes them again), with the remarkable *mumchance* which is used like the Dan. *mut,* (Locke, *Ordeyne* 174 I sat mumchance and depressed).[1]

Dan. *mukke* leads us to *muk* used in the negative *ikke et muk* 'not the slightest sound', Germ. *keinen mucks* and thence again

---

[1] Cf. H. Petersson, *Vergl. slav. wortstudien* 50 lautgebärde *mu* (1) mundverschliessen, Gr. *múō,* (2) leises bewegen der lippen oder ein murmeln. — Cf. further E. *muzzle,* Fr. *museau,* OF *musel.*

to Fr. *mot,* Ital. *motto,* Gr. *múthos,* all of which have acquired a more exalted and complete meaning than that contained in the Danish and German half-words.

The reason that Dan. *mon* (almost always the first word in a sentence) from being a form of the verb *munu,* has come to be an interrogative particle is undoubtedly the fact that, with its initial *m,* the word was well adapted to begin a dubious, hesitant question: *mon han kommer?* (originally … *komme*) is rather more uncertain than *kommer han?,* and is thus quite naturally introduced by a hesitant [m]. We may compare the Gr. *môn* with the same meaning, used in introducing a question, even if, as seems probable, the Greek word is derived from *mě̄ oûn* and is thus quite different in origin from the Danish: the similarity between the two cannot be ignored, it is of the same kind as that between Ital. *ma* and Dutch *maar.*

While in the instances already cited we have an initial closing of the lips, in American *nope* [noˑup], [noˑp] and *yep* [jɛp], we find a final closing of the lips of somewhat similar value, usually without audible explosion, but I do not clearly understand what feeling prompts the use of these variations of 'no' and 'yes', although I have often heard them. In literature they are found not only in modern American, but also recently in British authors.

In the beginning of an utterance we have not only [m], but also [n], since in moments of silence the tongue often rests in the advanced closed position while the nasal passage stands open; whether at the same time the lips are closed or open does not matter at the moment that the vocal chords are set in vibration, the audible result is in any case [n]. This is used in the same way as [m] before *yes:* E. *nyes,* Dan. *nja,* cf. the author's *Fonetik* p. 272, *Lehrbuch der Phon.* 5.62. Now it is worth noting how many words meaning the same thing as *men* there are which begin with *n-:* Russ. *no* and specially French *néanmoins,* Ital. *nondimeno,* Sp. *no obstante,* Germ. *nichtsdestoweniger,* long awkward words whose length is just adapted to give time for the coming objection to take shape, since, when one wishes to contradict the person with whom one is talking, it is important not to hurry, but to weigh one's words lest they give offence!

The last mentioned words contain the negation as the first element and since negative words begin with *m* and *n* not only in our own family of languages (*ne, me,* etc.), but also in many others, Magyar, Eskimo, Sumerian, Duala, Arab, Egyptian, Chinese, we are surely justified in seeing in this an allied outcome of the same tendency to want to say something with the organs of speech in a resting position. Only in the case of the words just cited the word issuing is to a still greater extent a querulous, repudiating one, originally probably an expression of refusal, disgust, aversion, which is also conveyed by means of what we describe as 'turning up one's nose'.

In the last sentence I have said nothing new, but I do not think that the words for 'but' alluded to in the beginning of this article have been accounted for by others in the way that they are here. In conclusion I will point out that my explanation is not based on sound symbolism in the ordinary sense of the term. In my opinion the words are certainly in one sense natural words but entirely different from 'onomatopoeias' or echo-words: they are the usual type of words, (conventional), but have come to be used in this special way because they contained an element deep-rooted in human nature. They may consequently be regarded as secondarily natural words. The ancient Greek philosophers debated whether words arose *phusei* or *thesei* and could only imagine the one or the other origin, we see here in one individual province a union: the words have arisen both *phusei* and *thesei*.

SYMBOLIC VALUE OF THE VOWEL *I*[1]

§ 1. INTRODUCTION

SOUND symbolism plays a greater role in the development of languages than is admitted by most linguists. In this paper I shall attempt to show that the vowel [i], high-front-unround, especially in its narrow or thin form, serves very often to indicate what is small, slight, insignificant, or weak.

In children the instinctive feeling for the value of sounds is more vivid than in adults, hence we have the extreme instance observed by G. v. d. Gabelentz in one of his nephews, who said *lakeil* for an ordinary chair, *lukul* for a big easy-chair, and *likil* for a tiny doll's chair; he had the root *m-m* for everything round: the moon or a plate was *mem,* a large round dish was *mom* or *mum,* but the stars were *mim-mim-mim-mim.* When his father appeared before him in a big fur-coat, he did not say *papa,* but *pupu. (Die Sprachwissensch. 65).* In exactly the same way a child in Lund (Sweden) called his father *pωppω* (ω a close sound between *o* and *u*), when he saw him in a great-coat. Beckman, who relates this (*Språkpsyk. och Modersm.,* Lund 1899, 60) believes in influence from the adjective *stor* [stωr]. A Danish child who had heard the word *himmel* 'sky', took it to mean the little twinkling stars and made it a plural [hi·mə].

"An American boy, Granville Gilbert by name, had up till the age of four a language of his own, which he persisted in using instead

[1 In the periodical *Philologica* vol. I, London and Prague 1922. Reprinted in "Meisterwerke der romanischen sprachwissenschaft" I, herausgeg. v. L. Spitzer, München 1929. The whole may be considered an expansion of ch. XX § 8 in my book *Language* (German *Die Sprache*), which was written at the same time. The other sections of that chapter might be similarly expanded, but I must leave that for the present.—Here reprinted with a few unimportant alterations and many additions.— Some interesting psychological experiments were carried out in 1928 by E. Sapir, showing that most individuals were inclined to associate the vowel *a* with 'large' and *i* with 'small' in arbitrarily chosen meaningless combinations of sounds, etc., see *Journal of Experimental Psychology,* vol. 12, June 1929.]

of English. His word for little was i-i (ee-ee), and his word for big was o-o" (Sir Richard Paget, "Babel", London 1930, p. 38).

In the first chapter of his "Arne" Bjørnson renders the laughter of the brooklet, as it grows gradually in size and power, as "hi, hi, hi"—"ha, ha, ha"—"ho, ho, ho".

Swift was aware of the symbolic value of vowels when he called the land of dwarfs *Lilliput* and that of giants *Brobdingnag;* Gulliver in the latter place was called *Grildrig:* "the word imports what the Latins call nanunculus" (a very small dwarf).

According to Gabelentz (l. c. 222) Batta has three words for 'kriechen': *džarar* in general, *džirir* for small beings, and *džurur* for big animals or animals one is afraid of. (Query: what is the exact difference between E. *creep* and *crawl?*)

Nor is the influence of sound-symbolism restricted to children and savages, even modern scientists and suffragists are under its spell. French chemists made *sulphate* into *sulphite,* and *nitrate* into *nitrite,* "intending by the substitution of the thin sounding (i) to indicate a less degree of chemical action" (Sweet, *Hist. of Language* 37). F. N. Scott writes: "A considerable number of persons hate the plural form *women,* as being weak and whimpering, though the sg. *woman* connotes for the same persons ideas of strength and nobility. It is for this reason perhaps that *woman's building, woman's college, woman's club,* and the like, have supplanted in popular speech the forms *women's building, women's college, &c*". (Quoted in my *Mod. Engl. Grammar* II. 7. 42, where, however, similar formations with other genitival compounds are pointed out, in which there can be no question of sound-symbolism.)

One summer, when there was a great drought at Fredriksstad (Norway), the following words were posted in a W.C. "Don't pull the string for bimmelim, only for bummelum". This was immediately understood.

The reason why the sound [i] comes to be easily associated with small, and [u, o, a] with bigger things, may be to some extent the high pitch of the vowel (in some African languages a high tone is used for small, and a low tone for big things, Meinhof, *Die mod. Sprachforsch. in Afrika,* 81); the perception of the small lip aperture in one case and the more open mouth in the other may have also its share in the rise of the idea. Sir R. Paget accounts for the above-mentioned boy's words as gesture words, "since i-i is made by pushing the tongue forward and upward so as to make the smallest cavity between the tongue front and the lips, while o-o or aw-aw, etc., are the results of a lowered tongue, producing a large mouth cavity." A concomitant reason is the simple fact that small birds produce a sound resembling the human [i]: they *peep*, while big animals *roar;* cf. also *clink* and *clank* as the sound of small and big metalic bodies being struck together.

In giving lists[1] of words in which the [i] sound has the indicated symbolic value, I must at once ask the reader to beware of two possible misconceptions: first, I do not mean to say that the vowel [i] *always* implies smallness, or that smallness is *everywhere* indicated by means of that vowel; no language is consistent in that way, and it suffices to mention the words *big* and *small,* or the fact that *thick* and *thin* have the same vowel, to show how absurd such an idea would be.

Next, I am not speaking of the origin or etymology of the words enumerated: I do not say that they have from the very first taken their origin from a desire to express small things symbolically. It is true that I believe that *some* of the words mentioned have arisen in that way,—many of our *i*-words are astonishingly recent—but for many others it is well-known that the vowel *i* is only a recent development, the words having had some other vowel in former times. What I maintain, then, is simply that there is some association between sound and sense in these cases, however it may have taken its origin, and however late this connexion may be (exactly as I think that we must recognize secondary echoisms). But I am firmly convinced that the fact that a word meaning little or little thing contains the sound [i], has in many, or in most, cases been strongly influential in gaining popular favour for it; the sound has been an inducement to choose and to prefer that particular word, and to drop out of use other words for the same notion, which were not so favoured. In other words, sound-symbolism makes some words more fit to survive and

---

[1] My lists are not the result of systematic search through vocabularies, but comprise only such words as I have come across during the time in which I have paid attention to the subject.

gives them a considerable strength in their struggle for existence. If you want to use some name of an animal for a small child, you will preferably take one with sound symbolism, like *kid* or *chick* (see § 3), rather than *bat* or *pug* or *slug,* though these may in themselves be smaller than the animal chosen.

In this way languages become richer and richer in symbolic words. I do not believe in a golden first age in which everything in language was expressive and had its definite significative value, but rather in a slow progressive tendency towards fuller and easier and more adequate expressions (also emotionally more adequate expressions) —and in this movement the increasing number of sound-symbolisms forms to my mind a not inconsiderable element.

§ 2. WORDS FOR LITTLE

I include here also words for ideas like 'insignificant, weak, puny', which cannot be separated from 'little'.

Little, Goth. *leitils,* ON. *litill,* Dan. *lille,* &c. On the vowel and on the form *leetle* see § 7. It is worth noting that *little* is the emotional word, while *small* is a more objective or colourless expression for the same quality.

Tiny, formerly also *tine,* in Shakespeare always in the connexion *little tine.* From a sb.: Lydgate a *little tyne* 'a little bit' from OFr. *tinee* 'a tubful', derived from *tine* 'tub' (Skeat, but see NED. *tine* adj. and *tiny*). On the pronunciation and the spelling *teeny* see § 7.

L. W. Payne, *Word-List from East Alabama* (1909) gives several variants: *teenincy* [ti·ˈnainsi], *tincy* [tinsi], *teentsy-weentsy, teeny-weeny, tintsy, tintsy-wintsy, tinchy, teenchy,* Cf. also EDD. *tinsy-winsy, tinny, tinny-winny, tiny-winy, tiddy, tidney, tiddy-iddy, tiddly.*

Wee, esp. Sc.

Weeny, also Sc., a blend of *tiny* and *wee,* e. g. Barrie, *Tommy and Grizel* 396, Locke *The Wonderf. Year* 25, McKenna *Midas* 127 "make things just the weeniest bit easier", Galsworthy Mob 26 "tell me just one weeny thing". In Ireland expanded: "a *weeny deeny dawny* little atomy of an idea of a small taste of a gentleman" (Joyce, *Engl. as we speak it in Irel.* 132.)—*Teeny weeny,* § 7.

Little *bitsy,* little *bitty* (Payne, Alabama).

Mimminy-pimminy, also *nimminy-pimminy* or *wimmeny-pimmeny.*

Minikin (thy m. mouth, Shakesp. Lr. III. 6. 45). Cf. § 3.

Skimpy, scrimp 'thin, stinted or stunted'.

Flimsy, supposed to be from *filmsy.*

Slim (oldest quotation 1657, connexion with Dutch or LG. *slim,* G. *schlimm* doubtful).

Slinky 'narrowed' (Galsw., Sw. Song 131 his dark s. eyes).

Spindly 'little, weak' (id., White Monkey 180).

Piddling 'small' (Milton, Ar. 39 p. accounts; Walpole, Wintersmoon 582 torrents have been p. brooks).

Piffling 'of no account', e. g. Lewis M. Arrowsmith 438; cf. *piffle* 'nonsense'.

Pimping 'small, trifling, sickly', from 1687, of uncertain origin, cf. Du. *pimpel* 'weak little man', G. *pimpelig* 'effeminate' NED.

Pink as one of its significations has 'little'; Scotch *pinkie.*

Jimp, Sc. 'neat ... slender'.

In Somerset: a little *skiddley* bit o' bird'n cheese.

Peaky, peeky, peeking, 'sickly, feeble, puny'.

Sis 'effeminate', U. S., e. g. Lewis, Main St. 337.

Infinitesimal.

Note how many of the synonyms given in Roget's *Thesaurus* for 'unimportant' (643) have, or have had, the sound [i]—the latter here put within parentheses: *(trifling), trivial, (slight, light), flimsy, frivolous, niggling, piddling, fribble, finical, finikin, fiddle-faddle, fingle-fangle, wishy-washy, mean, meagre, weedy, niggardly.*

Note also similes like: no bigger than a *pease,* than a *pin*'s head, as little as *ninepins,* as small as *meeze,* as big as a *bee's knee,* ez larl (little) ez *fleabite*—all taken from T. H. Svartengren, *Intensifying Similes in Engl.,* Lund 1918.

Dan. *bitte,* in standard pronunciation generally with narrow [i], in Jutland most often with [e]. Often combined with *lille.*

Orkney and Shetl. *piri* 'little', Norw. dial. *pirre.* Faeroe *pirra* 'little thing'.

G. *gering,* Dan. *ringe.*

G. *winzig.*

Lat. *minor, minimus.*

Lat. *micidus* 'very small'.

It. *piccino, piccin piccino, piccolo.*

Fr. *petit.*

Fr. *chetif,* in dialects with the fem. *chetite,* evidently on the analogy of *petite.*

Sp. *chico,* cf. § 3; Catalan *xic, chic* 'little, of little worth'.

Ruman. *mic* 'little' (from the following?).

Gr. *smikrós, mikrós.* Note the contrast *makrós* 'long'.

Gr. *oligos.*

Finnic *pikku.*

Esthon. *pisikene* 'little'.

Magy. *kis, kicsiny,* comparative *kisebb.*

Magy. *csiribiri* 'very little' with several variants, see Lewy, *Zur finnisch-ugr. Wort- u. Satzverbindung* 84.

Eskimo (Greenl.) *mikirsoq* 'small', *mikivok* 'is small', also with other forms: *mikike, mikingit.*

Jap. *tiisai* (*chi-*) 'little', *tito* 'a little'.

Chinese *'tit 'tit* (D. Jones and Kwing Tong Woo, *A Cantonese Phonetic Reader* 13).[1]

§ 3. WORDS FOR CHILD OR YOUNG ANIMAL

Names for the young of animals are often applied, more or less jocularly, to children, thus in E. *kid, chick, kitten, piggy.*

Child.

Imp (obs. in the sense 'young shoot of plant', now = 'child, esp. mischievous child, little demon').

Chit 'little girl'; e. g. Goldsmith *Vic.* 1. 83.

Titter 'little girl', a tramp's term, Hotten in Farmer & Henley.

Tit 'anything small' also 'little girl', ibid.

Kinchin, old slang 'child'.

Minikin, endearing word for small woman, also adj. 'delicate',

---

[1] There are some adjectival notions which cannot very well be kept apart from that of 'small' and are also often symbolized by the same vowel: *fine,* Fr. *chic,* 'smart' (adopted into other languages, supposed to be from *chicane*), Sc. *dink* 'finely dressed', E. *trim,* U. S. *nifty* 'smart, stylish', Dan. *fix* 'smart in dress', Fr. *mignon,* E. *finical* and *finikin* 'over-fastidious'. Note also *titivate* 'make smart or spruce', also *tiddyvate, tiddy up.*

from MDu. *minnekijn, -ken* 'little love', cf. *mignon*. Also extended *minnikin-finikin*, or *-finical*.

A *slip* of a boy.

Stripling.

Snippet 'a small piece cut off', also a contemptuous term for a small person, cf. Tarkington, *Magn. Ambersons* 158: "the impertiment little snippet that hasn't any respect for anything" … "Snippet! How elegant! And 'little snippet'—when I'm over five-feet-eleven?"

Fribble, e. g. Lowndes, *Ivy* 163 this lovely young fribble of a woman—for such was her old-fashioned expression. Ibid. 264.

Nipper, slang, 'boy'.

Whipster. *Whippersnapper*. *Whipper-snip* Cl. Dane, *First the Blade* 20 of a small girl. Cf. Galsworthy, Fors. Ch. 147 "That *snippetty whippet!*" said Swithin—perhaps the first use of the term.

Pygmy or *pigmy*, Fr. *pygmée*, through Lat. from Gr. *pugmaîos*, from *pugmḗ* 'the measure from elbow to knuckles'. In E. often as adj. applied to other things than a man: a pigmy army.

Piccaninny, 'little child, esp. of natives', from the West Indies extended very widely; in the East, in Beach-la-Mar, the usual adjective for 'little'. From Sp. *pequeñino*.

Kid. Bennett, *Clayh.* 1.103 kid … the chit's chittishness.

OE. *ticcen,* Me. *ticchen* 'a kid, a young goat'.

Chick, chicken; as a term of endearment also *chickabiddy*.

Kitten.

Pig, in speaking of a child often *piggy, piggy-wiggy*.

Tit 'horse small of kind', cf. NED.—*Tom Tit*.

Midge, thought of as smaller than a gnat? *Midget* [midʒit] still smaller.

Grig 'small person (†), small hen, eel, etc.'

Tick 'parasitic insect', applied contemptuously to small persons, as in Wells *Joan and P.* 381: "he regarded her as nothing more than a 'leetle teeny female tick', and descanted on the minuteness of her soul and body."

Nit, OE. *hnitu* 'egg of louse', also contemptuously applied to a person (Shakespeare and other Elizabethans; still U. S., see Lewis, *Babb.* 277 I guess you think I'm an awfully silly little nit!). Russ. *gnída*, Lett. *gnída*, ON. *gnit*, G. *nisse* 'egg of louse'. The correspond-

19

ing Dan. *gnidder* (pl. of obs. *gnid*) has been confused with another word and is now also used of small, cramped writing.

Shrimp, this too in contempt of a puny person (Chaucer, Shakespeare, &c.).

Minnow, "often loosely applied to any small fish ... *fig.* as a type of smallness ... quasi-*adj.* very small" NED.

Mite, "in early use, applied vaguely to any minute insect or arachnid ... Now ... chiefly applied to the cheese-mite" NED.

Bird, ME. with [i]-sound and with the meaning 'little (or young) bird', lost at about the same time both sound and meaning of little. *Dicky-bird* 'little bird'.

Pixy, little fairy, supposed to be an infant's soul; in a story by Quiller-Couch spelled *pisky.*

Nix, nixie, 'water-elf', also, I suppose, now generally imagined as a diminutive being; the word is taken from G. *nix, nixe,* and the OHG. *nichus,* from which it is derived, is identical with OE. *nicor* 'water-demon', which is represented as a dangerous being *(Beowulf 422),* thus hardly a small one. The notion of smallness thus may be secondary, suggested by the vowel.—I add that the Scandinavian *nisse, nis* 'brownie' is imagined as little; the name is generally supposed to be derived from *Niels = Nicolaus,* though the connexion with the saint is far from obvious, see H. F. Feilberg, *Nissens historie,* København 1919 p. 105.

G. *kind.* From G. *kindchen* the old E. cant word *kinchin.*

Norw. *kind* 'child', as a petname in lullabies (Aasen, cf. also Torp, *Nynorsk etymologisk ordbok*).

Dan. obs. *pilt* 'little boy'. In Bornholm *pilk,* which is also found in the Orkneys (Jacobsen, *Festskrift t. Feilberg*).

Dan. *spirrevip* 'mannikin'.

Dan. *fims* 'slim little person'.

Norw. *pis, pise* 'weakling'.

G. *knirps* 'pigmy'; also *stimps.*

Lat. *filius, -a,* Sp. *hijo, -a,* Fr. *fils, fille,* &c.

Sp. *niño.*

Sp. *chico, chiquillo,* Fr. *chiche,* from Lat. *ciccum,* Gr. *kikkos* 'core of an apple, small thing', Lat. *cica* 'trifle'. Sp. also *chiquitico, -tillo, chiquirritico, -tito* and other forms.

Sp. *chibo* 'kid'.

It. *bimbo* 'little boy'.

Magy. *fi* 'son, boy, young animal' (etym. = Finnic *poika*).

Dan. *kid* 'kid'.

Dan. *killing* now means 'kitten' and has taken the place of the earlier regular form *kælling, kelling,* ON. *ketlingr,* either through confusion with *killing,* a diminutive of the just mentioned *kid* (P. K. Thorsen) or through the tendency to have [i] in names of young animals.

Dan. *gris,* ON. *griss* '(little) pig'.

Tit, titlark, titmouse, pipit 'small birds'.

§ 4. WORDS FOR SMALL THINGS

Here we meet with a miscellany of words which it is impossible to classify—many of them also impossible to elucidate etymologically. I give my collection for what it is worth.

Bit, orig. as much as is bitten off, but applied to anything small or any small amount. Similarly Dan. *bid,* cf. *bitte* above.—Expanded in Galsworthy, Freelands 125 the good gentleman was a *tiddy-bit* off (not in Dicts).

Whit (not a whit). The old etymology, from *wight,* is probably wrong. I suggest connexion with *white,* the shortening of the vowel being symbolical, both through preserving the [i]-sound instead of the diphthong [ai], and through the shortness of the vowel itself, interrupted by the stop [t]. Meaning: a (small) white spot? Or cf. Dan. *hvid,* an old small silver coin (ikke en hvid, not a farthing), MLG. *witte.*

Norw. *pit, pita* 'little thin thing'.

Piece.

Mite (perhaps ultimately the same word as *mite* above, 'insect') small (Flemish) coin, MDu. *mîte.*

Sc. *nignay, nignye* 'trifle'.

Tittle 'a small stroke or dot in writing, a minute amount'. Note that in this sense we have the short [i]-sound preserved, while in *title,* which has not the connotation of 'little', the vowel has been lengthened and diphthongized.

19*

Fribble 'trifle', cf. above.

Splinter, splint, the latter also G. Dan. &c.

Slice, OFr. *esclice* from OHG. *slizzen,* cf. *slit* below.

Squit, Shaw *Mes.* 17 a little squit of a thing.

Slip 'twig', young being, a slip of a boy.

Twig.

Sprig.

Dan. *kvist* 'small twig'.

Strip, Dan. *stribe,* MHG. *strife,* Dan. *strimmel,* &c.

Snip 'small piece or slip cut off, small amount, diminutive person'; *snippet, snipping* 'small piece cut off'; *in snippets and in driblets.*

Chip, chipping.

Pip 'stone in stone-fruit', U. S. also *pit;* MLG. Du, etc., *pit* in the same sense.

Sc. *twitter* 'thin part of thread', also used of a delicate little girl.

Trifle: in ME. it had also a form with u or o, from OFr. *trufle,* but this original vowel only occurs with the signification 'false, idle tale, joke', while in the sense of 'little or insignificant matter' the vowel [i] only is found, either short, as indicated by the old spelling *triffle,* or long, which latter became [ai].

Frippery 'articles of small value', now chiefly 'finery in dress, etc.'

Smithereens, 'small bits, fragments', from Sc. now adopted into standard E., esp. in the phrase 'knock into smithereens'.

Jitney, local U. S. 'nickel, small coin'.

Lat. *titivillicium, titibilicum* 'very small thing', connected with *titulus,* cf. *tittle* above.

Lat. *quisquiliæ,* prob. a loan from Gr. *koskulmatia* 'refuse of leather', but then with symbolic change of vowel.

Lat. *mica,* Fr. *mie* in negative combination; Rum. *mică* 'moment'.

Portug. *pico: duas libras e pico* 'a little over two pounds', *tres horas e pico,* etc.

Sp. *triza* 'small matter'.

Lat. *filum* 'thread', F. *fil,* etc. (Cf. also *nihil*). If Lat. *funis* 'rope' is from the same root, the two vowels are indicative of the difference between thick and thin.

Fr. *nippes,* pl., 'gimcracks', hence G. *nippes* n., Dan. *nips.* Cf. E. *nip* 'small quantity of spirits', Dan. vb. *nippe* 'eat or drink in small quantities', '*sip*'; Dan. *nippedrik* 'the habit of *nip-nip-nipping*'.

OFr. *brique* 'fragment, bit', still in Swiss Romance 'piece, bit, débris'.

Prick, Dan. *prik* (also = 'dot').

Du. *stip* 'point, dot'.

G. *spitze,* Dan. *spids* 'point' (adj. 'pointed').

Sp., It. *picco* 'point', Fr. *pic,* E. *pike, peak* (see NED for the various etymological and historical difficulties).

Tip, cf. NED: "no etym. connexion with *top;* but the proximity of form and relative quality of sound in the two words have caused *tip* to be felt as denoting a thinner or more delicate top; cf. *drip, drop, chip, chop,* also *tip-top*".—To these might be added *lip, lop, sip, sop, sup, flip, flop, slip, slop, strip, strop,* cf. also *slit, slot; stick, stock.* Corresponding words in other languages.

Nib, variant of *neb* to indicate smallness; nib of a pen.

Pin. Dan. *pind* 'small stick'.

Dan. *fip,* formerly 'point', now chiefly in *fipskæg* 'chin-tuft'.

Pinnace 'small vessel'.

Pinnacle 'slender turret'.

Slit 'small aperture' (smaller than slot!) G. *schliss;* in the same sense:

Chink 'slit, fissure', of mysterious origin, earlier *chine.*

G. *rinne,* Dan. *rille* 'small groove'.

Tingle, MGH. *zingel* 'smallest kind of nail'.

G., Dan. *stift* 'small tack'.

Sc. *peak, peek* 'a small point of flame'.

Du. *pink* 'little finger'.

Dan. (Norw., LG.) *kim* (G. *keim*) 'germ, first small beginning'.[1]

Drizzle 'rain with fine drops'.

---

[1] Note also the G. phrase "Das ist keinen *pfifferling* wert" (also *pfiff*), and finally the odd word *minibus* for 'a light covered vehicle', in use from 1849 to 1864, formed from *minimus* and *bus, omnibus* being felt to be a big vehicle on account of the sound.

§ 5. DIMINUTIVE SUFFIXES

In diminutive suffixes, from which cannot be separated suffixes in pet-names (hypocoristic suffixes, as the term is in the learned lingo) we find *i*-sounds in very many languages.

E. *-y, -ie* as in *Willy, Dicky, Dolly, baby, laddie, auntie* &c. Spelt *-ee* in such trade-names as *coatee, bootee*.

G. (Switzerland) *Ruodi* = Rudolf, *Werni* = Werner, *Uli* = Ulrich, many similar forms of pet-names from older periods are given by F. Stark, *Die Kosenamen der Germanen*, Wien 1868 p. 52 ff. In OHG. there are many diminutives of common nouns in *-i* by the side of *-in: fugili* 'little bird', *chezzi*, 'kesselchen', Kluge, *Nomin. Stammbildungsl.* § 58.

Du. *-ie, -je* as in *kopje* 'little head, hill', *briefje* 'note'. In colloquial Dutch, and especially in the South African Taal this is pronounced as *-i: koppi, kassi*, &c. On the very extensive use of this suffix see H. Meyer, *Die Sprache der Buren*, 1901 p. 48 f.

Gr. *-io-* as in *paidion* from *pais* 'boy', *ornithion* 'little bird', *hetairidion* 'little friend'.

Magyar *-i: Páli* = Pál, *Antali* = Antal, *Feri* = Ferencz, *pajti* 'little comrade', *bari* 'little lamb', &c. Simonyi, *Die ungar. Spr.* 77 and 315, believes that this ending was borrowed from German, but on p. 316 he mentions a Finno-Ugrian diminutive suffix *-j-* and a compound (native) suffix *-di*. There is also in Magyar a curious way of making words diminutive by changing their vowel to *i: madárka* 'bird', *madirka* 'little birdie', thus also in verbs, Simonyi p. 45.

Goth. *-īn*, spelt *-ein*, in *gaitein* 'little goat', *gumein* 'little man', etc., OHG. *geizzin*. In E. *maiden* the *i*-sound has now disappeared.

Gr. *-in-: korakinos* 'young raven' (*korax*).

Ital. *-ino, -ina: bambino, giovinino, piccolino, donnina*. Sp. rarer: *ansarino*, Port. *filhinho*. Note especially the extension with two *i*-sounds: It. *donnicina, barbicina* &c.

Of the many Irish diminutive terminations "only one—*in* or *een*—has found its way into Irish-English ... *een* is used everywhere: it is even constantly tacked on to Christian names (especially of boys and girls): *Mickeen* (little Mick), *Noreen, Billeen* ... *birdeen, Robineen*-Redbreast, *bonniveen*, &c." (Joyce, *English as we speak it in Ireland*, 90). E. *squireen* 'small landowner'.

OHG. *-lin: sünlin* 'little son', *schiflin;* in the modern *-lein* (*scherflein* &c.) and in the Swabian *-le* the effect of the *i* is obliterated, but in Swiss *-li* (*büebli, füessli* &c.) it is still a living force.

E. *-kin: lambkin, princekin,* corresponding to MDu. *-kijn* (*kindekijn*), MHG. *-kin* (*kindekin*); in modern G. *-chen* there is of course no longer any *i*-effect.

OE. *-incel: husincel* 'little house', *tunincel* 'small farm'.

E. *-ling: gosling, lordling, stripling,* &c.

Sp. *-ico: animalico, asnico, perrico.* Diez and Meyer-Lübke call attention to the fact that no such suffix with diminutive force exists in Latin, but they do not explain its origin and function. With expansion: *hombrecico, mujercica.* Cf. R. Lenz, *La Oracion y sus Partes,* Sec. ed. Madrid 1925, p. 200 "Un versito popular chileno ...

Tienes una boquirria

tan chiquitirria,

que me la comerirria

con tomatirria.

Todo esto es evidentemente mímica fonética ... Los suffijos con *i* designan lo chico y bonito; con *a,* lo grande, robusto ...".

Portug. *-zinho, -zinha,* e.g. *liçãozinha* 'short lesson', *mãezinha* 'little mother', *avôzinho, -a* 'little grandfather, -mother', *mulherzinha* 'little woman', *mulherinha* 'scheming, intriguing woman'. J. Dunn, *Grammar of the Port. Language,* Washington 1928, p. 181.

Romanic *-itto, -itta* "of unknown (? non-Latin) origin" NED. But why think of foreign origin? Even if the suffix is not found in classical Latin, names like *Julitta, Livitta* are found in Latin inscriptions from the times of the emperors and "ont été suivis de l'innombrable descendance des *Juliette, Henriette, Antoinette,* etc.", Bréal, *Mém. Soc. Linguist.* 7. 192. In Span. we have, for instance, *arbolito, agujita,* and with expansion *arbolcito, mujercita.* In It. *-etto, -etta* and in Fr. *-et, -ette* the suffix has lost the phonetic *i*-symbolism, but in E., where the suffix has been adopted, it is again pronounced with an [i] sound, though, it is true, with the wide and somewhat lowered variety; *islet* [ailit]. The suffix as such is little used in English formations, but has given rise to the expanded suffix:

E. *-let* [-lit], whose *l* is due to such examples of the *-et*-suffix as *islet, eaglet, circlet,* but whose popularity is certainly to a great extent due to the accidental similarity with *little: cloudlet, leaflet, budlet,* etc.

Rumanian *-iţa: guriţa* little mouth, *corfiţa,* &c., Meyer-Lübke § 416.

It. *-iglio, -icchio* from Lat. *-iculo: borsiglio, dottoricchio.*

Sp. *-illo, -illa* from Lat. *-ello: animalillo, asnillo, abejilla* and with expansion *hombrecillo, mujercilla.*[1]

In the face of all these instances there can be no denying the fact that the speech instinct in many languages is in favour of using diminutive suffixes containing the sound of [i] and of attributing a diminutive meaning to such suffixes, even if they may not at first have connoted the idea of 'little'. Lat. *-inus* at first means what belongs to or has some relation with; Diez (*Gramm.* 4th ed. 2.339) explains the rise of the diminutive signification from the notion of descendance: "*sororinus* ist sprössling der *soror, libertinus* des *libertus, amitina* der *amita;* das jüngere aber lässt sich leicht als das kleinere auffassen". Meyer Lübke II § 452 says: "Mais alors le sens de 'ressemblance' exprimé par l'adjectif s'est développé dans une direction toute différente; un object analogue à un autre fut considéré comme inférieur à lui, comme plus petit, et voilà comment *-inu,* dans l'italien et le portugais notamment, est devenu un suffixe diminutif très employé". This does not sound very cogent, and the reason for the new function of the suffix is to my mind rather to be sought in vowel symbolism.

With regard to E. *-y*[2] there is a very learned and painstaking disquisition by K. F. Sundén, *On the origin of the hypocoristic suffix -y (-ie, -ey) in English,* in *Festskrift tillegnad K. F. Johansson,* Göteborg 1910, 131 ff., in which the writer examines everything about the use and chronology of the suffix. It is not easy to condense his forty pages into a few clear lines, and I am not quite sure that I have always understood his reasoning. He repudiates the view of Fick und Stark, that our suffix is etymologically the same as the

---

[1] As a kind of diminutives we may consider patronymics, e. g. Gr. *Atre-idēs* (cf. in modern scientific use *arachn-id*), *Sem-ite.*

[2] The explanation now given by W. Franz (*Shakespeare's Blankvers,* Tübingen 1932), from ME. *sone min(e),* is too fanciful to be probable.

Greek *-ios* and Swiss-German *-i,* as in that case it must in ME., nay already in OE., have passed into the weak ending *-e* and have ceased to be sounded later (1); besides we are unable to trace the NE. hypocoristic ending further back than the 15th c. (2).

Then there were a certain number of personal names having the ending *-y* as an integral part of the name; this was analogically transferred to other names, especially to short ones. The ending as such had at first no hypocoristic function, but the short forms to which it was added (and which had originally had a hypocoristic *-e*) were in themselves pet-names, and this notion was afterwards associated with the ending, which might then with this new value be added to other words (3).—This theory seems to be rather artificial. (1) Why may not the ME. pet-ending *-e* have passed into *-i* in the same way as ME. *pite* became *pity?* The vowel would be especially liable to resist mutescence if felt to be possessed of signification. (2) The non-existence of the ending in earlier texts does not prove much, because written *-e* may mean our ending; besides, pet-names and pet-formations may have existed long in the spoken language without being thought worthy of being committed to writing in an age that was not as apt as our own to record familiar speech. (3) One does not see any inducement to add an *unmeaning* ending from some Christian names to others: it is quite different if the ending is felt to possess an endearing element. It may be difficult historically to connect the diminutive ending *-y* with the Gr. and Swiss ending as "etymologically identical", but if it has risen independently in recent times in England (which I think far from probable, though not impossible), at any rate its use is due to the same feeling of the symbolical value of the vowel [i]. The three phonetically and semantically identical suffixes are, if not in the strictest sense genealogically akin, yet without any contradiction intrinsically related to one another (what Schuchardt calls 'elementar-verwandtschaft').

Note also that children will often of themselves add an *-i* at the end of words; this is stated of some German children by Ament, *Die Entwickelung von Sprechen u. Denken beim Kinde,* 1899, 69, of English children by Sully *Studies of Childhood,* 1895, 419, and of American children by Tracy, *Psychology of Childhood,* 1903, 132, with examples like *bodschi* brot, *dinnie* dinner, *beddie* bread or bed, *ninnie* drink, &c. Traits like these will naturally be imitated by nurses and fond mothers, and as this linguistic trick is thus associated with children and nurseries, it will naturally acquire a hypocoristic or diminutive force.

As a diminutive suffix may also be considered *-ish* as added to adjectives, e.g. *brownish, oldish, thinnish.*

I would call attention to a further point of importance.

These suffixes containing the sound [i] may also serve to indicate *female sex*. In many languages we find, not unnaturally, that the notions of smallness or weakness and of femininity go together, thus very often in the gender distinctions of African languages (see Mein-hof, *Die Sprachen der Hamiten* 23, Fr. Müller III. 2. 237 and else-where): names of men and big things form one class, those of women and small things another. It is no wonder, therefore, that many of the suffixes used to form feminines resemble diminutive suffixes in containing the sound [i]. Examples:

-i in Skr. *vrk-ī* 'she wolf' (an effect of *i* lingers still in ON. *ylgr*); Skr. *napt-ī*, Lat. *neptis* (OHG. *nift*, G. *nichte*) &c.

Romanic *-itta*, used very early, as we saw, in fem. names like *Julitta*.

Rumanian *-ita: baronita*, &c., which Meyer-Lübke § 368 thinks borrowed from Slav; § 416 he says that the identity of the Slav suffix with Lat. *-icia* is "une coïncidence fortuite"—but in both we recognize the same psychological trait!

Romanic *-ina* is much more frequent than *-ino* and enters into numerous feminine personal names, which have been adopted into other languages (G., Dan. &c.). The suffix thus becomes a favourite means of forming female names: *Paulina, Pauline, Carolina, -ine, Josephina, -ine*, Dan. *Jensine* from *Jens* 'John', &c.

G. *-in* (orig. *-inja*): *königin*, &c., Dan. *-inde: præstinde* 'priestess', &c., in E. now only in *vixen*.

OHG. *-is* in *chebis*, OE. *ciefes* 'concubine'.

Gr. *-issa: basilissa* 'queen', whence Romanic *-issa*, Fr. *-esse*, E. *-ess*, again with [i]-sound.

Lat. *-trix* from masc. *-tor: victrix*, adopted into E. Cf. for corre-sponding Germanic formations Kluge, *Nom. Stammbild.* § 44.

ME. *-ild: fostrild* 'nurse' and some others, from the ending *hild* in many fem. names.

This enumeration does not claim to be complete, and for the history of each suffix the reader must be referred to grammars and dictionaries. But it will now be clear, that if by the side of the recent G. loan *nix* we have *nixie* as 'female water-elf', this is due just as much to sound-symbolism as to the G. form *nixe*.

§ 6. OTHER NOTIONS

There is a class of verbs that is closely connected with the notions exemplified in § 2, meaning either to make small or to become small: *mince* (*minutiare*), *shrink, shrivel, shrim, dwindle,*[1] *peak* (which in the NED. is defined 'sink, shrink, slink, sneak': four verbs with i-sounds).

Next we have some expressions for a very short time and what can be done in a short time:

E. *jiffy, jiff;* Sc. *in a clinck,* written *in a klink,* Barrie, *Tom & Gr.* 143. Cf. also "wait half a tick" (Mackenzie, *Sin. S.* 1.438).

E. *fit* 'short attack of fever, etc.', also 'short time'.

Dan. *svip* 'a slight stroke, a hurry, a short trip'.

E. *trip.*

Further adjectives like *quick, glib, vivid, diligent, nippy,* Alabama (Payne) *lippity-click* (or *-clip*) adv. 'rapidly'—*fickle, giddy, busy, nimble, swift—fleet, speedy.*

Words for 'quick', etc., in other languages: Dan. *kvik, livlig,* Swed. *pigg,* Fr. *vite, vif, rapide,* It. *vispo, visto;* Jap. *kirikiri* 'quick'.

Then some verbs may be mentioned, which indicate a rapid motion (some of them also the sound produced by such a motion, thus more onomatopoeic in nature than the rest of the words dealt with in this paper). It is interesting to see the NED. define the verb *snick* as 'to cut, snip, clip, nick'—thus chiefly by means of words containing a short [i], cut off by a voiceless stop; cf. also to *slit, split, splinter, rip, chip, slip, whip, whittle;* further *jig, fillip, flip, flit, flitter, flick, flicker, fisk, frisk, whisk, fidget, jink, mizzle* (slang,

---

[1] Cf. OE. *dwīnan* 'dwindle' and the "rime-words" collected by F. A. Wood, I. F. 22. 142.

'decamp'), *nip up, tib, tibble* (school slang), cf. Cl. Dane, *First Bl*
67 when you've grown up the days go quicker.—Oh, yes—they
simply *whiz.* We have already (p. 293) seen the verb *nip,* cf. also
nibble, Dan. *nippe* (til), G. *nippen* or *nipfen.* It would certainly
be easy to find other similar verbs; possibly *to tip* = 'to give' (orig.
touch lightly?) with the sb. *tip* 'small gratuity' belongs here.

Here also belong *blink, wink, twinkle* (with the phrase *in a
twinkling,* Goldsm. 658, Dickens *Domb.* 385; also *in the twinkling
of an eye*), *flicker, glint, glitter, glimmer,* expressive of short, inter-
mittent lights, etc. Figuratively in Locke, Com. of Am. 156 I have
a glimmer of what you mean.

For a rapid movement Danish has the two verbs *pile a(v)* and
kile a(v)—now also *bile,* from *bil,* a shortened *automobil;* for a
small movement *rippe sig.*

Some words for 'arrow' contain the vowel *i*: Scand. *pil,* MLG.
pil (G. *pfeil,* Du. *pijl*) from Lat. *pilum;* Lat. *sagitta;* OPers *tigra*
(whence the name of *tiger*).

Rapid movement (not simply 'go') is at the bottom of Lat. *ire;*
Gr. *riptō* 'throw, sling', *rimpha* 'fast, vividly'.—The Dutch everyday
word for 'bicycle' is *fiets* (short *i*).

With the idea of smallness is also connected that of the verbs
sting 'inflict a small wound with pointed dart, etc.', *nip* and *pinch*
'nip between thumb and finger'; in the figurative use this is connected with other *i*-words: *stingy, niggardly;* cf., e.g. Jenkins, Bindle
208 an' me *inchin'* an' *pinchin'* to keep you in food. Further in the
same sense *stint, skimp, scrimp* (e.g. Dreiser, Free 130).

Further we may mention the synonyms *tiff, miff, whiff,* and
(rarer) *quiff* (Masefield, Capt. Marg. 309) 'slight quarrel or fit of
ill-humour'; cf. *biff* 'a blow'. And finally *niggle* 'do anything in a
trifling, fiddling way' with *niggling* and *niggly* (e.g. Locke, Com.
of Amos 156). *Niggle* is also used of small cramped handwriting.

Quip is defined 'little, witty remark, clever hit, quibble', note
here the many short *i*'s. The word is supposed to be from *quippy*
= Lat. *quippe* (probably as used in University disputations).

We shall now pass to some reflexions of a more general
character.

§ 7. SEMANTIC AND PHONETIC CHANGES

The feeling that the sound [i] is particularly fit to express smallness may have influenced the semantic and phonetic development of some words.

E. *pittance* means originally a pious donation (from **pietantia*) without regard to the greatness of the donation; thus in Chaucer A 224 a good pittaunce. But now it is always understood as a small portion or scanty allowance.

Miniature at first meant an image painted with minium (vermilion), but now in English as well as in other languages it means simply a very small picture, or anything done on a small scale, as in De Quincey: "I took a very miniature suite of rooms", and Jenkinson: "This stream contains many lovely miniature cascades" (NED).

Trivial now is more rarely used in the old sense of 'commonplace, such as may be met with everywhere' (Lat. trivium), than for what is slight or of small account.

Dan. *hib* (or *hip*) with short [i], from G. *hieb*, now means a slight skit or innuendo; cp. E. *quip* above.

OFr *pite* means 'farthing, mite, thing of small worth', but it is supposed to be derived from a word which does not connote the idea of smallness, viz. *picta, Pictava*, the name of Poitiers.

The Anglo-Indian *chit* is from Hind. *chitthi* 'letter', but as used by English people it means a short note.

Dutch *pikkedillen* is from Sp. *peccadillo* 'slight offence', but it has come to mean 'trifles' without any implication of misdemeanour.

When one wants to express something very small, one sometimes uses words belonging to other spheres, provided they contain the sound *i*; thus Galsw., *Fam. Man* 100 I don't care a *kick* what anybody thinks (cf. don't care a *fig* or a *pin*) and G. *idee*: Kellermann Neunte nov. 337 Nun bewegte sich der stein eine idee.

The influence on sound development is first seen in the very word *little*. OE. *lytel* shows with its *y*, that the vowel must originally have been *u*, and this is found in OSax. *luttil*, OHG. *luzzil;* cf. Serb. *lud* 'little' and OIr. *lútu* 'little finger' (Falk and Torp); but then the vowel in Goth. *leitils* (i. e. *lītils*) and ON. *lítinn* is so difficult to account for on ordinary principles that the NED. in despair thinks that the two words are "radically unconnected". I think we have here an effect of sound symbolism. The transition in E. from *y* to *i* of course is regular, being found in innumerable words in which sound symbolism cannot have played any role, but in modern English we have a further slight modification of the sound which tends to make the word more expressive, I refer to the form represented in spelling as "leetle". In Gill's *Logonomia* (1621, Jiriczek's reprint 48), where he mentions the "particle" *tjni* (*j* is his sign for the diphthong in *sign*) he writes "a lĭtl tjni man" with *ī* (his sign for the vowel in *seen*), though elsewhere he writes *litl* with short *i*. NED. under *leetle* calls it "a jocular imitation of a hesitating (?) or deliberately emphatic pronunciation of little". Payne mentions from Alabama *leetle* "with special and prolonged emphasis on the *ĭ* sound to indicate a very small amount". I suspect that what takes place is just as often a narrowing or thinning of the vowel sound as a real lengthening, just as in Dan. *bitte* with narrow or thin [i], see above. To the quotations in NED. I add the following: Dickens *Mutual Fr.* 861 "a leetle spoilt", Wells *Tono-B.* 1. 92 "some leetle thing", id. *War and Fut.* 186 "the little aeroplane ... such a leetle thing up there in the night".—It is noteworthy that in the word for the opposite notion, where we should according to the usual sound laws expect the vowel [i] (OE. *micel,* Sc. *mickle,* Goth. *mikils*) we have instead *u: much,* but this development is not without parallels, see Mod. E. Gr. I. 3. 42. In Dan. dial. *mög(el)* for the same word the abnormal vowel is generally ascribed to the influence of the labial *m;* in both forms the movement away from *i* may have been furthered by sound-symbolic feeling.

The vowel in E. *weak* is difficult, we should expect *woke* if from OE. *wāc,* or *waik* if from Scand. *veik,* l. c. 3. 234: can the [i·] have been caused by the tendency to express weakness in sound?

If *brisk* is from Fr. *brusque,* it belongs here; cf. *frisk, whisk.*

The vowel of *great* is exceptional in the opposite direction: we should expect [i·], which was also frequent in the 18th century, but which was possibly felt to be incongruons with the meaning of the adjective (cf. Mod. E. Gr. I. 11. 75).

Sp. *pequeñino* has become E. *piccaninny,* see above.

In my lists above there will be found several examples of symbolic vowels that have been modified in course of time in accordance with the usual sound tendencies of the language in question, exactly as some echoisms have by and by lost their onomatopoeic character. Thus long *i* has been diphthongized in *mite* and other words. This is also the case when *tiny* has now become [taini], but alongside of that form we have also [ti·ni] with retention of the symbolic vowel, a pronunciation which is used more often by children and ladies than by grown up men. Cf. Wells, *Twelve St.* 106 'their "teeny weeny" little house', London *Valley M.* 184 'the teeniest accident', Bennett, *Lord R.* 304 (nurse:) "It's time for you to have your teeny-weeny dose of brandy". To the nurse he was a little child ... "Teeny-weeny!" Odious!" Both forms are connected in Brock, *Ded. of Col. Gore* 192 I'm just a teeny-tiny bit snappish this evening. See also above, s. v. *tick*.

Curiously enough we have in E. a series of words with short *i* before *p,* which have the connotation of 'little' and which cannot be accounted for etymologically, but which appear as side-forms of words with back-round vowels and without that connotation, see above, s. v. *tip.* The NED. says of *sip:* "possibly a modification of *sup* intended to express a slighter action", and of *sippet* (a small piece of toasted bread): "app. intended as a diminutive of *sop*. Cf. *supett* in Wyclif". There is a rare word *trip* (different from *trip* 'short excursion'), obsolete in the sense 'troop of men', but still in use of a small flock (of game); NED. says "Etymology obscure: perh. related to *troop*"—evidently a symbolic modification. Similarly *sipling* is a modification of *sapling*.

THE SYSTEM OF GRAMMAR

THE following pages have been occasioned by the elaboration of *The Essentials of English Grammar* (abbreviated EEG), as I found that I owed the reader some explanations and justifications of various things in that book, which could not very well find their place in the preface or in the introductory chapter. It is my hope that this paper will not be found superfluous, even if I have here dealt with some points that I had already treated, or at any rate touched upon, in previous publications, notably *The Philosophy of Grammar* (abbreviated PG) and the four volumes of *Modern English Grammar* (abbreviated MEG). I may plead as an excuse that my points of view have been criticized recently by the late Professor E. A. Sonnenschein, in *The Soul of Grammar* (Cambridge 1927) and by Professor George O. Curme in two reviews of MEG II and III (in *The Journal of English and Germanic Philology*), which in spite of the too flattering words about my work by which they are introduced call for some counter-criticism as they reveal an attitude towards essential points of grammar diametrically opposed to my own. In his *Syntax* (Boston 1931)—in many ways a most important contribution to linguistic study—Curme has also followed a system and put forward theories so unlike mine that I have felt induced to discuss some of them here.

In EEG I have tried to give as clear and concise an exposition as possible of the whole subject, including various observations on details which I do not remember ever meeting with in similar works. I have laid especial stress on the choice of good illustrative examples, and have, as a matter of course, drawn largely on those quotations which I had collected for my MEG, though I have not here, as there, felt it my duty always to give them in exactly the form in which I found them in English and American books: sometimes they have been shortened or slightly modified so as to bring out a grammatical point more clearly. It is not possible in a grammar to do without some examples which are somewhat dull and seem to say nothing apart from the grammatical rule they are selected to illustrate, but it is possible to reduce the number of such examples to a minimum, and fortunately a great many rules can be illustrated by means of sentences which are in themselves interesting and valuable. I may beg the reader to compare my own examples of *same* (EEG 16.9) with the following collection from a recent book (which is in other respects very meritorious): "It's the same book. It isn't the same thing. It's the same sand. It isn't the same stuff. They're the same books. They're not the same names. This is the same (one). These are the same (ones)."

I have also avoided the drawing up of paradigms like those still found in some grammars, e.g. "I love. Thou lovest. He loves. We love. You love. They love", or "I shall go. You will go. He will go. We shall go. You will go. They will go." Such things justify utterances like Herbert Spencer's about "that intensely stupid custom, the teaching of grammar to children", or J. Runciman's "The textbooks mostly used for grammar are sixpennyworths of horror calculated to make a lad loathe his own language" (*Contemporary Review,* 1888, p. 43).

With regard to the question what is to be considered correct or not correct in grammar I must repeat what I have said elsewhere that it is not, of course, my business to decide such questions for Englishmen: the only thing I have had to do is to observe English usage as objectively as I could. But psychological and historical studies often make one realize that much of what is generally considered "bad grammar" is due neither to sheer perversity nor ignorance on the part of the speaker or writer, but is ultimately due to the imperfections of the language as such, i.e. as it has been handed down traditionally from generation to generation (or rather from older to younger children), or else to general tendencies common to all mankind— tendencies which in other cases have led to forms or usages which are recognized by everybody as perfectly normal and unobjectionable.

20

This is why the profoundest students of languages are often more tolerant than those who judge everything according to rule-of-thumb logic or to the textbooks of grammar that were the fashion in their own school-days.

The arrangement of the whole matter in EEG is different from that in MEG. The reason is chiefly to be sought in the fact that the bigger work has gradually, under the pressure of various circumstances, developed into a series of monographs which do not, or do not yet, form a connected systematic whole. In the smaller book I had therefore to take up the question of the best way of presenting such a complicated matter as the grammatical structure of the English language. An important point was not to dismember the subject too much, not to break it up into many isolated details, but everywhere to treat together such facts as formed naturally connected wholes. In the phonological part, therefore, instead of taking each sound and its history separately, I have divided the matter according to the great comprehensive changes that have affected the sound-system as a whole. In this way—though I have not used the word phoneme and the new technical terms introduced by the recent "phonological" school developed especially in Prague—I think that I have done justice to the valuable theories advanced by that school, even more than in MEG and *Lehrbuch der Phonetik,* in which some of its points of view may be found *in nuce.*

In what may be called the central part of the grammar the principle adduced above has led to the discarding of the usual division of grammar into the theory of forms (accidence, morphology), the theory of word-formation, and the theory of sentence and of the use of forms (syntax). Within each of these divisions the common practice is to subdivide according to the parts of speech (word-classes), having one chapter for substantives, another for adjectives, etc. In most grammars such things of prime importance, at any rate for the structure of English, as the use of the unchanged word and of word-order are treated very inadequately, while those things that are common to more than one word-class are torn asunder. Instead of this more or less traditional arrangement I have *divided the subject according to the principal categories* of a really grammatical order, dealing, within each of the chapters thus originated, with both forms and their use, comprising under "forms" both word-formation and word-order. My impression is that this arrangement serves better than any other to bring out what is really characteristic of the grammatical structure of the language dealt with, but on the other hand it must be admitted that a similar arrangement would not have been possible to the same extent in any of the cognate languages. In Latin, Old English and German, to take only some of the best-known examples, the forms for case and number are so inextricably mixed up in substantives that it would be impossible or impracticable to deal with case and number separately. In the verbs we should be still less able to isolate the forms for person, number, and tense. The extent to which it is possible to treat each of these fundamental categories separately, thus enables us to measure how far the language concerned has advanced towards the ideal state in which the same grammatical sign has always the same meaning or function, and the same notion is always expressed by the same means.

I shall now follow the order of the chapters of EEG: on some of them I have only a few remarks, while on others there is more to say.

2. Very little space can be given to the description of sounds and their formation, so that this chapter is perhaps the one which offers the greatest difficulties to the pupil who has had no previous training in phonetics. I have therefore advised him to skip this chapter (as well as 3—6) until he has read the rest of the book, although it must be recognized that without some knowledge of phonetics no real insight into the structure of any language can be profitably gained.

The phonetic script used throughout the book, wherever necessary, is of the simplest kind, but will, I trust, be found adequate for the purpose. In matters of pronunciation I have, as a matter of course, followed that standard which with some relatively unimportant deviations is found in Sweet, Wyld, Jones, Palmer, R. E. Edwards, Ripman, Miss Ward, Fuhrken and other recent English authorities, but I have also paid some attention to American and other divergences. In the syntactical sections, too, I have often mentioned points on which there is no complete agreement in the whole of the English-speaking world.

3-6. These are the chapters in which it has been thought more necessary than in the rest of the book to deal with the history of the language, though no previous knowledge of the early stages of English is presupposed. Prehistory, which some scholars consider the only part of linguistic history of value, has been totally disregarded —which does not imply a want of interest in this important study on the part of the author. But one book cannot give everything.

Throughout much emphasis has been laid on alternations—differences in sound that have arisen historically and have more or less torn asunder forms which were originally alike and are still to some extent felt as belonging together. Nothing can.better than these make a student realize vividly what is the meaning of phonetic change.

7. Word-classes. In EEG no attempt is made to define logically what is understood by a substantive, an adjective, etc. The traditional classification—with some small variations, it is true—has shown a persistent vitality through the ages, and in practice there is general agreement between grammarians, whether practical schoolmasters or historical students, as to the class to which each word in any given context should be assigned. But as soon as we begin to ask what is the underlying logical basis of the classification and to define each of the classes, difficulties arise into which it is not necessary to enter in a work of the character of EEG. Some would say that substantives denote things and what are conceived as things, and they would maintain that the difference between say *pride* and *proud, admiration* and *admire* is that the former word in each pair is thought of as a thing[1]. But surely an ordinary mind has no such

---

[1] "Irgend ein gegenstand hat eine eigenschaft ... die mir schön erscheint. Sprachlich kann ich diese eigenschaft mit dem adjektivum *schön* ausdrücken; ich kann aber in der sprache die eigenschaft dinghaft umgestalten und von der *schönheit* jenes gegenstandes sprechen. Das ist gerade eine eigentümlichkeit der menschlichen sprache ... dass sie etwas beliebiges, was in der umwelt gar kein ding, keine eigenschaft, keine tätigkeit usw. ist, in der sprache als ding, als eigenschaft, als tätigkeit hinstel-

feeling when speaking of a woman's pride or of our admiration for the great poets—the definition really amounts to saying that pride and admiration are treated *grammatically* in the same way as names of things like pearls and trees, and the definition thus is nothing but a *circulus vitiosus*.

It may not be amiss to call attention to the fact that in ordinary parlance we extend the use of the word 'thing' so as to include what could not properly be called a 'thing', as in:

I shall speak to him the first thing in the morning. | The only thing left for us was to run away | Auth. Version Gen. 34.7 hee had wrought folly in Israel, in lying with Iacobs daughter; which thing ought not to be done | Carlyle, French Revolution 119. He finds no special notice taken of him at Versailles,—a thing the man of true worth is used to.

When Wells's "First men in the moon" found traces of the activity of the lunar beings they said "they can make things and do things"—meaning in the first instance substantial things in the ordinary sense of the word, but by the second term nothing but "they act in various ways". In these sentences the reader may find some justification of the definition of "action substantives" as comprised under the term of 'things', but what about the following quotations?

Hart, Bellamy Trial 301 I wasn't beautiful or peaceful or gentle or gracious or gay or strong, but I made myself all those things for him | Benson, David Blaize 166 Why didn't you sit on it or something, when he came in? | Walpole, Silver Thorn 161 He simply felt that she had been badly treated—the very last thing she had been.

Here *thing* stands not for any substantive, but for an adjective, a verb or a participle. Cf. also Iago's "For I am nothing, if not criticall".

An adjective does not, as is often said (e.g. by Hermann, see above), denote a quality (for that is what a substantive like *beauty* or *pride* or *cleverness* does) but means "having a quality"—and

---

len kann. So kann auch ein wort aus der einen in eine andere wortart austreten" (Hermann, Die wortarten, 1928, 6). But the quality of beauty is not transformed into a thing when we use the word *beauty*. And it may be asked when and how is something that is not a quality or an action made into one in the language? Hermann even thinks that all verbs, even *is* and *sleeps* (and *ist gestorben*) are *"tätigkeitswörter"*.

that definition does not even fit all adjectives, but only "qualifiers" and alongside of these we have "quantifiers" like *many, numerous, few,* etc.[1]

A variant of the usual definitions is found in Alan H. Gardiner's recent important work *The Theory of Speech and Language* (Oxford 1932): "The so-called parts of speech are distinctions among words based not upon the nature of the objects to which they refer, but upon the mode of their presentation. Thus the name of anything presented *as* a thing is a 'noun', and the name of anything presented *as* an action or ... *as* a process, is a 'verb'. In the verb *to cage*, reference is made to the thing called a *cage,* but it is not presented as a thing but as an action. In the noun *assassination* reference is made to an action, but it is not presented as an action but as a thing" (p. 10). "An adjective, on this view, is the name of a thing presented to the listener, not as a thing, but as an attribute." (p. 39).

Here I should first take exception to the example *cage,* for the relation between the substantive *cage* and the verb *I cage* = 'I shut up in a cage' is not the same as in other instances of grammatical homophones, like *fight, sleep, air, plant,* etc. When I use the verb *cage* I do not "present" a cage (which is a real thing) as an action, but speak of an action that has some relation to that thing. And if I say that a face is beautiful, I do not present a thing called *beauty* as an attribute to the face. I can see no other meaning in the verb *present* as here used than 'treat grammatically', and then we have the same *petitio principii* as above. But Dr. Gardiner promises further explanations of his view in his second volume.

It seems to me much more correct to say, as I virtually did in PG, that what is denoted by most substantives is characterized by several qualities, not always easy to define, and that an adjective singles out some one quality, which is applicable to a variety of objects. The chief difficulty is with nexus-substantives, which are dealt with adequately in none of the current definitions, and which really form a class apart: *a dependent nexus concentrated into one word,* cf. below under **30.**

Curme defines the verb as "that part of speech by means of

---

[1] I am glad to see that the latter expression, which I think I have coined myself, has been adopted by others, Mr. Ogden among them.

which we make an assertion or ask a question". Accordingly "Nonsense!" and "Where?" are verbs!

Verbs are generally in grammatical treatises as well as in dictionaries named in the infinitive, Lat. *amare,* Fr. *aimer,* G. *lieben,* etc., and correspondingly E. *love* or *to love.* I have preferred to give them in the finite form *(I) love,* because the finite forms are more characteristic of the real essence of verbs than the infinitive, which in many ways still retains some syntactical features of its substantival origin. With one class of English verbs it is also impossible to give the infinitive because it has no existence: *can, may, must,* etc. The usual practice is especially faulty when many grammarians, chiefly foreigners, speak of the rules for the use of *to be to,* for this infinitive with *to: to be to (write)* is practically non-existent. One might just as well give rules for the use of *to shall.* But it is of course perfectly natural and correct to speak of *I am to (write)* and give rules for that, just as for *I shall (write).*

The last class, 'particles', contains adverbs, prepositions, coordinating and subordinating conjunctions. I have elsewhere (PG 88) given my reasons for treating these together: the difference between the various functions of one and the same word, e.g., *before* in "I have been here many times before", "many times before my marriage", and "many times before I was married" is not important enough to cause it to be placed in different categories; in one employment it is like an intransitive verb (has no object), in the others it is 'transitive' and has in one case a substantive, in another a clause as its object.

Recently V. Brøndal (*Ordklasserne* 1928, *Morfologi og syntax* 1932) after a learned and most instructive exposition of all earlier classifications has made a very bold attempt at a completely new system, defining word-classes by means of the purely logical notions of *Relator* (R) and *Relatum* (r), *Descriptor* (D) and *Descriptum* (d), which may be combined in various ways (Dr, Dd, rd; Drd, etc.).

His books contain a great many sagacious and penetrating remarks, and his system would seem to deserve very careful consideration, but even if it were right in every detail it could not be adopted in a work of so practical a character as my grammar: it would require too many long and difficult explanations. As a matter of fact, I think it possible to gain a really valuable insight into the essential structure of the English language without any abstruse logical analysis of what a "word" or what a "substantive", etc., is. The important thing is that the student should recognize a substantive when he finds it, and that can be achieved through showing him a sufficient number of specimens, just as a child learns to know a cat and a dog not through any definition but by seeing a certain number of individuals and hearing the appropriate word applied to them.

In a very short preliminary survey of the most important flexions of these word-classes the term *base* is introduced for that form of the verb which has no 'ending' and which according to circumstances can be used as an infinitive, an imperative, a present indicative and a present subjunctive. Next wo go on to the "Derivation" of one word-class from another. The examples given of the various classes comprise in a number of cases the same form given under two or even three different headings. The form taken by itself thus gives no clue to the class under which the word is to be included, but if we see how the word 'behaves' towards other words and how other words behave towards it in various circumstances, we obtain tests by which we can tell whether such a form is a substantive, an adjective, an adverb or a verb: *fight* is a substantive if it can take *a* or *the* before it, and if it adds *s* in the plural, but a verb if it is changed into *fought* when a fight in the past time is thought of, if it adds *s* in the third person, etc. By such tests we see that *love* is a substantive in *his former love for her*, but a verb in *he did love her once,* and the two words are seen to be parallel to *admiration* and *admire* respectively. *American* is sometimes a substantive ('two Americans arrive'), sometimes an adjective ('two American guests'), cp. 'two Spaniards arrive' and 'two Spanish guests'. *Long* belongs to one word-class in 'a long stay', to another in 'he stayed long', and to a third in 'I long to see her', etc., etc.

We have here one of the most characteristic features of the structure of English, the number of 'grammatical homophones', but it would be entirely wrong to describe this as the capacity in English of "using substantives as verbs", etc., a substantive is always used as a substantive, a verb as a verb, etc.

Some German linguistic thinkers see a trait of national psychology in the frequency in English of phrases like *have a look, a shave, a smoke, take care, give a glance, a kick,* etc.: they are taken as "gegenständliches denken" or "objective thinking" with its preference for things or objects as more concrete than the more abstract verbs. As the substantives used in these phrases are not names of 'things', it seems more natural to see in the predilection of English for expressions of this kind the same purely grammatical trait as in the numerous cases in which English has a small auxiliary in the beginning of the sentence, which embodies the marks of tense, person, and number, and reserves the really significant word (verb) for a later place: *he does (not) write, does he write, will he write, he has written, is he writing,* etc., etc.

In innumerable cases we derive verbs from substantives, substantives from verbs, etc., without any distinctive ending, but this is not the only way, and we are thus naturally led to those cases in which endings and similar means are used (*belief believe, strong strength strengthen, admire admiration, child childish, clever cleverness cleverly,* etc.). It will be seen that I have thus managed to squeeze in a bit—and a most important bit—of the theory of word-formation into this chapter. Other bits follow in other chapters.

8. Ranks. *Poor* in "the poor are always with us" is often said to be an adjective used substantively; other grammarians even say that it has become a substantive. *Stone* in *stone wall* is termed a substantive used adjectively or a substantive turned into an adjective. *Above* in *the above remark* is termed an adverb used adjectively or turned into an adjective; *my way* in *he would not look my way* is called an adverbial use of the substantive (with its pronoun). Clauses are divided into substantival clauses (or noun clauses), adjectival clauses (or adjective clauses) and adverbial clauses (or adverb clauses).

All these expressions are misleading because they use terms relating to the classification of words ('parts of speech') in speaking of a classification which has some points of similarities with this one but is really based on something fundamentally distinct—moves, as it were, in a different plane—namely the classification according to the 'rank' of a member of a grammatical combination. While the former classification concerns words only so that it is possible in a dictionary to say what class a word belongs to, the distinction we are now going to deal with, concerns not only single words, but word groups, including clauses, and has no existence except in combinations actually found in connected purposive speech.

We have three grammatical ranks, here designated with Roman numerals:

I Primary (this term is better than 'principal' which I used at first)

II Secondary

III Tertiary.

In "The French are a great nation" *the French* is an adjective primary, in "The Americans are a great nation" *the Americans* is a substantive primary; both *the French* and *the Americans* are thus primaries, but belong to different word-classes as shown by the fact that only *the Americans* has the flexional ending *s*. In the same way these groups can be the object of a verb, as in "I admire the French", "I admire the Americans", or the object of a preposition, as in "with the French", "with the Americans".

Examples of secondaries are: "a *French* actor", "a *Saturday-to-Monday* visit", "a *long* stay".

In some languages, e.g. German and Danish, it is not always easy to distinguish between adjectives that have become substantives and adjectives used as primaries. In English there may be a few doubtful cases, but in general we have indubitable criteria: *a black* and *the black* = 'negro' can stand by itself in the singular (with the definite and indefinite article), which an adjective like *poor* can not; it can form a plural *blacks* and a genitive: *the black's skin*. Curme thinks that I am wrong in denying the name of substantive to *the poor* because it has no *s* in the plural: he calls attention to the fact that some substantives have an unchanged plural. This is true, but all words from other word-classes that are turned into substantives, form their plurals regularly in *s*. And, as remarked, the plural is not the only thing which makes *black* into a substantive, different from adjectives. If language itself keeps two things distinctly apart as in Shakespeare's "Sweets to the sweet" he would be a bad grammarian who would persist in lumping them together as "adjectives that have become substantives".

Examples of tertiaries are: "he stayed *long*", "he stayed *a week*", "he stayed *from Saturday to Monday*", "he stood there *hat in hand*". (The term 'subjunct', which I used in former publications, is superfluous).

While a finite verb is always a secondary (to the subject, which is primary), participles and infinitives may according to circumstances be any of the three ranks.

The rank division is very important with regard to pronouns: some pronouns are always primaries (e.g. *I, mine, somebody, anything*), others are always secondaries (e.g. *every, my*), others again are used sometimes in one, sometimes in another rank, e.g. *that:* "that is true" (I), "that time" (II), "he was that angry" (III; vulgar). *None:* "none of his brothers" (I), "of none effect" (II; half archaic), "none the less" (III).

Clause primaries, secondaries and tertiaries are treated below.

From a logical point of view it is true that we have more ranks than the three, as a tertiary may be further determined, as in "an unusually well written article", where the tertiary *well* is determined by *unusually,* which thus might be called a logical quaternary, but as we nowhere find any *grammatical* criteria for such subordination, the three ranks are all that a grammarian needs distinguish.

The distribution into three ranks is found not only in sentences, where the subject and object are always primaries, but also within elements that constitute themselves one of the three ranks: the whole group "a very long time" is a primary in "a very long time passed", a tertiary in "he stayed there a very long time", but in both cases the group consists of the primary *time,* the secondary *long* and the tertiary *very* (*a* is also a secondary).

The theory of ranks as here outlined affords us means of expressing in a precise and natural way what with the usual grammatical terminology presents considerable difficulty, as when *what* is often called a substantival pronoun, which in *what branch* is made into an adjectival pronoun; in *what one* this adjectival pronoun is substantivized by *one.* Or: *top* is a substantive; in *top branch* it has become an adjective or an adjective-equivalent, but in *the top one* it is again substantivized. Instead it is better to say: *what* is always a pronoun, and *top* is always a substantive: in *what happened?* and *the top fell down* they are primaries, but in *what branch, what one, the top branch, the top one* they are secondaries to the primaries *branch* and *one*.

It is perhaps worth noticing that when we speak in grammar of a word 'governing' another, it is as a rule one belonging to a lower rank that governs one of a higher rank; a verb (II) governs an object (I), a preposition (III) governs an object (I), a conjunction (III) governs a clause (I): the conjunction + the clause may be either I, II or III.

9. Junction and nexus are terms introduced to designate two fundamentally different ways of combining primaries and secondaries. Typical examples are *the running dog,* junction: *running* (II) is adjunct to *dog* (I), and on the other hand *the dog runs,* nexus: *runs* (II) is adnex to *dog.* Other examples of nexus are: I saw (made) *the dog run,* I caused *the dog to run, the running of the dog.* In "he painted *the red door"* we have a junction, in "he painted *the door red"* a nexus.

There is more life, more dramatic movement in a nexus than in a junction which is like a picture.

In a junction we have one idea which is linguistically broken in two, as when instead of *a giant* we say *a tall man,* instead of *a stench, a disagreeable smell.* In a nexus, on the other hand, two distinct ideas are combined to represent a process—the ways in which this combining is effected is described in chapter 10 (independent nexus) and 29—35 (dependent nexus).

The relation between a primary and an adjunct is in some cases quite simple and logical (a red door, the Pacific Ocean, a criminal action), in others more complicated and subject to idiomatic restrictions (a Pacific Islander, a criminal lawyer).

Combinations akin to, but not exactly identical with, junctions are found in *Mr. Smith, Miss Smith, Lydia Smith, Miss Lydia Smith,* etc. This leads to various kinds of apposition, as in *Sven Hedin, the celebrated explorer* or *they were all of them drunk, they neither of them looked up,* and this again to 'loose' or 'unattached participles', which are condemned in most cases, but are considered perfectly legitimate e.g. in "Strictly speaking, he ought to have been punished". A new term is wanted for elements which stand outside the sentence while in it they are represented by a pronoun: "He was a great novelist, that Charles Dickens", "Inferiority complex—what exactly does that mean". In such cases I speak of *extraposition;* thus I say that the infinitive or the clause is in extraposition in "it is difficult to account for this" or "it struck me that he was decidedly paler than usual". Extraposition is extremely frequent in French, e.g. *moi* je dis ça; je dis ça, *moi; le capitaine* où est-il?

In this chapter as in the preceding one a few new terms have been introduced, but it will be found on closer inspection that they, too, are very useful in describing accurately various grammatical phenomena which otherwise would have to be designated by long and necessarily vague circumlocutions.

10. Under *sentence-structure* we naturally deal first with that type of sentence which is by many scholars considered the normal type, by others even the only one deserving the name of sentence, namely the combination of a subject and a predicate, the latter having as its chief constituent part a finite verb. In our terminology this is an independent nexus: the subject is a primary, and the verb a secondary. But there may be two primaries: a subject and an object, or even three, as there may be two objects.

In some words (pronouns) a case-form serves to distinguish the subject from the object, but an even more important way of distinguishing them is word-order, and thus we are naturally led to a consideration of the most important rules for word-order. The usual order is S (subject)—V (verb)—O (object), but in some cases (questions, exclamations, parenthetical insertions, sentences with a preposed negative) there is an opposite tendency to have V before S; the consequence is the compromise with a small auxiliary verb before S and the important verb after S: v—S—V—O: Could John see Henry | Did John see H? | Never did I see the like, etc. Other exceptions to the general rule (when, e.g., the object is an interrogative or relative pronoun) have also to be considered here: parts of the important, but too often neglected theory of word-order thus find a natural place here at the very beginning of the syntactical chapters.

Sometimes the subject is not expressed: Thank you! | Confound it! etc., and even more than the subject may be left out (by "prosiopesis", an expression which however is not used in "Essentials"): (Have you) got a match? (I shall) see you again tomorrow. Very often a sentence consists only of a predicative: Splendid! How annoying! In these cases it is legitimate (though I have preferred not to use these expressions in EEG) to speak of "ellipsis" or "omission", because it is easy to see what is left out ("understood"), but it is not legitimate to speak of such sentences as imperfect or incomplete: the meaning is expressed just as completely and intelligibly as in the most perfectly balanced sentence containing a subject and a finite verb. Nor is the ellipsis-explanation legitimate in a great many cases in which grammarians of the old school are fond of using it: it is a dangerous weapon, which should be used very sparingly indeed.

It can never be applied to *amorphous* sentences, which are frequently called forth by strong emotion and in which it would be perfectly futile to look for something that is left out or understood, or to say what 'part' of a sentence they are: they range from 'inarticulate' sounds like clicks (*Tck! Tut!* and others for which our alphabet is totally inadequate) through *Hm! Hurrah! Yes!* to words and word-groups that can be used as parts of sentences of the first type: Thanks! What? Nonsense! An aeroplane! This way, ladies! Oh, those women! There is surely no reason why such exclamations should not be recognized as complete and perfectly normal sentences.

The terms 'main sentence' and 'main clause' are superfluous. They are often used of what remains when 'dependent clauses' are removed, but that would mean that in a sentence like "What I cannot understand is that John got angry when he heard the way in which they spoke of his father" the 'main sentence' or 'main clause' consists only of the small word *is!* It is much better to use the term *sentence* of the whole and *clause* (not 'dependent clause') of any part of a sentence which contains a dependent nexus and resembles a sentence in its structure (ch. 33 ff.).

11. Relation of verb to subject and object. Here again some of the usual definitions do not hold water. The subject cannot be defined by means of such words as active and agent, for they do not cover such cases as "He lost his father in the war" or "he was surprised" or "the garden swarms with bees" (otherwise expressed "bees swarm in the garden"). Nor can the object be defined as the person or thing directly affected by the action, for in "John loves Ann", "John sees the moon" John is more directly affected than Ann or the moon. All this is a direct consequence of the many-sidedness of the relations that are found in human life and have to be expressed in human language.

A logical analysis will in each case bring out one or more things ('things' or 'persons') having relation to the action or state implied in the verb; if there is only one it is the subject, if there are two, the one that stands in the closest relation to the verb is its subject, the other the object; if three, the more or less close relation determines them as being subject, direct and indirect object. An indirect object can better be dispensed with than a direct object, and that than the subject, but the difference is one of degree only. Many ideas expressed by means of a verb are such that they have relation to one primary only, they are permanently intransitive; but most verbs may at any rate occasionally have relation to two (or three) primaries; if the more remote of these is not expressed they are used intransitively (I shall pay; he plays well), otherwise they are used transitively (I shall pay the bill, pay the driver, pay the driver two shillings; he plays golf, or the violin, etc.). Tertiaries stand in a looser relation to the verb than either subject or object (I shall pay the bill the day after tomorrow), but sometimes it is difficult to draw a sharp line between object and tertiary (it costs two shillings).

In "he happened to fall" the notional subject is a nexus "he ... to fall": that is what happened. In such cases I use the term "split subject". In "the path is easy to find" it is not completely satisfactory to say that "the path" is the subject and that the infinitive is used as a subordinate (supine-like) supplement or complement to *easy:* the curious thing is that *the path,* which is formally the subject of the sentence is at the same time as it were the object of *find:* what is easy is to find the path. Several phenomena of a related character have to be examined though it is not important to invent special terms for them.

Various types of objects have always been more or less recognized by grammarians (result: he built a house; he dreamt a curious dream; instrument: she nodded her head). Though these and the constructions of many verbs with both direct and indirect object are, of course, treated fully in the grammar, they require no remarks in this paper. I shall only mention here that the chapter dealing with objects has been chosen as the best place in which to deal with reflexive and reciprocal pronouns as the linguistic expression of the fact that subject and object are, completely or partially, identical. Under direct and indirect object some new sections are added to the theory of word-order: he showed the strangers the way; he gave it me, etc. This chapter also deals with transitivity and intransitivity, among other things the curious use in "His plays won't act, and his poems won't sell", as well as the transitivity of some adjectives which can take an object: "he is not worth his salt".

12. Passive. By means of a passive instead of an active turn the relation between the two primaries connected with a verb is reversed. The chief reasons why a passive turn is used are (1) the active subject is unknown, (2) it is self-evident, (3) considerations of tact or delicacy, (4) greater interest in the passive than in the active subject, (5) ease of connexion with another sentence. In the recent development by which that which in the active is the indirect object may be made the subject of the passive, the greater interest generally felt for persons than for things has played a role no less than the loss of the distinctive case-forms. In "everybody laughed at Jim" *Jim* may be considered the object of the whole combination verb + preposition, and consequently may be made the subject of the passive: "Jim was laughed at by everybody"; in set phrases modern English goes even further: "She will be taken good care of". In this sentence as well as in "He was offered a reward" we see that a passive verb can have an object.

13. Predicatives. A distinction should be made between the two terms predicate and predicative. The former is the more comprehensive term: in "He was angry with me for speaking ill of his brother" everything except *he* is the predicate, but only *angry* is the predicative. Many logicians, and even some grammarians, are in the habit of analysing every sentence as containing a copula (link-verb) and a predicative, thus forcing all sentences into the same Procrustean bed without much regard to common sense or to idiom, for in English at any rate "he talks French" and "he is talking French" are not the same thing.

The best way of dealing grammatically with predicatives is not the usual one of starting with sentences containing the colourless verb *is,* but to take these as the final or nearly final links in a long series of descriptions, in which we pass from instances of extra-position ("There he sat, a giant among dwarfs") through gradual transitions ("We parted the best of friends", "he married young") to constructions in which the verb loses more of its full concrete force ("The natives go naked all the year", "she stood godmother to his child", "he stood about six feet high") and finally to constructions with verbs like *seem, prove, sound, look, be, remain, become,* etc. After these we may treat the numerous sentences in which not even a colourless link-verb is used; an interesting class contains those ironic exclamations in which a negative meaning is imparted: "He a gentleman!"; cf. also "Pretty mess we shall be in by then!" Such sentences present many interesting features which are inadequately treated in ordinary grammars.

In connexion with the question what can be a predicative it will be natural to treat the rules for the use or non-use of the definite and indefinite article in predicatives, as well as the idiomatic English use of abstract words as predicatives (as in "when I was your age" and "she turned lead-colour").

In EEG I have not thought it necessary to speak of the logical meaning of *is* with a predicative, though I have treated it at some length elsewhere, but as my view has been criticized, I may say a little more on this matter here. In rare cases only *is* means perfect identity, what logisticians denote by the sign $\equiv$: everyday language has little use for such judgments of identity ("So that's that!"). *Is* generally means 'belongs to (is one part, or one member of) the class denoted by the predicative'. The subject thus is more special than the predicative. Therefore we understand that when one of the two is a proper name, this is nearly always the subject, and we see the reason why the predicative is so often provided with the indefinite article ("He is a liar"). Adjectives are as a rule less special than substantives, hence their frequent use in the predicative position ("The flower was white").

Now it has recently been objected to my view (by Brøndal, *Morfologi og syntax* (1932) p. 96) that it is easy to find examples in which the subject is less special than the predicative. Three examples are given; let me take the last one first: "All is vanity". But surely the meaning of this is that vanity is so comprehensive a category that whatever you may mention falls within it. The sentence thus confirms instead of refuting my contention. The same is really true of the negative sentence "nothing is more foolish" because its actual meaning is "everything [else] is less foolish"—in other words "this [what you say] is more foolish than anything else, this belongs to the class comprising the most foolish things".

Finally we have the sentence "This is to be medieval Paris by night" ("Dette skal være Paris ved nat i middelalderen", better translated: "This is meant to be, or This represents ..."). But surely *this* is as special, as concrete as possible, and the actual meaning is "What you see here is [part of] medieval Paris by night".

Brøndal says "The more or less abstract pronouns which stand at the beginning of the sentence as subjects are undoubtedly in themselves much more general [langt almenere] than the final elements which are to be taken as predicatives [attribut]". As already remarked *this* at any rate is not abstract, and *all* and *nothing* are difficult to class as either abstract or concrete. Brøndal also does justice to my view when he goes on to say that I seem to aim not at the meaning of words as such, but rather at the actual nuance in which the word is used in the given situation and context. Yes, exactly: I always like to move in the concrete everyday world and try to find out rules for sentences as these are actually spoken and understood in practical life.

14. Case. In many pronouns we have distinct case-forms: *I me, he him, who whom,* etc. What names are we to use for these? It seems best to call them nominative and objective: historically the latter case corresponds in form to the Old English dative, but has taken over the functions of the OE. accusative as well: it would be misleading to use either of these terms to the exclusion of the other and even more misleading to use both, calling *me* an accusative in "she sees me" and a dative in "she gives me a penny".

With regard to the use of these forms English is at present in a stage of transition, in which the old way of distinguishing is giving way to a new system. The psychological causes of this change, as well as of the exclusive use of *you* in colloquial English, where the old language distinguished four forms *thou thee ye you*, were examined in *Progress in Language* 1894 (this chapter reprinted in *Chapters on English*). Some parts of this disquisition have found their way into EEG. Here I shall only call attention to the interesting fact not fully explained in my previous book that one and the same formula may be applied to the personal and to the interrogative-relative pronouns though seemingly the development has gone in two directions, towards the use of the objective instead of the nominative in the personal pronouns, and the use of the nominative *who* instead of the objective *whom:* In both cases the tendency is to use the old nominative exclusively in immediate conjunction with a verb: I go | do I go | who goes | Who did you see? | Who is that letter from?—but to use the old objective in all other positions: Not me! | What would you do if you were me? | he is bigger than me | is she as tall as me? In the case of *who* curiously enough the only two combinations in which *whom* is still naturally used are after *than* (Mr. N. than whom no one is more competent to form a judgment), where *whom* was thought incorrect a few centuries ago but is now recognized by everybody—and concatenated clauses like "children whom we think are hungry", where nearly all grammarians agree in considering *whom* a gross error. It is well worth observing that these are really the only instances in which the pronoun is not followed immediately by a finite verb—this is what the popular feeling has seized on so as to arrive at a rule similar to that obtaining with regard to *me*, etc.

In the substantives we have no case-distinction corresponding to that between *I* and *me,* but on the other hand a genitive: this case is found only with some of the pronouns (its, his, whose, and then nobody's etc.); while in others we have the so-called possessive pronouns: *my mine, your yours,* etc.

The man thus has the same functions as *I* and *me.* Now what term are we to use for this case? Obviously neither nominative, accusative, dative nor objective would be adequate, and I see no better way than to use Sweet's name 'common case' (though Sonnenschein with some right asks: Common to what?).

It will be seen that I recognize only a small number of cases in modern English—smaller than in OE. or Latin—and not the same number for substantives as for pronouns. As there are still divergent opinions among scholars on this point it may not be amiss to say a few words here, even if it may involve some repetitions of what I have said in other books.

The number of cases to be recognized in a language (at one particular stage of its development) must be decided by the forms found in that language: case-distinctions are not notional or logical, but exclusively grammatical categories. No purely logical analysis can lead to a distinction between nominative, accusative, dative, etc. Nor can a comparison with other languages and their case-distinctions be regarded as decisive, for that would lead to consequences which no grammarian would accept. Some languages, even among those akin to English, have an instrumental case: shall we therefore recognize an instrumental in "throw stones"? Some languages have a special case, or even two special cases in which predicatives are put: shall we say that 'a teacher' is in the "predicative" case in "he is a teacher" and in the "illative" in "he became a teacher"? Thus we might continue—there is no end to the number of cases we might in this way be led to admit.

Sonnenschein (p. 12) would have it that English has a vocative case which is shown to be such by intonation. This looks more like a grammatical argument, for tone is in fact a formal element. Nevertheless it is wrong, for there is no special intonation that can be said to mark the vocative: "John!" may be said with a great many intonations and these indicate a variety of emotions (anger, surprise ...) just as an imperative like "Come!" may have exactly the same variety of tones on account of the same emotions—and just as the name "John!" may have the same intonation, for instance, of surprise when it is not a "vocative" at all, but an exclamation in response to an astonishing report made in John's absence of something he had said or done.

Now it is said that it is necessary to recognize a dative case in English, e.g. in "I gave *the boy* an apple", for while it is true that there is no special form, the case-form is only the body, but the case-relation its soul, which is more important (Sonnenschein). "Just as many English words may belong to different parts of speech according to their functions in particular sentences (... *love* ...), so the uninflected form of an English noun may belong to different cases" (*Soul of Grammar* § 12). The parallel is not striking, for the reason why we recognize *love* now as a substantive, now as a verb, is not only that the function is different, but also that the inflexion is different (*-s* in one word plural or genitive, in the other 3rd person singular; *-d* and *-ing* are found exclusively in the verb).

It would be more to the point to turn the tables against me in this way: though *sheep* has the same form as it has in the singular, it is recognized as a plural in "two sheep", "his sheep are grazing on the hill", etc., because in the parallel sentences we should have the distinctive plural form *lambs;* now we have two case-forms in "he saw me" and "I saw him": why not therefore say that in "John saw Henry" *John* is a nominative and *Henry* an objective? The argument is plausible, but not final, because the parallel is not exact. In the first place the distinction between singular and plural is a notional one and belongs to logic, but that is not true to the same extent of the distinction between a nominative and an objective (accusative, dative) case. Secondly *sheep* and *lamb* belong to the same word-class, but it is not legitimate to transfer distinctions which are grammatically expressed in one word-class to another class. The class of pronouns in particular presents many peculiarities which are not found in other classes: the distinction according to sex (*he, she*) and according to life or want of life (*who, what*), according to rank (*mine, my*), according to definite or indefinite number of items to which they are applied (*each, every; which? who?*). None of these distinctions can be grammatically transferred to other classes, then why should this be allowed with regard to the case-distinction between nominative and objective?

Some grammarians who speak of a dative in English, would restrict it to the use as indirect object, though that is only one part of its functions in OE. Curme (Syntax 455) says that the preposition *to* "which in Old English usually took a dative object" now takes an accusative object as *today*. How do we know that? Is *him* in *to him* an accusative? Curme calls the whole group (*to him*) a dative in "I gave it to him"—though he would not use the same term in "I went up to him".

In his review of my book he recognizes as datives not only *to me*, but also *for me* (He bought the car for me as well as for you), even when it is used, as he calls it, "for disadvantage" (He is setting a trap for you), and—what is even more astonishing—*on me* ("He shut the door on me"). He says that *to, for, on*, originally [!] prepositions, are now "crystallizing into case signs". (Are *secretary to the Prime Minister* and *heir to a fortune* datives or genitives?) "That the new dative is grammatically the same as the old simple dative is proved by the fact that in translating Old English into modern English we often render an Old English simple dative by our modern dative with *to, for*, or *on*". Is Curme really prepared to say that an idiomatic rendering of OE. sentences is decisive of the grammatical analysis in present-day English? This seems to me extremely dangerous, for where shall we stop then?

Sonnenschein (p. 9) rightly objects to Deutschbein's definition according to which *in London, from London, with him, by them*, etc. would be entitled to the name of case. But his own definition does not make matters clearer. It runs: "A case is a form [N.B.] of a noun or pronoun or adjective standing, or capable of standing, in one of a particular group of relations to some other member or members of a sentence." As Collinson remarks in an excellent article (*Mod. Lang. Review* 33.132, 1928). "The definition is hardly a happy one, for we are not informed what particular group of relations is intended, and the subsequent exclusion of prepositional phrases is not warranted by the definition, for whatever the particular group of relations is, there can be no doubt that *him* in *give it him* and *to him* in *give it to him* express the identical particular relation of the pronoun to the other members of the sentence and are formally distinct." Collinson also calls attention to the "formidable

array of English accusative-functions" given by Sonnenschein himself: "where is the functional definition of the word accusative,
which will cover them all?" Not even a "reorientation" by a course
of Latin or German grammar can show the English pupil when he
is in the presence of an accusative in his native language.[1]

Sonnenschein does not deny "the well-known fact that certain
of the cases belonging to the Indo-European case-system have not
survived as separate cases in modern English" (p. 18), yet he speaks
of a dative, etc., in English, though only "dative proper", not a
"dative improper" (as in German *aus dem hause, in dem hause,
mit meinen freunden* which in the earliest Aryan times were in the
ablative, locative or instrumental). Perhaps the difference between
our three attitudes towards the theory of case can be expressed as
follows: Curme lays stress exclusively on function, Sonnenschein
more on function than on form, and I myself more on form than
on function. Accordingly *to the man* and *of the man* to Curme are
a dative and a genitive, to Sonnenschein a dative-phrase and a
genitive-phrase, and to me simply prepositional phrases on a par
with *against the man, without the man,* etc. (and with the use in
"he went to London", "born of good stock", "we spoke of the
war", etc.). This last view seems to me much clearer and more
consistent than either of the others. (Cf. below on moods).

Grattan and Gurrey (*Our Living Language* p. 187) ask how we
shall deal with the case of the first element of such groups as *gold
ring, University education, cheese sandwiches,* etc. "The appertinent
relation is the same as that of "ring of gold", "sandwiches of
cheese", etc. Strictly speaking, therefore, these first elements are in
the Genitive Case. But in practice it will probably suffice if you are
content to label them more vaguely as Qualifiers". Such are the
quandaries of those who do not restrict the term genitive to the
forms in *s*. Note that *tea-pot* does not mean the same as *pot of tea:*

---

[1] The fictive character of case-distinctions in Modern English appears clearly in
the expressions used by Onions (Adv. E. Syntax 90): "To speak of a Noun as being
in the Nominative, Accusative, or Dative Case, is equivalent to saying that the noun
would have been in that case in the corresponding O.E. Construction, or that the
meaning expressed is such as we are accustomed to associate with that Case in
inflected languages."

should we 'strictly speaking' admit two cases in *glass case* (made of glass) and *glass-case* (to contain glass)?

Curme is not afraid of pushing his case theory to extreme consequences. This is seen in his treatment of clauses, where he speaks of a genitive clause in "I reminded him that he had promised it". The argument is this: *John's father* is a genitive; now *the father of John* means the same thing; therefore *of John* is a genitive; *I reminded him of his promise* thus contains the genitive *of his promise;* consequently the clause *that he had promised it* must also be a genitive, thus also in *I am sure that he will support me.* It seems to me evident that not a single link in this chain of reasoning is valid. Synonymity does not imply grammatical one-ness, cf. the examples given EEG 36.7 and below. *I recalled to him his promise* (or *that he had promised*), *I made him remember his promise* (or *that ...*) might just as well have been adduced.

15. Person. It is perhaps to be regretted that the word person should have been used in grammar from very old times of the distinction between (1) speaker, (2) spoken to, (3) neither speaker nor spoken to. This is the correct definition of 'the third person', for 'what is spoken of' applies to the subject, no matter what 'person' it is. *It* and *what* and *the sun* are all of them 'third persons' though, of course, not 'persons' in the ordinary non-grammatical sense. *We* is not a typical 'first person' in the same way as *I,* of which it is said to be the plural, for it comprises either the second person or one or more belonging to the third person: hence the distinction made in some languages between an inclusive and an exclusive 'we'. Of this we have a feeble reverberation in English, in so far as *let us* in pronounced *let's* only when it is = myself + the person or persons addressed, so that it means an exhortation to common action (*let's go* = 'allons-nous-en, gehen wir'), but otherwise keeps the vowel of *us* (*let us go* = 'set us free', 'permettez-nous d'aller'). The dubious 'personal' character of *we* is also reflected in the hesitation between "most of us lost our heads" and "lost their heads".

To the second person must also be reckoned any 'vocative', though this must not be termed a case in English as in some other languages.

The term 'generic person' may conveniently be used for what comprises all three persons, e.g. Fr. *on*, German and Scandinavian *man*. English has no special pronoun for this, but according to circumstances uses *one* (*a fellow*, etc.), *you*, *we*, the latter two with a deeper emotional colouring than the more 'objective' *one*.

In a rational grammar one has no use for the term 'impersonal'; on *it* in *it rains*, etc. see below (16).

16-18. Pronouns. Many things concerning pronouns are dealt with in other chapters, namely those things that they have in common with other words (ranks, number, case, also person). In these chapters they are dealt with individually, and distributed into three sub-classes. Pronouns are indicators, and the indication may be either definite or indefinite or finally one of totality.

Among the pronouns of definite indication we have first those generally termed personal, which may be defined pronouns of contextual identification, because what they import in each case is nearly always made clear by the context or situation. The same is true to some extent of the pronouns of pointing (demonstrative in the true sense) which may be said to be parallel to the three persons, at any rate if there is a tripartition: *this* (with the pronominal adverbs *here* and *now*) referring to *I*, *that* (with *there* and *then*) to *you*, and *yon* (with *yonder*) to *he*, etc. But the distinction between the second and third person is not carried through in English, as *that* (with *there*, *then*) to a great extent has taken over the part of *yon* (*yonder*) which is nearly obsolete.

When such pronouns are called definite, it should be borne in mind that this is true of nearly all cases in which they are used, but that they are sometimes used idiomatically in such a way that it is at any rate difficult to see exactly what they refer to. Thus we have unspecified *it* in "it rains"; "we must have it out some day"; "you will catch it"; unspecified *they* in "they say he was murdered", unspecified *those* in "there are those who believe it", etc. Such uses can only be accounted for from the essential vagueness of the human mind, whose expressions cannot always be forced into strict logical compartments.

The, "the definite article", is *that* with a weakening of the demonstrative force. *The* in a great many cases also refers to the context or situation: this is "the article of complete determination". In other cases it has to be supplemented by some other determining word or words, e.g. "the man we are talking about", "the man in the moon", "the plays of Shakespeare": this is "the article of incomplete determination". The use of the definite article in any of the languages in which it is found presents so many idiomatic features that it is no wonder that most grammarians are apt to give either too strict or too loosely worded rules and often fail to see the logical reasons underlying the various usages.

Among pronouns of definite indication we have also *same,* the pronoun of identity, and *such,* the pronoun of similarity, and then a group which most people will be surprised to see included in this class, namely the relatives. But it seems clear that *who* in "the man who said that" is just as definite as "the man ... he said that" —very often in colloquial speech *he* is used where literary language uses the relative—and that the only difference is that the relative pronoun serves to underline the connexion with what precedes by subordinating the nexus in which it occurs instead of coordinating it with the main nexus.

In the sub-class of pronouns of indefinite indication we meet first *one* and its weaker counterpart the indefinite article, the treatment of which presents difficulties similar to those encountered with *the;* then the 'pronoun of difference' *other* (the exact opposite of *same*) and a word which is not always considered a pronoun, viz. *a certain,* which may be termed the 'pronoun of discretion', because it serves in a curious way the purpose of indicating that the man or thing spoken of is definite enough in the mind of the speaker, but is purposely left indefinite in a communication to the hearer. Its pronominal character is shown by the use in the plural in a way other adjectives do not admit: 'certain of his friends pretend ...'.

Further this class comprises *some,* the 'pronoun of unspecified quantity', and the two 'pronouns of indifference', *any* and *either,* the latter referring to two only, while *any* is used of indifferent choice among a greater number. And finally we reckon among pronouns of indefinite indication all interrogative pronouns. Their inclusion in this sub-class is analogous to that of the relative pronouns (chiefly the same forms) in the previous sub-class: an interrogative *who, which, what* besides being indefinite imparts an exhortation to the hearer to solve the uncertainty of the speaker by a definite answer.

The third sub-class 'pronouns of totality' are partly positive: *all, both, each, every,* partly negative: *no* (*none*) and *neither.* It is easy to see that these are really neither definite nor indefinite and therefore must form a class of their own.

19. Gender. This is a grammatical category, whereas sex belongs to natural history. But as English has given up gender-distinctions of the kind found in OE. and cognate languages, we have to examine the ways in which the natural sexes (male and female) and the distinction between animate and lifeless are expressed linguistically. Here in the substantives we have occasion to deal with one part of the rules for word-formation (*count countess, widow widower,* etc.), and on the other hand compounds like *man-servant, lady friend, dog-otter, bitch-otter, he-rabbit,* etc. The word *man* presents special difficulties as it sometimes denotes a human being without regard to sex, sometimes a (grown-up) male. In the pronouns we note the existence of some sexless pronouns for living, chiefly human, beings (*who, everybody*) while in other cases such a pronoun is sadly wanted (thus one instead of *he or she*), further the emotional use of sex-pronouns in speaking of lifeless things (*she* of a motor-car, etc.) as well as of States and similar human institutions and abstract ideas.

20-21. Number. Here as in 19 (and in 23) the notional (natural) categories are simple enough, but the grammatical expressions are more complicated. Naturally we distinguish between 1, 2, 3, 4 … in a series extending as far as we care to go (when we don't care to go further we speak of 'infinite' numbers), and it is also natural to single out *one* and lump together what is more than one as 'plural' and to give linguistic expression to that idea. Further, it is natural to have expressions for indefinite numbers: *some sixty, sixty odd, many, few,* etc. *Some* with a singular substantive is also indefinite: perhaps one, perhaps a little more or less: "he stayed here some week."

It is a great advantage of the English language that secondary words are so often indifferent with regard to number: the *red* rose, the *red* roses; I *can* sing, we *can* sing; he *went*, they *went*. Still some secondary words make a distinction between singular and plural: *this* rose, *these* roses; he *goes*, they *go*. Where such distinctions exist, they are apt to create difficulties, but the number of these is smaller in English than in most related languages.

Though many grammarians use the word *collective* in a very loose way, it is possible—and important—to give a logically consistent meaning to this term if we understand that it is logically the opposite of *mass-word*, with which idea it is often confused: a *collective* is logically at the same time one and more than one, it means a higher unit, but still a unit though consisting of more than one, and as it is a unit it is possible to form a new plural from it. Examples are *family, nation, party;* (a cricket) *eleven;* a *dozen*, etc. Some words may be used metaphorically of a body of persons: the *Bench* (= judges), the *town*. This double-sidedness of collectives gives rise to various interesting grammatical phenomena.

Mass-words are totally different, logically they are neither singular nor plural because what they stand for is not countable. But as a natural consequence of the grammatical structure of our languages any substantive has to be formally either a singular or a plural, so we have singular mass-words such as *gold, tea,* and plural mass-words like *embers, dregs*. The same applies to immaterial mass-words: singular *leisure, knowledge,* plural *mathematics, measles* (but these are often treated grammatically as singulars). It is not possible linguistically to keep the category of mass-words clearly distinct from countables because many words are used in both capacities: *much cake, many cakes; his hair is sprinkled with grey = he has some grey hairs,* etc.

We speak of *generic number* when an assertion is made equally applicable to each member of a whole class. Linguistically there is no fixed rule for such cases: sometimes the singular, sometimes the plural is used, sometimes there is no article, sometimes the definite and sometimes the indefinite article, so that the italicized words in the following sentences are really on the same footing logically speaking: *Man* is mortal; *a cat* has nine lives; *the dog* is vigilant;

dogs are vigilant; *the English* are fond of out-door sports. We must specially mention the use of mass-words without the article: *Lead* is heavier than *iron; art* is long, etc.

The uncertainty in all such cases shows that we have here to do with a notional, not a grammatical category. This explains the deviations between different languages; with mass-words we have, for instance in Danish and German (without the article) "Bly er tungere end jern; blei ist schwerer als eisen", but (in speaking of immaterial masses) "Kunsten er lang; die kunst ist lang". Where English has "The burned child dreads the fire", Danish, German and French have no article: "Brændt barn skyr ilden; gebrannt kind fürchtet das feuer; chat échaudé craint l'eau froide". This proverb may serve to elucidate the psychological basis of the grammatical use of the singular in this generic sense: when a child (any child) has once burned its fingers with coming into contact with fire, it generalizes and draws the conclusion that what has happened once will (or may) happen in all cases. This way of drawing conclusions from one occurrence is common to all mankind. When *a* is used in expressions for the generic, it may be considered a weaker *any*; when *the* is used, it is to be compared with the use of the article to denote 'the typical' as in "He is quite the gentleman". The possibility of using now the definite, now the indefinite expression is connected with the fact that "all" is neither definite nor indefinite in the usual sense, whence also our setting up of a third class of pronouns outside those of definite and indefinite indication. But note the distinction between the two meanings of *all* (1) what is true of each individual taken separately, and (2) what is true of all individuals taken together. The distinction is finely expressed in Diderot's saying: "Tout change, tout passe, il n'y a que le tout qui reste". It is only in the latter sense that *all* can form the basis for a pantheistic religion (Gr. to hen kai pan).

Note in this connexion also the use of *things* = 'things generally', indefinite, but nearly = everything, e.g. "How have things been going on in my absence?"

With this generic number should be compared the other notional categories of generic person (French *on*), generic sex (*who, they* = he or she), generic time (twice two *is* four; men *were* deceivers ever, EEG 23.4 and 23.6$_3$).

22. Degree. The three degrees (positive, comparative, superlative) are in themselves simple enough, and little is needed here to explain this chapter, cf. PG 244 ff. Evidently the expressions 'Romance' or 'French comparative' and 'superlative' can no more be used of the periphrases with *more* and *most,* than *of the King* can be termed 'French genitive', yet some grammarians persist in using such terms.

Are we entitled to call *more difficult* a comparative, and *most difficult* a superlative, of *difficult* in the same way that we say that *stronger* and *strongest* are the comparative and superlative of *strong?* I think so, even though we do not call *of the King* a genitive. The two things are not parallel, for *more* is undoubtedly a comparative and *most* a superlative, while *of* cannot by any means be termed a genitive, but is and must remain a preposition (a particle).

There is a good deal of loose thinking with regard to the degrees of comparison, chiefly because people are accustomed to look upon the three grades *strong, stronger, strongest* as standing in the relation 1—2—3 (or 1—2—4), whereas the truth is that the superlative does not mean more than the comparative, but means the same from a different point of view (A is stronger than B, C, and D = A is the strongest of A, B, C, and D) and the positive does not mean less than the comparative.

It is particularly in speaking of the so-called 'absolute comparative' that people make curious mistakes. Examples of this comparative are *the lower classes, the higher criticism, longer poems,* etc., German *die höheren schulen, aus besserer familie,* Dan. *en bedre middag,* Lat. *senectus loquacior,* etc. First, as to the value of these expressions: G. W. Small (*The Comparison of Inequality,* 1924, p. 10) is wrong when he sees in them a strong positive: *Higher education,* he says, is an emphatic way of saying 'high' as opposed to 'low', or 'elementary'. On the contrary this comparative is often anything but emphatic. Hebbel once said that it was "absurd" (widersinnig) that in German *ein älterer mann* was younger than *ein alter mann.* In Danish also a lady will generally prefer to be called *en ung dame* rather than *en yngre dame.*

Ph. Aronstein (*Englische stilistik,* 1924, 185) sees in the German absolute comparative an example of the illogical desultory German way of thinking, and as these constructions are more frequent in German than in English and are tabooed (ganz verpönt) in French, he is open-minded enough to recognize a logical gradation in this respect in the three nations. But the reason why this turn is avoided in French is probably that the French comparative is expressed by means of *plus:* it is thus not one but two words. Anyhow Aronstein is wrong when he says that the absolute comparative is not "beziehunglos" because it is really a comparative of the opposite of the positive. The higher schools are not a higher grade of the high schools, but of the lower schools.[1] Even if we admit that longer poems are longer than short poems, this does not mean that *longer* is the comparative of *short,* for in that case *older* in "Tom is older than Ann" must be the comparative of Ann! Of course if *longer* were really the comparative of *short,* usage would be as illogical as possible, but on the contrary usage is perfectly logical, and *longer* is here as elsewhere the comparative of *long* and nothing else.

These critics start from the assumption that the comparative normally means a higher grade than the positive, so that *longer* = 'more than long', etc., but this is wrong: the comparative implies, not a comparison between two qualities, but between two (persons or things) possessing a quality in different degrees. If, as in the expression "longer poems", there is no mention of the second member of comparison, the implication cannot, of course, be 'longer than all others', but only 'longer than some'—and then we see how this comes to be a relatively weak expression, for the "some" need not be many, not even the average. If, on the contrary, a poem is characterized as long, or a man as old, no comparison is expressed, and the meaning therefore naturally is 'longer, or older, than might be expected': the positive therefore is stronger than the comparative.[2] And it will be seen that the expression 'absolute comparative' is inexact, for there is never anything absolute in a comparative.

---

[1] "Die "höheren schulen" sind nicht eine steigerung der hohen oder hochschule, sondern der niedern schulen, "die besseren klassen" bilden keinen höheren grad der guten klassen, sondern der schlechten, d. h. gewöhnlichen klassen, die "neuere geschichte" ist nicht neuer als die neue, sondern als die alte geschichte, usw."

[2] In a Danish comic paper I find the conversation: "God dag, gamle ven, hvordan har du det? — Tak, det er bedre. — Ja, ja, det er da godt det er bedre! — Å ja, men det var dog bedre, om det var godt!"

In a certain sense we can therefore say that *old* is the highest grade: the boy who is older than his fellows, or the oldest of his class need not be old. Linguistic usage is more reasonable than its critics!

A comparison between two objects is not always expressed by means of the 'degrees of comparison'. Compare, for instance, the following expressions:

X is stronger than N	N is weaker than X
	N is not so strong as X
X surpasses (excels, beats) N	N is surpassed (excelled, beaten) by X
X is superior to N	N is inferior to X
the superiority of X to N	the inferiority of N to X
X's victory over N	N's defeat by X.

All these expressions mean virtually the same relation between X and N; the second column indicates the converse of the first one. Grammatically the expressions are not on the same footing and must therefore be treated in different chapters. In the two last lines we have dependent nexuses, in all the others independent ones.

23-24. Tense. I have here, as elsewhere, insisted on the distinction between the notional category time and the grammatical category tense; this is particularly necessary if we want to understand the imaginative use of tenses, as in *I wish I had* (now), *if I had,* etc.

The treatment in EEG is in so far different from that in volume IV of MEG as I have here given a conspectus of the forms. But in dealing with the formation of the preterit and the second participle it proved impracticable to keep up the old distinction between 'strong' and 'weak' verbs which is so important for Gothic and even OE., but which has in course of the development of English been disturbed in very many ways. Verbs like *let, set, shed (must)* have to be classed together now, whatever the origin of their inflexion or want of inflexion. The old gradation-classes have lost all significance.

With *dare* and *need* we see two conflicting tendencies, one to treat these verbs as auxiliaries: without *s* in the third person, without *to* before an infinitive (cp. *can, may*), and to some extent without tense-distinction (cp. *must*), and the other to treat them as full verbs, with *s* in the third person, with *to* before an infinitive, and with a distinct preterit form (*dared, needed*); cp. *he daren't go* = *he didn't dare to go*. But the two are not always kept separate.

25-26. *Will, would, shall, should* are best treated in such a way that we take first each verb in its old full meaning and afterwards its gradual dwindling down into a mere auxiliary of the future time, though the resultant combination cannot be recognized as a tense to be placed on the same footing as the preterit or even the perfect with *have*. The chief difficulties met with in English, apart from dialectal varieties, are due to the fact that English has only two verbs to fill three functions, that of volition, of obligation, and of future time. Similarly with *would* and *should,* which are chiefly used imaginatively, and only rarely to express real past time.

27. Mood. When we turn to the subjunctive we meet with the same three points of view as those we have already noted in connexion with cases. Sonnenschein says (p. 61): "Whether the verb is *shown* to be a subjunctive by its form or not does not matter in the least" in sentences like "We must do our work as if no one *existed*" or "he *could* if he *would*": "the English as well as the corresponding German and Latin forms *are* subjunctives both from an historical and from a semantic point of view". On the other hand he says (p. 87): "For the purpose of comparing English usage with the usage of other languages it is necessary to limit the term 'subjunctive' to such forms as correspond to the forms commonly called subjunctives in other languages" and therefore excludes subjunctive-equivalents composed of auxiliaries like *may, might, would* plus the infinitive. (But what about *was* in "I wish I was rich"? This is historically an indicative, but functions like the subjunctives mentioned in his § 127). Curme, on the other hand, recognizes as subjunctives not only the simple verb-forms, but also a great variety of composite expressions with auxiliaries, *may, will,* etc. Even "Let him come in" is "the modern subjunctive form corresponding to the old simple subjunctive" (p. 394). *We have to sell our house* "was originally an indicative ... but it is now used also with subjunctive force

22

indicating the will of a person ... Also sentence-adverbs have this modal force: He will *necessarily* arrive late" (p. 395). In "it may rain" *rain* "is no longer felt as an infinitive, but as a component element of a subjunctive form" (p. 455). There is something called in modern slang "going the whole hog".

In my own exposition only that is reckoned as mood which finds a formal expression in the verb itself; thus *may write* is not a mood of *write,* and neither is *would write* or *should write.* The two latter have been treated in a separate chapter; *may* write is mentioned among other expressions for future time, along with *writes, is going to write* and others; and *you may go now* (= 'I allow you to') is a present, and a present indicative. Consequently this chapter is very short, the more so as the distinction between *was* and *were* has found a better place in the section dealing with the imaginative use of the preterit, because the old mood-distinction is being obliterated, so that *was* has to a great extent taken over the functions of *were.* (Moreover these two forms have never been clear expressions of mood, as *were* with a plural subject may just as well be in the indicative).

It may be questioned if it is worth while to put up a separate imperative and present subjunctive, as the forms are always identical, and incidentally identical with the infinitive. This common form is here called the 'base'. *God bless the King* with one intonation, and a pause after *God,* is in the imperative (as a prayer), and with another intonation, and without a pause, a present subjunctive (as a wish). If further we compare "May God bless the King", in which a wish is differently expressed, and *bless* is an infinitive, we discover that present-day English is in a stage of transition in which the old moods are losing their old significance. See below under infinitive.

28. Affirmation, Negation, Question. A question implies a request to the hearer(s) to answer. (Other requests, asking the hearer to act in a specified way, are expressed by means of imperatives, of amorphous sentences like "Two third returns Brighton" or "Hands up!", or of other sentences pronounced in a commanding tone, e.g. "You will pack at once and leave this house", etc.).

Among affirmative sentences we must specially mention emphatic statements; and common to all the three categories here treated is the extensive use of *do,* often in the way alluded to above, by which an auxiliary attracting the marks for person, number and tense is placed first and the real significant word comes later without any flexional marks. In this chapter again we have occasion to speak of the important role played in English by word-order.

Next come seven chapters dealing with dependent nexuses.

29. The simplest form consists of a mere collocation of a primary and an adnex. The nexus itself may be an object or a tertiary, but the essential one-ness of these two constructions is overlooked in ordinary grammars, in which the first is termed variously "accusative of the direct object and an objective predicate", "accusative with the predicative", "predicative of object" or "double object" and the second "absolute construction" ("absolute nominative" or "absolute accusative", "absolute participle"). Examples of the first are "we found the cage empty, the bird gone; she thought him a great scholar; she made him happy; he painted the door red; this drove him mad; he had a tooth out; he slept himself sober; you cannot explain this away; after a preposition: don't speak with your mouth full; she sat with the colour quite gone from her face; etc. etc. Examples of the second kind (nexus tertiaries) are: All things considered the offer seems reasonable; that being so, he wasted no words on the matter; he tumbled down head foremost; he stood there, hat in hand and pipe in mouth. It will be seen that the name "absolute participle" is not felicitous, for no participle is required—and "absolute" is not to the point.

It is easy to see that in each of these combinations we have not a junction, but as clear a nexus as in clauses like "we found that the cage was empty", "when all things are considered", etc. But of course this is not the same thing as saying that we have here "abridged" clauses: synonyms are not grammatically identical, and clauses cannot be considered the "real thing", of which the other constructions are only substitutes. Besides, it is not easy everywhere to find a clause expressing exactly the same idea as that found in the nexus-constructions.

30. Nexus-substantives. These are generally denoted by the un-meaning name of "abstracts", and their real essence as implying a nexus is overlooked. There are two kinds, one containing the idea of a predicative (*pride* = being proud; *kindness* = being kind, etc.) and the other containing the idea of a verb (*sleep, fight, conquest, examination:* nomina actionis—but can sleep be termed an action?).

The most interesting thing in connexion with these words is the way in which that element which in a sentence (with a finite verb) would be the subject or an object is expressed in connexion with a nexus-substantive. As to the predicative nexus-words there is little difficulty, as there can be only one member combined with them, which then is put in the genitive (the woman's pride, her pride, kindness, etc.) or expressed by an *of*-phrase (the pride, kindness of the woman). With the verbal nexus-substantives there are two possibilities, and if we have a genitive, we therefore distinguish between a subjective and an objective genitive, as in *the Doctor's arrival* and *the Doctor's defeat,* respectively. We may say that in the first case the substantive is taken in an active, in the second in a passive sense. In both instances an *of*-phrase may be substituted for the genitive.

In some cases both what would be the subject and what would be the object are expressed, as in "his avoidance of my brother", and as with full verbs in the passive there is now a tendency to use the preposition *by:* "The reception of the guests by Lady Miller" (= Lady Miller's reception of the guests). Those who use case-terms for prepositional phrases are here confronted with a difficulty: can *by Lady Miller* be termed a subjective genitive? If so, would the term be extended to the parallel use in "The guests were received by Lady Miller?" And is *over matter* in "the control of mind over matter" an objective genitive? Is it not better to avoid all such case-terms?

31. The gerund. In English this is always formed with the ending *-ing* which is also used for the first participle, and this coincidence involves some questions of great historical and theoretical interest which will not, however, be dealt with in this place. The gerund is a nexus-substantive, which differs from other nexus-substantives, in so far as it has acquired some of the syntactical peculiarities of finite verbs: it can have an adverb (tertiary) joined to it, it has a perfect and a passive; this verbal character is also manifested when it can take an object without *of* and when it can have a subject preposed in the common case. For all these things I may refer to EEG and to my paper in *S.P.E.* tract no. 25.

32. The Infinitive. Nothing is really gained by defining the infinitive as "the most general form of the verb", or "the verb-form that expresses the verbal notion without predicating it of any subject" or "that form of the verb which denotes action or existence without limitation of person, number or tense". This last definition is obviously wrong as far as many languages are concerned, for in Portuguese, for instance, we have infinitives inflected as to person and number, and numerous languages have tense-forms in the infinitive (Greek, Latin; cf. also the English perfect infinitive). And what does it mean to say that the infinitive does not predicate the verbal notion of any subject? The same can be said of such a form as *can* or *may* or any Danish present like *skriver:* only when a subject is mentioned, such forms predicate the verbal notion of the subject, but then they do it effectively,—and the same is true of the infinitive in connexions like "he made the horse run". Further it should be remembered that many languages have a so-called historical infinitive, which predicates just as well as any finite form. Nor is anything gained by ranging the infinitive as one of the "moods" of the verb.

Comparative grammar long ago discovered that the infinitive in our (Aryan) family of languages was originally a verbal substantive (nomen actionis) i.e. what is here called a nexus-substantive. And though the infinitive has in many ways lost much of its substantival character and has adopted many syntactical constructions originally reserved for finite verb-forms, it has never lost its capacity of expressing a nexus. Hence its place in my system after nexus-substantives and gerunds and before (dependent) clauses, which generally contain a finite verb.

As already remarked under Mood, a systematic difficulty is created in English—but not in the related languages—by the fact that the original endings have all worn off so that the infinitive is everywhere reduced to the same form as the present indicative (apart from the 3rd person singular), the present subjunctive, and the imperative—the form that is here called the *base*. Are we then entitled to reckon the infinitive as a special grammatical category? It will be remembered that we laid special stress on form distinctions as decisive as to the question how many grammatical categories to recognize. The correct solution of this difficulty seems to be this: the base must be recognized as a real grammatical *category* in English, but just as we have different *uses* of the 'common case' (as subject, as object, as first part of compound, as tertiary), we have different employments of the base. The base *drink* is used in (1) "I may drink", "I want to drink", (2) "drink this!", (3) "I drink", (4) "if he drink". If thus the essential unity of the base is admitted, no harm is done by employing different names for these various uses, and if we are to have such names it would seem unpractical to coin new ones. I have therefore had no hesitation in continuing to employ the name infinitive for the uses here specified as no. 1, thus both when the infinitive is "bare" (I may *drink*) and when it is preceded by the preposition *to* (I want to *drink*). This may be compared to the nomenclature used when we call *drinking* in one employment a participle, in another a gerund, *one* now a numeral, now a prop-word, now a pronoun, *which* now an interrogative, now a relative pronoun: in all such cases the seeming inconsistency in our terms is nothing but the reverberation of an inconsistency in the facts of the language itself; nor would it be possible to disregard the distinctions indicated in our terms, for there are differences between the participle and the gerund *drinking* (e.g. in his *drinkings*), between *one* as a prop-word (which can have a plural) and as a numeral, between the two *which*'es (the interrogative refers to a definite number and may be used of persons), etc. It would be unscientific to have the same denominations for these distinct uses—and these distinctions are much more real and palpable than those between a dative and an accusative, etc.

In the grammatical treatment of the infinitive it seems impracticable to have one section devoted to the bare infinitive, and another to the prepositional phrase (with *to*), as the two are inextricably mixed together. *To* of course is a preposition, but though its original force is still seen in some combinations ("we are led to believe …")

it is more or less obliterated in most connexions, as is also the case
with the corresponding prepositions used in other languages (German *zu,* Scandinavian *at,* Gothic *du,* to some extent also French *de*
and *à*). There seems thus to be a general tendency to let an infinitive
be preceded by an "empty" word, a particle which has not even the
same significance as an article before a substantive, because it does
not like the article denote whether a notion is to be taken as definite
or indefinite.

I hope I may claim that the treatment of the infinitive in EEG
is more consistent than that found in some recent grammars, because
I do not separate the use of the infinitive after *will* and *shall* from
that after *can, must, had better,* etc.

33-35. Clauses are distributed according to their rank into
primary, secondary and tertiary clauses. Among the first a special
name is needed for those that are commonly called 'noun-clauses'
or 'substantive clauses' as in "I believe that he is ill". Curme (in his
review of my vol. III) thinks that my reason for objecting to the
name of noun clause is that these clauses have not the formal
characteristics of a noun; but, as I have said expressly (III.2.1), I
have three reasons, (1) these clauses are not really nouns or substantives, but have only one quality in common with substantives, namely
that of being able to stand as primaries, (2) the same quality is
found also in many interrogative and relative clauses, (3) I prefer
using the word 'noun' in the original and wider sense in which it
comprises both substantives and adjectives. I am glad to find that
Collinson speaks of my words *content-clause* and *contact-clause* as
"neat word-coinages designed to embody his [my] classifications
with sharper relief".

Examples of interrogative clauses that are subjects or objects, thus
primaries, are "How he got there was the problem", "I don't know
how he got there", "All depends on how he got there". There is
some tendency to do without a preposition before such a clause, but
to call the clause in "He was not sure whether he had left his umbrella at school or on the play-grounds" a genitive clause (Curme
240) seems to me a misuse of grammatical terminology (cf. above
under Case).

Examples of relative clauses as primaries are "Who steals my purse steals trash", "Whoever says so is a liar", "What money I have is at your disposal", "You may marry whom you like", "You may dance with whom you like". Unfortunately it is not quite superfluous to state expressly that it is the whole relative clause that is the subject, the object of the verb, or the object of the preposition, in such cases, and not an imaginary *he*, etc., to which the relative clause is an adjunct.

On clauses as secondaries (the majority of relative clauses) and tertiaries I have nothing to say in this place.

36. Retrospect. This gives a morphological survey of the various grammatical means employed in English: the unchanged word, stress and tone, other phonetic modifications, endings, separate roots (what German scholars call *suppletivwesen*), form-words (empty words like auxiliaries, prepositions, etc.) and word-order. This synopsis might have been supplemented with a similar review of the notions expressed grammatically; but this has been deemed superfluous, seeing that such a survey is really already contained in the headings of most of the chapters, together with remarks in the chapters themselves. The fullest conspectus of that kind is the one found in the "Notional survey of time-expressions", 26.9.

In connexion with this retrospect there is a small collection of grammatical synonyms, like "Shakespeare's plays—the plays of Shakespeare", "I beg your pardon—What did you say?", etc. They serve to illustrate what ought to be an axiom in all linguistic disquisitions, namely that the mere fact that two constructions or expressions mean the same thing is not sufficient to class them together grammatically or to use the same grammatical term in speaking of them. But grammarians often sin against this fundamental principle, as has already been pointed out in some of the preceding pages. It is the same fallacy that is at the bottom of such expressions in recent books as the following: "In *he hates shopping* hat *hates* nur modalen wert = deutsch *ungern*". "*To trifle with* in *He is not a man to trifle with* is an abridged relative clause". "*He is unkind to all opposing him* contains an abridged dative clause". "*Happened* is adverbial in *he happened to fall*". "The ing in *missed being, kept recurring,* is only an apparent object, the governing verb being in reality a modifier only". "The *to* of the infinitive has become a conjunction, so that we speak of a *to*-clause just as we speak of a *that*-clause: I am not eager to go". In all such cases—and they might be multiplied—we are according to my view justified in speaking of squinting-grammar—grammar squinting at translations in other languages or at other constructions in the same language—instead of looking straight before one, as one should always try to do.

The man who wants to write "Essentials of English Grammar" is confronted with a great many difficulties. Often he will hesitate what to include and what to leave out: for what is essential and what not? Then there is the elusive character of much of the matter itself. Usage wavers on many points. English Grammar forms a system—but is not everywhere systematic. What is distinctly notional and what is purely grammatical should be kept apart—but to make the distinction is not always an easy matter. Grammatical phenomena can, and should, be looked at from two angles: from without and from within. The former is the morphological, the latter the syntactic point of view—but sometimes one and sometimes the other presses forward as the more important. Perfect lucidity and precision is impossible without a good terminology—but the usual grammatical terms are often unsatisfactory and insufficient. Hence the necessity of coining a few new terms. There are thus many pitfalls for the grammarian—not to mention those occasioned by the fact that English is not the writer's mother-tongue. Let me hope I have not fallen into too many of them.

VOICED AND VOICELESS FRICATIVES
IN ENGLISH[1]

I.

OE f, þ, s.

THE first question to occupy us here is this: what phonetic value
are we to ascribe to the OE letters *f, þ (ð)* and *s?* Where these
letters stand medially between vowels or in other voiced surroundings, there can be no doubt that the sounds were voiced, i.e. [v,
ð, z], but if they stand initially or finally, the matter is not so
obvious.

The question was dealt with at some length by Henry Sweet in
the very first paper he published, "The History of the TH in English"
(Transactions of the Philological Society, 1868—9, pp. 272—88),
reprinted in "Collected Papers of Henry Sweet, arranged by H. C.
Wyld", Oxford 1913, p. 169 ff. This paper was partly rewritten
and enlarged in Appendix I of Sweet's edition of King Alfred's
West-Saxon Version of Gregory's *Pastoral Care,* London 1871, but
curiously enough, it was the first, not this revised version that was
reprinted in the *Collected Papers.* Much in this paper, ingenious as
it is, must now be considered antiquated, as later research has thrown
light on much in the old sound shift which could not be known to
Sweet; but on one point he is undoubtedly right: nothing can be
gathered with regard to pronunciation from the use in OE manu-

---

[1] This is the final chapter "Stemmeforhold i deklinationen" of my dissertation
"Studier over engelske kasus. Med en indledning: Fremskridt i sproget", København
1891. This part of my old book has never before appeared in English (as the others
did in "Progress in Language"); it is here partly rewritten, and many new details
are added.

scripts of the two letters þ and ð : both are used indiscriminately, now for the voiced, now for the voiceless sound.

The view entertained for a long time by Sweet is expressed in his usual dogmatic way in various editions of his *Anglo-Saxon Reader:* "*f* had the sound of *v* ... Before hard consonants, of course, it had the sound of *f* ... *s* had the sound of *z* ... When combined with hard cons., = *s* ... þ and ð both = *dh* in *then*, except in such combinations as *sēcþ*, where þ = *th* in *think*." In *History of English Sounds* 1888 § 515 ff. (cf. 728 ff., 909 ff.) the expressions are necessarily less dogmatic, but the main result is the same.

The same view was shared by Ellis, EEP 5.38 and 823. A survival of this view is found in H. C. Wyld's *Short History of English,* 3rd ed. 1927, p. 60 f., thus long after Sweet had abandoned it (see below), and only with regard to *s* and *f,* while it is said that ð (þ) was probably voiceless initially and finally.

Sweet's view was chiefly based on the following reasonings: Intervocalic þ was voiced, as *d* is often written for it; *s,* too, is voiced, as shown by such forms as *līesde* in contrast with *cyste* from *cyssan.* The voiced pronunciation of the three sounds when initial is made probable in the first place by the agreement with Dutch and German *d* in *ding,* Dutch *v* and *z* in *volk, zeven;* North German also has initial *z,* and OHG had initial *v,* which is still preserved in writing (*volk*), while it has been unvoiced. Secondly, and more decisively, the voiced sound of initial *s, f* is made probable by the evidence of the southern ME and ModE dialects, which have [z, v]. In these initial *v* and *z* must have been fully developed before the 11th century, as Norman words keep voiceless *s* and *f.*

Several things, however, speak against Sweet's view.

The agreement with Dutch and German, of course, shows very little with regard to OE pronunciation, as the voiced sounds can easily have been due to later parallel development. Sweet also tends to think that the Anglian and Jutish dialects of OE never had the voiced sounds initially.

In OE (West-Saxon) we have some cases of *t* for earlier *d,* which are most easily explained from the supposition that *s, þ, f* were voiceless: *gitsung, Altfriþ, Eatþryþ.* An assimilation is here extremely natural, while this cannot be said of Sweet's explanation

(HES § 524) according to which "in the combination voiced stop or buzz + buzz both elements are unvoiced ... This tendency is evidently the result of the attempt to strengthen the acoustic effect of the open consonant". Such an unvoicing would seem to go counter to all ordinary sound-development. The only one of Sweet's examples that seems at all pertinent is "*bledsian* in Vespasian Ps. (from **blōdizōn*) becomes *bletsian* in WS"—but this also proves nothing until it is raised beyond all doubt that the suffix really had a voiced *z*, but it is much more likely that it had *s* (note Thurneysen's dissimilation theory of *s* after a stem ending in voiced and *z* after a stem ending in voiceless consonant, IF 8.208 ff.). Where one of these consonants comes before the voiced *w*, it is itself voiced in accordance with the usual rules of assimilation: OE *huswif* > *huzzy*. For our view speaks also the assimilation of *-deþ* in the 3rd person sg. *sendeþ* > *sent;* cf. also *nostril* from OE *nos-þyrel*. The assimilations found in *Suþfolk* > *Suffolk, Suþseaxe* > *Sussex,* OE *ladþeow* > *latteow, godsibb* > *gossip,* are easily explained if we assume voiceless *f, þ, s,* but are hardly natural under the opposite supposition.

Ancrene Riwle.

There is thus a high degree of probability for the voicelessness of *s þ f* in OE, even in those parts of England which in ME and ModE have the voiced sounds. But this view is definitely corroborated by a discovery I made in 1890 with regard to the spelling used in one of the most important early ME literary texts, the *Ancrene Riwle.* (In a parenthesis I may here repeat the remark I have made elsewhere, that the correct title of that book is *Ancrene,* and not *Ancren, Riwle,* as James Morton erroneously printed it: when I went through the text and found not a single gen. pl. in *-en,* but many in *-ene,* I suspected that the title itself ought to be *Ancrene Riwle,* and Miss A. Paues was kind enough to look up the manuscripts for me; she found the title *Ancren Riwle* nowhere, but *Ancrene Wisse* in MS Corpus Chr. Coll. Cambridge 402; the MS Nero A XIV in the Cottonian collection (Brit. Museum), from which Morton printed his text, has no heading or colophon, but the title on the binding is *Ancrene Riwle,* "but I cannot ascertain the date of this binding or the authority which it followed. It might be either shortly before or shortly after Morton's ed[n]", writes G. C. Macaulay, who refers to the passage in Morton's ed., p. 4 "Nu aski ȝe hwat riwle ȝe ancren schullen holde" out of which he suspects Morton invented his title—but here, of course, *ancren* is the nom., not the gen.!)

My little discovery was that the scribe of AR, so far from using, as had always been supposed, *f* and *v* (*u*) indiscriminately for OE *f*, followed a strict system which allows us to draw conclusions as to his pronunciation.

He writes with great consistency initial *f after a voiceless and v (u) after a voiced sound*. Examples occur in nearly every line of the book: I write down *all* examples of initial *f, v* found on ten consecutive pages chosen at random, including participles beginning with *i-* = OE *ge-*, as well as second elements of compounds.

A. *v* after voiced final sound: 192 me ueire / blisse uorte uallen / ilke uondunges / to uroure / one ureond / ham uroure / Vor uein / for ureoleic / one ueder (OE *fæder*) / ȝuweðe uorheten / 194 þeonne ueineð / to uonden / uttre uondunge (*passim*) / inre uondunge (*passim*) /sigge uorði / mislikunge uor / to uot / beon uor / muche uorði / iveleð / twouold / biuoren / 196 alle uondunges / iðe vihte / þe ueond / owune vleshs / þe ueond / 198 slouhðe vox / þe vorme / oðer uorhoweð / þe ueorðe / ne ualleð / þe vifte / þeo uedeð / haluwen uor / undernumen uorto / 200 oðer uorgiteð / þe ueorðe / þe uifte / 202 þe uorme / þe ueorðe / þe vifte / Seoruwe uor / oðer uor / bute uor / biuoren / alle; uor / to-uret / þe Vox / strencðe; Uals / oker; Uestschipe / to uoxe / iðe uoxe / þe uox / one urechliche (Morton wrongly *wr-,* corrected by Kölbing) uorswoluwen / 204 tisse urakele / þerto; uor / to Urechliche / iveruwed ('farrowed', allied to OE *fearh,* pig) / ham; uor / ham ueden / nemnen; vor / sibbe vleshliche / wil uorte / 206 stude uorto / swuche uorrideles / fulðe uenliche uallen / þe uorrideles / iued / der uor / iveleð / 208 ivindeð / þeruore / scheau uorð / swuðe vlih / þer urommard / Vnstaðeluest / to ualleð / abiden uorte / 210 þe ueorðe / schulde uorwurðen / þe uorðfarinde uondeð to uordonne / þe ueonde / to ualleð / an uour (Kölbing) / dome uorte.—Further, *v, u* is of frequent occurrence in words after a full stop, especially *uor* (p. 192 and 194 even 8 times); here probably belong also *uoluweð* 196 and *vikeleð* 198, although only after a comma, which, however, may have denoted a pause.

B. *f* after voiceless final sound; note the frequent sign 7 = *and,* which is written in full: *ant* on pp. 200, 206, 208, etc.[1]; in OE *mid,* too, the *d* must have developed into *t,* although the old *d* is retained in writing.

192 þeos fondunges (twice) / beoð ful / 7 for / 194 of fige-lunge / worldes figelunge / þeos fondunges / Vlesches fondunge / gostlich fondunge / eð fele / 196 blisfule / þet flesch / auh fleoð / deores fleschs / Louerdes folc / 198 þauh ful / hweolp fet (twice) / 200 of feire / swuðest for / ich feðri / 7 fet / 202 his freond / of freond / 204 þet feorðe / þet fifte / 7 fulen / is ful / þet fulðe / tet fleschs / 206 mot forbuwen / 7 feir / mot fleon / mid fere / mid flesches / makeð feir / 7 fikeð / hit forto / þet feire / 208 beodeð forð / scheaweð forth / Godes folke / 7 false / 7 falsliche / 210 uorðfarinde / ontfule.

C. Exceptions are very few indeed. They can easily be accounted for,

(1) through the tendency to avoid the combination *uu;* one may compare German orthography, where *v* is written in *vor, voll,* etc., but *f* in *für, fülle.* Thus we have 192 ou ful / 194 hore fule / 196 þer fuhten / 206 muchele fulðe / þe fule / eche fur / 208 oðer fundles—seven cases in all on 10 pages, to which may be added *fur,* p. 192 after a pause;—

(2) through transference from those otherwise frequent forms that are legitimate after another final sound: 194 gretture fleschliche / 196 alle flesches / 202 enne floc / 204 nout uorto / (206 þet ich ne mei speken of vor scheome, probably with a pause after *of*)—not more than four or five cases, a number that speaks very favourably for the accuracy of the scribe.[2]

---

[1] Rarely *and,* 200. Note *ant te* for *and þe.*

[2] *Flesh* is probably the word in which the rule is most often broken, though regular forms are also very frequent: thus we have in twelve consecutive lines, p. 406 stinckinde ulesshes / Hwat fleschs / Cristes fleschs / heo uleschsliche / owene ulesshs / mon ulesshliche. But the scribe certainly had a tendency to write *f* before another consonant, even where he evidently pronounced *v,* thus medially in *deoflen, deofles* alongside of *deouel* (242, 244, etc.; rarely *deofel* 266, *deofuel* 280); *hefdes* 362, *on his hefde* 258 alongside of *heaued; efre* (62), generally *euer(e); þet tu heuedest ... þet tu hefdest* 38; *bilefde* alongside of *bileaue; le(a)fdi; swefne, stefne, efne; reafen, reafnes* 84 and a few more.

The correctness of my rule is shown especially by the numerous instances in which the same word was written in two different ways according to the final sound of the preceding word: *þeos fondunges : ilke uondunges; scheaweð forð : scheau uorð; þe ueorðe, vifte : þet feorðe, þet fifte;* on p. 220 we have *Mine uoan* and immediately after that *his foan,* etc.

French words do not vary in the same way as native ones; cf. thus 208 *he fol* / ib. *oðer folliche* / 222 *hire fame* / ib. *makien feste* 232 *owune feblesce;* and on the other hand 216 *mest uileinie. Fals,* which is found in English as early as ab. 1000 (from Latin or French?) is treated as a native word: 68 *heom ualse* / 130 *þe ualse* ... *beoð false* / 128 *best falsest.*

The variation thus observed in initial consonants is to be compared with the well-known rule of Notker in Old High German: *Ter brûoder : únde des prûoder / tes kóldes : únde demo gólde / íh fáhe : tu váhest,* etc. Further in Italian dialects, e.g. Sardinia: *sas cosas : una gosa / sos poveros : su boveru / sos fizos : su vizu* (Schuchardt, Romania 3.1 ff., Nyrop, Adj. kønsbøjn. 1886, 24).

Traces of the same variation as in AR are found in other southern ME texts, but they seem nowhere carried through with the same consistency. In *On god ureison of ure lefdi* (Morris, Old Engl. Hom. I—also from MS Nero A XIV) we find, e.g., *cristes fif wunden / miht forʒelden / þet funde* over against the more usual *v-: me uorbere / al uorloren / me uor / fulle uorʒiuenesse,* etc. In the MS of Poema Morale discovered by Miss Paues (Anglia NF. 18.217 ff.) the variation between *f* and *v* (*u*) is observed nearly as consistently as in AR. In Juliana there is a good deal of vacillation (e.g. *hare fan* 32 = *hare uan* 33, *hetefeste* 36 = *heteueste* 37, *forð* 56 = *uorð* 57; *reue : refschipe* 9, etc.). In St. Katherine (ed. Einenkel, EETS 1884) initial *v* instead of the usual *f* seems used only twice (lines 1486 and 2134), but in both places after a vowel. Some other southern texts offer a few isolated instances of the same alternation.

The alternation between *f* and *v* in AR (and, partly, in other texts) gives us valuable information with regard to both initial and final sounds. As to the former it shows us that the voicing found in southern dialects had not yet been completely carried through ab. 1200 A.D.—still less can it have been in the Old English or Pre-

English period. Though (or, we might say, because) the old scribe's spelling is not capable of giving us any information on the sounds [s, z, þ, ð], we are certainly justified in assuming a similar alternation between voiceless and voiced sounds in the beginning of a word as that between *f* and *v*.

In reply to a letter about this, Sweet wrote to me (12.1.1891): "Your observation about initial *f, v* in the Ancren Riwle is a very interesting one, which as far as I know is quite new. But I do not think it proves initial *f* &c generally. I have shown in HES that *dz, vz* &c became regularly *ts, fs* &c (as in *bletsian*). Hence *þēoz vondunges* would regularly change to *þeos f-*. But I have not expressed myself positively on the general question in the HES, altho I favour the initial *v-* &c hypothesis for West-Saxon. As I have shown, there is a conflict of evidence for all the dialects." This shows some uncertainty on the part of Sweet: I replied by referring to what is said above on the phonetic improbability of the assumed change, and by saying that the theory at any rate could not account for final *f* before a vowel in AR, e.g. 126 *forgif us*. I was therefore glad to see Sweet in his *New English Grammar* (1892) completely accepting my view (see his generous mention of the younger man's work, p. xiii, and § 731, 861 ff.).

With regard to the sound at the end of a word, the peculiarity observed in the spelling of AR shows conclusively for all the three consonants here dealt with that the voiced pronunciation was unknown to the scribe, for *f* is consistently written after a word ending in *f, ð* or *s*. Additional examples to those already adduced are the following,—I choose here exclusively such words as in ModE end in voiced sounds:

216 uendes fode / 220 of fondunge (also 236) / 220 his foan / 222 þeos foure / of freolac / 228 is from / 232 his fondunge / 238 is for / 250 of feor / 254 Samsunes foxes / 256 Godes flesch / 262 þe ueondes ferde / 264 te deofles ferde / 274 is fotes / 278 his feren / 380 his feder, etc.

Orrm in his spelling had no means of distinguishing voiced and voiceless fricatives, but I am probably right in ascribing the voiceless sound to his spellings (in final position) *iss, hiss, wass*, also when the words are unstressed, further *bokess, wiþþ*, etc.

Ayenbite.

While the scribe of AR had no means of indicating voice distinctions for þ and s[1] as he had for f, v, we find, a century later, Dan Michel using not only f, v (u) as in AR, though without any sandhi rule, but also s, z for the corresponding distinction in blade sounds. Now, this is really very strange: how did Dan Michel hit upon this orthographic device? It was never before used in England, and in French at that time z was generally used for [ts],[2] while the sound we now phonetically write [z], was written s, just as [s]. However this may be, Michel writes z initially in most of the words that had OE s and that have [z] in modern South Thames dialects. He has, however, sl-, sm-, sn-; and after the prefix y-, OE ge-, he generally writes s, thus ysed, yse over against zayþ, zi, etc. In French words he has s-: seruy, sauf, etc., though zaynt is found alongside of sayn(t). The author is no consistent phonetician, for in the interior of words he constantly uses the letter s for what evidently was pronounced [z], e.g. chyese OE ceosan, þousend (also þouzen), rise, bisye; similarly in French words, e.g. spouse, mesure, cause, desiri; in desert, tresor, musi s alternates with z.

The author says (p. 262) "þet þis boc is y-write mid engliss of kent"—but now Kent does not belong to those parts of southern England that have voiced fricatives initially, however those two facts may be reconciled. Ellis gives, 5.38 a list of spellings in Ayenbite, compared with modern dialects; on these latter see, besides Ellis, Joseph Wright's English Dialect Grammar, F. T. Elworthy's various works on West Somerset, and E. Kruisinga, A Grammar of the Dialect of West Somerset.

Ayenbite has final f, not v, and accordingly we may confidently assume that he pronounced final [s, þ]; note the parallelism in the verbs, inf. delue, kerue, sterue, chyese, rise, lyese, sethen, but prt. dalf, carf, starf, cheas, ros, lyeas, leas, seath.

While with regard to f, v we have extensive evidence in the

---

[1] He writes s in French words like the following, where the sound was evidently [z]: noise, eresie, traysoun, recluse.

[2] In English, too, z was used for [ts], in AR, e.g., in saluz, creoiz, assauz ('assaults'), kurz pl. of kurt 'court'. A remnant of OFr z = [ts] is Fr assez, in English treated as a pl. assets, whence a new sg. asset. In fitz (e.g. Fitzroy, Fitzwilliam) we have the sound [ts] from OFr fitz, nom., now fils, [ts] being regular after palatalized l.

spelling, and with regard to *s, z* we have the evidence in Dan Michel's book, nothing can be seen in the same way in regard to ME *þ, ð*. In some early texts we might feel tempted to think that the old letter *þ* denoted the voiced and the new digraph *th* the voiceless sound,[1] but on closer inspection it is seen that *þ* is written for convenience only in the more familiar words, chiefly pronouns and pronominal adverbs, and *th* in less familiar words without any phonetic distinction at all.

Fourteenth Century.

In Chaucer rhymes seem to show conclusively that final *s* was voiceless in many words which have now [z], see, e.g. HF 141 *was : bras* / 158 and 267 *allas : was* / 1289 *glas : was* / 1291 *ywis : is* / 1341 *this : is* / 269 and 2079 *amis : is* / B 4521 *toos* pl. *: cloos* adj. Consequently such rhymes as, e.g., B 3420 *wynes : pyne is* may be used as evidence for the voiceless pronunciation of *-s* in the plural ending.

About the same period we have some curious spellings in the famous (Lancastrian?) Pearl-poems. Sweet HES § 728 interprets *sydez, gemmez, he lovez, he sez* as indicating the modern sound of [z]; thus also Jordan, Me. gramm., p. 185; but this is certainly wrong. The letter *z*, or rather *ʒ*, denotes voiceless [s]: it is found in many cases where ModE has [s], e.g. *þryeʒ* (thrice), *elleʒ* (else), *meþeleʒ, boþemleʒ* (-less); the ending *-ness* is written now *-neʒ*, now *-nesse;* for *was* we find *wasse, wace* (rhyming with *space, grace, face*), but also *watʒ*, and the same curious combination is found in *dotʒ* (= does), *gotʒ,* (= goes). With *þou* we find forms like *says, saytʒ, blameʒ, draweʒ, dotʒ, watʒ, woldeʒ*. In all these cases *-s, -ʒ, -tʒ* can mean nothing but [s].[2]

The voiceless pronunciation of final *-s* is also evidenced by the addition of *-t*, in some particles: *against* < ME *againes, amidst,*

---

[1] Thus Hackauf in his ed. of Assumptio Mariae, p. XXXII (inversely Heuser in ESt. 33.257). In R. Jordan's Me. gramm., p. 181, Hackauf, Heuser, and myself are quoted as if we said all of us the same thing, though we have three different views!

[2] In London Engl. (ed. Chambers & Daunt, 1931) isolated instances: *we willetʒ* (59 = 58 *we willeth*), *hatʒ* (= *hath*), *reson asketʒ*. Another scribe (ib. 200) has a predilection for *ʒ: dyuerʒ wareʒ to the fraternite of grocerʒ* / 201 *wardeyneʒ ... weyteʒ*.

alongst, amongst. In *whilst* the *t* may be the particle *þe,* whose [þ] as usual was made into the stopped consonant after *s,* but in the other words there is no other explanation than a simple phonetic excrescence after *s* in the same way as in vulgar *nyst, clost, wunst, twyst, acrost* for *nice, close, once, twice, across* and others; in Standard speech we have also *earnest* (ME *ernes, erres, erles*) 'money paid as instalment'. The addition of *-t* is comparable with G. *papst, obst, jetzt* and others, Danish *taxt,* Swed. *eljest, medelst, hvarest,* etc. But what interests us here is that it presupposes voiceless [s] in the E. forms. I therefore think that the archaic *erst* 'formerly' is not to be apprehended as a superlative, but simply as the comparative *ere* + the adverbial *s* + this *t.* While AR has *erest* only as a real superlative (= OE *ærest*), Chaucer has two homophones *erst,* one a superlative (*at erst*), and the other without that signification, e.g. B 4471 Though he never erst had seyn it with his ye / E 144, 336, etc., also followed by *er:* C 662 Longe erst er pryme rong of any belle, and by *than:* A 1566 That shapen was my deeth erst than my sherte. A superlative followed by *than* would certainly be very unusual!

Medial Sounds.

With regard to the pronunciation of OE *f, þ, s* when they occurred medially between vowels, Sweet is undoubtedly right when he thinks that they were voiced, = [v, ð, z]. For *þ* in this position we often in the earliest monuments find the spelling *d,* which denoted [ð] as in the then pronunciation of Latin (Sweet HES § 515, 516); *s* allows *d* in forms like *liesde,* different from *-te* in *cysste* from *cyssan* with [s]. For *f* see Sievers PBB 11.542 and Anglia 13.15: there were two original sounds which in the Epinal glossary were kept apart, one corresponding to Gothic and OHG *f,* written *f,* and one corresponding to Goth. and OHG *b,* written *b;* but at an early period they were confused. This explains the spelling with *f,* while it would not have been convenient to write *b,* which so often denoted the stop: the difference between voiced and unvoiced was not felt to be as important as that between the fricative and the stop, especially as the same word in different flexional forms had now the voiced, now the voiceless sound. But towards the end of the OE

23*

period it became increasingly common to write *u* (= *v*) medially, e.g. Beowulf 1799 *hliuade*, Ælfric 1.4 *aleuað;* Chron. MS F often; after 1000 French influence rapidly made *u* universal in this position, so that *f* was reserved for the beginning and end of words.

Final th.

The tendency to unvoice final consonants—in anticipation of the voiceless pause—which is found more or less strongly in all languages, is in English particularly strong with [ð] which often becomes [þ]. Ekwall, *Zur geschichte der stimmhaften interdentalen spirans* (Lund 1906) tries to make out that final [ð] became [þ] after a consonant or after a short vowel, but remained voiced after a long vowel, and this rule covers many of the facts, though not all. A good deal of uncertainty remains, and the pronouncements of the old phoneticians are often contradictory. I shall mention some of the cases in which we have now [þ] as against earlier [ð]. After a consonant *earth, birth* (*r* was formerly a consonant); *month; health* and similar words: *strength* (an old form was *strencþ*), *wealth*, etc.; *fourth, seventh* (in *fifth, sixth* the old form was *-te*, and *th* comes after a voiceless sound).

After a short vowel *pith;* in *bath, froth* the vowel used to be short; in unstressed syllable *Portsmouth* and other place-names; *twentieth* and other ordinals.

After a long vowel *youth*,[1] *truth, sheath, beneath* (formerly also with short vowel), *both.*

The voiced sound is retained in *tithe, lithe, scythe, smooth* and a great many verbs like *breathe, bathe* (cf. below p. 380). *Wreath* had formerly very frequently [ð], but from the beginning of the 19th c. nearly always [þ]. In *bequeath, betroth, blithe, withe, booth* the sound is nearly always voiced, though [þ] seems to be heard now and then.[2] In some cases analogy has been powerful, see below.

---

[1] OE *geoguþ*, like most fem. sbs. it had *-e* added to it in ME, hence the ME voiced sound: AR *ȝuweðe*, Ch. F 675 *youthe* rhyming with *I allow the.*

[2] Sweet HES word-list 2054.

II.

Later Voicing.

We shall now deal with a phenomenon which forms to some extent a parallel to Verner's famous law for Old Gothonic (Germanic).[1] My theory on this was first communicated at a meeting of the Copenhagen Philological Society on Dec. 6. 1888, then printed in *Studier over eng. kasus* 1891, p. 178 ff., in part accepted by Herman Møller in *Nord. tidsskrift for filologi* n.r. 10. 311 ff. (1892),[2] completely accepted by Sweet in his *New Engl. Grammar* (1892) p. ix and 279, and re-stated in a somewhat modified form in my *Mod. Engl. Gr. I* (1909) p. 199 ff. Here I shall follow the order of my Grammar, but with greater detail, partly already printed in *Studier*.

In 1910 F. Wawra in "Jahres-bericht der landes-oberrealschule in Wiener-Neustadt" printed a paper "Die lautung des englischen intervokalischen s" in which he vigorously polemized against Sweet's Vernerian theory. In spite of a great display of learning and some judicious remarks his criticism is not satisfactory, because (1) he knows only Sweet's short paragraphs and does not take into account my own much fuller treatment, (2) his information on English pronunciation in former and present times is insufficient and not always derived from the best sources, (3) he misses the real point of the whole inquiry and entirely overlooks the fact that *s, z* (the only sounds he speaks of) cannot be separated from the other sounds and sound-groups affected by the change, and (4) some of his own explanations are rather fanciful.—W. A. Read, "A Vernerian Sound Change in English", Engl. Studien 47.167 ff. (1913) corrects Wawra on some points in favour of my own explanation; he too, speaks exclusively of *s, z,* chiefly in the prefix *dis.*—R. A. Williams, Mod. La. Review 2.247 ff. (1907) knows the law from Sweet and gives him credit for it, but he, too, speaks of *s* only and does not see that the voicing in *of, with,* etc., which he mentions p. 252, is a case in point.

According to my formula the following sounds were changed from voiceless to voiced, roughly speaking between the 15th century and the middle of the 17th:

(1) f > v,
(2) þ > ð,

---

[1] Cf. the paper above, "Verners gesetz und das wesen des akzents".

[2] Some of his critical remarks are due to insufficient information with regard to English pronunciation. Others have been silently taken into account in the following pages.

(3) s > z,
(4) ks > gz,
(5) tʃ > dʒ.

Under no circumstances the change took place if a strongly stressed vowel preceded the sound in question. On the whole the conditions were the same for all the sounds named, the chief condition being that they were preceded by a weak vowel, but in details there are small divergencies with regard to the extent to which the change was carried through.

(1) f.

(1). f>v is found in the preposition *of,* which in ME had always [f]. In Elizabethan English we find a distinction according to stress: Eastw. Hoe 453 The sale *of* the poore tenement I tolde thee *off* / Marlowe J 104 Which *of* my ships art thou master *off?—Of* the Speranza, Sir. Most of the earliest phoneticians recognize only [f]. Hart (1569) has [ov] as the ordinary form, but also [of] and always [huerof, ðerof]. Mulcaster (1582) is the first to make a distinction between the prep. with *v* and the adv. of distance with *f.* Gill (1621) has [ov] as the natural and [of] as an artificial pronunciation.[1] Now the colourless prep. (as a word of all work) has [v], not only when it is weakly stressed with the vowel [ə], but also when it has (half-)stress and the vowel [ɔ]. Yet *hereof, thereof, whereof* have [f] alongside of [v]; this is recognized by D. Jones for all three words, by NED only for *thereof,* by Wyld for the first two words, while for *whereof* he gives only [f]. A different spelling is now used for *off,* which is both adv. and prep. with a more pregnant meaning than *of (off the coast,* etc.). Another habitually unstressed word is *if;* Hart has both [if] and [iv], Mulcaster only [iv], which is still found in many dialects (Cheshire, Lancash.), also written as a dialectal form in Mrs. Humphrey Ward's *David Grieve* 1.66, etc., while Standard speech has only *if.*

If Fr. adjectives, which in ME had generally *-if* (still Caxton *pensyf,* etc.), have now *-ive,* this may not be due exclusively to weak

---

[1] Proinde licèt frequentius dicamus ... wið ... ov ... tamen ... sequamur scribendi consuetudinem tantum: idque quod docti aliqui (NB.) viri sic legunt (NB.) et aliquando (NB.) loquuntur.

stress, as the Fr. fem. *-ive* and the Lat. form operated in the same direction; but these could not prevail after a stressed vowel: *brief.* The law-term *plaintiff* has kept [f], while the ordinary adj. has become *plaintive.* The earlier forms in *-ive* of *bailiff* and *mastiff* (here there are no feminines!) have now disappeared; thus also *caitive* by the side of *caitiff.* Alongside of the old *motive* we have a recent loan *motif* 'artistic theme'. The late loan-word *naïf* hesitated long between *-f* and *-ve;* some writers affect a distinction according to gender as in Fr. In some words the consonant has disappeared, and the ending has been assimilated to the ordinary ending *-y: hasty, testy, jolly, tardy (massy).*

OE *huswif* has among other forms also *hussive;* with loss of *v* this becomes *hussy, huzzy,* while *housewife* is a re-formation of the compound. *Godwif* (*goodwife*) similarly becomes *goody;* I have no quotations for *goodive.*

In *sheriff* from OE *scirgerefa* the form with [f] began to appear in the 14th century and was victorious after a long struggle. It may be due to analogy on account of the numerous words with *v* in the plural and *f* in the singular.

If there are no examples of *f>v* between a weak and a strong vowel, the reason is simply that *f* was not found at all in native words between vowels, except in such words as *before, afeared,* where the feeling of connexion with *for* (*fore*) and *fear* would keep *f* living. There are some Romanic words of the same type, e.g. *refer* (found as early as Chaucer), *affect,* but the tendency to pronounce [v] would here be counteracted by the consciousness of the French and Latin forms, which would be particularly strong in less colloquial words such as *defect, affront, defer,* etc. The change would, moreover, be at once conspicuous in the spelling, which was not the case with *th* and *s*—and that, too, would make for conservatism.

(2) þ.

(2). [þ>ð] is found in *with.* It began in combinations like *within, without, withal,* where the consonant comes between a weak and a strong vowel. Hart (1569) has [ð] here, while otherwise he has both [wið] and [wiþ] without any apparent rule, though with preference for [ð] before a voiced sound. The other old phoneticians have generally [wiþ]: Smith 1568, Bullokar 1580 (even *wiþout, wiþin*), Gill 1619 (see above 358 note), Butler 1633 (also *wiþ-out, -in*), Cooper 1685. Sheridan 1780, p. 19, has [þ] before consonants, *withstand, with many more,* but [ð] before vowels: *without, with all my heart;* but this is probably artificial. The voiceless pronunciation is still pretty frequent in *herewith, therewith, where-with, forthwith,* where the syllable is stressed; otherwise the origin-ally weak form [wið] is generalized, though [þ] is used by many Scotch, Irish and American speakers.

The verbal ending *-th* comes after a weak vowel in cases like *kisseth,* etc., and here Elizabethan spellings like *promysethe, obseruethe* are possibly signs of the sound [ð], which, as it were, paves the way for the ending [z]; but after a short vowel, as in *doth, hath* (often stressed), the sound seems always to have been [þ], and this is always now the pronunciation given in reading to the archaic ending *-eth.*

[þ] is dropped (after having been first voiced?) in sailors' pronunciation of the weakly stressed first element of *north-west, south-west,* often written *nor'west, sou'west,* with the derivatives *nor'wester, sou'wester.* I find a curious early instance of this in Chau-cer's Parl. of F. 117, where most MSS have "As wisly as I saw thee north-north-west", but Cambr. Gg has *north nor west,* which I take to be the familiar pronunciation, while Brusendorff (The Ch Tradi-tion, p. 288) looks upon it as an individual error.

In the pronominal words *the, they, them, their, thou, thee, thy, thine, that, those, this, these, then, than, there, thither, thence, thus, though* we have now initial [ð]. That the sound was originally [þ] exactly as in other words in which OE þ corresponds to Aryan *t* (*three,* etc.),[1] is shown, among other things, by the fact that Orrm has *t* in these words regularly, not only after words ending in *t,* but also after *d:* e.g. 1037 Off þatt word tatt / 1094 þatt blod tatt /

---

[1] In the corresponding Scandinavian words the old pronunciation had [þ], which is still retained in Iceland, though there are some sandhi-forms with [ð], and has become [t] in Faroese, but in the other Scandinavian languages we have now [d] from earlier [ð]; a remnant of the voiceless pronunciation is Dan. *ti,* Swed. *ty.* In these pronominal words Frisian, too, has voiced consonants.

greþþedd tuss. In an East Anglian vocabulary from 1825 *tan* is given for *than,* though only in the phrase *now and tan.* The form of the definite article *t'* in Yorkshire points in the same direction (if it is not to be explained from the final sound of *þæt*). For *though,* *although* the form [þo·, ɔːlþo·] may be frequently heard from educated people in Scotland. Scotch also has initial [þ] in *thence,* *thither.*

It is possible that the voicing in these pronominal forms should be separated from the other sound shifts considered in this chapter. When exactly it began is not easy to decide. Chaucerian rhymes like G 662 *sothe : to thee* | G 1294 *hy the : swythe* may not prove more than voicing between two vowels, and that may have preceded the voicing in other positions by some time. From ab. 1500 we find Welsh transcriptions with *dd,* i.e. [ð], see Sweet HES § 911. It is worth noting that in *this* and *thus* the initial sound is voiced, but the final *s* is kept voiceless after the strong vowel. For *though* we have a form [þɔf], spelt *tho'f* in Congreve 250 (sailor) and frequent in the 18th c. (Sheridan, etc.) and said to exist still in vulgar speech.

(3) *s.*

(3) [s>z] is found first in the ending *-es* in the plural, the genitive singular, and the genitive plural of most substantives. Here *e* was sounded in ME, and the development must have been [sunes >sunez>sunz, sʌnz], spelt *sons, son's, sons'.* Thus also in the verbal ending (3rd sg. pres. ind.), where it supplants *-th:* [kumes>kumez >kumz, kʌmz], written *comes.* But *s* is not changed after a strong syllable, thus in *dice* (one syllable in Ch C 467, 623, 834), *invoice* (Fr. *envoys*), *quince* (Fr. *coyns,* one syllable in (Ch) Ros. 1374), *trace* (Fr *traits*): in all of these there has never been a weak *e* before *s.* In the same way we have [s] in the following cases in which *e* had early disappeared: *pence* (one syllable in Ch C 376, 402, 930, Ros. 5987); *truce* (ME *triwes* and many other spellings; Ch once T 5.401 in two syllables; orig. pl. of OE *treow,* but early felt as a sg.); *else* (one syllable Ch B 3105, but in other places two: *ellës*); *since* (Ch LGW 2560 one syll.); *once, twice, thrice* (in Ch generally two syll.); *hence, thence, whence* (in these Ch has one or more often two syllables).

As *s* was thus voiced before the dropping of weak *e,* which did not take place in all cases at the same time, we get pairs of words like the following—I add in parentheses the words given by Sir Thomas Smith as examples of the difference between *s* and *z* in his "De recta & emend. Linguæ Anglicanæ Scriptione", Lutet. 1568:

dice — dies (*dïs* aleæ, *diz* moritur).

else — ells.

false — falls.

fence — fens (*fens* gladiatoria ars, *fenz* loci palustres).

hence — hens (*hens* apage hinc, *henz* gallinæ).

ice — eyes (*ïs* glacies, *ïz* oculi).

lease — lees (cf. *lës* locationis charta, *lës* pascua).[1]

lice — lies (*lïs* pediculi, *lïz* mendacia).

once — ones, one's.

pence — pens.

since — sins.

spice — spies (*spïs* aroma, *spïz* exploratores).

When *-es* came after voiceless consonants, as in *lockes,* now *locks,* the series of forms must have been [lokes>lokez>loks] with assimilation as soon as the vowel was dropped.

In a few cases we have remnants of the voiceless pl. ending even after a weak syllable, but chiefly in words where the form is felt and used as a singular, *bodice, bellows* pron. [beləs] (alongside of the analogical [belouz]), *gallows,* pronounced by some earlier orthoepists [gæləs]; cf. on the use as sg MEG II 5.712. Gill 1619 makes a curious distinction: *a flouer* flos, *flouerz* flores; at *flouers* menses muliebres, singulari caret.

Voicing after a weak vowel is found in words like *series, species* (as well as in plurals like *bases, crises*)—in which [z] comes after a long *e* = [i·].

Further it is found in *riches,* ME and Fr *richesse,* in which *-es* now is apprehended as the pl.-ending; the law term *laches* [lætʃiz] is from OFr *lachesse;* cf. also *alms* from *almesse. Mistress* before a name is [misiz], though [misis] is also heard; as a separate word it is [mistris].

---

[1] OE *læs, læswe,* obsolete.

In a certain number of words, which in their present standard forms with [s] appear as exceptions to our rule, pronunciations with [z] are found here and there in old phoneticians or in dialects. Hart gives *treatise* both with [s] and [z]; he and Bullokar have [z] in *purpose*. *Promise* and *sacrifice* had formerly forms with [z], at any rate as verbs (see below III G); similarly *practise*, which was spelt *practize* in Massinger N III.1.52; as a London cockney form I find *praktiz* in "Thenks Awf'ly" (1890). In dialects *Thomas* is [tuməz]. The ending *-ous* now has always [s], but Hart 1569 has *dezeiruz, kuriuz, vertiu·z* and *vertiuz, superflu·z* and *-fliuz, notoriuzli, komodiuzli. Witness* in the same writer is *uitnez,* and according to G. Hempl *business* may still be heard in America as [bizniz]. In these we have two syllables, but in most of the words in *-ness* we have three, and then *-ness* has more or less of a secondary stress: *readiness, thankfulness,* etc., and this may have contributed to the prevailing sound [s]. Similarly *-less.*

In a number of words, however, only [s] is known to me: *duchess, burgess, mattress* and others in *-ess; purchase;* further words like *Atlas, basis, chaos, genius,* all of them with *-s* after a short distinct vowel and most of them learned or late loans.

In such cases we must remember the tendency found in all languages to have voiceless consonants in final position (in anticipation of the voiceless pause). We must also take into consideration here the sandhi-law expressly stated by Hart (see my book on his Pron., p. 14 f., where the interesting passage is quoted in full): he said *iz uel, az ani, hiz o·n, ðiz ue·,* but *is sed, as su·n, his se·ing, ðis salt, as ʃi·, is ʃamʃast, his ʃert, ðis ʃo·r,* and hints at the same change with *v,* etc. It is well known that in present English final [v, ð, z, ʒ] are not voiced throughout before a pause, see *Lehrb. d. Phon.* 6.64, MEG I 6.93.

In a series of habitually weak words we must presume an old differentiation between one form with [s] and another with [z], parallel to the difference between *off* and *of: is, his, has, was, as,* now the voiced form is generalized. On Hart see the preceding paragraph. Mulcaster 1582 says that *as* and *was* have [z] "as often" as [s]. Gill nearly always has [z] in all these words, but [was] occurs

sometimes before voiceless consonants. Butler 1633 has only [z] in
as, was, is, his, thus agreeing with present usage, in which the weak-
stress form has completely ousted the form with [s]. Shakespeare
rhymes *is : kiss* and *this, amiss,* and similar rhymes are found as late
as Dryden. For OE *us* we should expect a strong form [aus] and a
weak [əz]; instead we have [s] in both forms, but a difference in the
vowel [ʌs, əs]. Hart has both *us* and *uz,* though the latter is rarer (see
my book on H. p. 115). [ʊz, əz] are common in dialects, see Wright,
EDialGr § 328. Curiously enough modern Scotch has a stressed form
[hʌz], unstressed *us, 's, 'z,* see Murray, *Dial. of Southern Counties of
Scotland,* 1873, 187 f. Grant & Dixon, *Manual of Mod. Scots,* 1921,
give both [hʌs] and *huz,* but say nothing of stress. Bernard Shaw
gives *huz* several times as a vulgar London form (*Plays f. Pur.* 222,
226, 237, etc.), but this is hardly correct.—OE *eallswa* survives now
in two forms, *also* with [s] retained (from *so*), and the weaker *as*
with [z] : [æz, əz]. The differentiation began early: Ancrene Riwle
has *also* used as the modern word, but otherwise *alse, ase, as;* that
they were felt as two separate words, is seen p. 62 also alse deað
com into þe worlde þurh sunne, also þurh eie þurles ... In a
comparison the first 'as' has reguarly stronger stress than the second;
we see this in a great many cases though with varying forms, e.g.
AR 2 also wel alse / 96 also sone ase / 38 alse wis ase (but 90 ase
quite ase / 84 as ofte ase) / Ayenb. alse moche ase, also moche ase,
alzo moche ase / Chaucer MP 3.1064 also hardy as / C 806 also
sone as / MP 4.69 als faste as[1] / London E. 195 als moche as / 196
als ofttymes as he is ... als wel as / Caxton R 20 the mone shyneth
also light as it were day / 71 also ferre as he be, also 77, 116 (but
71 of as good birthe as i am / 116 as holsom counseyl as shal be
expedient) / Malory 35 also soone as / Marlowe Jew 565 thinke me
not all so fond As negligently to forego so much / Gill (1621) as
long az I liv. Compare with this mod. Sc. aass quheyte az snaa,
Murray, Dial. 226.

With regard to the position between a weakly and a strongly
stressed vowel we have few instances of the transition in purely

---

[1] Chaucer has the form *als* 'also', rhyming with *fals,* Hous of F. 2071.

native words, for the same reason as in the case of *f* (above p. 359):
words like *aside, beside, beset* would naturally keep [s], because
they were felt to contain *side, set,* which had no inducement to voice
the initial sound. The only native word, then, in which the change
took place is *howsoever;* Cooper 1685 says "Facilitatis causa dicitur
howzever pro *howsoever*", and the [z]-forms *-zeer, -ziver, -zivver*
are still found in Yorkshire and other places, see *Engl. Dial. Dict.*
(In Standard English the word used is, of course, *however*).

In French (and orig. Latin) words the sound [s] was frequent
in this position. Voicing occurred in accordance with our formula in
the following cases, in which Fr had [s]: *design* [di'zain], Fr
dessiner, dessert [di'zə·t], Fr *dessert, resemble* [ri'zembl], Fr
ressembler, resent [ri'zent] Fr *ressentir, possess* [pə'zes], *possession*
[pə'zeʃən], cf. Fr *posséder, possession, absolve* [əb'zɔlv] Fr *absolv-,*
observe [əb'zə:v], Fr *observer.* The voiceless [s] is preserved in
absolution, because [bs] followed after a half-strong vowel, but in
observation and *observator* [z] is due to the analogy of *observe.*

It is worth noting that all the words in which we have [z] from
[s]—as well as all the instances of [v, ð, dʒ] according to our
formula—belong to popular strata of our language, while many of
the exceptions are more or less book-words.

In some cases the [z]-pronunciation has not prevailed completely.
Absorb has [z] more rarely than [s] (D. Jones); *resorb* vacillates.
Absurd, is generally [əb'sə·d], but [z] may be heard occasionally, at
any rate in U. S. The river and state *Missouri* has [z] more often
than [s] in U. S. (see especially Read in *Engl. St.* 47.169 ff.). In
U. S. I have also heard *persistent* with [z]. *December* has [z] in
Scotland (Murray). G. Eliot makes Bob Jakin say "twelve per zent".
Deceive has [z] dialectally. For Fr *pucelle* there is a form *puzel,*
found a couple of times in Sh H6 A and elsewhere in the 16th c.
Philosophic(al) had [z] in a long series of pronouncing dictionaries
up till about the middle of the 19th century and still in the pronunciation of Sweet, Jeaffreson & Boensel and Miss Soames; now only [s]
seems to be recognized, which is easily understood from the learned
character of the word as well as from *philosophy,* in which [s] comes
after the stressed vowel.

We must specially mention a few prefixes. *Dis-* regularly became

[diz] before a stressed vowel: *disaster, disease, disown,* also *dissolve* and *discern,* while [s] was kept unchanged after secondary stress: *disagree, disadvantage, disappear, disobey,* as well as before a voiceless consonant: *displease, distrust, discourage, disfigure,* etc. But there is a good deal of uncertainty and a strong tendency to pronounce [dis], because the prefix was and is felt as an independent element, which may be added to almost any word whose meaning allows of it. Walker 1774 had the regular *disable* [z], but *disability* [s]; now [s] is generally heard in *disable. Disorder, dishonour, dishonest,* which formerly had regularly [z], have now generally [s]; [s] even begins to be heard in *discern,* the first dictionary to recognize this is probably Wyld's. [s] is nearly always heard before a voiced consonant: *dislike, dismount, disrupt,* etc., though [z] is sometimes heard in *disdain, disguise, disgust, disgrace, dismay, dismiss.*

The prefix *trans-* has according to our rule [z] in *transact, -action,* but [s] in *transitive* and *transient;* but [s] may rarely be heard in the former words also. In *transition* besides the regular [-ziʃən] we have now [-siʒən] with a curious transposition of the voice. Before consonants we have [s], though [z] may also be found in a few words, *translate, -gress.* (The vowel in the first syllable vacillates between [aˑ] and [æ]).—The prefix *mis-* is always sounded [mis]; it is felt as an independent element and generally has half-strong stress.

In many words it is easy to see that [s] has been kept unchanged on account of association with a word in which the sound was initial, thus *assure,* cf. *sure, decease,* cf. *cease, presentiment,* cf. *sentiment* (NED has [s], but "nine people out of ten" have [z], says H. W. Fowler; Jones has both sounds, Wyld only [z]), *research,* cf. *search, resource,* cf. *source* (but in both these [z] is heard according to R. A. Williams).

Many exceptions to our rule may be explained as spelling-pronunciations or, which often amounts to the same thing, as late or renewed, deliberate (more or less learned) loans from French or Latin, thus especially words spelt with *ss, sc,* or *c,* e.g. *assail, assist, disciple, ascendant, -cy, descend, deceive, deception, receive, precise.*

With regard to words spelt with *c* there is a possibility of the sound having been [ts] in French, or at any rate different from the ordinary [s].[1] On the whole the right appreciation of the development in English of *s* in this position is made difficult through our ignorance of French sounds in the older period. Latin *s* seems to have been voiceless in all positions (Seelmann, *Ausspr. des Lat.* 1885 302ff., Kent, *The Sounds of Latin,* 1932, p. 57): I am not, of course, speaking of that prehistoric intervocalic *s* which in historic times appears as *r*. When exactly Latin intervocalic *s* became voiced in French (and in northern Italian) there seems to be no means of discovering, as the spelling has invariably *s*. In many words in which modern E. [z] might have been produced by the English change here discussed the sound was probably [z] in Fr before the word was taken over, thus in some words with *dis-* and in the following with *re-: resign, resolve, reserve, resound* (? *resort,* OFr *resortir,* but now *ressortir*),[2] further *deserve, desiderate, design, desire, desist.*

The difficulty is increased by the fact that ModE in some cases has [s], where we should expect *z* if the Fr pronunciation had been decisive. Thus after a strong vowel: *suffice* (note the spelling from the Latin) formerly had [z], agreeing with Fr *suffis*(*ant*) and was also sometimes spelt with *z* (e.g. Massinger N IV. 3.42). Most early dictionaries give [z], but from the middle of the 19th c. [s] begins to appear, and it seems to be the chief, or even only, form used nowadays. *Nuisance* has [s], but Fr *nuisant* has [z]. The endings *-osity* (*curiosity*), *-sive* (*decisive*), *-sory* (*illusory*) have [s] in spite of Fr [z]. In the ending *-son* after a weak vowel both Fr pronunciation and our formula would make us expect [z], and that is found in *venison* [ven(i)zən]; *orison* was spelt with *z* in Sh. Haml. III. 1.89, and this pronunciation is still heard (Wyld among others), though most recent dictionaries give [s]; *benison* similarly was sometimes spelt with *z* (Sh. Lr I. 1.269) and both [s] and [z] were and are found, but the word is really obsolete (N.B. OFr had written forms in *-çun, -çon, -s*(*s*)*on, -zon*). *Garrison,* formerly sometimes spelt with *z*, is now always pronounced with [s], as is also

---

[1] Cp. instances like the following in which *c* goes back to *ti* and has kept the voiceless sound: *menace, notice, patience, science* (but some dialects have [saiənz]).

[2] These are in E. felt as simple words, but in new-formations with *re-,* stressed ['ri·], meaning 'again' we have, of course [s]: *re-sign, re-serve, re-solve,* etc. This distinction was noted by Elphinston 1765.

comparison. On the other hand *prison, reason, season* and others go with Fr in having [z]. In the ending *-sy* we have [z] in some old words: *frenzy < phrenesy, palsy* [pɔ·lzi] *< paralysy, quinzy < quinasy.* In the similarly contracted *fancy < phantasy* and *courtesy, curtsy* [kə·tsi] the voiceless sound must be due to the *t.* In *jealousy* [s] may be due to *jealous; apostasy, heresy, hypocrisy, leprosy* with [s] are learned words, and in such *s* was always pronounced [s]; cf. also *desolate, desecrate, desiccate, desultory* (all of them with [s] after a strong vowel).

(4) *ks.*

(4). The voicing [ks > gz] is only a special case of (3); I write here [gz] though the voicing of the stop is not always complete: some phoneticians transcribe [gz], others [kz]. In the first place this change is found in some words with the prefix *ex-* before a strong vowel: *exact, examine, example, exemplify, executive, executor, exert, exertion, exhale, exhaust, exhibit, exhilarate, exhort, exhume* (in these *h* is mute), *exist, exorbitant, exordium, exotic, exude, exult.* As *x* is pronounced [gz] in Fr, one might suppose that the E pronunciation was simply due to the Fr, but it is evident that the two phenomena are mutually independent, because (a) the E voiced sound is exclusively found after a weak vowel, while Fr has [gz] also in the class of words that we are now going to consider, in which E has [ks], and (b) because E has the same change in words that do not begin with *ex-* and which in Fr have always [ks]. That the E phenomenon is dependent on stress is shown by the following words having [ks] after a stressed vowel (main stress or secondary stress): *execute* (whence also *executer*), *exercise, exhalation, exhibition* (whence *exhibitioner*), *exhortation* (these, too, with mute *h*), *exorcize, exultation.* The noun *exile* is always [ˈeksail], the verb either [igˈzail] or [ˈeksail]; the adj. *exile* is always [igˈzail].

Outside this prefix we have the voicing in *Alexander, anxiety* [æŋˈzaiiti] (but *anxious* [ˈæŋ(k)ʃəs]), *luxurious* and *luxuriance* (in which [gzj] has in the pronunciation of many become [gʒ]) (but *luxury* with [ksj] or [kʃ]). *Hexameter, hexagonal* have often [gz], but *hexagon* (stress on the first syllable) only [ks]. *Auxiliary* has [gz] much more often than [ks]; *axillary* is found with both pronunciations. According to D. Jones *proximity, Quixotic, taxation* and *uxorious* have [kz] by the side of [ks]; Wyld has [kz] in the last word only. It cannot surprise us that *vexation* has [ks] from *vex,* and that such a learned word as *doxology* has only [ks].[1]

I do not know at what time *x* was voiced in English. Hart 1569 has *eksampl.*[1]

Final *x* is not voiced: *Essex.* Nor is [ks] voiced in words spelt with *c: except, accept, success* (*access* often stress on the first syllable).

(5). *tʃ*.

(5). The transition [tʃ > dʒ], which is often though not always shown in the spelling is found first in some cases in final syllables: *knowleche* (thus Ch, Caxton) > *knowledge;* Stratmann quotes *knawlage* from Perceval (15th c.); Cath. Angl. (1483) has *knaw-ledge* both as sb. and. vb., *knowledge* is found in Latimer, Bale (16th c.), More U 220, etc. Hart, Gill, etc. have only the voiced form.

ME *partriche* (in Ch stressed on the second, later on the first syllable), Caxton R 49 *partrychs* > *partridge,* thus nearly always in Elizabethan times, though Ben Jonson has *partrich* (Volp. IV.2). ME *cabach, caboche,* in NED with *ch* as late as 1688, but with *-ge* as in mod. *cabbage* as early as 1570; Hargreaves gives [kabitʃ] in Adlington (Lancash.). An obsolete verb *caboche* (OFr *cabocher*) 'cut off the head of a deer' has *ch* in NED 1425, but as early as 1530 *kabage. Carriage* in the meaning 'vehicle' is derived from, or at any rate influenced from, *caroche,* Fr *carroche,* It *carrocio.* Fr *cartouche* > *cartridge,* oldest ex. in NED 1579 *cartage;* besides this form with initial stress we have a later loan *cartouche* with final stress. *Eldritch* (chiefly Sc.) 'weird, ghostly' has forms with *-age* in the 16th c. (*Galosh, -che* has subsidiary forms in *-ge,* probably stressed on the first syllable). *Ache* 'pain' sb. had formerly the sound [tʃ] (while the vb had and has [k])—a dialectal compound is *eddage* = 'headache'. From the other word *ache* (apium) we have

---

[1] *Sample* from *example,* and *Saunder* from *Alexander* may have been developed before the voicing of *x* in the full words.

smallage. ME *luvesche* (ligusticum levisticum) has become *lovage.* From OFr *lavache* 'deluge of rain' we have an obsolete form *lava(i)ge;* if *lavish* has become the standard form the reason is assimilation to the adj. ending *-ish.* ME *oystryche, ostriche* > *ostridge* (thus or *estridge* in Sh.) ; Mulcaster 1582 has *ostridge* or *estridge;* Lyly has *austrich* in the first ed. of Euphues 1580, p. 341, but in the second ed. 1582 *ostridge;* now the spelling is *ostrich,* but the sound [-idʒ] is probably still more frequent than [-itʃ]. The plant-name *orach(e)* is found with *-ge* in earlier times (NED 1430, 1440), thus also Butler 1633. *Spinach* (Lat. *spinacea*) is pronounced [spinidʒ] much more frequently than [-itʃ]; the spelling *spinage* is found as early as 1530, but the same spelling is found in OFr alongside of *-ache.* By the side of *stomacher* we find the form *-ager;* Walker gives the pronunciation *"stum-mid-jer"*, but the pronunciation with [k], cf. *stomach,* has prevailed (Jones, Wyld) ; the word is archaic. *Sausage* seems to be found in English with *-ge* only, but it comes from OFr *saussiche.*

We have the same transition in a great many place-names in *-wich;* in these [w] has disappeared as in the corresponding forms in *-wick: Greenwich* [grinidʒ], *Harwich* [hæridʒ], *Norwich* [nɔridʒ], *Bromwich* [brʌmidʒ], *Woolwich* [wulidʒ]. The official spelling is changed in some names which contain the same ending: *Guttridge, Cowage, Swanage* (from *Swanawic*). *Sandwich:* "The place-name ... [sænwitʃ], but some say [sænwidʒ] and some say [sænidʒ]" (D. Jones, *Engl. Phonetics,* 3rd ed. 1932, 150). In the common name ('slices of bread with meat' etc.) [-widʒ] is probably more common than [-witʃ], though some authorities deny this. But *Ipswich* and *Droitwich* are [ipswitʃ, droitwitʃ]. Are these forms spelling-pronunciations, as I thought formerly, probably in accordance with most phoneticians? This seems doubtful, for why should the spelling have been more influential in these than in other names? There may be a purely phonetic reason, namely that while in all the other names the result of the dropping of [w] is a perfectly smooth phonetic form, short vowel + single consonant before the ending, this is not the case in *Sandwich, Ipswich, Droitwich,* where the heavier sound-group (possibly with half-stress on the ending) would therefore tend to preserve both [w] and the final voiceless sound.[1]

Aldrich is generally pronounced [ˈɔldridʒ] in England, but I have heard [-itʃ] in America. (Mod. *Aldersgate* in London is ME *Aldrichesgate,* London E. 48).

A different development of *-ich* in weak syllable is found in *every,* ME *everich(e)* from OE *æfre ælc,* and in adjectives and adverbs in *ly* < *-lic, -liche,* as well as in the pronoun OE *ic* > *I.*

Between a weak and a strong vowel [tʃ] has become [dʒ] in *ajar* from the OE sb *cerr, cierr* 'turn'. NED has *on char* 1513 and *at jar* 1708 (Swift); the spelling in one word *ajar* is there only exemplified from 1786 on. Note Dickens Pickw. 381, where Mrs. Cluppins says, "when I see Mrs. Bardell's street door on the jar", which the little judge does not understand and has to have explained "partly open". In Sherriff's "The Fortnight in September" (T) 45 I find "the scullery window's ajar ... the window's just left on the jar", cf. NED.

Under *jowl, jole* 'jawbone, jaw' NED gives as etymology OE *ceafl,* ME *cheafl, chefl, chæfl, chauel* and other forms, and then adds: "The later *jowle, jowl, joul, joll, jole* is not a regular development ... The origin of the *j* ... is at present unaccounted for". Is it too fanciful to think, as I suggested in 1891, that *j* arose here (as in *ajar*) in a fixed combination, in which [tʃ] came between a weak and a strong vowel, namely *cheek by jowl,* which, as a matter of fact, is used more often in colloquial speech than the word by itself. According to NED *j* appears in this phrase earlier (1577) than elsewhere. It is interesting to note that some dialects have re-established the alliteration by forming *jig by jowl* (see EDD): The question is complicated by the existence of two other words *jowl,* in NED treated as separate, and by the coexistence of the forms *chaw* and *jaw,* which are synonyms of *jowl.*

Independently of our formula, thus independently of stress, we have alternation of [tʃ] and [dʒ] in some words of more or less clearly onomatopoeic character: *splotch : splodge | smutch : smudge |* ME *grucchen : grudge | botch : bodge | catch : cadge | chunk : junk.*

---

[1] The local form for Birmingham "Brummagem" is sometimes supposed to be developed from *Bromwicham,* which has never been discovered to exist; Zachrisson explains the [dʒ] from *-ingja.*

The sound [ʃ] by itself has not been voiced in the same conditions as [tʃ]; thus we have till this day *finish, parish, English, foolish* and many others. This is evidently connected with the fact that at the time when the voicing took place in the other instances, the voiced sound corresponding to [ʃ], namely [ʒ], was not found as an independent phoneme in the language, but existed only in the group [dʒ]. But in some cases final [ʃ] was voiced, though then in the form of [dʒ]. *Skirmish* is found as *skirmige, -age* from 1567 on, see NED. This has become the well-known sporting term *scrimmage*. Samuel Pegge, Anecd. of the E. Lang., 1803, p. 68, writes: "*Skrimidge,* for *skirmish.* 'Skrimage' is jocularly used for *skirmish,* by Dr. Johnson, in his 239th Letter to Mrs. Thrale. It is a sort of rule with the Cockney to convert the *-isk* [sic, for *-ish*] into *-idge,* and the same with other similar terminations. Besides *skrimidge,* they have *radidges* for *radishes,* *rubbidge* for *rubbish,* *furbidge* for *furbish,* &c." Most of these are still found dialectally or vulgarly; *rubbage* thus in Caine, Manxm. 305, and Galsworthy, Fors. Change 41. Of course, the existence of the common suffix *-age,* pron. [idʒ], as in *passage, peerage,* etc. has been a concurrent cause of the change in such words.

On the other hand, northern dialects have forms in *-itch* for *-age* (*parritch*) in accordance with the universal tendency to unvoice final sounds.

When did the changes from voiceless to voiced which we have here been considering take place? Hardly all at the same time; for [tʃ > dʒ] we have, as mentioned, evidence in the spelling from the fifteenth century, but for the other changes spelling teaches us practically nothing. [ð] in pronominal words may be pretty early. With regard to [s] it should be noted that the early phoneticians have [s] in some cases where we now have [z], thus Hart (1569) has *observe* and *example* with *s.* But the voicing must have begun at about the same time: Mulcaster (1582) has [z] in *deserve, preserve* (and *conserve,* which now has [s]). Gill (1619, 1621) has [z] in *desert, resort,* (as well as *preserve, presume;* both [s] and [z] in *deserve*), but he has voiceless sounds in all compounds with *dis-,* in *ex-* (and in *resist,* printer's error?). On [z] in weak words see above, p. 363. We cannot be far wrong in thinking that the transition to voiced sounds had for the greater part been finished before the middle of the 17th century; later phoneticians agree nearly everywhere with present usage.

There is a phenomenon which to some extent offers a parallel to the voicing dealt with in this chapter, in so far as a transition to the voiced sound is found in weakly stressed syllables, but not in strong ones, namely the distinction some speakers make between [hw] or [w̥] in an emphatic *what? | why?* and [w] in *whatever | why the dickens,* etc. See MEG I. 13.51. But this distinction, which is far from universal, is probably much younger than the shifts of *f, th, s;* note also that here the voiceless sound is retained before, not after the strong vowel.

III.

The Role of Voice in the Grammatical System.

We have seen above that in OE the voice or absence of voice in the three fricatives f/v, þ/ð and s/z was in the vast majority of cases regulated perfectly mechanically according to position in the word: initially and finally voiceless, medially voiced.[1] The presence or absence of voice could not, therefore, be used to distinguish words; in modern linguistic parlance, the sounds [f] and [v] were not separate phonemes, but members of the same phoneme, characterized as labiodental fricative [f/v], and similarly [þ/ð] and [s/z] respectively.

In ModE this is totally different in consequence of a series of historical happenings, so that now [f] and [v], [þ] and [ð], [s] and [z] are in every way to be considered separate phonemes, capable of distinguishing words, e.g. *fine : vine, leaf : leave, thigh : thy, teeth : teethe, zeal : seal, ice : eyes.* This has been brought about through (1) the importation of a great many words, chiefly French, beginning with voiced fricatives, e.g. *vain, zone,* or having voiceless sounds medially, e.g. *defend, descend;* (2) the adoption of a few words with initial [v] from those southern dialects that changed

---

[1] Exceptions are only found in immediate contact with voiceless stops, as in *æfter, blips* (later *bliss*), *be(t)sta, wascan, weaxan, fiscere;* and then in a few instances of geminated voiceless sounds, e.g. *pyffan, offrian, sceppan, moppe, cyssan, assa.*

[f] to [v], e.g. *vat, vixen.* (3) the loss of final *-e* made a number of voiced fricatives final which owe their voice to their medial position: *love, bathe, rise,* etc. (4) the changes considered above in ch. II made some final voiceless sounds voiced, as in *of, with, sons, as,* and on the other hand made some initial sounds voiced, e.g. *the, this.*[1]

We shall now see how the distinction between these voiceless and voiced sounds is utilized in the English grammatical system.[2]

A. Plural.

The plural of substantives in OE *-as,* ME *-es,* now according to circumstances *-es* or *-s.*

Here we have the regular alternation, e.g. in AR 174 *þeof,* pl. *þeoues* | 212 *knif,* pl. *kniues,* and we must assume that the same alternation took place with *þ, ð,* and *s, z,* though it is not apparent in the writing. In Ch we have *-f,* pl. *-ves,* though sometimes the MSS have pl. forms like *wyfes, archewiffes.* Similar forms are found now and then in texts from the 14th and following centuries, e.g. London E 200 *sugar loofys,* Mandev. 113 *thefes,* 173 *knyfes,* 176 *lyfes,* 179 *wyfes* (but 98 *loves*) | More U 156, 225 and other places *wyfes* (but elsewhere *wyues*), 247 *wulffes;* in some cases one edition has *-fes,* and the other *-ves. Turf* now has pl. *turfs,* Ch E 2235 *turves* (still in Wharton's Grammar 1655), More U 29 *torues,* but 280 *turfes.* OE *clif,* pl. *cleofu* is split up into two words, *cliff,* pl. *cliffs* (Ch MP 3.161 *cliffes*) and *cle(e)ve.* In *nerve,* ME *nerf* as in Fr, *v* is due to Latin rather than to the pl.

The only Fr words in which this alternation has survived, is *beef, beeves;* but formerly here and there *-ves* was found, where *-fs* is now universal: Caxton R 64 *kerchieuis,* More U 245 *mischeues,* Ascham S 78 *mischieues,* Bale 3 Lawes 1156 *myscheues,* but early quotations for *mischiefs* are found in London E 97, Sh sometimes in the quartos *grieues, greeues.*

---

[1] See also on these new phonemes my paper on *Monosyllabism in English.*

[2] The following pages do not give all the material collected in the thesis of 1891, as I hope to be able to deal fully with all these things as far as they concern ModE in the morphological volume of my *Modern English Grammar,* the MS of great parts of which has been ready for some years.

In some words forms in *-ves* and analogical forms in *-fs* have long been struggling for predominance: *hooves, hoofs, wharves, wharfs,* etc.

Sg. in [þ], pl. in [ðz], is found in many words after a long vowel, *paths,* etc. *Clothes,* the regular pl. of *cloth,* is now rather to be regarded as a separate word, (mass-word), the old pronunciation is [klouz]—and a new pl. is formed, *cloths,* with varying pronunciation, as in other similar forms. After a short vowel and a consonant [þs] is sounded: *deaths, months,* thus also *births,* etc.

The only surviving instance in standard English of sg [s], pl [ziz] is *house.* Hart gives *z* in the pl. of *use.* Nowadays *faces, places, prices* with [ziz] are said to be very common colloquially in the Midlands and elsewhere.

B. Genitive.

The gen. in *-es,* now *-s,* must have had the same voice change as the pl., though I am able to demonstrate it for *f* only. The gen. of *wife* was always *wyues* in Ch and Caxton; *wiues* is also regularly written in Sh and the Bible, though modern editions 'correct' into *wife's,* which is found as early as More U 300. The last trace of the old form that I know of is Walker 1791 § 378 "we often hear of a wives jointure".

Life: AR 190 *his liues ende,* Ch (always) *lyves,* Sh has both forms.

Staff: the old gen. was kept in the phrase *at the staues ende,* Ch MP 7.184, Sh Tw V. 292.

Wolf: no later example of gen. *wulues* is known to me than Caxton R 76 (but 53, 96, 106 *wulfis*).

Knife: Sh has twice *a kniues point.*

Calf: Sh has some instances of *calues,* and this gen. is found till this day in compounds (used by butchers and housewives), like *calve's-head, calve's-foot* and others.

The voiced genitives had naturally greater power of resistance in fixed compounds; in free combinations *-f's* has long been universal.

C. Dative.

The only other case of interest to us in this connexion is the dative sg. AR has *of wulue* (252), *steue* (200) and *steaue* (290) from *stef* (290) 'staff'; we must accordingly assume the voiced sound in *of þe muðe* (80), *to muðe* (88), but forms without -*e* and accordingly with voiceless sound occur also: *mid muð* (186). We have *under rof* (142) and *under roue* (150), cf. Ch HF 1949 *on the roue*. Some vacillation, which may be connected with the gender of the word, is found in AR with *half* 'side': *a godes halue* (22, 104), *a godes half* (58), *of godes half* (106), *on eueriche halue* (50), *on ilchere half* (132), *an oðer half* (often), *in þere vorme half* (158), both forms immediately one after the other p. 112 and 304. Ch has generally *half*, MP 3.370 *a goddes halfe*, but also *on youre bihalve* (B 2985, T 2.1458), *on my behalfe* (LGW 497). Caxton R 41 *on your behalue*. London E 32 *on the kyngges half*, cf. 96, 97; *on … behalve* 65, 82, 98.—Ch LGW 439 *of wyve*, 2573 *upon his righte wyve*, but 520 *of this wyf* (:: *in her lyf*). London E 214 *to Alys my wyue*, 215 *of Alys my wyue*.—The only word in which the *v*-dative has been preserved is *alive*, OE *on life*; the same form was formerly used in other combinations, e.g. AR 38 *to blisfule liue*, etc., Ch LGW 434 *in al his lyve*, etc. Cf. Scotch *belive* = Ch *blyve* 'fast', OE *be life*.

D. Adjectives.

Adjective inflexions. OE words like *leof, laþ, wis* naturally had voiced consonants in all the inflected forms, as well as in the derived adverbs in -*e*. In AR we have the original alternation kept in 46 *ðe halue dole* | 412 *þet oðer halue ȝer* | Ch uses G 286 *they been deue* (rhyming with *to leve*), pl. of *deef* 'deaf'.—The most important word is *leof*; in AR we have, for instance, 250 *leof freond … his leoue ureond* (Morton erroneously *freond*, corrected by Kölbing) … *leouere*. Ch C 760 *leef* rhyming with *theef* | F 572 *Ne never hadde*

---

[1] NED thinks that *grave*, OE *græf* owes its *v* to the especially frequent occurrence in the dative. [?] No such reason is given s. v. *grove*, OE *gráf*. In *glove*, OE *glóf* and *hive*, OE *hȳf*, *v* is due to the usual ME addition of -*e* in fem. nouns.

I thing so leef, ne lever, thus innumerable times; in the 'vocative' generally *leve brother*, etc., but HF 1827 *Lady, lefe and dere!* the comp. is *levere*, but exceptionally LGW 75 *leefer* in the A-version, in B 191 *lever*. Later there is a good deal of uncertainty; alongside of *lief* we find *lieue, liue* in Sh. (e.g. Cor. IV. 5. 186), Swift T 127 *I had as lieve*. In the 19th century the word is used as an archaism only, and with great vacillation, *lief, lieve, leeve,* and in the comparative *liever, liefer* (both these forms in Tennyson). *Stiff* is from the uninflected form (but the short vowel is exceptional, as we must suppose that OE *stif* had long *i*); Mod Sc *steeve* (comparative *steever* Scott, Ant. 2.109) is from the inflected form of ME *stef*.—With regard to *th, loth* (*loath*) and *worth* have their [þ] from the uninflected, but *smooth* its [ð] from the inflected forms, or rather from the originally adverbial form, for the adj. was *smœðe, smeðe* (cf. *swete* adj., *swote* adv.).—*Wise* with [z] is from the inflected form; Ch A 309 had sg. *wys* rhyming with *parvys*, but 313 pl. *wyse,* rhyming with *assyse;* cf. E 603, 695, 740, G 496, 553. Wallis (1653) p. 79 and 80 has *wise* with a long *s*, which he uses for the voiceless sound, and this is still found in Scotch dialects, see Murray 126.—The Fr words *safe* and *close* have voiceless sounds.

We may here mention also *self*. In ME we find *him self* alongside of *him selue* (orig. the dative), *hir self* and *hir selue, hem self, hemselven* and other forms. In *thy self*, etc., *self* is treated as a sb., and later we find the now usual forms *ourselves, themselves*, etc.

E. Numerals.

Numerals had formerly two forms, distinguished in the same way as in North German colloquial speech, where a form in -*e* is used when the word stands alone (as primary), and the shorter form as secondary: *zehne : zehn kinder, fünfe* (often pronounced *fymvə*) : *fünf mark*. Thus in AR *tene* (46 alone): *þe ten hesten* (28) / *sixe* (298): *six stucchenes* (298) and with consonantal alternation *þeos fiue* (18), *ðe vormeste viue* (18, 22), *þe oðer viue* (22): *fif siðen* (18), *fif auez* (18) / *tene oðer tweolue* (200; 424) : *tweolf apostles*.[1] In the same way in Ch, e.g. F 391 *with fiue or six* / F 383

---

[1] Cf. the distinction in AR between *seouene* (24, alone) and *seoue psalmes; alle niene* (22): *nie lescuns* (22), now *seven, nine* with *n* from the primary forms.

twelue (primary, rhyme *hir selue*); cf. G 675, 1002 : B 3602 *fyf yeer;* B 3845 and E 736 *twelf yeer;* sometimes, however, as in G 555 *fyve myle;* always perhaps *fyve and twenty yeer* (A 2173, B 12). In later times the originally primary forms were the only ones preserved: *five, twelve.*

F. Derivatives.

In derivatives from words ending in one of the three voiceless fricatives we have very often voiced consonants, but it is quite natural that voiceless consonants have been introduced analogically. We shall take each ending separately.

Adjs. in *-y:* here we see voiced consonants in traditional words and voiceless in analogical new-formations, thus *leavy* (Sh. Mcb. V. 6.1, Ado II. 3.75, rhyme *heavy;* Milton Co. 278), now *leafy; scurvy* subsists, but in the sense 'mean, contemptible' it is not so directly associated with *scurf* as *scurfy.* Both *shelvy* (Sh.) and *shelfy* occur; *turfy. Th* is voiced in *worthy, mouthy,* but voiceless in most cases: *pithy, earthy, lengthy,* etc. *Lousy* has [z]—thus also generally *greasy,* though it is from a Fr word; D. Jones says that many speakers have [z] and [s] in different meanings.

Adjs. in *-ish. Wolvish* (Bale Thre L. 1073, 1211, Sh.), now *wolfish. Thievish* has prevailed over *thiefish; elvish* and *elfish* are both found, thus also the rare *wivish* and *wifish; dwarfish* (Marlowe, Sh.), *selfish.*

Adjs. in *-less:* the old form was *liveless* (Dekker F 1229, Sh. and Milton always), but *lifeless* has prevailed. Malory 37 has *wyueless,* but the prevailing form *wifeless* is as old as Ch (E 1235). *Clotheless,* see NED.

Adjs. in *-ly: v* is preserved in *lively; wifely* has prevailed over *wively.* Advs. in *-ly* follow the sound of the adj.: *wisely, safely* (but London Engl. 67 *sauely*).

Adjs. in *-ed: long-lived, short-lived,* always written thus, but the pronunciation is not so certain; the usual pronunciation seems to be [-livd] (thus Professors Mawer, Moore Smith; D. Jones s. v. short-lived), but H. W. Fowler says that the right pron. is [-laivd], "the words being from *life* & not from *live*". But in *high-lived* and *low-lived* (both in Goldsmith 17, 22) one would say [-laivd], as also in "some hundred-wived kinglet" (Kingsley Hyp. 239). *Round-leaved* more frequent than *-leafed;* both *hoofed* (Kipl. J 2.98 sharp-hoofed) and *-hooved* are found. Words in *-thed* (wide-mouthed, etc.) have no fixed pronunciation [-ðd] or [þt].

Verbs in *-en: deafen, loosen* and the rare *smoothen, blithen* have the same consonant as the adj., *lengthen* and *strengthen* as the sb.

Adjs. in *-en: brazen, glazen,* from *brass, glass.* But *earthen* has the voiceless sound. *Heathen* is not felt as a derivative of *heath.*

Adjs. in *-ern: northern, southern* [ð].

Adjs. in *-ous:* change in *grievous, mischievous* (Fr, cf. above p. 374).

Sbs in *-er: heather* [heðə] is hardly felt now as derived from *heath* [hi·þ]. A *'lifer'* is used for one who is sentenced to prison for life; London V 76 has "the low-lifers". Most words in *-er* are derived from verbs and have the same cons. as these. Thus also *thievery,* but note *housewifery,* in Greene FB and elsewhere *huswifery; smithery* has [þ], NED. Note *glazier, grazier, clothier* [ð].

Various other instances: *wolverine, elfin, wharfage, selvage* or *selvedge* (MDu *selfegge*); *thiefdom* or *thievedom; wifehood, wive-hood.*

G. Verbs.

In the verbs, too, there were alternations, but here the voiced sounds were from the first in the majority, because most of the OE endings were vocalic. Final consonants were found only in the imperative (sg.), e.g. AR 274 *drif* (cf. 244 *driuende*) and in the strong preterits, e.g. AR *gef* (but pl. *geuen*)[1]; this is still found in the fifteenth c., e.g. Malory 75, 156 *drofe* / 94 *gaf*, 121 *gafe* / 115, 122 *clafe* / 114 *they carfe and rofe in sonder,* thus transferred to the pl. / Caxton R 17, 35 *droof* / 18 *shoef* / 20 *gaf*, 21 *they gafe* / 83 *strof* (from *strive*). These forms in voiceless consonant were gradually discarded through analogical formations, the voiced sound prevailing even in cases like *rose* (Mal. 112 *aroos*), *gave*, etc. In this

---

[1] Similarly in the perfecto-present: OE *ah*, pl. *agon*, AR 100 *treowe ase spuse ouh to beonne*, 108, etc.—Cf. also above, p. 353, on Ayenbite. Curiously enough, final *f* is found sometimes, not only in northern texts, in the infinitive and present, thus London E 43 ʒif, 79 ʒef, 111 gif, 220 y forgyf, 196 hafe pres. pl., 106 ough inf. 'owe'.

way voice alternation became a constant means of distinguishing nouns with the voiceless from verbs with the voiced sounds.

f : v (in some cases with vowel change as well):
life : live | *half : halve*, etc. Fr. words: *safe : save* | *strife : strive* | *grief : grieve.*

Special remarks: the vb. *stave* may be considered a new formation after the new sg. *stave. Deave* from *deaf* (OE (*a*)*deafian*) lives on in Sc, see Burns, Scott OM 83 *dinna deave the gentlewoman wi' your testimony!* An analogical formation is the vb. *deaf* (from 1460 to Byron), expanded *deafen.* The sb to *delve* is *delf*, but that is "now only local", NED. There is a vb *wolve* 'behave like a wolf', but also a younger vb *wolf* in the same sense and 'eat like a wolf'.

Some vbs are formed analogically in -*f*: *elf, scarf, sheaf* (all in Sh.), *knife, staff; dwarf* from the 17th c.

The distinction f:v has entered so far into the general consciousness, that new sbs are formed, where there were formerly sbs in *v*: *belief;* the sb in -*ve* lived on till the 16th c., e.g. AR 2 *bileaue*, Wycliff Rom 11.20 *vnbileue*, Caxton R 119 *byleue.* Alongside of the sb *make-believe* containing the inf. we have a rarer *make-belief*, e.g. Lytton K 423, Barrie TG 179, Maxwell G 61 (but in other places -*ve* as sb), Sherriff F 170, Benn Prec. Porcel. 199, 261; cf. Dickens Ch 81 (she) *made belief to clap her hands.*

Corresponding to the Fr sb *preuve* ME had forms in -*ve*, AR 164 *preoue*, Ch *proeve, preve*, Fulgens 80 *proues;* but Ch and Mandev. (161, 178) had also *preef*, and now we have *proof.* In the same way ME *reprove*, Mandev. 171 *repreef*, now *reproof* (but in a different sense Ch *repreve* and still *reprieve* sb) and ME *releue* (Latimer in Specimens 2.166), now *relief* (Ch B 1080 *in relief of*, with stress on *re*).

þ:ð: *breath : breathe, cloth : clothe, mouth : mouth, loth : loathe, teeth : teeth, wreath* (Cf. MEG I. 6.92): *wreathe;* with change of meaning *sooth : soothe.* In *sheath* (OE *sceaþ, scæþ*) the ME forms for the sb in -*e* should make us expect [ð] in the sb, but it has [þ]; the vb is *sheathe* with [ð]. There is a new vb *tooth* with [þ].

OE sb *bæþ*, vb *baðian* give regularly *bath, bathe;* but there is also a new vb *bath* (bath the baby) and a new sb *bathe* (e.g. Tenny-

son Life 2.117 I walked into the sea and had a very decent bathe);
this is not used in America, where *swim* is the usual expression.

s:z. The ordinary alternation is found, for instance, in *house,
louse, mouse; use* (note that the same alternation was found in
OFr: *us : user*[1]), *advice : advise, diffuse, device, devise.*

Grease sb [gri·s], vb [gri:z] in spite of Fr vb *graisser.* Curiously
enough the sb is spelt *greaze* in Sh Mcb IV.1.65.

Rise, vb. with [z], OE *risan,* ordinarily *arisan.* The sb. dates from
1400; old dictionaries, Sheridan, Walker, Stephen Jones, Fulton,
Jameson, Smart give the pronunciation [s], Elphinston 1765 says
that *rise* 'the rising' sounds like *rice.* Sapir, *Language* (1921) 78
says that many Americans extend the principle found in *house* sb.
and vb. to the noun *rise* (e.g. *the rise of democracy*). He thus thinks
this pronunciation recent. This old [s] must have arisen in the same
way as *f* in *belief;* later dictionaries give only [z] in the sb; thus
also Ellis, Plea for Phon. Spelling 1848, who says that the distinction
"is not usual, both words being pronounced [raiz]."[2]

Excuse sb [s], vb [z]. As Fr has the sb *excuse* with [z], the
E sb (with [s] as early as Cooper 1685, perhaps earlier) must have
developed analogically in the same way as *belief.*

Close sb. and adj. [s], vb. [z], ME *closen,* no Fr corresponding
vb. New sb [z] in the sense 'completion', e.g. "draw to a close",
spelt *cloze* in Sh H4A I. 1.13 "cloze of ciuill butchery". But there
seems to be some confusion, and some speakers pronounce the sb.
with [s], others with [z] in all significations.

Refuse sb ['refju·s], vb [ri'fju·z], thus with different stress; as
the meanings are also widely apart, the two words are hardly felt
as belonging together in the same way as the other pairs.

Glass sb, *glaze* vb. New: *glass* vb in various significations 'glaze;
mirror, reflect'; *glaze* sb 'act of glazing, superposed coating'. *Grass*
sb, *graze* vb. New: *grass* vb 'place on grass, knock down; plant grass

---

[1] Note the voiceless sound in the vb *used to,* see MEG IV. 1.9.

[2] This is one of the innumerable instances in which one regrets that NED, which
is careful to record all, even the most insignificant, medieval and modern variations in
spelling, pays no attention to earlier variations in pronunciation, in spite of the fact
that Dr. Murray was one of the earliest disciples of Bell and expressly says that "The
pronunciation is the actual living form or forms of a word, that is, the word itself, of
which the current spelling is only a symbolization." (NED I p. *XXIV.)

on'; *graze* sb 'pasturage; act of touching lightly, of shot'.—*Brass* sb, *braze* vb 'ornament with brass; make hard', e.g. Sh. Hml. III.4.37 if damn'd custome haue not braz'd it (heart) so, That it is proofe and bulwarke against sense. New: *brass* vb 'coat with brass; cover with effrontery:' *to brass it* 'behave with effrontery'.

Noose; Ellis gives [s] in the sb and [z] in the vb, but this is not universally recognized, some have [s] in both words, thus NED, others [z] in both.

Gloss sb 'explanatory word', *gloze* vb, formerly 'interpret', now generally 'extenuate, put favourable interpretation on' (Butler Erewh. Rev. 128 "by putting his own glosses on all that he could gloze into an appearance of being in his favour"). This pair, however, does not properly belong here, as there is an old sb *glose*, from OF *glose*, med. Lat. *glosa*.

Price sb, OF *pris*, Lat. *pretium*, now Fr *prix*, *prize* vb, ME *prisen*, now chiefly in the sense 'value highly'. New: *price* vb 'note the price of' (Dickens Domb. 308 she had priced the silk), and *prize* sb 'reward': in this sense Ch had *pris*, with [s], as shown by the rhymes A 67, 237.—Note that etymologically *praise* belongs to these words, though now it is completely differentiated from them, OF *preisier* from Lat. *pretiare*. To this a sb, also with [z].

Practice sb, *practise* vb with [z], see above, p. 363; now both with [s].

Promise: Smart gave [s] in the sb, [z] in the vb, Walker [z] in both; now [s] in both.

Sacrifice similarly, Smart [s] sb, [z] vb, other old dictionaries [z] in both, now [s] in both.

An old difference in sound is perhaps indicated in the spellings *licence* sb, *license* vb, but now they have both of them [s]. (*Prophecy* sb, *prophesy* vb are distinguished by [-si, -sai]).

Besides the pairs already mentioned there are several other cases in which sb and vb have the same final sound, e.g.:

v: *love, move, drive.*

f (only when this sound is not original): *dwarf, laugh, rough.*

z: *ease, cause, gaze, surprise, repose.*

s: *pass, dress, press, base, face, place, voice.*

Final Note. In this paper I have purposely left out of account the back (and front) fricative written in OE *h*, pronounced finally [x] or [ç] (German ach- und ich-laut respectively) and medially with the corresponding voiced sounds and there generally written *g*. The treatment of these sounds is of course much the same as that of *f*, etc. We have in OE the alternation *woh : woges* (also with vocalization *wos*), *beah : beages*, etc., ME *dwergh : dwerges, dwerwes, dweryes,* etc. Cf. Orrm 1671 *fra wah to waȝhe.* In ME we must at some time have had the inflexion *hih* [hi·ç]: *highe* [hi·(j) ə]. Final [x] later in many cases became [f]: *dwarf, rough,* etc. See on these sounds and their fates MEG I 2.92, 2.93, 10.1, 10.2, on the distinction between *enough* sg and *enow* pl MEG II 2.75.

MONOSYLLABISM IN ENGLISH[1]

SINCE the very first beginning of the truly scientific study of languages as such, i.e. since the beginning of the nineteenth century, it has been customary to speak of one great class of languages as monosyllabic or isolating in contradistinction to agglutinative and flexional languages, and to take Chinese as a typical example of these monosyllabic languages; further it has been very often remarked that English in the course of its development in historical times has in many respects come to approach that type. The gradual change through which English had acquired more and more of the structural traits found in Chinese was formerly looked upon as decay from a more developed to a more primitive type, as Chinese was considered a specimen of the most primitive or, as it were, childish stage in linguistic evolution; nowadays one is much more inclined to see in this development a progressive tendency towards a more perfect structure;[2] besides, the dogma of the primitivity of Chinese has been recognized as completely wrong and due in a great measure to the peculiar system of Chinese writing with ideographical symbols which conceals from us the numerous changes that have made Chinese what it is, from a language that had quite a different phonetic and morphological structure.

It will be my task in the present paper to examine a little more in detail than has been done up to now the points of similarity and dissimilarity found between English and Chinese monosyllabism, and after a brief discussion of the causes that have led to monosyllabism

---

[1] Biennial Lecture on English Philology, read before the British Academy, Nov. 6, 1928.

[2] *Studier over engelske Kasus* 1891; *Progress in Language* 1894; *Language, its Nature, Development and Origin* 1922.

to try to find out the extent to which monosyllabism has been carried in English, and finally to examine the consequences of this tendency and its importance for the whole structure of the language.

It is hardly necessary to dwell very long on the obvious fact that strong as is the tendency towards monosyllabism in English, the language nevertheless is to a very great extent made up of words of two or three or even more syllables. Such words are partly native, partly of foreign origin. The first are words which from the point of view of Modern English are etymologically irreducible, e.g. *daughter, little, seldom, bitter, follow,* or the numerous words formed from shorter words by means of derivative or flexional endings or prefixes, e.g. *handle, fasten, wooden, sleepy, hatter, hotter, handed, horses, below, along,* or finally compounds like *handful, postman,* &c. Secondly, we have those innumerable polysyllables which have come in at various times from a great many other languages, especially the classical languages, words like *music, literature, philosophy,* and most of the technical words belonging to these and similar spheres, but also from other languages words like *chocolate, tomahawk, caravan,* &c. As all these words are used very frequently not only in the speech and writings of learned or scholarly people, but in the most everyday style, they are so essential to the language that it is impossible to characterize English as exclusively or even mainly a monosyllabic language. And yet it is much more monosyllabic than any of the cognate languages.

It is easy enough in English to build up whole sentences consisting exclusively or chiefly of monosyllables, e.g. 'Last week John gave his young wife a smart, small, cheap, straw hat'; we have many monosyllabic proverbs and similar sayings, like 'First come, first served', 'Haste makes waste, and waste makes want', 'Live and learn'; cp. also the Biblical 'In the sweat of thy face shalt thou eat bread' and 'Thou shalt not steal'. From poets we may quote 'Love no man: trust no man: speak ill of no man to his face; nor well of any man behind his face' (B. Jonson), 'And ten dull words oft creep in one dull line' (Pope), 'Then none were for the party; Then all were for the state; Then the great man help'd the poor, and the poor man loved the great' (Macaulay), 'The long day wanes: the slow moon climbs: the deep Moans round with many voices' (Tennyson), and so on down to the hymn of the I.W.W. (International Workers of the World): 'Work and pray, Live on hay; You'll get pie When you die.'

Monosyllables constitute the most indispensable part of the English vocabulary and are with few exceptions those words which the small child learns first. It has proved possible to bring out children's books containing not a single word with more than one syllable, and in Professor Edward L. Thorndike's careful calculation of the words which are found to occur most widely in English, the list containing the 500 most frequently used words comprises 400 monosyllables, and only 100 words of two or three syllables.[1]

What are the causes that have led to this predominant mono-syllabism in English? In the first place we must here mention the tendency found in all languages, but stronger in English than in most other languages, to pronounce non-stressed vowels indistinctly and finally to leave them out altogether, if superfluous for the under-standing. Through this, especially through the mutescence in the fourteenth century of a very great number of weak *e*'s (correspond-ing to fuller vowels in earlier periods), many words have been reduced to monosyllables. The extent may be judged from the simple fact that on one page of narrative Old English prose (the first page of Wulfstan's report to King Alfred) no less than sixty-nine words have been reduced from two or three syllables to one, while only sixteen have been preserved as polysyllables, and of these six have been reduced from three or four syllables to two.[2]

A great many of the words that came into the language later (from Scandinavian, French, &c.) were monosyllables from the outset, and others were later reduced from two to one syllable through the disappearance of the weak *e*. Thus in the first forty-two

---

[1] *The Teacher's Word Book.* Columbia University, New York, 1921.

[2] *King Alfred's Orosius,* ed. by Sweet, p. 17: *sæde* 3 said, *hlaforde* lord, *cyninge* king, *ealra* all, *lande* 5 land, *buton* 4 but, *feawum* few, *þære* 3 the, *sumum* some, *wolde* would, *longe* long, *læge* lay, *oþþe* 5 or, *norðan* 2 north, *ealne* 2 all, *dagas* days, *meahte* 3 might, *dagum* 3 days, *(ge)siglan* 4 sail, *siglde* 2 sailed, *feower* four, *sceolde* should, *bidan* bide, *dorston* 2 durst, *healfe* half, *mette* met, *siþþan* since, *agnum* 2 own, *wæron* 2 were, *hæfdon* had, *cuman* come, *þara* the, *spella* spells, *sædon* said, *landum* lands, *utan* out, *geseah* saw, *þuhte* thought, *spræcon* spoke, *landes* land's, *habbað* have, ||*norþmest* northmost, *wintra* winter, *hwæðer* 3 whether, *ænig* any, *oþrum* other, *oþre* other, *ægþer* either, *ðider* thither, ||*norþweardum* northward, *sumera* summer, *fiscerum* fishers, *fugelerum* fowlers, *fisceras* fishers, *fugeleras* fowlers.

lines of *The Canterbury Tales* we find fifty disyllables which have now become monosyllables,[1] while a similar number of polysyllables have not been thus reduced.

Another phenomenon is also productive of monosyllables, namely what Dr. Murray termed 'aphesis', the loss of an initial syllable. Examples are very frequent with initial *a-* or *e-*: *down* from *adown*, *live* from *alive*, *pert* from *apert*, *spy* from *espy*, *squire* from *esquire*; but sometimes other initial syllables are thrown off, e.g. *fence* from *defence*, *sport* from *disport*, *vie* from *envie*.

Many monosyllables have arisen, not through any regular phonetic change, but through violent clippings of longer words. Such 'stump-words' are frequent in pet-names, e.g. the old *Meg* from *Margaret*, and more recent ones like *Di* for *Diana*, *Vic* for *Victoria*, *Mac* for *Macdonald*, &c. Outside proper names we find the same procedure, as in *mob* for *mobile*, *fad* for *fadaise*, *brig* for *brigantine*, which are no longer felt as abbreviations; further such more recent stump-words as *pub* for *public-house*, *sov* for *sovereign*, *gov* for *governor*, *zep* for *zeppelin*, and the numerous shortenings in schoolboys', journalists', and printers' slang which probably came into existence through written abbreviations: *math* for *mathematics*, *gym* for *gymnastics* or *gymnasium*, *prep* for *preparation*, *ad* for *advertisement*, *par* for *paragraph*, &c.[2]

In this connexion it is necessary also to mention abbreviations consisting in reading the alphabetical names of the initials of words, A.M. for *ante meridiem*, M.A. for *magister artium*, M.P., &c. This method, which is found in other languages, though not to the same extent as in English, has in recent times been everywhere much more frequently employed than formerly, chiefly, though not exclusively, during the war, which made combinations like O.T.C. for 'Officers'

---

[1] *sote, swete, droghte, Marche, perced, rote, bathed, croppes, yonge, sonne* 2, *halfe, yronne, smale, fowles, maken, slepen. ye, priketh, longen, seken, straunge, strondes, londes, shires, ende, wende, seke, holpen, seke, wenden, yfalle, alle, wolden, ryde, weren* 3, *wyde, esed, beste, reste, made, ryse, space, tale, pace, thinketh, telle, semed, inne.* The numbers in this as well as in the preceding note indicate the number of times the identical form occurs.

[2] The term 'stumpeord' was first used in Danish in my book *Nutidssprog* (1916; second ed. 1923 under the title *Børnesprog*), and I ventured to translate it into English in *Language* (G. Allen & Unwin, 1922, p. 169 ff.). The term has found its way even into Esperanto (*stump-vortoj*, W. E. Collinson, *La Homa Lingvo*, 1927).

Training Corps', G.H.Q. for 'General Head-Quarters', and many others known in wide circles.

There can be no doubt that the tendency thus variously shown to abbreviate long words has become much stronger in English than in other languages, because the natural phonetic development of English had accustomed English speakers to regard monosyllables as the normal speech material. This is seen even more characteristically perhaps in the not inconsiderable number of monosyllables without any ascertained etymology which have come into existence during the last few centuries—words' which have emerged, no one knows how, from the depths of linguistic subconsciousness and have become popular because they have been felt to be in agreement with the general structure of the English vocabulary, very often also because there has seemed to be a natural connexion between their sounds and their meanings.

This last remark of course is particularly true of echo-words or onomatopoeias, e.g. *swish, switch, swirl, squirm, squeal, squark, squawk,* &c., but the same may be said, though to a lesser extent, of many other recent or comparatively recent words. I am thinking of such words as *hug, pun, jib* (refuse to go on), *fuss, blur, hoax, gloat, toss, dude, dud, stunt,* &c.

English monosyllabism thus is seen to have sprung not from one, but from several sources.[1]

How many monosyllables are there in the English language? Before trying to answer that question it will be well to state the number of *possible* monosyllables in English—a number which can be calculated with comparative ease from the number of vowels and diphthongs in connexion with the number of consonants and consonant combinations allowed either before or after the vowel of the syllable.

It is well known that languages in these latter respects differ very considerably. Some languages require every word to end in a vowel, others admit final consonants, though only one in each word, and then there are generally some consonants they avoid in that position. Thus Italian admits only *n, r, l* at the end of a word, Old Greek only

---

[1] It may also be mentioned as characteristic of the English tendency towards monosyllabism that the long Narragansett Indian name of a kind of gourd *asquutasquash* has been adopted in the short form *squash*.

n, r, s (with *ks, ps*), to which must be added *k* in two words: *ek, ouk* (but then these forms occur only in the interior of a sentence under definite phonetic conditions). On the other hand the latter language admits some initial groups which are not often found, some of them, however, only in a few words, where evidently a vowel has dropped out at a comparatively late period: *tlēnai, tlētos, dmōs, thnēskō.* Each language thus has its idiosyncrasies in that respect. But English certainly goes very far both with regard to initial and final combinations, and few languages present such monosyllables as *strength, helps, stretched, scratched, pledged.*

There is an interesting passage in Herbert Spencer's *Autobiography* (i. 528) in which he calculates the number of 'good (i.e., presumably, easily distinguished) monosyllables that can be formed by the exhaustive use of good consonants and good vowel sounds' for the use of a contemplated 'universal language' on a purely *a priori* basis, thus on the same lines as Bishop John Wilkins's *Real Character and Philosophical Language* (1668) and totally different from those schemes of auxiliary languages on the basis of existing languages which a great many people nowadays think desirable and even possible for international communication. It is not easy to see what Spencer means by his 8 simple and 18 compound vowels and what simple and compound consonants he would admit in his scheme: he arrives at the number 108,264 good, possible monosyllables, but in later years suspected that the number of monosyllables would be considerably greater.

This to some extent agrees with my own calculation, which is based on the fact that English as now spoken admits 21 simple initial consonants [b, p, d, t, g, k, m, n, w, v, f, ð, þ, z, s, ʒ, ʃ, l, r, j, h],
45 initial consonant-groups [bl, br, bj, pl, pr, pj, dw, dʒ, dr, dj, tw, tʃ, tr, tj, gl, gr, gj, kw, kl, kr, kj, mj, nj, vj, fl, fr, fj, þr, þj, sp, spl, spr, spj, st, str, stj, sk, skw, skl, skr, skj, ʃr, lj, hw, hj],
18 simple final consonants [b, p, d, t, g, k, m, n, ŋ, v, f, ð, þ, z, s, ʒ, ʃ, l],
100 final consonant-groups [bd, bz, pt, pþ, pþs, ps, dz, dʒ, dʒd, dþ, dþs, dst, ts, tʃ, tʃt, gd, gz, ks, kst, ksþ, ksþs, kt, kts, mz, md, mp, mps, mpts, mþ, nz, nd, ndz, nt, nts, ntʃ, ntʃt, ns, nst, nþ,

nþs, ndʒ, ndʒd, ŋz, ŋd, ŋk, ŋks, ŋkt, ŋþ, ŋþs, vz, vd, fs, ft, fþ,
fþs, ðz, ðd, þs, þt, zd, st, sts, sk, sks, skt, sp, sps, spt, ʃt, ld, ldz,
lm, lmz, lmd, lf, lfs, lft, lfþ, ls, lst, lt, lts, lþ, lþs, lk, lks, lkt,
lkts, lp, lps, lpt, ltʃ, lv, lvz, lvd, lb, lbz, ldʒ, ldʒd].
21 vowels and diphthongs [i, i·, e, ei, æ, ə·, ʌ, a·, u, u·, ou, ɔ, ɔ·,
iə, ɛ·ə, uə, a·ə, ɔ·ə, ai, au, oi].

Now we cannot simply multiply these numbers with one another,
because it must be taken into consideration on the one hand that we
may have syllables beginning or ending with a vowel without any
consonant, and on the other hand, that the short vowels, like [i] in
bit, [e] in *let*, [æ] in *hat*, [ʌ] in *hut*, [u] in *foot*, [ɔ] in *hot*, cannot occur finally without a consonant. The result of my calculation
is that the phonetic structure of the English language as actually
spoken in our own times would admit the possibility of rather more
than 158,000 monosyllables.[1]

In the list of initial combinations we miss certain groups which
were found in Old English, but have disappeared or rather have
been simplified: *kn, gn, wr,* which have been preserved in writing:
know, gnaw, write; fn, which was found chiefly in echo-words
like *fneosan,* now supplanted by the equally expressive *sneeze,* while
Scandinavian has kept *fnyse, fnysa; hl, hn, hr,* at one time probably
simply voiceless *l, n, r,* and now supplanted by the corresponding
voiced sounds, just as *hw,* now written *wh,* has become voiced *w* in
the south of England and some parts of America.

In final combinations phonetic evolution has similarly lightened
a certain number of groups found in the earlier stages of the language, thus particularly those of which the spelling *-ght* still preserves
the memory, e.g. in *night, sought;* we may also mention the
disappearance of *l* in many words like *half, palm,*[2] and the vocalization and partial or complete disappearance of *r* in cases like *bird,
heart,* &c.

---

[1] Such a calculation must necessarily be arbitrary in some respects. *Wh* in *which*
[hw] has been counted as distinct from [w] in *with,* but combinations like [aiə] in
hire, cp. *higher,* [auə] in *our,* cp. *power (flour, flower),* are not counted as monosyllabic. The pronunciation or non-pronunciation of the middle consonant in such groups
as [mps, ntʃ, ndʒ], e. g. in *glimpse, inch, lounge,* does not affect my calculation.
Initial and final [ʒ] has been admitted on the strength of the words *jeu, tige, rouge,*
but in the normal English sound system this sound occurs only in the combination [dʒ]
and medially between vowels as in *measure.*

[2] But *lf, lm* have been kept after some vowels: *self, film.*

On the other hand we find in the list of sounds which are tolerated finally or initially in Modern English some which were not used in exactly the same way in Old English. These are sounds which have in recent times risen to the dignity of 'phonemes', the term in modern phonetic theory for sounds that can be used for distinctive purposes, i.e. to keep words apart which would otherwise be identical. The first of these modern phonemes is [ŋ] in *sing, long,* &c. Some languages, e.g. Russian, do not recognize this sound at all. Others, e.g. Italian, have the sound, but not as distinctive: it occurs as a variant of [n] and is pronounced whenever [n] should come before [k] or [g]: *banco, lungo,* thus also in consecutive words: *fin che, un gusto,* &c. But the sound is never found by itself. This must have been the state of things in Old English, though probably without the rule about adjoining words; *þing* was thus pronounced [þiŋg], as it is still in some dialects (Lancashire, Cheshire, &c.).[1] But in standard English final [g] was dropped after [ŋ], which thus became an independent phoneme, used, for instance, to distinguish *sing* [siŋ] from *sin, rang* from *ran, tongue* from *tun,* &c.

The three voiced spirants [v, ð, z] are also new phonemes in English, but did not exist as such in Old English. These sounds began to appear at an unascertainable period of Old English as voiced variants of the voiceless sounds [f, þ, s], but only medially under the influence of voiced surroundings, chiefly vowels. At the beginning and end of words these voiced spirants never occurred in Old English. If they are now found pretty frequently in these positions, this is due chiefly to two sound changes. First the dropping of weak *e,* which we have already seen as an important factor in modifying the whole phonetic aspect of our language: thus [z] became final in *choose, rise,* and a great many other words, [v] in *give, have, love,* &c., [ð] in *bathe, clothe, tithe,* and other words. Secondly, we have the voicing of these consonants after a weak vowel, which took place in English in the fifteenth and sixteenth centuries and forms a striking parallel to the famous 'Verner's Law' in prehistoric times.[2] This led to the occurrence of the sounds [v, ð, z] in final position in words like *with* (where the old pronunciation with voiceless [þ] is not yet

---

[1] J. Wright, *Dialect Grammar,* § 274.
[2] See above, p. 357 ff.

extinct), *of* (cp. the strongly stressed form *off*), *as, is, has,* at first only when the words were in weak positions in the sentence, though the voiced sounds have now been extended to strong positions as well. In connexion with this sound-change must also be mentioned the voicing of initial *th* in the pronominal words *that, the, this, thus,* &c. In this way these voiced spirants became independent phonemes in native English words; moreover, [v] and [z] are found initially and finally in loan-words.[1] This short historical account makes us understand how it is that these three sounds are found in a considerably lesser number of monosyllables than we should expect *a priori.*

Final [z] is extremely frequent in inflexional forms like *hands, kings,* where it was voiced in ME. *handes, kinges,* thus in a weak position, before *e* was dropped. The voiced final in *does, goes* must be due to analogy.

If English now has a great many final consonant groups which were not found in the earlier stages of the language, the chief cause is the loss of weak *e,* which I have already had occasion to mention as one of the most important factors in the history of English. We therefore see consonant groups in the plurals of substantives (*wolves, elms, hands, aunts*), in the corresponding third person singulars of verbs (*solves, helps, tempts*), and in the preterits of weak verbs (*solved, helped, lodged, pinched*). But it is worthy of note that a certain regard for clearness has counteracted the otherwise universal tendency to drop this *e,* for *e* is kept with the sound [i] where it stood between two identical or closely similar sounds in these endings, e.g. in *noses, pieces, passes, churches, edges, ended, hated.* Such words were not allowed to become monosyllables, because stem and flexion would then have been fused together.

We must mention here the two endings *-est,* in the second person of verbs and in the superlative. The ordinary principles of phonetic development would make us expect here the same rule as with the ending *-es,* thus loss of *e* except after a hissing sound: *thou lead'st,* but *thou losest, the hot'st,* but *the wisest,* &c. As a matter of fact we find corresponding forms pretty often in poets of the sixteenth and

---

[1] Among these must be reckoned *vat* and *vane* from those southern dialects which voice all initial [f, þ, s].

seventeenth centuries (partly also earlier), even if the result is a somewhat harsh conglomeration of consonants. Marlowe and Shakespeare thus in the second person have forms like *gotst, tookst, thinkst, struck'st, foughtst, dipd'st, suck'st* (*Tit. And.*, II. iii. 144, where modern editions print *suck'dst,* because it is a preterit); Milton similarly has *thou wentst, tellst, toldst, thinkst, eatst, drinkst,* &c., even *feigndst* (*Sam. Agon.,* 1135), *stripp'dst* (ib. 1188). Modern poets generally make -*est* a full syllable, apart from a few forms in auxiliaries (*didst, hadst, wouldst, couldst*), but as the pronoun *thou* and the corresponding verbal forms have long ceased to be used in ordinary speech, no inferences can be drawn from disuse of the forms with mute *e.*

It is otherwise with superlatives which have always belonged to the natural speech of everyday life. Here Elizabethans by the side of full forms have contracted ones like *kind'st, stern'st, sweet'st, strict'st, strong'st, young'st;* but Milton seems to have only disyllabic forms: *sweetest, loudest, greatest,* &c., and these are the only ones that have survived. The reason for this deviation from the ordinary phonetic development can hardly be anything else than the feeling that the longer forms are more euphonious and clearer, i.e. easier to understand, combined with analogy from the comparative *sweeter, stronger,* &c., which it was naturally impossible to reduce to one syllable.

English is thus very rich indeed in the capacity of forming monosyllabic words; but it is obvious that only a comparatively small part of the 150,000 theoretical possibilities calculated above occur as actual words in the language: Herbert Spencer in his constructed philosophical language would be able to utilize all easy or possible syllable constructions to a much greater extent than English or any other existing language has actually done.

Very often it is quite impossible to indicate any reason why such and such a combination occurs and another one does not. Here as so often we can only say that language is just as capricious as its maker, man. While we find initial *b* and final *d* with nearly every possible vowel and diphthong between them as actually existing words: *bid, bead, bed, bade* (*bayed*), *bad, bird, bud, bard, booed, bode, bawd, beard, bared, bored, bide, bowed*—and while we have nearly as many words beginning with *b* and ending in *t* (*bit, beat,*

&c.), there are only two words beginning with *g* and ending in simple *p: gape, gap;* and *sheath* is the only word beginning with [ʃ] and ending with [þ]; there are no other words than *switch* and *stretch* beginning and ending with exactly these sound-groups.

Some final combinations are extremely rare, thus *-lst* is found only in *pulsed,* inflected form of the verb *pulse,* and *whilst.* Voiceless [þ] after a consonant is found in two classes of words only, neither of them very numerous, ordinals (*fifth, sixth, eighth, ninth, tenth, twelfth*) and 'abstract' derivatives: *length, strength, width, warmth, depth, health, stealth, wealth, filth, spilth,* and then in the isolated word *month.*[1]

In some cases linguistic history shows us the reason for the occurrence or non-occurrence, or for the frequency or rarity of some combination. Thus the infrequency of words with a short [u] is due to the fact that in most cases that vowel has become [ʌ] as in *cut,* [u] being left intact only in certain combinations, chiefly under the influence of a preceding lip consonant, thus regularly before [l]: *bull, pull, full, wolf,* and similarly in *bush, push, put;* in other cases the preservation of [u] is connected with the existence of an earlier form with a long vowel, which is still shown by the spelling *oo: good, book, took,* &c.

After the transition of short [a] before [l] to [ɔˑ] as in *call, ball,* we should expect to find not a single word ending in [æl]: as a matter of fact we have two: *pal,* which is a recent loan from Gipsy *pal* (originally a Hindu form of the word which in English has become *brother*) and *shall,* which must be due to the frequent use of the word under weak stress, where the transition to [ɔˑ] did not take place.

In proper names we have [æl] in the pet-forms *Sal, Hal,* and *Mal* from *Sarah, Harry* (*Henry*), and *Mary.* These, with *Doll* from *Dorothy* and *Moll, Poll* by the side of *Mal,* must be explained from the fact that at the time when these pet-names were first formed [r] had already become the present flap instead of a prolongable trill; this flap always presupposes a following vowel and therefore could not end a monosyllable: in shortening these names people (children)

---

[1] For the sake of completeness we may mention Walpole's formations *greenth* and *gloomth,* and Ruskin's *illth.*

accordingly took the nearest prolongable consonant, [l]. Contrast with this the recent shortening of *paragraph* in journalese to *par* [pa·ə], a shortening which certainly took place in writing before it was pronounced.

Many consonant groups are found only in flexional forms: thus bz (*herbs*), bd (*sobbed*), dz (*bids;* solitary case: *adze*), dʒd (*raged*), ts (*hats;* but: *quartz*), tʃt (*fetched*), gz (*bags*), gd (*flogged*), kts (*sects*), mz (*lambs;* solitary: *Thames; alms* is felt as if containing plural -*s*), md (*combed*), m(p)t (*dreamt; stamped;* cf., however, *tempt, prompt*), m(p)ts (*tempts*), ndz (*friends*), n(t)ʃt (*flinched*), nst (*danced*), n(d)ʒd (*singed*), ŋz (*sings*), ŋd (*hanged*), ŋkt (*thanked*), vz (*caves*), vd (*lived*), fs (*cliffs*), fts (*tufts*), ðz (*bathes*), ðd (*clothed*), þs (*cloths*), zd (*eased*), ʃt (*wished*), sts (*fists*), sks (*asks*), skt (*risked*), sps (*wasps*), spt (*lisped*), lz (*falls*), ldz (*holds*), lms (*films*), lfs (*sylphs*), lts (*tilts;* besides: *waltz*), lks (*sulks*), lkt (*skulked*), lps (*helps*), lpt (*gulped*), l(t)ʃt (*belched*), lvz (*wolves*), lvd (*shelved*), lbz (*bulbs*), l(d)ʒd (*bulged*).

To find out how many monosyllables there are in English as actually existing words I have counted those enumerated in the first part of A. Loring's *The Rhymers' Lexicon*,[1] and have there found about 4,700 words; but these are not the only ones, for the author only in rare cases gives inflected forms: where he has only one form *name,* the forms *names* and *named* should be counted as well, and as the same is true of a great many other words, though not of all, I do not think we are far wrong if instead of 4,700 words we give as the number of monosyllables in actual use in English some 8,000 forms.

If now we go to consider the language which has so often been mentioned as the counterpart of English and which is certainly the most typical monosyllabic language in the world, Chinese, we shall see that in respect of the things we have here considered the two languages are really as two opposite poles. Chinese admits no consonant group initially, apart from affricates, and every word must end either in a vowel or in one of the two nasals *n* and *ŋ*. The syllable structure is thus infinitely simple in comparison with the complexity of English.

---

[1] London (Routledge) n.d.

In the 'National Alphabet', constructed by an official committee in 1913,[1] we find

24 initial,

3 medial, and

12 final sounds (some of them containing a nasal).

Now, as a word may consist of three elements, or of one or two (but not of one of the 'initial' sounds by itself), it would seem that there is a theoretical possibility of 1,191 distinct syllables. Even if we multiply this number by four on account of the four word-tones used in the Mandarin language of Peking to keep otherwise identical words apart, and thus arrive at 4,764 distinct syllables, this number will be found insignificant if compared with the 150,000 possibilities of English. But not even this small number of syllables is completely utilized in the actual Chinese language, for there we find only 420 syllables[2]—if we multiply this number by four for the different tones, we arrive at the number 1,680, which is considerably less than the number we found in actual use in English.

The fact is that in English the phonetic development has chiefly gone in the direction of multiplying the possibilities of distinct syllable structure, thus especially by admitting many final composite groups through the loss of *e*; at the same time the most important flexional consonants have been preserved, namely *s* and *d* (*t*). Recent development in French has gone in the opposite direction in so far as a great many final consonants have been dropped, even if in former times they served as flexional endings; compare thus English *pot* and *pots* with French *pot* and *pots,* both of them pronounced [po]; the Middle French distinct verbal forms *je di, tu dis, il dit* have been levelled in the one pronounced form [di]. Note also that English has kept the original sounds of *ch* [tʃ] and *g* and *j* [dʒ], which in French have been reduced to [ʃ,ʒ] as in *chase, joy,* Fr. *chasse, joie.* Now the development in Chinese has been along the same lines as in French, final *p, t, k* have disappeared, and initial groups have been simplified even to a much greater extent than in

---

[1] Fu Liu, *Les Mouvements de la Langue Nationale en Chine* (Paris, 1925), p. 24.

[2] B. Karlgren, *Sound and Symbol in Chinese* (Oxford, 1923), p. 29. It is true that Cantonese admits about 720 and some other dialects a few more distinct syllables; but even then the number is very small.

French.[1] The result, in the words of Karlgren, is 'that a foreigner listening to the talk of a Pekinese gets the impression that he has a vocabulary of a few dozen words which he is continually repeating'.[2] No foreigner listening to English would have the same impression.

In his recent most important work on all the linguistic families of the world,[3] Father W. Schmidt devotes a long chapter to an investigation of the various initial and final combinations and arrives at the result that consonant groups in these two positions are characteristic on the one hand of arctic climate, on the other of mountainous tracts, while a simple structure of words which admits no groups and prefers vowels at the end of words belongs to a warm climate: I must leave it to my readers to decide for themselves whether this theory is applicable to the contrast I have just been mentioning. I should, however, add that Father Schmidt does not ascribe everything to these physical conditions, but also sees influences of the old 'spheres of civilization' ('Kulturkreise': 'vaterrechtlich-totemistisch' and 'mutterrechtlich Hackbaukultur', &c.), where it is not always easy to follow him. The chief weakness in his whole manner of viewing linguistic things is to my mind that he does not pay sufficient attention to the historically ascertainable diversity of development in the languages spoken by the chief civilized nations.

*   *   *

The traits in linguistic structure which we have been considering have far-reaching consequences. Let us first consider the question of homonyms, or homophones, as they are better termed. Most English homophones are monosyllables, though it is true that there are some of two or even three syllables, e.g. *manner, manor; lessen, lesson; aloud, allowed; complement, compliment.* According to a rough

---

[1] 'The language of the sixth century still distinguished between *ka* "song", *kap* "frog", *kat* "cut", and *kak* "each", but by the loss of the finals all these words first became *ka,* and then, through the change of *a* into *o, ko,* so that *ko* means "song" as well as "frog", "cut", and "each". Final *m* was changed into *n,* and thus the ancient *nam* "south" and *nan* "difficult" are both *nan,*' &c. Karlgreen, *Sound and Symbol,* p. 28.

[2] Ibid., p. 29.

[3] *Die Sprachfamilien und Sprachenkreise der Erde* (1926).

calculation there are about four times as many monosyllabic as poly-syllabic homophones; nor is this to be wondered at, for the shorter the word, the more likely is it to find another word of accidentally the same sound. It would be strange if there were two words that had by chance hit upon the same combination of syllables as *tobacco* or *cigarette* or *advantage,* but this is much more likely to happen with short words; we may even say that monosyllables with com-pound initial or final consonant groups present fewer homonyms than those of the simplest possible syllabic structure; cp. *male mail, so sew sow, doe dough, row* (two words) *roe* (two words), *no know, buy by, I eye ay, you ewe yew.*

Now we understand how it is that Chinese, in which all syllables are built up in this very simple manner, abounds in homophones. The consequence of the phonetic simplifications alluded to above is that while the old literature with its very succinct style is still under-standable to the eye, thanks to the ideographic writing which distin-guishes all these words, it is quite impossible to understand it when read aloud with the pronunciation of to-day. There is in China a gap between the literary and the colloquial language which is incompar-ably more deep-going and far-reaching than in English, great as is the difference here between spelling and pronunciation. It is most interesting to see the way in which the natural spoken language of the Chinese has in course of time reacted against the overwhelming number of homophones introduced through phonetic changes;[1] changes which, of course, took centuries to mature and which would never have prevailed if there had not been in the spoken language of everyday life certain safeguards that secured intelligibility. In the first place collocation of two synonyms is often resorted to: if each of them has several meanings, but the two have only one meaning in common, this must be the one intended by coupling them. Next, instead of using verbs intransitively, the object logically inherent in it is added (eat food, read book, ride horse, &c., instead of the verb by itself). Third, a 'classifier' is often added, showing what class of objects one is thinking of, as when *shan,* which may mean both 'moun-tain' and 'shirt' is made clear by the addition of a word meaning 'locality' or 'article of dress' respectively. In this way colloquial

[1] Karlgren, p. 32 ff.

Chinese cannot really any longer be termed a truly monosyllabic language, for a great many ideas are constantly expressed by means of disyllabic compounds, and the younger generation of writers is vigorously fighting for the admission of this 'vulgar' style into all kinds of literature.

If now we turn to English we find that such safeguards are used much more sparingly than in Chinese. Compounds of two in themselves ambiguous homophones are scarcely found at all: I can think of no other example than *courtyard*. More often we find prepositional additions as in 'a box on the ear', 'the sole of her foot', 'an ear of corn', but these amplifiers are not always necessary. It is usual to add *hand* in many combinations like 'the left-hand corner', 'his right-hand trousers pocket', because *left* as well as *right* might be misunderstood, but in other combinations *hand* is not needed: 'to right and left', 'turn to the right', and, of course, 'his right eye'. I suppose that the ambiguity of the words *man* and *wight* (*white*) is the reason why one always says 'the Isle of Man' and 'the Isle of Wight', while this addition is not used in the case of Jersey and other islands. Note also the addition of an unambiguous synonym in 'let and hindrance', which became necessary when the two distinct verbs, Old English *lettan* 'hinder' and *lætan* 'allow, cause to' became identical in sound.

This leads us to another safeguard by which disturbing homophones may be avoided: one or even both of the ambiguous words may drop out of use: thus *let* 'hinder' has become obsolete. Some other words of which this may be said, are *quean, mead, meed, mete, lief, weal, wheal, ween, reck, wreak*. Many of these, however, probably were already more or less rare or obsolescent before that sound-change took place which identified them with other words.

If English then has made a much more sparing use of various safeguards against homophones than has been the case in Chinese, the reason to my mind must be sought in the circumstance that homophones are infinitely less numerous than in Chinese and generally much less dangerous.

It is evident that the danger of misunderstanding arising from homophony is much less if the words belong to different parts of speech than if they are both of them adjectives like *light* (not heavy, or, not dark) or substantives; in the latter case there is comparatively little fear of ambiguity if one word refers to living beings and the other does not, e.g. *heir* (to the throne) and *air* (of the atmosphere). If one word is a noun and the other a verb, the possibility of misunderstanding is practically nil.

Take the pair *see* and *sea*. Bartlett's *Concordance to Shakespeare* shows us ninety-four instances of *see* (*sees*) in the three plays *The Tempest, Hamlet,* and *King Lear;* of these only one can be called ambiguous, and that only by stretching the meaning of that word, namely the answer to the question 'Where is Polonius?' 'In heaven, send thither to see.' In all the other instances the value of the word as a verb is indicated with perfect certainty either by a preceding subject ('I see') or by a following object ('I have no ambition To see a goodlier man'), or by an auxiliary verb ('you shall see anon') or by the presence at once of two or three of these clarifying means ('I see it.' 'I ne'er again shall see her.' 'Do you see yonder cloud?') The same three plays show thirty-six instances of *sea* (*seas*): in twenty-seven of these the article shows that it is a substantive, in one the same is shown by an adjective, and in three by a preposition (of, in, at). In the remaining five we have the combination *to sea,* which might, strictly speaking, be misunderstood as the infinitive of the verb; but this possibility is grammatically excluded in two instances ('I shall no more to sea, to sea'), and extremely improbable in the rest ('set her [the ship] two courses off to sea again.' 'They hurried us aboard a bark, Bore us some leagues to sea.' 'Then to sea, boys, and let her go hang!').

If, then, due regard is had to the context in which the form occurs —and even more important in some cases, to the whole situation in which it is spoken, which may be taken as one part of the context, or vice versa—the possibilities of misunderstanding are very small indeed, and in spite of their homophony the two words thus fulfil their purpose in life. We can assert this, and yet admit the truth of Dr. Bridges's remark that 'Anyone who seriously attempts to write well-sounding English will be aware how delicately sensitive our ear is to the repetition of sounds' and that therefore such a line as 'I see the sea's untrampled floor' would be impossible in poetry and must be changed into 'I see the deep's untrampled floor'. Dr. Bridges also thinks that unless the pronunciation of the verb *know* is

changed so that a vowel more like that of *law* is restored, the whole
verb *to know* is doomed. 'The third person singular of its present
tense is *nose,* and its past tense is *new,* and the whole inconvenience
is too radical and perpetual to be received all over the world.' But
surely, if these forms are examined in their natural surroundings in
sentences such as are spoken every day all over the English-speaking
world, it will be seen that the danger is very slight indeed. 'I know.'
'My no is just as good as your yes.' 'He knows.' 'His nose bleeds.'
'You knew it.' 'A new hat.' No one on hearing these combinations
will have the slightest difficulty in understanding them, and they
would be perfectly clear even in a consistent phonetic spelling. In
nearly every case in which the word is heard, the mind of the hearer
has already been prepared by what precedes, so that the word is immediately put into its proper pigeon-hole, and no hesitation is occasioned by the fact that there is somewhere else in the language
another word consisting of the same sounds.

Punsters delight in stories like this one: 'We went to the seaside
for a change and rest, but the waiter got all the change, and the landlord took all the rest.' In none of these sentences can the words be
misunderstood, they are perfectly clear from the context, and it is
only the unexpected bringing them together that makes us realize
that *change* (which is etymologically only one word) and similarly
rest (which etymologically is two words) are here used in different
significations in different contexts.

Dr. Henry Bradley writes (*Collected Papers,* 175): 'The compiler
of a concise vocabulary of a foreign language can use, without risk
of being misunderstood, such brief renderings as "son", "sun",
"knight", "night", "oar", "ore", "hair", "hare", "to dye", "to die",
"to sow", "to sew", "to rain", and "to reign". If English were written
phonetically, he would have to add explanations.' Quite so, but the
ordinary man's needs are not the same as those of a lexicographer:
he thinks in connected sentences, not in isolated words.

Bradley's remark forms part of his eloquent plea against phonetic
spelling, in which he lays great—to my mind undue—stress on the
advantages of differentiations in spelling of words which to the ear
are identical.[1] He does not sufficiently consider those cases in which

---

[1] Among Bradley's arguments in favour of retaining the historic spelling is the

homophones are not distinguished in spelling and in which one might therefore think that mistakes would constantly and easily arise in reading English. As a matter of fact this does not happen so often that the danger is serious. If we take the word *sound* in the *Concordance to Shakespeare* we find scores of sentences like the following:

(1) Where should this music be? i'the air or the earth? It sounds no more.
(2) Sounds and sweet airs, that give delight and hurt not.
(3) And deeper than did ever plummet sound I'll drown my book.
(4) Sleep she as sound as careless infancy.
(5) Try your patience if it be sound.

No one in hearing or seeing such sentences will have the slightest difficulty in understanding them at once and referring (1) and (2) to one meaning, (3) to another, and (4) and (5) to a third totally different word.[2]

I do not, of course, pretend that ambiguity is never to be feared, only I think that the danger in English is not overpowering. I may be allowed to mention a few cases I have come across in which writers have not considered the convenience of their readers. Swinburne writes (*Songs before Sunrise*, 102):

> Sound was none of their feet,
> Light was none of their faces.

Here one is perhaps tempted at first to take the meaning to be that none of their feet was healthy and that their faces were dark, while on second thought one discovers that no sound was heard of their feet, and no light was to be seen on their faces. In another place the same poet writes (*Atalanta*, 42):

---

following: 'A distinguished poet has used the expression "my knightly task"; the silent *k* makes his meaning clear, but when the poem is recited the hearer may be excused if he misunderstands.' But surely a poet should write in such a way that his poems can be understood even when recited; if English had been written phonetically he would not have dared to use the expression, but would at once have seen that it would be misunderstood when heard—so the argument cuts both ways.

[2] There is a fourth word *sound* 'a narrow passage of water'; this occurs only once in Shakespeare, in *Lucrece*, 1329, where a pun on the first word *sound* is evidently intended according to Shakespeare's habit: 'Deep sounds make lesser noise than shallow fords.'

> ere my son
> Felt the light touch him coming forth,

which I for one at first understood as containing the adjective *light* (not heavy) and the substantive *touch,* while it took some little time to discover that *light* is the substantive (opposite of darkness) and *touch* the verb: this would have been immediately clear if I had heard the verse recited: the spoken word is often much less ambiguous than the written form.

In a modern novel (Jack London, *The Valley of the Moon*) we read: 'I feel that I am possessed of something that makes me like the other girls:' is *like* a verb or an adjective? It is only when a little farther down we find 'And then, too, I know that I was not like them before' that the doubt is removed.

In one of his articles Huxley spoke of Genesis and was unfortunate enough to write 'Between these two lies the story of the Creation of man and woman, and their fall', &c., which made W. T. Stead attack him furiously for calling two Bible stories lies, while, if he had read the article dispassionately, he would have seen from the continuation, that *these two* = 'these two narratives', and that *lies* is the innocent verb in the third person singular. But the same mistake is possible in Kipling's poem 'The Islander', where he says:

> On your own heads, in your own hands,
> The sin and the saving lies!

Similarly in Lowes Dickinson's *Appearances,* 232: 'For behind and beyond all its fatuities, confusions, crimes, lies, as the justification of it all, that deep determination to secure a society more just and more humane which inspires all men.'

On the other hand, it is true that one may read hundreds and hundreds of pages in English books without stumbling upon instances of ambiguity like those here collected.

The preceding considerations have brought us to a subject to which linguistic psychologists of the future are bound to devote a good deal of attention, but which has hitherto been generally neglected, namely: How is linguistic understanding brought about? What are the mental conditions or prerequisites for a complete comprehension of spoken or written words and sentences? What is understood,

26*

or easily understood, and what not? I shall beg to offer a few re-marks on this subject in connexion with my general theme, English monosyllables.

Each sound, each syllable, that is spoken, takes up a short, but appreciable and measurable amount of time. The hearer has the same time, plus the pauses, to digest what he hears. Now a long sequence of sounds, which forms one notional unit, gives the hearer plenty of time to think out what is meant: a long word therefore may be, and very often is, complete in itself, and may be considered autonomous as compared with small ones, which are dependent on their surround-ings. When we hear such a word as *superstition* or *astronomy* or *materialistic,* we have had plenty of time before the last sound has been uttered to realize what the speaker wanted to say. We may even have understood it before the speaker was half through—and it is this which makes such stump-words as *choc* for *chocolate* or *lab* for *laboratory* possible: the original words are really longer than necessary.

It is otherwise with short words, or at any rate with many of them. We do not always understand them immediately on the strength of their own individuality, but only in connexion with other words. The comprehension becomes, if I may say so, kinematographic: we have no time to see the single picture in itself, but perceive it only in combination with what comes before and after and thus serves to form one connected moving picture. Here it is especially the already mentioned small grammatical words ('empty words')—articles, particles, prepositions, auxiliaries—which act as policemen and direct each of the other words to its proper place in the brain of the hearer so as to facilitate orderly understanding.

This kinematographic comprehension of short words makes it possible for us sometimes to use them in a way that may seem logically indefensible because it militates against their proper definite meaning; this meaning in certain combinations does not at all come to the hearer's consciousness. When we say 'now and then' we have had no time to realize the ordinary precise meaning of *now* = 'at the present moment' before the following words have shown us that the three words are to be taken together, and then they mean 'from time to time' or 'occasionally'. In the same way in Danish *nu og da* (cp.

German *dann und wann*), but in French we can have nothing corresponding, because the words for 'now', *maintenant* and *à présent,* are long enough to call up the one definite meaning at once. Cp. also *here and there,* French *çà et là.*

We now see the reason why polysemy[1] is found so often in small words to an extent which would not be tolerable in longer words. This is particularly frequent with short verbs, some of which on that account are the despair of lexicographers: in the *N.E.D. put* has 54 different significations given to it, *make* 96, and *set* even 154, several of them with numerous subdivisions. These verbs are frequently used in connexion with adverbs or prepositions in such a way that the meaning of the combination can in no wise be deduced from the meaning of each word separately, cf. for instance *put in, put off, put out, put up* (*put up with*), *make out, make for, make up, set down, set in, set out, set on, set up* (this with some forty subdivisions), *give in, give out, give up,* &c. The great number of these idiomatic combinations is one of the most characteristic traits of the English language: they differ from disyllabic words by having flexional endings added to the first element (*he puts up*) and by admitting in some cases the insertion of other words between the two parts (*he gives it up,* &c.).

It should be remarked that the psychological effect of these cases of polysemy, where 'one and the same word' has many meanings, is exactly the same as that of those cases where two or three words of different origin have accidentally become homophones.

*   *   *

A special kind of polysemy is found in all those cases in which one and the same form belongs to various parts of speech, as when *drink* in one connexion is a substantive, in another a verb, when *loud* is both adjective and adverb, and *round* may be a substantive, an adjective, an adverb, a preposition, and a verb according to circumstances. This trait in the structure of Modern English is one of those

---

[1] I venture to use this word (in the sense 'many-meaning-ness') though it is not found in the *N.E.D.:* it is used very often by continental linguists (in French, German, Swedish).

in which it resembles Chinese most: the historical cause is the loss of those endings which in former periods of the language served to distinguish different parts of speech. If we reckon these cases among homophones—we might call them grammatical homophones—they swell the number of homophones so considerably that it will be quite impossible to calculate how many homophones there are in English. (Dr. Bridges, who does not include them, has counted 'over 800 ambiguous sounds' in English, which means that 'we must have something between 1,600 and 2,000 words of ambiguous meaning in our ordinary vocabulary'.)

Now, the vast majority of these grammatical homophones are monosyllables: when we hear *consider* or *consideration,* we know at once that the former is a verb and the latter a substantive, but *look* may be either; *conversation* is a substantive, but *talk* is a substantive if preceded by *a* or *the,* &c., and a verb if preceded by *I* or *you* or *to,* &c. In 'he made love to her' *love* is a substantive, in 'he made her love him' the same form is a verb. But it is wrong to say, as is very often said even by excellent grammarians, that English mixes up the various parts of speech, or that it has given up the distinction between noun and verb, or uses its verbs as nouns and vice versa: English distinguishes these word-classes, only it does it in a different way from Old English and its congeners.[1]

*   *   *

Words differ very much in respect of expressiveness, some words being felt as naturally appropriate for certain ideas and others less so. These different values of words, which the good stylist knows how to utilize, depend on a good many things of various kinds, but one among these is the comparative length, and with regard to monosyllables we must distinguish between the weak 'empty' words, which give elasticity and suppleness and variety to English sentences, and, on the other hand, the strong words of full meaning which give a manly vigour to those sentences in which they occur in great numbers.

---

[1] See my *Philosophy of Grammar,* pp. 52, 61; *Growth and Structure,* 5th ed., p. 151.

In echo-words we see a very significant difference between words of one syllable, expressive of sounds and movements which occur once, and words of two syllables which mean continuous sounds and movements; the latter are very often formed with the suffixes *-er* and *-le*, which are used in that way in a great many languages, even outside the Aryan world. On the one hand we thus have verbs like *rap, tap, smash,* on the other hand *rattle, babble, tinkle, clatter,* &c. Pretty often we have doublets like *nod—noddle, jog—joggle, sniff—sniffle, drip—dribble, whiff—whiffle, toot—tootle,* where the longer word is a frequentative of the shorter one.

Apart from echo-words we see something similar in the tendency to use the monosyllabic action-nouns which are identical in form with the infinitive of the verb for the instantaneous act and a longer form for continued action: the two words used in this definition may be our first examples, for *action* may to some extent be considered a kind of frequentative of *act,* though the distinction is not always maintained. The same may be said of *laugh* and *laughter* and of *move* and *motion* (and *movement*): a move in chess, an engine in motion; his short nervous laugh was the signal of general laughter.

Very often we see a distinction between such monosyllabic action-nouns and those ending in *-ing,* which denote prolonged or continuous action or a more or less permanent state: *a dream—dreaming;* 'Then came the *dancing*—the one *dance* after another' (Trollope); *a lie—lying,* and in the same way *a sail, a ride, a swim, a row, a talk, a read, a smoke, a kill, a try, a cry* compared with the corresponding words *sailing, riding,* &c.; note also the special meanings of such words as *a find, a meet,* &c.

A similar effect of the different length of two connected words is seen in the American, not British, differentiation between *luncheon* as the regular midday meal and *lunch* used of a small meal between the ordinary ones.

An analogous case is seen in the adverbs of time, where the short form *now* emphasizes the moment much more than the longer *nowadays,* which indicates a longer duration (thus also in other languages: Danish *nu—nutildags,* German *jetzt—heutzutage*). Something similar may be said of the relation between the two local adverbs *here* and *hereabouts.* We see, then, that in certain cases a definite relation obtains between the length of a word and its meaning, and it may not be out of place here to mention the use of short petnames like *Ben* for *Benjamin* and *Em* for *Emmeline* or *Emily* as applied at first to small children, and finally the fact that *Miss,* the abbreviated form of *Mistress* (*Missis*), which at first was used in derision or scorn, in its present use generally implies youth in comparison with the more dignified, fuller designation; English thus denotes by the shortness of the form what in other languages is indicated by means of diminutive endings, German *fräulein,* French *demoiselle,* Italian *signorina,* &c.[1]

Let me try to sum up a few of the leading ideas of this lecture. The tendency towards monosyllabism, strong as it has been in the development of the English language, has not been overpowering: it has been counteracted not only by a great influx of foreign elements, but also by the intrinsic structure of the language itself and in some cases by a regard to clearness, thus in the case of the superlative ending *-est.* The loss of final sounds has in English, in contradistinction to French and Chinese, been chiefly confined to vowels, while final consonants, among them some of great importance in flexion, have been preserved; this has led to a frequent heaping of consonants in the end of words. The consequence of this as well as of the development of some new phonemes has been that there are many more possibilities of distinct monosyllables than in Chinese, and homophones are therefore much less numerous than in that language. The danger of ambiguity on that account is not very considerable; in the vast majority of cases the context, chiefly by means of small grammatical empty words, is quite sufficient to make the meaning clear and to show what part of speech a word belongs to. Short words are often understood kinematographically, and this may lead to idiomatic uses of monosyllables which have no parallels with longer words. In other cases we see that the very shortness or length of words is utilized for purposes of expressiveness, and in that as well as in other respects I hope to have shown that the study of monosyllabic and polysyllabic tendencies in a language like English is not devoid of interest.

---

[1] Cf. also my remarks on the emotional effect of shortening words, and of mouth-filling epithets, *Language,* p. 403.

VEILED LANGUAGE[1]

IN the popular speech of many nations are found instances of a peculiar class of round-about expressions, in which the speaker avoids the regular word, but hints at it in a covert way by using some other word, generally a proper name, which bears a resemblance to it or is derived from it, really or seemingly. The proper name used may be that of a place or of a person; it may be a name of real existence or one made simply for the sake of the punning allusion. The following list (I) gives those I have found in English by chance reading and by turning over the pages of dictionaries; the one that has been most fruitful for this purpose is F. Grose's *Provincial Glossary* (2nd ed. 1790), here quoted as 'Grose, *Prov.*', while 'Grose, *Vulg.*' means the same writer's *Classical Dictionary of the Vulgar Tongue* (1785; I have also consulted the editions of 1788 and 1823).

Very few of the expressions here quoted are used by educated speakers (*Queer Street, Bedfordshire, Shank's mare*). The others are confined to the lower classes, and many of them are obsolete even among vulgar speakers. But if they cannot be reckoned specimens of 'Pure English', they may be of interest to students of linguistic psychology as characteristic of one type of the popular mind.

I

ass: 'He has gone over *Assfordy-bridge* backwards. Spoken of one that is past learning.' (Grose, *Prov.*) Assfordy in Leicestershire.

baby: 'And one little craft is cast away In its very first trip in *Babbicome Bay,* While another rides safe at *Port Natal.*' (Thomas Hood, *Birth.*)

---

[1] *Society for Pure English.* Tract XXXIII (1929).

bark: 'He is a representative of *Barkshire* [Berkshire]. A vulgar joke on any one afflicted with a cough, which is here termed "barking".' (Grose, *Prov.*) 'A member or candidate for Barkshire.' (Grose, *Vulg.*)

barley: John *Barleycorn* as a personification of ale. 'Inspiring bold John Barleycorn! What dangers thou canst make us scorn!' (Burns, *Tam o' Shanter;* also a poem of that name.)

bed: 'I'm for *Bedfordshire,*' i.e. I want to go to bed. (Swift, *Polite Conversation* ed. Saintsbury, p. 188 (cf. below *nod*). The *Oxford Engl. Dict.* (N.E.D.) has a quotation from Cotton (1665): 'Each one departs to Bedfordshire, And Pillows all securely snort on'. Also expanded: 'to go down *Sheet-Lane* into Bedfordshire'.

beggar: 'This is the way to *Beggar's-bush.* It is spoken of such who use dissolute and improvident courses, which tend to poverty, Beggar's-bush being a well-known tree on the left hand of the London-road from Huntingdon to Caxton. This punning adage is said to be of royal origin, made and applied by King James I to Sir Francis Bacon, he having over generously rewarded a poor man for a trifling present.' (Grose, *Prov.*)

birch: 'to send a person to *Birching-lane*', i.e. to whip him. Birching-lane or Birchin-lane, Cornhill, London. Nares quotes Ascham speaking of 'a common proverb of Birching-lane'. (*Scholem.,* p. 69.)

blunt: 'men who, calling themselves *John Blunt,* felt justified in ignoring tact and discretion.' (Ridge, *Name of Garland,* p. 45.)

buck: 'An old man who weds a buxom young maiden, biddeth fair to become a freeman of *Buckingham.* In all likelihood the fabricator of this proverb, by a freeman of Buckingham, meant a cuckold.' (Grose, *Prov.*)

cane: 'To lay cane [*Cain*] upon Abel; to beat any one with a cane or stick.' (Grose, *Vulg.*) Cf. *to raise Cain,* 'kick up a row'.

cheap: 'He got it by way of *Cheapside.* A punning mode of expressing that a person has obtained anything for less than its price or value.' (Grose, *Prov.*) Also in Muret's *Wörterbuch* ('come at a thing by way of Ch.').

cornu: 'He doth sail into *Cornwall* without a bark', i.e. his wife is unfaithful to him. Given by Grose as an Italian proverb, 'the

whole jest, if there be any, lying in the similitude of the words
Cornwall and *cornua,* horns'. Found in French (*Cornouailles*) and
Italian (*Cornovaglia*), see Tobler, *Vermischte Beiträge,* ii. 217.

counter: In Falstaff's speech (*Merry Wives,* III. iii. 85) 'Thou
mightst as well say, I loue to walke by the *Countergate,* which is
as hatefull to me as the reeke of a Limekill', the allusion is to
'the entrance to one of the Counter Prisons in London'; but
perhaps the meaning is only 'to act counter to you'.

crabbed: to be in *Crabstreet.* Quotation from 1812 in N.E.D.

crooked: 'He buys his boots in *Crooked Lane,* and his stockings in
Bandy-legged Walk ... jeering sayings of men with crooked
legs.' (Grose, *Vulg.*)

cuckold: 'He that marries you will go to sea in a henpecked frigate,
and mayhap come to anchor at *Cuckold's-point.*' (Congreve, *Love
f. Love,* iv. 3; Mermaid ed., p. 277); cf. N.E.D.: *Cuckold's haven,
point,* a point on the Thames, below Greenwich; formerly used
allusively; see quotations *ibid.* 1606 Day (haven), 1757 (point);
1737 (cuckold-shire), perhaps also 1500 and 1668 (cuckold's
row). Cuckold's Haven. (Chapman, *Eastw. Hoe,* III. iii.)

cumber: 'live in *Cumberland',* i.e. in a miserable (cumbrous) state,
see below, *shrew.*

dull: 'live in *Dull-street',* i.e. in an uninteresting part of the town.
(Muret's and Brynildsen's dictionaries.)

easy: 'once out of this mess, we shall be on *easy street.*' (Herrick,
Memoirs of an American Citizen, p. 202.) In Susan Ertz's
Madame Claire, p. 307, an American says that the plays will put
their author 'on Easy Street'; also London, *Valley of the Moon,*
p. 230. This seems to be an American expression.

fleet?: 'Please your honour, liberty and *Fleet-street* for ever!' (Goldsmith, *She Stoops,* iv, Globe ed., p. 666.)

foot: 'travel by Mr. *Foot's* horse'. (N.E.D.) Cf. below *shanks.*

gallows: '[the steamer] she was the Murderer, bound for *Gallows
Bay*; she was the Manslaughterer, bound for Penal Settlement.'
(Dickens, *Mutual F.,* p. 492.)

gaunt: In Shakespeare's H4A, II. ii. 69 Prince Hal says, 'What, a
Coward, Sir John Paunch', alluding to Falstaff's fat paunch (cf.

II. iv. 159), and Sir John wittily rejoins, 'Indeed I am not *John of Gaunt* your Grandfather'.

geneva (*gin*): 'You have been reading *Geneva* print this morning already.' (Scott, *Old Mortality*, p. 109.) Also in *The Merry Dev. of Edmonton*, II. i. Allusion to the old Geneva Bible (1560). 'Mr. Bruce's Licensing Act was a new wrong charged at the door of Mr. Gladstone. *Gin Lane* and *Beer Street* rose in rebellion against him' [i.e. publicans]. (McCarthy, *Hist. of Our Own T.*, ii. 524.)

green: send a horse to *Dr. Green*, turn it out to grass. 'Go to *Parson Greenfields*' = go for a walk instead of to church. (Collinson, *Contemporary Engl.*, p. 50.) To come from *Greenland*, 'to be fresh to things, raw' (Dickens, *Ol. Twist*).

grumble: the *Grumbletonians* used to be a nickname for the landed opposition in the reign of William III: see N.E.D. and Macaulay, *Hist. of Engl.*, vii. 111 (Tauchn.), as if from a town called Grumbleton. The word is explained by Grose, *Vulg.*, 'A discontented person; one who is always railing at the times, or ministry'. The name was made in imitation of the two names of religious sects in the seventeenth century, *Muggletonians* (founded by L. Muggleton) and *Grindletonians*.

gutter, Lat. *guttur?*: 'All goeth down *Gutter-lane*. That is, the throat. This proverb is applicable to those who spend all their substance in eating and drinking.' (Grose, *Prov.*) *Gutterlane*, off Cheapside, orig. *Guthrunlane*, cf. Heuser, *Alt-London*, 8. Another popular phrase for the throat is: 'Send it down the *Red Lane*'.

hammer: 'He has been at *Hammersmith*', i.e. beaten. 'Go to Hammersmith, get a sound drubbing.' (Farmer & Henley, *Dict. of Slang*.) Hammersmith, the well-known suburb of London.

haste, hasting (a kind of early pea): 'He is none of the *Hastings*. Said of a dull, sluggish messenger.' (Grose, *Prov.*) Cf. N.E.D. *hasting* with quotations from J. Heywood (1546), Fuller (1661), and *Dict. of Cant* (1700). Cf. German: *er ist aus Eilenburg*.

hide: 'go to *Hyde Park*, to conceal oneself from one's creditors.' (Brynildsen.)

hit: 'A *Hittite*, a prize fighter.' (Farmer & Henley.) Allusion to the ancient people, known from the Bible.

hog: 'You were borne at *Hog's Norton.*' (Grose, *Prov.*) H.N., or
   Hogh Norton, a village in Leicestershire.

hop: 'Mr. *Hopkins,* a ludicrous address to a lame or limping man,
   being a pun on the word "hop".' (Grose, *Vulg.*)

humble: to eat *humble-pie* means 'to be very submissive; to apologize
   humbly; to submit to humiliation'. (N.E.D.) Thus Uriah Heep
   says (Dickens, *Dav. Copperf.*, p. 535, MacMillan's ed.) 'I got to
   know what 'umbleness did, and I took to it. I ate humble pie
   with an appetite.' But *umble pie* is a real dish, made of the
   umbles (or numbles), i.e. the inwards of a deer (OFrench
   nombles, from Latin *lumbulos*). The *h* of *humble* was generally
   mute till about the middle of the nineteenth century.

hunger: 'Hungarian, a hungry man.' (Farmer & Henley, quotations
   1608 and 1632.)

jakes: instead of this old word, meaning a privy, and occurring in
   King Lear, II. ii. 72 (F. daube the wall of a Iakes; Q. daube the
   walles of a iaques), the name of the Greek hero *Ajax* was sometimes used. *Ajax* was pronounced with long *a* in the last syllable;
   Sir John Harrington (1596) says that it agrees fully in pronunciation with *age akes,* and Ben Jonson rhymes *Ajax : sakes* (quoted
   by Furness, Var. ed., *Lear,* p. 128). In Ben Jonson's *The Silent
   Woman,* iv. 2 (Mermaid ed., p. 237), La-Foole says: 'Will you
   entreat my cousin Otter to send me ... a chamber pot'. And
   Truewit answers: 'A stool were better, sir, of Sir Ajax his inven-
   tion'. In *Wit's Academy* (1656) the question 'Which of the
   valientest Greeks had the fowlest name?' is answered 'Ajax'.
   (*Shakespeare Jahrbuch,* liii. 67.) In *Love's Lab. L.,* v. ii. 581 we
   have a quibble, 'your Lion that holds his Pollax sitting on a close
   stoole, will be giuen to Aiax', and Cotgrave (1611) expressly
   explains the French *Retraict* by 'an Aiax, Priuie, house of Office'.
   (N.E.D.) But commentators have not seen that the same allusion
   is necessary to understand *King Lear,* II. ii. 132, where Kent says
   (Folio spelling), 'None of these Rogues, and Cowards But Aiax
   is there Foole'. Neither Malone's explanation, 'These rogues and
   fools talk in such a boasting strain that, if we were to credit their
   account of themselves, Ajax would appear a fool as compared
   with them', nor Verity's 'These clever rogues never fail to make

a dupe of Ajax = a type of the slow-witted warrior, as in *Troilus and Cressida,* where he is contrasted with the clever rogue Thersites'—will account for the sudden outburst of Cornwall's anger, 'Fetch forth the Stocks. You stubborne ancient Knaue, you reuerent Bragart, Wee'l teach you', Cornwall having been up to this point calm and impartial. But if Kent, in applying the name of Ajax to Cornwall, alludes to a jakes, we can easily understand Cornwall's rage. This explanation is supported by the spelling of the quartos *A'Iax,* especially if we remember that the first quarto was probably brought about by some stenographer taking notes during a performance: he would hear Ajax as two words, a+jax, as his spelling seems to indicate. In the *Times Lit. Supplement,* Jan. 3, 1929, Mr. B. H. Newdigate tries to identify Jaques in *As You Like It* with Sir John Harrington, the author of *Metamorphosis of Aiax.*

liberty: 'Pray be under no constraint in this house. This is *Liberty-hall,* gentlemen. You may do just as you please here.' (Goldsmith, *She Stoops,* ii, Globe ed., p. 652.)

lips?: In Shakespeare's *King Lear,* II. ii. 9, Kent says: 'If I had thee in *Lipsbury Pinfold,* I would make thee care for me.' No really satisfactory explanation of this obscure passage has been given, but if Nares is right in thinking that a pun on 'lips' is intended, and that the phrase denotes 'the teeth', the expression is correctly included in my list.

liquor: to come from *Liquor-pond Street,* 'to be drunk'. (Farmer & Henley, quotation 1828.) Resembles Liverpool Street in sound.

lock: 'Put up your pipes, and go to *Lockington-wake.*' (Grose, *Prov.*) Lockington in Leicestershire, upon the confines of Derby and Nottingham shires. Grose says, 'Probably this was a saying to a troublesome fellow, desiring him to take himself off to great distance'. More probably there is an allusion to *lock* (prison; or *lock up* = 'shut up').

long: 'It is coming by *Tom Long,* the carrier; said of anything that has been long expected.' (Grose, *Vulg.,* 1788.)

loth: 'Though such for woe, by *Lothbury* go, For being spide about Cheapside.' (Tusser, quoted by Nares, who says that it seems to

be put in a proverbial sense to express unwillingness, being loth.)
Lothbury is a street in the City of London.

marrow-bone: 'go by the *Marylebone* stage', i.e. walk. (Muret.)
Marylebone, parish in London. Cf. also 'to bring any one down
on his marrow bones; to make him beg pardon on his knees'.
(Grose, *Vulg.; Slang Dict.*)

may-be: 'May be there is, Colonel. Ay; but *May-bees* don't fly now,
Miss.' (Swift, *Polite Conversation,* p. 67.)

need: 'You are in the highway to *Needham.* That is, you are in the
high road to poverty.' (Grose, *Prov.*) Needham is a market-town
in Suffolk. Tusser has:

> 'Soon sets thine host at Needham's shore,
> To crave the beggar's boone.'

Netherlands: see Shakespeare, *Errors,* III. ii. 142; Beaumont &
Fletcher, Mermaid ed., i. 290. *Low countries,* Shakespeare, H4B,
II. ii. 25.

nod: 'I'm going to the *land of Nod.* Faith, I'm for Bedfordshire.'
(Swift, *Polite Conversation,* p. 188.) The Land of Nod is mentioned in Genesis iv. 16.

partridge: 'Why aren't you in the stubbles celebrating *St. Partridge?*'
(Mrs. H. Ward, *Rob. Elsmere,* iii. 278), i.e. shooting partridges.
A fictive saint; St. Partridge's day is September 1st, the day on
which partridge shooting begins.

peck, old slang 'food': *Peck-alley,* the throat. *Go to Peckham,* go to
dinner (Farmer & Henley).

queen: 'A man governed by his wife, is said to live in *Queen Street,*
or at the sign of the *Queen's Head.*' (Grose, *Vulg.*)

queer: 'A fair friend of ours has removed to *Queer Street.*' (Dickens,
Dombey & Son, p. 355.) 'The more it looks like Queer Street,
the less I ask.' (Stevenson, *Dr. Jekyll & Mr. Hyde,* II.) Many
other quotations from Dickens, Mrs. Humphrey Ward, Conan
Doyle, A. Bennett, Galsworthy. Is there a real Street of that name
(= German Queerstrasse) anywhere?

red: see above, *gutter.*

rope: 'to marry *Mrs. Roper*' is to enlist in the Royal Marines. (*Slang
Dict.*)

rot his bone: 'He is gone to *Ratisbon*', i.e. he is dead and buried. Ratisbon is the English name for the German Regensburg.

rug: 'go to *Ruggins's*', i.e. go to bed. (Grose, *Vulg.*, 1823.)

shank: 'to ride *shank's mare* (or pony)', i.e. to walk. ' "How will you get there?" "On Shanks his mare," said Jack, pointing to his bandy legs.' (Kingsley, *Westw. Ho!,* quoted by Davies and Flügel.) 'On shanks's pony.' (*Review of Reviews,* Aug. 1895, p. 185.) 'Shank's the mare, eh?' (London, *Valley of Moon,* p. 292.) As if from the proper name Shanks. Grose (1788) gives 'To ride shanks naggy; to travel on foot' as Scotch. Another synonym is given by the same writer: 'To ride Bayard of ten toes, is to walk on foot. Bayard was a horse famous in old romances.'

sheet: 'to go down *Sheet-Lane* into Bedfordshire', i.e. go to bed. (Muret, *Wörterbuch.*) Cf. *bed, nod.*

shrew: 'He that fetches a wife from *Shrewsbury,* must carry her to *Staffordshire,* or else he will live in *Cumberland'.* (Grose, *Prov.*)

sloven: Used allusively in *Sloven's Hall, Inn, press,* obs. (N.E.D., with quotations from 1515 to 1600.)

slow: 'Got a Darby on 'im, or I'm a *Slowcome*', says a jockey. (Hall Caine, *The Christian,* p. 377.) There is a surname *Slocombe.*

staff: 'carry her to *Staffordshire*', i.e. beat her, see *shrew.*

stay: 'I am upon *Stay-behind's mare*'. (Swift, *Journal,* p. 549.)

swell: 'A family man who appears to have plenty of money, and makes a genteel figure, is said, by his associates, to be in *Swell-street*'. (Grose, *Vulg.*, 1823.)

turn: 'He must take a house in *Turn-again-lane,* speaking of persons who live in an extravagant manner ... to whom it will be necessary to turn over a new leaf. This lane is, in old records, called Wind-again-lane ... going down to Fleet-market [London] ... having no exit at the end.' (Grose, *Prov.*)

weep: 'To return by *Weeping Cross,* was a proverbial expression for deeply lamenting an undertaking, and repenting of it.' (Nares, who quotes Howell, 'He that goes out with often losse, at last comes home by Weeping Crosse', and Lily's *Euphues,* 'But the time will come when, comming home by Weeping Crosse, thou shalt confesse that it is better to be at home', besides four other passages. Nares found no less than three places so called.) 'They have found the way back againe by Weeping Crosse.' (Chapman, *Eastw. Hoe,* IV. ii.) Also in Grose, *Vulg.*

wise: 'the *wisenheimers* grab a look at a fellow's nails.' (Lewis, *Babbitt,* p. 276 [explained in the glossary: well-informed man of the world; from German].)

wit: 'He was borne at *Little Wittham.* A punning insinuation that the person spoken of wants understanding.' (Grose, *Prov.;* N.E.D. quotations from 1538 to 1661.) Little Witham in Essex and in Lincolnshire.

A few similar formations from other countries may find their place here to show that the phenomenon is not confined to English. In Germany one may hear '*Borneo* ist sein vaterland' for 'er ist borniert', 'ich gehe nach *Bethlehem*', or 'nach *Bettingen*' (a village near Basle), cf. *bett* 'bed'; 'er studiert *Kotzebues* werke' for *er kotzt* 'vomits'. According to Mérimée (*Colomba*) in Corsica 'se vouer à sainte *Nega,* c'est nier tout de parti pris' (*negare*), and the same idea is expressed in French by 'prendre le chemin de *Niort*'. In Danish, to express the idea that a person after receiving a hearty welcome was cold-shouldered by somebody else, the people will say 'han kom fra *Hjerting* til *Kolding*', Hjerting and Kolding being two towns in Jutland, cf. *hjerte* 'heart', and *kold* 'cold': 'der er *Tomas* i pungen': 'the purse is empty', *tom.* For the idea 'to go to bed' there is quite a number of veiled expressions in Jutland, containing real and fictitious place-names like *Ferholm, Ferup, Slumstrup, Sovstrup, Hvilsted, Hvilsov.* Collections of such expressions may be found in Wackernagel, *Kleinere Schriften,* iii. 59 ff.; Tobler, *Vermischte Beiträge zur französischen Grammatik,* 2nd ed., ii. 211 ff.; Kr. Nyrop, *Grammaire historique,* iv. 344 ff.; Sainéan, *Argot ancien,* p. 131.

II

Grumbletonian shows us one way of denoting a person who is characterized in a certain way, in this case by grumbling. But, instead of deriving a word by means of the ending *-ian* from a place-name, the same effect may be obtained simply by using the (real or fictitious) name of a town as a proper name for a person, just as we have surnames like Middleton, Milton, Newton, &c.

27

This I take to be the explanation of some veiled expressions ending in *-ton*. Grammars and dictionaries do not recognize a suffix *-ton* applied to persons; yet we have the following examples:

Simpleton: The N.E.D. merely says 'a fanciful formation on *simple*', and gives quotations from 1650 till the present time. 'Characterized by Johnson (1755) as a low word.' It is explained by Grose (*Vulg.*) as an abbreviation of *simple Tony* or *Anthony*, which is evidently wrong. The word is frequent in Swift's *Journal to Stella*, where is also found (p. 437 in Aitken's ed.) the fanciful variant *sinkerton*.

Singleton. The oldest quotation in N.E.D. is from 1876, and it is mentioned only in the meanings, 'the only card of a suit in a hand', 'a single thing', and 'a single entry'. But Grose has it in 1785 as 'a very foolish fellow' (spelled, it is true, *singleten*), and the existence of the word as a common appellative is probably presupposed by Defoe's *Captain Singleton* (1720).

Skimmington, man or woman personating the ill-used husband or the offending wife, and carrying a skimming-ladle in a procession; also the procession itself: see N.E.D.

Pinkerton, a person of small intelligence, from the adj. *pinkie* 'small' or weak-minded. Warrack, *Scots Dial. Dict.*

Idleton: 'an idle fellow', *Engl. Dial. Dict.,* where a letter from Mrs. Sheridan is quoted.

Boozington: 'drunkard', given as Australian thieves' slang in Farmer & Henley.

These names confirm the explanation given hesitatingly in N.E.D. that the suffix *-by* in 'descriptive personal appellations, playful or derisive', is 'perhaps formed in imitation of the place-names, or rather of personal surnames derived from these'. Examples are *idleby, idlesby* (= idler, Mr. Idleness), *lewdsby, litherby, rudesby, sneaksby, sureby, suresby, wigsby* (wearer of a wig). It is noteworthy that the synonym of *idleby* here given, *Mr. Idleness,* is suggestive in the same way of the numerous place-names in *-ness,* though formally identical with the abstract noun ('predicative-substantive') in *-ness*.

A further case in point is *wiseacre.* This is from Middle Dutch *wijssegger,* which in its turn is a modification of Old High German *wizago* = OE. *witega*. But when N.E.D. says that the English assimilation to *acre* is 'unexplained', I think the explanation is furnished by the other names adduced in this section: here as there we have what looks like a place-name used as a personal name for some one characterized by the word contained in the first part of it.

Cp. finally, *Cunningham:* 'A punning appellation for a simple fellow.' (Grose, *Vulg.*)

III

Finally, I shall mention some cases which are not exactly parallel with those mentioned so far, but which nevertheless present some similarity with them. I suspect that such opprobrious terms as *lazy-bones, slyboots,* &c., are more or less felt as a kind of proper names; thus also *graveairs* ('an old, old graveairs', Thackeray, *Esm.,* ii. 133) and *sobersides* ('You deemed yourself a melancholy sober-sides enough', Brontë, *Villette,* p. 231). It is also customary in popular speech to address a person in derisive irony as Mr. (or Mrs., or Miss, as the case may be), followed by some substantive or adjective, as if that were his real name. Thus in the following examples:

'No, *Mrs. Mirth-wit*' (Defoe, *Moll Flanders,* p. 36) ; 'What now, *Mother Wisdom?*' (Brontë, *Villette,* p. 82) ; 'Oh, *butter-fingers!*' when once he had dropped something (Dreiser, *Free,* p. 253) ; 'Now, that'll do with questions, *Mr. Knowall*' (Compton Mackenzie, *Carnival,* p. 18) ; 'I'll learn you, *Miss Artful*' (*ibid.,* p. 26) ; 'That's right, *Mother Longnose*' (*ibid.,* p. 26) ; in the same novel also *Miss Vain, Miss Meddlesome, Mr. Big, Mr. Nice, Mrs. Chatter, Mrs. Clever, Mrs. Punctual,* (We shall have to call him) *Careful Willie, Mr. Nosy Parker, Mr. Enquire Within,* and other similar names.

Children are told to leave the last piece (of bread, &c.) to *Mr. Manners,* and young girls are advised not to marry till *Mr. Wright* (*Mr. Right*) comes.

A SUPPOSED FEMININE ENDING[1]

ALL historical grammars and all dictionaries say that the ending
-*ster* was at first a special feminine ending, which was later
applied to men as well as to women. I believe this to be entirely false,
and I shall try to prove my contention that the ending from the very
first was used for both sexes.

The transition of a special feminine ending to one used of men
also is, so far as I can see, totally unexampled in all languages. Words
denoting both sexes may in course of time be specialized so as to be
used of one sex only, but not the other way. Can we imagine for
instance, a word meaning originally a woman judging being adopted
as an official name for a male judge? Yet, according to *N.E.D.*,
deemster or *dempster*, ME *dēmestre*, is 'in form fem. of *demere*,
deemer.' Family names, too, would hardly be taken from names
denoting women doing certain kinds of work: yet this is assumed for
family names like *Baxter, Brewster, Webster;* their use as personal
names is only natural under the supposition that they mean exactly
the same as *Baker, Brewer, Weaver* or *Web,* i.e., some one whose
business or occupation it is to bake, brew or weave.

Some of those who take the usual theory for granted seem to
have felt the difficulty of accounting for the transition from fem. to
masc. Bosworth writes with regard to *bæcestre* (baxter): 'because
afŷrde men (eunuchs) performed that work which was originally
done by females, this occupation is here denoted by a feminine ter-
mination' (with reference to *Genesis,* xl, l). But were eunuchs ever
denoted by specially feminine endings? Were eunuchs regularly
employed in baking in England? And how would that affect the

---

[1] *Modern Language Review* XXII, 131 ff., April 1927.

names of other occupations? Much less absurd is the modification of this theory given by Kluge, who says that the transition from fem. to masc. has to be explained through the supposition that when female work was transferred to men, the feminine denomination, too, was transferred.[1] Similarly in *N.E.D.*: 'In northern ME, however, perhaps owing to the frequent adoption by men of trades like weaving, baking, tailoring, etc., the suffix came very early to be used, indiscriminately with -*er*, as an agential ending irrespective of gender, thus in the *Cursor Mundi* (*a.* 1300) *demestre* (see *dempster*) appears instead of *demere* (*deemer*), a judge, *bemestre* instead of *bemer*, a trumpeter.' These two examples, at any rate, do not substantiate the reasoning, for they did not denote trades formerly belonging to women. Nor does it seem very probable, even admitting that men began to take over what had formerly been women's work, that they would then submit to having the feminine name applied to them, least of all if there was by the side of it a male form, as was the case with *web, weaver, baker,* etc. I do not know whether the social part of the theory holds good, but the linguistic part, at any rate, is open to grave doubt.

Another explanation is offered by Emerson, who says that 'with the loss of grammatical gender the significance of these suffixes was also lost, so that -*ster* for instance came to be regarded as masculine.' He does not say what other endings were changed in the same way, as implied in his words 'for instance' (*History of English Language,* 1894, p. 304). The only other ending mentioned in the same section is -*ess*, but that has always been restricted to females. But his theory is wrong: the loss of the old gender system means, on the contrary, a strengthening of the linguistic expressions for sex, which were now liberated from the disturbing influence of the old chaos. Sweet says that when in ME the ending -*estre* lost the final -*e*, 'the resulting -*ster* came to be regarded as an emphatic form of -*er*, and consequently was applied to men as well as to women.' This is repeated by Franz (*Shakespeare-Grammatik*) with the addition that Romanic words like *master, mister, minister, pastor,* may have contributed to the aberration of the feeling for this ending ('beirrend auf das sprachgefühl

---

[1] [This explanation is repeated with regard to baking (*bæcestre*) by Hoops, *Real-lexikon* I 150, hence in Havers, *Handb. d. erklär. Syntax* 1931, p. 197].

eingewirkt'). But such formal analogies do not seem powerful enough to bring about so far-reaching a change; besides, they cannot have existed previous to the ME period, but the change, if change there was, began in Old English. As already hinted, such an unexampled aberration never took place: the ending from the very first beginning was a two-sex ending.

There is one thing about these formations which would make them very exceptional if the ordinary explanation were true: in all languages it seems to be the rule that in feminine derivatives of this kind, the feminine ending is added to some word which in itself means a male person, thus *princess* from *prince, waitress* from *waiter,* not *waitess* from the verb *wait.* But in the OE words -*estre* is not added to a masculine agent noun; we find, not *hleaperestre,* but *hleapestre,* not *bæcerestre,* but *bæcestre,* thus direct from the nominal or verbal root or stem. This fact is in exact accordance with the hypothesis that the words are just ordinary agent nouns, that is, primarily two-sex words.

We now come to the actual occurrence of such words.

If we look at the facts impartially, we see that from the very first words formed with this ending were very frequently applied to males, some even exclusively so. It is true that some are found with the feminine meaning only, but these are chiefly formations created on the spur of the moment by glossarists who wanted a translation of a Latin feminine (see below). Most, if not all, of the words belonging to actual living speech were evidently two-sex words from the first, and like most two-sex words denoted occupations chiefly followed by men.

But these facts are disguised by lexicographers, preoccupied as they are with the current theory of this ending as exclusively or originally feminine. See thus Bosworth-Toller, s.v. *seamestre f.:* 'though the noun is feminine it seems not confined to females, cf. *bæcestre.*' Ibid., *Suppl.:* '*byrdestre, an*; *f.* an embroideress.' This in spite of the fact that the only place in which the word occurs is the Erfurt Gloss. (see Sweet, *Oldest English Texts,* 109, 1153), where it translates two Latin masculines *blaciarius, primicularius. Ibid., Suppl:.* '*wæscestre, an*; *f.* one who washes (1) used of a man: *Iobinus wæs min wæscestre* (fullo)...(2) of a woman.' The words are thus

said to be fem. even when used of men. Cf. also *N.E.D. washester,*
'a female washer (of linen), a washer-woman: In OE also applied
to a man'. One curious word is also given in all our dictionaries as
feminine, namely *wæpenwifestre,* which translates *hermafroditus.*
(*Wæpen,* weapon, used of *membrum virile.*)

Napier, in his edition of the Digby glosses (*Anecdota Oxoniensia,*
Oxford, 1900, no. 4735), thinks that the gloss *luctatorum cemp*
[Napier supplies *cempena*] *plegestra* needs some explanation and
adds the following note: 'The mention of Ruffina and Secunda,
which immediately follows, suggested to the gloss. that female
athletes were meant'—certainly a very strange suggestion, how then
are we to account for *cempena?* It is much more natural to think
that *plegestre,* which occurs only here, simply means the same thing
as the Latin word, namely a wrestler or boxer, thus primarily a male;
it is thus an exact synonym of the other derivatives *plegere* and
plegmann. Bosworth-Toller innocently says '*plegestre, an; f.* a female
athlete.'

In a short tale of the marvels of the East printed by Cockayne
(*Narratiunculæ Anglice conscriptæ,* 1861, p. 38) we find the mention
of women with long beards, of whom it is said: 'þa syndan huntig-
ystran swiðe genemde,' thus with our ending; but the passage does
not necessarily imply that *huntigystre* was used exclusively of women;
it may have meant the same thing as *hunters* in a modern translation:
'these women are very able hunters.'

I have already mentioned that *bæcestre* occurs in *Genesis* applied
to a man (there also the acc. pl. *bæcestran* and the gen. pl. *bæcistra,*
see below). The same word is given in Ælfric's *Grammar* as a translation of the masc. *pistor.* The way in which this ending is treated in
this *Grammar* is very characteristic, for on p. 190 Ælfric says: '*sarcio*
...of ðam is sartor *seamystre,* sartrix *heo.*' Here, then, the *-stre* word
is given primarily as translation of the Latin masculine, and when he
comes to think of the Latin fem. *sartrix,* he only adds the English fem.
pronoun *heo,* showing thereby that *seamystre* is a two-sex word. But
in other places where he has to translate two Latin words, one masc.
and the other fem., he uses for the first the ending *-ere,* and for the
second *-stre:* saltator *hleapere,* saltatrix *hleapestre,* etc. This is the
usual practice of the old glossarists: when they have to render two

Latin words, of which the masc. is naturally placed first, they use the ordinary OE word (generally in -*ere*) first, and then when the fem. has to be translated they have recourse to the -*stre* word, which was applicable to both sexes, and which, moreover, reminded them of the Latin ending -*trix*. Thus we find in Wright-Wülcker's collection, p. 188, textor *webba*, textrix *webbestre*; p. 190, citharedus *hearpere*, citharistria (*sic*) *hearpestre;* p. 308, cantor *sangere*, cantrix *sangystre,* lector *rædere,* lectrix *rædistre;* p. 311, fidican *fiðelere,* fidicina *fiþelestre,* saltator *hleapere,* saltatrix *hleapestre;* p. 312, sartor *seamere,* sartrix *seamestre.* Some of the words given in this way in glossaries never occur outside these glossaries and are thus open to the suspicion that they did not really belong to the language, but were created for the nonce by the learned translator (*fylgestre, hoppestre*). But these words naturally impressed nineteenth-century grammarians strongly.

In a later glossary (Wright-Wülcker, pp. 685 ff.) the glossator does not treat the Latin masculines and feminines at the same place, and the result is curious. First he has a collection of masculines, where in between words like hic emptor *a byer,* hic faber *a smythe,* etc., we find some with our ending: hic textor *a webster,* hic tinctor *a lytster,* hic victillarius *a hukster,* hic plummarius *a plumstere,* hic pistor *a baxter.* But later he has a collection of *nomina artificium mulierum,* and there we find, among others, hec pectrix *a kempster,* and in the same way *webster, sewster, baxter, dryster, brawdster, salster, hukster,* thus partly the same words as those already given under the males; here he also has some words in -*er,* which thus are shown also to be two-sex words: hec tontrix *a barbor,* hec filatrix *a spynner,* hec lotrix *a lawnder.* On p. 693 there is a collection of *nomina iugulaturum* (*sic*) *mulierum,* but they have all of them -*er,* not -*ster:* hec citharista *a herper,* hec tubicina *a trumper*…hec saltatrix *a tumbler,* etc., thus with English two-sex words.

It must be admitted that some words in -*stre* are used of women in texts and not only in glossaries. I give those I have found in the form in which they occur with indication of case: *crencestræn* acc., *hoppystran* d., *lærestran* acc., *lættewestran* acc., *semestran* acc., *wæscestran* acc., *witegystre* nom., *witegestran* nom. pl.

The ending -*estre* in OE is also used to form two names of

animals, in which it is impossible to think of it as a special designation for the female: *hulfestre* 'plover' (pluvialis) and *loppestre,* mod. *lobster.* The latter is a modification of Lat. *locusta;* the change presupposes the previous existence of our suffix.

One of the reasons why people have always stuck to the feminine theory is evidently the fact that the words are weakly inflected: words with nom. in -*e* and the other cases in -*an* belong to the feminine *n*-stems (like *tunge, eorðe,* etc.). The corresponding masculines have -*a* in the nom. This is evidently a difficulty in the way of the two-sex view, but when we notice that all the examples of *n*-flexion are found when the words were applied to women, and that there are also some forms of the strong declensions (-*jo*-stems as in -*ere*): *bæcistra* gen. pl. masc. (not -*ena*), *plegestra,* gen. pl. masc. and *sæmestres* (gen. sg. masc.—in a charter of dubious authenticity), the possibility is not excluded that we should really distinguish two OE forms, one -*stre,* gen. -*stres* masc., and the other -*stre,* gen. -*stran* fem. However, *bæcestran* acc. pl., used of men, is an *n*-stem.

If we leave the OE period we see that Chaucer has some -*ster* words, which in modern editions are given as fem., but may just as well be taken as two-sex words: A 240 'He knew the tavernes wel in every town, And everich hostiler and *tappestere* Bet than a lazar or a *beggestere*'; C 477 'And right anon than comen *tombesteres* Fetys and smale, and yonge *fruytesteres,* Singers with harpes, baudes, wafereres' (cf. also A 3336). Some of these refer to men rather than to women.

In *Promptorium Parvulorum, webstar* and *weuere* are given as indifferent equivalents of textor, textrix. And *Piers Plowman:* 'Wollene websteris and weueris of lynen,' shows that the distinction between the two words was not one of sex, but had reference to the material woven. *Wabster* to this day is common in Scotland of a man, it occurs in Burns. Some of the examples given in *N.E.D.* under (*a*) as fem., are really common-sex: 'Scho was the formest webster þat man findes o þat mister' can no more be adduced as a proof that the word was specially fem. than a modern sentence like 'she is a fibster' or 'a liar' proves that *fibster* and *liar* are now feminines.

So much is certain that all the words that have had vitality enough to survive into the modern period, as well as all those that have been formed during recent times, are two-sex words, and that a great many of them are even chiefly used of males. I give all the important and a few unimportant ones: *baxter*; *boomster* (recent slang, one who works up a boom, a speculator; Wells: the factory-syren voice of the modern 'boomster,' Perrett, *Phonetic Theory*, p. 23); *drugster* (†); *dyester* or *dexter* (Sc. 'dyer,' not of women); *brewster*; *deemster*[1] or *dempster*; *fibster*; *gamester* (Dekker, m.); *huckster*; *knitster* (*N.E.D.* only one example, 1648, of a man, and yet it is said: In form, feminine); *maltster; pitster; punster; rhymester; songster; speedster* (U.S. newspaper, 1926, not *N.E.D.*); *tapster; teamster; throwster; tipster; tonguester* (Tennyson, p. 438); *trickster; truckster* (truck farmer, U.S.); *whipster* (Swift, m.); *whitster* (Shakespeare, *Merry Wives*, III. 3. 14).

A word which is not usually mentioned in this connexion, but which should certainly be reckoned among these -*ster* words, is *barrister* (from 1547), derived from *bar*, 'the rest of the word is obscure' (*N.E.D.*). The only thing obscure in this word, which has never been applied to women, is the vowel *i* before the ending, which may be due to the desire to keep the consonantal quality of the *r* and to some vague association with *minister* and *solicitor* (earlier spellings are *barrester, barester, barraster*).

From adjectives we have *youngster* (chiefly of young men) and the rarer *oldster* (Thackeray, etc.); further *lewdster* (Shakespeare, *Merry Wives*, V. 3. 23 and from him in nineteenth century) and the recent American *shyster* 'lawyer who practises in an unprofessional manner.'

A recent formation is *roadster*, 'bicycle for ordinary roads, opposed to racer'—but that has nothing to do with sex.

Songster is found in Ælfric's *Grammar* in the way mentioned above ('Hic cantor ðes sangere, haec cantrix þeos sangestre'), but from the earliest occurrence in texts it is used of men: 1330 'He was

---

[1] [In a newspaper article by the late Alexander Bugge (*Politiken* Jan. 7. 1928) *deemster* in the Isle of Man is explained from Old Norse *dómstjóri*. I do not find this compound in Fritzner and Cleasby-Vigfusson, though they have *stjóri* 'steerer, ruler'. If this derivation is correct, the word has no more to do with the words occupying us here than has *harvester*. — I do not know where Wyld has found "OE *dēmestre*, fem., 'she who deems, judges'", which he mentions in *The Universal Dictionary*.]

þe best...Of iogelours & of sangestres'; 1497 'Henrj of Hadingtoune the sangester.' Now the word is generally kept distinct from *singer* by meaning 'writer of songs' or 'song-bird,' while *singer* is a man or woman who sings.

Like most of the words in *-ster, songster* is formed from a noun, while words in *-er* are now usually formed from the verb—and this really, more than the imaginary sex-distinction, forms the chief difference between the two endings.

According to the usually received theory *spinster* is the only word in *-ster* that has kept the old value of the suffix. The old meaning of the word is 'one that spins,' and in that sense it may be used of a man, thus possibly in the oldest example in *N.E.D.*: 1362 'And my wyf at Westmunstre þat wollene cloþ made, Spak to the spinsters for to spinne hit softe.' In Shakespeare, *Henry VIII*, I. 2. 33, it is not yet a one-sex word: 'The clothiers...haue put off The spinsters, carders, fullers, weauers, who...are all in vprore.' Deloney also in some places uses the word of men that spin, parallel to carders. But as spinning was chiefly done by women, it came to be a designation for women (chiefly if oldish and still unmarried), exactly as *milliner, leman,* and *witch* came to be used of women only.

If *-ster* is a two-sex ending it is easy to understand that special feminines have been formed from such words: *huckstress, seamstress* (*sempstress*), *songstress, spinstress,* the last word meaning both 'a female spinner' and 'a maiden lady.'

So far I have considered the English occurrence of the *-ster* ending only. Nothing is known of the origin of the ending, and it does not seem to have any connexion with any feminine ending in any of the related languages.

Edw. Schröder (*Die nomina agentis auf -ster,* in *Jahrbuch des Vereins für Niederdeutsche Sprachforschung,* 1922, pp. 1 ff.) has an etymological explanation which seems to me rather fanciful: the use of the suffix began with *miltestre* 'prostitute,' which is a loan from the Lat. *meretrix* through *meletrix* and a supposed form **meletristia*. From *miltestre* the ending was first transferred to other connected feminine occupations ('im offizierskasino'), *bepæcestre* 'harlot,' *hearpestre, fiþelestre*; in course of time these occupations, which were at first reserved for low women, chiefly slaves, came to be more respected, and after some of them had come to be exercised by men, nothing could hinder the transference of the ending to words for males. The whole of this is socially and linguistically improbable. The change of *meretrix* to *miltestre* is difficult to understand except under the supposition that the suffix was already in existence when the word was transformed. If no suffix of that kind existed previously, the word *miltestre* would not be felt to be a derived word (what is *milt-?*) and thus could not easily be taken as a starting-point for new formations (while this was easy enough in the case of Fr. *-esse,* where *prince* and *princesse* and other similar pairs were adopted into the language). Besides, a loan-word meaning 'prostitute' was hardly the kind of word from which a mass-production of analogical words would spring up to denote women (and men) occupied in a more decent way[1].

Apart from this unfortunate etymology Schröder's article is valuable, because it gives a full account of the use of the suffix outside of England, in Dutch and in one part of the Low German district. Schröder has not the slightest doubt of the correctness of the usual theory of *-ster* as originally a specifically feminine ending,[2] but many of the facts conscientiously recorded by him have confirmed me in the view I had formed long before the appearance of his article and have explained above.

In the first place, continental *-ster* words are in many places used of men; in Mark Brandenburg we have thus a whole series of words: *bingster, bökster, härkster, mähster,* besides recent formations like *knullenbuddelster,* but the only word there exclusively used of women is *spinster.* Secondly, we find extremely often the addition after *-ster* of some specifically feminine ending exactly as in E. *seamstress.* Thus in Flemish we find by the side of words like *bidster,*

---

[1] If we have to think of one solitary Latin loan-word as the starting-point, it would be more pleasant to think of *magister* (*mæ-*), which is often found in that form (pl. *-stras*), once acc. *-stre.* But even that is hardly the source of our suffix.

[2] He mentions also the English words, and says: "Wie lange aber noch das bewusstsein für den weiblichen charakter der endung lebendig war, das zeigt z. b. Dan Michel von Canterbury, wenn er (ao. 1340) in seinem *Ayenbite of Inwit* s. 56 in wiedergabe eines lateinischen 'linctrix' *þe tonge þe lickestre* schreibt, offenbar dies wort selbst im augenblick schaffend". According to *NED* the word (*lyckestre*) translates Fr. *lecheresse.*

naeyster, spinster the extended forms *bidstrige, naeystrige, spinstrige;* in the same way Middle Low German has brushed up (aufgefrischt) the female character of the ending by adding the female suffixes *-in(ne)* or *-(es)se, -sche: biddesterinne, neisterinne, spinsterinne,* and *biddderstersche, neistersche, spinstersche, bindestersche:* according to Schröder this new feminine-formation (movierung) was not at all necessary: it is easy to understand from my point of view. In the same way we have in Middle Dutch *bidsterige, diensterse, spinsterige, voestrigge* or *voesterse,* etc., with secondary additions by the side af *bidster, dienster, spinster, voester.* In Modern Dutch—and only there —*-ster* is exclusively used of women; this Schröder considers a survival of the old rule (trotz seiner verhältnismässig jungen über-lieferung): I am inclined in the late occurrence to see an indication of a change from the old state, a specialisation, which may seem strange, but is after all more natural than the use of a specifically feminine suffix to denote specifically masculine occupations, as in ME *deemster* and N.Fries. *grewster,* gravedigger (the last I take from *N.E.D.*).

A MARGINAL NOTE ON SHAKESPEARE'S
LANGUAGE AND A TEXTUAL CRUX
IN 'KING LEAR'[1]

NOTHING could well be more wide of the mark than Tolstoy's assertion that Shakespeare lacks the true dramatist's power to make different characters speak differently. On the contrary, it would be difficult to find another dramatist using individual style and individual language for the purpose of characterizing different persons to the same extent as Shakespeare. Hotspur does not speak like Prince Hal, nor Rosalind like Viola or Cordelia; Shylock has a language all his own, and the insincerity of the King in *Hamlet* is shown characteristically by a certain tendency towards involved sentences and avoiding the natural and straightforward expression. Even minor characters are often individualized by means of their speech, thus the gardeners in *Richard the Second* (Act III, Sc. iv) or Osric in *Hamlet*. But this has not always been noticed by commentators and editors, and I think a truer appreciation of Shakespeare's art in this respect will assist us in explaining at least one crux in his text.

I am specially alluding to one passage in *King Lear* (IV. 3. 19 ff.), where the first Quarto reads—the whole scene is omitted in the Folio—

> Patience and sorrow strove,
> Who should expresse her goodliest[.] You haue seene,
> 20 Sun shine and raine at once, her smiles and teares,
> Were like a better way those happie smilets,
> That playd on her ripe lip seeme[d] not to know,

---

[1] *A Book of Homage to Shakespeare*, ed. by Israel Gollancz. Oxford 1916, p. 481—483.

> What guests were in her eyes which parted thence,
> As pearles from diamonds dropt[.] In briefe,
> Sorow would be a raritie most beloued,
> If all could so become it.

I have here only changed *streme* into the obvious *strove,* and *seeme* into *seemed,* besides putting full stops after *goodliest* and *dropt.*

Lines 20—1 are difficult. 'It is not clear what sense can be made of it' (W. A. Wright). 'It is doubtful if any meaning can be got out of these words' (W. J. Craig). Those editors who are adverse to violent changes generally follow Boaden and Singer in taking *like* to mean 'like sunshine and rain' and explaining *a better way* adverbially as equal to 'but in a better way as being more beautiful', after which they put a semicolon. But certainly this is very unnatural. Therefore a great many people have thought the text corrupt, and the Cambridge edition particularizes how the imagination of emendators has run riot. A few would change *like* and read

> Were link'd a better way,

or

> Were link'd in bright array.

Others retain *like,* and then set about discovering what her smiles and tears may have been like. Only one letter needs to be changed in order to produce the readings:

> Were like a better day;
> Were like a better May—

but then *better* is not very good; why not, therefore, go on changing:

> Were like a bitter May;—

or

> Were like a wetter May.

No doubt, this last conjecture (Theobald's) is highly ingenious; only it may be objected that the description does not suit the traditional notions concerning the climate of the month of May; hence, obviously, Heath suggests:

> Were like an April day.

Other conjectures are:

> Were like a chequer'd day;
> Were like a bridal day;
> Were like a bettering day;

but the inventor of the last emendation is honest enough to say: 'But this is no more satisfactory than the rest of the guesses' (W. J. Craig).

Now, to my mind, the *prōton pseudos* of all these random shots is due to our emendators' attempts to make the passage into natural English and good common sense without noticing who the speaker is and what would be in keeping with his mental attitude. But it so happens that although the speaker is merely a nameless 'Gentleman', whom we meet with in two small and insignificant scenes only (Act III, Sc. i, and here), yet we see what kind of man he is: a courtier, second cousin to Osric, and like him, fond of an affectedly refined style of expression. It is impossible for him to speak plainly and naturally; he is constantly looking out for new similes and delighting in unexpected words and phrases. The number of similes and comparisons is relatively very small in *King Lear;* the iniquities and cruelties of life seem at that period to have made Shakespeare forget the fondness of his youth for verbal refinement and a smooth versification; his style has become unequal and his verse uneven, and the play is powerful by virtue of its very ruggedness. In the middle of the play however—in a subordinate part, so unimportant for the action of the play that some of the finest things of Act III. Sc. i and the whole of Act IV. Sc. iii can be left out of the play (see the Folio)—Shakespeare introduces a gentleman, who is above all a stylist, as the reader of these two scenes will easily notice. Note also especially his words 'in brief'.

This, then, is the way in which I should read the passage in question, changing only the punctuation:

> You have seen
> Sunshine and rain at once; her smiles and tears
> Were like —

[pronounced in a rising tone, and with a small pause after *like;* he is trying to find a beautiful comparison, but does not succeed to his own satisfaction, and therefore says to himself, 'No, I will put it differently.']

— a better way:

['I have now found the best way beautifully to paint in words what I saw in Cordelia's face.']

                    those happy smilets
That play'd on her ripe lip seem'd not to know
What guests were in her eyes.

NATURE AND ART IN LANGUAGE[1]

IT is customary to speak of such languages as English, French and German as natural, and such languages as Esperanto, Ido, Volapük, Occidental, Novial as artificial.

It will be my task in this paper to show that this distinction is not exact, as the difference is one of degree rather than of species; very much in the so-called natural languages is "artificial," and very much in the so-called artificial languages is quite natural, at any rate in all those schemes that count; therefore it would be wise to choose more adequate terms. I shall consequently speak of the first class of languages as national languages, and of the second class as constructed or systematically planned languages. The latter may also be termed international languages, for the purpose of those constructed languages with which we are to deal here is to serve as international auxiliary languages, i.e. means of communication between persons belonging to different speech communities.

First, then, as to the national languages spoken in various countries: are they altogether natural, that is, developed unconsciously or subconsciously by nations rather than consciously by individuals? Formerly languages were often spoken of as organisms whose natural growth was thought to be analogous to that of plants or even animals; but linguists have come to realize that this is a wrong view, because a language has no independent existence apart from those individuals who speak it. Still it is true that the vast majority of linguistic facts have come about by what may without any infringement of scientific precision be termed natural growth. This

---

[1] *American Speech*, 5.89 ff. (1929); much has here been added to the latter part of the paper.

is especially true of linguistic structure, or what we generally call grammar. No single individual, no body of individuals, ever sat down deliberately to frame the endings and other means by which plurals or past tenses are expressed in English or any other language. If now *men* is the plural of *man,* and *drank* the past tense (preterit) of the verb *to drink,* this goes back to very early times, and linguistic historians are able to point out that the vowel changes in these words did not at first possess the grammatical significance which they have now, but were brought about mechanically in consequence of influences from previous endings or accentual differences, while those grammatical endings which in the earliest stages of the language served to mark plural and past tense respectively, have disappeared altogether—a development which took centuries, the forms being handed over from generation to generation while no one was ever aware of any changes going on in the sounds and in the grammatical value attached to these sounds.

Similarly with most of our common words, like *house, grass, green, bind, never,* etc. etc. They go back to immemorial times, and the changes in sound and in meaning which linguists may be able to point out can no more than the words themselves be traced back to any definite individual, though scholars may be inclined to say that theoretically the initiative must have come from one individual, or perhaps from several individuals each of whom hit upon the same expression or the same modification of an already existing expression.

On the other hand there are many words that have been deliberately coined in recent times, and some of them have become extremely popular. *Kodak*—a mere arbitrary collection of sounds without any perceptible association with existing words—is now known all over the world and often used for 'camera' in general, thus not restricted to that particular make for which it was originally framed. Generally the inventors of trade names for things they want to puff take one or two elements from national languages, living or dead, adding some usual ending and combining these elements *ad libitum,* often with supreme contempt for the ordinary rules for word-formation observed in the languages from which the elements are taken. This does not matter greatly, so long as the

28

result is tolerably euphonious—and the article is saleable! It would, perhaps, be invidious to give examples, but anyone can find some in the advertizing sections of newspapers and magazines.

We move in a somewhat higher sphere, though the process is strictly analogous, when we come to consider those new terms which abound in all branches of science. If you look through a list of chemical elements you will find a curious jumble of words of different kinds. First we have the well-known old national words going back to immemorial times and therefore perfectly 'natural,' words like *gold, iron, tin,* etc., next words like *hydrogen, oxygen,* formed from Greek roots by the first scientific chemists towards the end of the eighteenth century, and then a long string of words coined in even more recent times, some of them from the name of the first discoverer, like *Samarium* and *Gadolinium,* others more or less fancifully from the names of planets or goddesses, like *cerium, uranium, palladium,* or from similar Greek words, *helium* from *helios* 'sun,' *selenium* from *selene* 'moon,' *neon* from *neon* 'a new thing,' etc. The latest fashion is to add the ending *-um* to the name of the place where the element was discovered: this may have originated in a misapprehension of *gallium* as if from *Gallia* France, though it really came from a translation of the name of the discoverer *Lecoq* (1875); but place-names are found in *germanium, ytterbium* (from the Swedish town Ytterbo), *hafnium* (from the Latin name of Copenhagen, because discovered at Niels Bohr's laboratory there). Most of these names remain the possession of the happy few specialists, but others, like *aluminium* (coined by Sir Humphry Davy about 1812), are known by laymen as well.

The names in *-ium* here mentioned show the natural tendency to use the same ending in coined words of similar meaning. This is seen also in other chemical and mineralogical terms; thus we have the ending *-ite* in *melanite, dynamite, graphite, humboldtite,* etc., adapted from old Greek words like *anthracite, chlorite.* Another ending that is exclusively used in such coinages is *-ol,* taken from *alcohol* (originally an Arabic word in which the ending has no derivative value) and extended to a great many names of substances: *carbinol, methol, naphthol, phenol, creosol, odol,* (a tooth-wash, very irregularly formed from Greek *odous, odontos,* tooth). A curious formation is seen in *carferal* from *car*(bon) + *fer*(rum) + *al*(umina).

While we have here seen names of concrete things or substances formed consciously in recent times, most sciences in their modern developments have felt greater need of abstract terms, and have produced such in great numbers, chiefly from Greek and Latin roots. Here we may mention the names of various branches and subbranches of sciences made necessary in our day by the ever growing specialization of science: *biology, biochemistry, photochemistry, entomology, otology, anthropology* and many more in *-ology* and *-ography*. *Sociology* when framed by Auguste Comte was objected to because it was a hybrid of Latin and Greek, but the work filled a gap and has now gained a firm footing together with *sociological* and *sociologist*. Recent writers on heredity use extensively Wilhelm Johannsen's coinages *genotype* and *phenotype,* and similar technical terms that may be traced back to individual specialists abound in all recent books on science. The tendency to form new terms for useful or even indispensable notions is perfectly legitimate, but some scientists carry the tendency to such extremes that one is tempted to speak of terminological hypertrophy; among linguists I must mention as sinners in that respect the Swede A. Noreen and the Belgian A. Carnoy: in the latter's book "La Science du Mot" (Louvain 1927) there are at least 35 words in *-sémie,* most of them coined by the author himself, and some of them really quite superfluous.

It may surprise some readers to hear that poets and novelists are responsible for extremely few word-coinages: what they have done is chiefly to give literary currency to words that were already used in everyday speech. Shakespeare is perhaps the author of *bumbailiff,* but Dickens does not seem to have been the inventor of the word *bumbledom,* though it is formed from the name of the beadle Bumble in Oliver Twist: and if that name was remembered it was because the common name *bumble* was already in existence and was a very expressive word (cf. *jumble, grumble, bungle,* etc.). *Spoof* as the name of a game of hoaxing and nonsensical character and then as a general name for humbug or hoax is traced back to the comedian A. Roberts, but hundreds of similar slang words have been and are daily coined in all countries—anonymously, for no one cares to record their authors, and yet they must ultimately be referred to individuals, who give vent to sudden impulses to blurt forth jocular or contemptuous words never heard before. Most of these whimsical formations are stillborn, but some take the fancy of the hearers and are spread in wider and wider circles, chiefly those words that seem to fill a gap and are felt as expressive. Many of them are so similar to already existing words and so easily associated with the ordinary vocabulary of the language that they are hardly felt as new words. But that is only another expression for the fact that these words are "natural," and we thus see how "natural" it is "artificially" to frame new words under certain circumstances: art and nature cannot be separated by a hard and fast line of boundary. Slang is that "art" of language which comes "natural" to some people (chiefly young) and to some moods.[1]

Sometimes one is reminded of the way in which contagious diseases spread when one sees how certain suffixes become the fashion and are used in an increasing number of new words. A case in point is *-eria* in recent American use: it began with *cafeteria*, a Spanish or pseudo-Spanish word adopted in California and giving rise to a whole mania of new coinages: *basketeria*—a store where baskets are sold; *chocolateria, fruiteria, luncheteria, valeteria* an establishment for cleaning and pressing clothes; even *bobateria* where the hair of women is bobbed. A synonymous ending is *-torium: barbatorium, printorium, bobatorium, pantorium,* or *pantatorium* a synonym of *valeteria;* one may doubt whether the new *healthatorium* will succeed in ousting the older and better established *sanatorium* (in Europe) or *sanitarium* (chiefly in U.S.A.). At any rate such words, barbarous as they appear to the purist, are of the greatest interest to the student of linguistic psychology and to the adherent of the idea of a constructed language for international communication.

I may also here briefly refer to such jocular blendings of two words as *squarson* from *squire + parson,* and *brunch* from *breakfast + lunch, tunch* from *tea + lunch.*

Twenty-five years ago a Danish newspaper offered a prize for the best word to be used instead of the heavy *automobil;* the prize was

---

[1] See on slang my book "Mankind, Nation and Individual", 1925, p. 149 ff.

given to *bil,* which spread very rapidly and is now the term used universally not only in Denmark, but also in Sweden and Norway: it lends itself easily to compounds, and a verb *at bile* (to motor) is readily formed from it, which is the more convenient as it forms a natural group with some other verbs denoting rapid motion: *ile* (to hurry), *pile af, kile af.* It is more doubtful whether the word resulting from a recent competition opened by the same paper to find a name for a person celebrating his birthday will be equally successful: *fødselar,* formed from *fødselsdag* birthday with the ending of *jubilar,* one who celebrates his jubilee.

One of the best authenticated instances of instantaneous coinages that have been accepted by a nation at large is *gerrymander:* "In 1812, while Elbridge Gerry was Governor of Massachusetts, the Democratic legislature, in order to secure an increased representation in the State Senate, districted the State in such a way that the shape of the towns ...... brought out a territory of irregular outline. This was indicated on a map ...... Stuart the painter, observing it, added a head, wings, and claws, and exclaimed, "That will do for a salamander." "Gerrymander!" said Russell, and the word became a proverb."

Hungarian (Magyar), the development of which as a literary language is one of the youngest in Europe, is particularly rich in words and terms that have been consciously and deliberately coined or selected. One particularly striking instance has been mentioned by several linguists. The Hungarian word *minta* means 'pattern, form, model' and enters into scores of derivatives and compounds; it sounds like a Hungarian word and does as good service as any other word. But if ever anything was manufactured in a retort it was this—and according to a misread recipe at that. The Swedish word for 'mint' or 'coin' is *mynt,* which was taken over into Lapp as *mynta.* In some old Lapp dictionary the translation 'pattern' belonging to the word *minstar* (cf. German *muster*) had through a printer's error found its way to the word following it, *minta.* Here Father Faludi found it about 1770; he took a fancy to *minta* because it reminded him of Magyar *mint a* 'as the;' he introduced the printer's error into Magyar, which is remotely related to Lapp, and it came to stay there without any brand of infamy. Many pages in S. Simónyi's great work "Die

Ungarische Sprache" are filled with an account of the way in which writers consciously enriched this language; of one novelist Barcafalvi Szabó Dávid it is said that he applied himself to coining words as if in a manufactory. Some fifty words of his are still common property in the literary language.

In some cases the natural, unconscious development of a language has led to too great similarity between forms or words which it is particularly important to distinguish, and then conscious action has sometimes to be taken to regulate matters. The two old terms *starboard* and *larboard* seem to have been good enough in the old ships, but in modern steamboats with their greater dimensions and greater noise they were so often mistaken for one another, sometimes with fatal results, that the British marine authorities in 1844 were obliged to issue the order that *port* be used instead of *larboard*. A mistake of one numeral for another is specially annoying in telephoning, hence it has been agreed in Germany to revive the old form *zwo* for 'two,' as *zwei* was constantly misheard as *drei* and vice versa (*zwo* is used also in the German marine). In England (and, I suppose, in America as well) *nought* and *four* were so often misheard for one another, that *o* had to be adopted as the official name for 0 instead of *nought*. In Rio Janeiro the number *seis* (6) was liable to be mixed up with *tres* (3) or *sete* (7), so in calling the number on the phone one has to say *meia duzia* 'half-dozen;' 66 is called *meia-meia duzia,* which is often abbreviated into *meia-meia*—which thus leads to a curious and nowhere else paralleled sense-development from 'half' to 'six.' In Japanese there are two series of numerals in use, one of native origin, and the other imported from Chinese; but as the forms of the latter series *shi* (4), *shitshi* (7) can easily be confused, they are avoided when prices of wares are indicated, on the telephone, and generally when it is important to avoid mistakes: then people will say *jottsu* (4), or the shortened form *jo* (4), and *nanatsu* or *nana* (7); for similar reasons *kju* is substituted for *ku* (9).

I have no space here for more than a very brief mention of a highly artificial linguistic trick that has lately come into fashion in many countries, namely that of coining terms from the initials of a composite expression, which are read either separately with the traditional names, as in Y.M.C.A. (in Danish correspondingly K.F.U.M.), or pronounced together, as *Dora* (Defence of Realm Act). This fashion was especially in vogue during the late war, and was extended even to such expressions as P.D.Q. = pretty damn quick. I must refrain from giving more examples from English and from mentioning more than one example from German: *Hapag* = Hamburg Amerika Packet Actien Gesellschaft, one from Italian: *Fiat* = Fabbrica Italiana di Automobili Torino, and one from Russian: *Tcheka* = Tchrezvytchainyi Komitet (Extraordinary Committee).

Many words in various languages have been coined by purists to avoid the adoption of foreign words. This is not the place for a discussion of the merits of purism in general, but something must be said of the psychological aspect of the question from the point of view of the contrast that forms the subject of this paper. When a speaker or writer wants to express a notion, for which his native language has no word, while one is known to him in another language, two ways are open to him. Either he may take the foreign word and use it in the middle of his own language, with or without such slight changes in sound, spelling or inflexion as may make it more palatable to his countrymen, or he may try to coin a new term by means of native speech material, either a compound or a derivative of some existing word. Which of these two procedures is the more natural? It will be hard to answer this question beforehand and once for all.[1] As a matter of fact some nations prefer one way, and others another, and the same nation may even at various periods of its life change its preference in this respect.

This is seen very clearly in the case of English. In Old English times it was the fashion to form native words for those hundreds of new notions that were introduced with Christianity and the higher bookish culture that came in the wake of the new religion. Thus we find *gesomnung* for congregation, *witega* for prophet, *throwere* for martyr, *sunderhalga* (from *sunder* separate and *halga* holy) for Pharisee, *handpreost* for chaplain, *heahbiscop* (*heah* = high) for archbishop, *dyppan* (to dip) for baptize, *lǣcecrǣft* (leechcraft)

---

[1] Cf. the discussion of this problem with regard to Danish in my "Tanker og Studier" (Copenhagen 1932), p. 140 ff., cf. 74 ff.

for medicine, *efnniht* (*efn* = even) for equinox, *tungol-æ* (star-law) for astronomy, and many others. It will be seen from the translations given that the English nation as a whole has given up the propensity to form native words for such ideas and now prefers to go to French and especially to the two classical tongues; many of these at first foreign elements have now become part and parcel of the English language, and the habit of taking ready-made words from abroad instead of trying to express the same idea by native means has become so firmly rooted that even such innocent words as *handbook* (for manual)[1] and *folklore* were for a long time looked upon as curious whims of purists, i.e., as "unnatural" and foreign to the speech-instincts of ordinary people. In his *Dictionary of Modern English Usage* Mr. Fowler writes:

"*Foreword* is a word invented fifty years ago as a Saxonism by antilatinists, & caught up as a vogue-word by the people who love a new word for an old thing ...... It is to be hoped that the vogue may pass, & the taste of the general public prevail again over that of publishers and authors."

In another place he says that "the truth is perhaps that conscious deliberate Saxonism is folly" and this condemnation doubtless expresses the opinion of the average educated Englishman and American—though it may perhaps be doubted whether the ordinary man in the street who has not had the benefit of much school teaching would not in many cases prefer terms that were at once transparent to him, to those adopted by his learned compatriots.

Among countries which prefer making their own terms to adopting foreign words must be mentioned Iceland. The visitor to Reykjavik is astonished to find the great number of native words for things which have nearly everywhere in the civilized world the same names: *reiðhjól* for bicycle, *skrifstofa* for bureau, *fallbyssa* for cannon, *skammbyssa* for pistol, *bókasafn* for library (French bibliothèque), *sími* telephone and telegraph, *tundurdufl* mine, *tundurbátur* torpedo-boat. The names of sciences are all native: *guðfræði* theology, *læknisfræði* medicine, *grasafræði* botany, *dýrafræði* zoology, *efnafræði* chemistry, etc., and the same is true of such scientific terms as

---

[1] Cf. Jespersen, *Growth and Structure of the Engl. L.* § 47.

afleiðsla deduction, *aðleiðsla* induction, *hlutrænn* objective, *hugrænn* subjective. Some of these terms are comparatively recent, and in many cases my Icelandic friends have been able to name to me the originators of terms that are now current there; Jónas Hallgrimsson started in 1842 many astronomical terms and Magnúss Grímsson in 1852 many physical terms, e.g. *ljósvaki* ether, *sólnánd* perihelium, *rafurmagn* electricity, *tvíætting* polarity. From the latest time we have *viðboð* for broadcasting, as it were wide-message.

Similar tendencies are found in another northern country, Finland. On account of the more foreign character of the vocabulary (Finnish belongs to the Finno-Ugric, not to the Indo-European family of languages) I shall give fewer examples. Nature is *luonto* (from *luo* create), religion is *uskonto* (from *uskoa* believe), electricity is *sähkö,* telegraph is *sananlennatin,* an ingenious formation from *sana* word, (genitive *sanan*) and *lennän* fly, *lennättää* to make something fly, send off rapidly.

In Czech native formations have been extremely successful in keeping learned loan-words out, as I learn from some interesting papers by O. Vočadlo.

In Germany, and similarly in Denmark and Sweden, both those extremes which we found in modern English and Icelandic, are avoided: there are a certain number of perfectly natural native formations, and by the side of them many Greek and Latin loan-words, chiefly for purely scientific notions, but also for such everyday things (based, it is true, on scientific inventions) as telegraphy, photography, etc. But in these countries purists have for a long time been at work to introduce new native formations, and not unfrequently they have been successful, especially where they have been able to induce political and administrative authorities to take an interest in the matter. It is well known that Kaiser Wilhelm at some time favoured these tendencies, and had some influence in the supplanting of *telephone* by *fernsprecher* (*fernsprechamt* telephone office, *fernsprechapparat* receiver, etc.). Not many years ago the word *billet* 'ticket' was officially supplanted by *fahrkarte,* while the German-speaking Swiss still use the word *billet.* But the number of these official purisms is not very considerable. *Rad* for cycle, and *radfahren, rad-*

fahrer etc., are probably popular in their origin.[1] So far as I know, *kraftwagen,* though supported officially, is much less used than the more convenient foreign word *auto; kraftwagenhalle* is a native, but unnatural equivalent of *garage.*[2]

While a spoken language is found wherever human beings live together and must thus be considered part of human nature, the same cannot be said of written language, which is everywhere of much later origin and must really be called an unnatural substitute for spoken words. But in the same way as so many things that were at first "unnatural" inventions—the use of clothes, fire, and in later times matches, electric light, telephones, etc.—have come to be felt as so natural that our children from the very first years come to look upon them as self-evident things which they think must have existed from the very dawn of human life, so it is also with writing, which we now consider a natural way of communicating with fellow-beings. Natural, that is, to some extent only, for it cannot be denied that, as most of our civilized languages are now written, there is a good deal in them that can hardly be called natural. In the first place as regards spelling. As soon as people had invented the art of representing each speech sound, or let us rather say, each of the principal speech sounds or phonemes, by means of a separate symbol, the natural thing was to write down spoken words as faithfully as possible, and that was what people really did, or tried to do. But soon tradition came into play, and people were taught not to depend on their own ears and write down words as they themselves pronounced them, but to spell as their teachers, that is to say roughly as an older generation, pronounced the words; and as this went on continually and the spelling of words was changed much less than their pronunciation, the gap between the two forms of language became greater and greater. The results with regard to English and some other languages are patent enough, especially if we compare them with the beautifully simple spelling of such languages as Finnish, which have not been literary languages long enough for tradition

---

[1] Cf. Dutch *fiets* 'bike'.

[2] On recent endeavours among technicians to bring about linguistic norms for the creation of new words and to settle the meanings of technical terms see E. Wüster, Internationale sprachnormung in der technik (Berlin, VDI-verlag, 1931).

to have had the same effect. In some countries Academies (as in Spain) or ministers of instruction (as in Germany and Denmark) have from time to time interfered with spelling and discarded some of the worst anomalies: but are such regulations "natural" or unnatural?

There are other artificial elements in written language besides spelling. As writing addresses itself to the eye, many of the subtle effects perceivable by the ear (intonation, etc.) are utterly lost when sentences are written down, punctuation marks being at best a poor substitute for much of what makes spoken words expressive. The whole structure of sentences and their combination has to be changed, and even the simplest familiar letter has to be formed in a different way from the same communication if it had been oral. This rearrangement has to be learnt artificially, though much of it may come unconsciously by instinctive imitation of models of various kinds.

As in spelling, so in grammar, teachers will often insist on forms that really belong to an extinct stratum of their language. In English —to give only one example—hundreds of passages in Elizabethan writers show conclusively that *who* had supplanted *whom* in natural spoken language: "Who did you see?" "Who is that letter for?" Schoolmasters, however, insisted on the old form—at any rate in writing, for in ordinary conservation they were not very successful. The result is that people who want to show off their superior education write *whom* even in cases where their teachers, had they been consistent grammarians, would have understood that *who* was the correct form, and it is now easy to collect scores of examples, even in the books of very good writers, of such constructions as these: "power to summon whomsoever might throw light upon the events." "Peggotty always volunteered this information to whomsoever would receive it." "She talked nonsense to whomsoever was near to her."

Poetry and religious prose everywhere are "naturally" fond of "artificial" archaic expressions, and in some countries all prose writing, even the most everyday communication, has to be clothed in a linguistic garb that really belongs to a distant past. In Dutch the written language is only beginning to get rid of the old word genders which were given up in the spoken language long ago, and many people have to consult a dictionary very frequently in order not to make blunders in the use of the forms of the definite article and pronouns. As Dr. Kruisinga says: "In older Dutch, nouns had a threefold gender, and were inflected differently accordingly, as well as their attributive adjuncts. Although this has been lost for many centuries, it has been artificially preserved in the spelling, details being settled arbitrarily by grammarians. This artificial system is still used by the majority of Dutch writers in Holland, and is supposed to be taught in schools, although many schoolmasters practically ignore it."

When Dr. Kruisinga says that this complete severance between written and real language is "unique among the languages of Europe," he is forgetting for the moment Modern Greek, where the written language is artificially screwed several centuries back, not only in one point of grammar, as in Dutch, but in every way. The prestige of the old language with its wonderful literature has been so great that children are taught at school to write many forms that have been extinct for centuries, and it is the ambition of every Greek writer to keep his language as near as possible to the old standard, though it is of course impossible to blot out everything modern. Feelings are very strong in Greece on this subject, and a revolution was even threatened when the attempt was made to introduce the New Testament translated into the modern vernacular: the original text, it was said, was written in Greek and that ought to suffice (even if much of it was not at all understood by ordinary people nowadays).

Similar linguistic conditions with a written language artificially preserved in spite of its distance from the living speech prevail in other parts of the world, notably in Southern India (Telugu), in Tibet, in China and in Japan; but what I have already adduced here must be sufficient to prove my thesis that much in the so-called "natural" languages is very far from deserving that name.[1]

We may now pass to constructed languages. Their number is legion, and they represent many different stages of artificiality, from

---

[1] I must refrain here from a discussion of conditions in Norway, where the conflict between Dano-Norwegian (which to parts of the population was more or less artificial) and Ivar Aasen's half-artificial, half-natural *landsmål* has not yet led to a truly national language.

the purely "philosophical" or a-priori systems, in which all words are created arbitrarily and systematically without the least regard to any national language, down to those recent schemes which boast of being so natural that they can be read at sight by any educated West-European or American.

Languages of the former kind have this advantage that they may be untrammelled by the deficiencies which (it must be admitted) cling to all national languages, many words of which are sadly wanting in that precision which is desired by the strict logician. But as there is no connexion between the coined words of a philosophical language and familiar words, everything has to be learnt anew, and the task of memorizing such a language is enormous, much greater than in the case of those languages whose vocabulary is based on national languages. On the first of them, constructed by Bishop Wilkins in 1668, Leibniz said that besides its inventor the only man who learnt it was Robert Boyle: yet it must be called a truly ingenious piece of work.

Let me now try very briefly to indicate what should be natural and what may be artificial in a constructed language meant to be used for international purposes.[1] So far as possible no single element of the language should be arbitrarily coined; everything that is already international should be used, and utilized to the utmost extent. Where there is no perfectly international word (or "stem" or "root") the form which approaches that ideal should be taken, the principle being throughout the maximum of intelligibility to the greatest number combined with the maximum of ease in practical handling.

The question whether ready-made words should be adopted from national languages or new compounds or derivatives be formed with the speech-material already incorporated in the language cannot be settled once and for all: in some cases one, and in others the other procedure may be preferable; for purely scientific terms the former procedure will generally be the most natural, but as soon as we leave the domain of pure science and have to speak of everyday objects and occurrences, we must remember that many a word formed by

---

[1] I have tried to carry out these principles in Novial, see my books "An International Language" (G. Allen & Unwin, London, 1928), German edition "Eine internationale sprache" (Winter, Heidelberg, 1928)—and "Novial lexike" (same editors, 1930).

means of a well-known derivative ending put on to an international word will be perfectly transparent to everybody, even if it has no previous existence in any national language.

The phonetic system must be as simple as possible and contain no sounds or combinations which would present difficulty to many nations. Hence we can admit the five vowels *a, e, i, o, u* only, but neither nasalized vowels nor rounded front vowels (*ü, ö*), which are absent from such important languages as English, Spanish, Italian, Russian. As regards consonants we are similarly obliged to exclude palatalized sounds, such as those in French a*gn*eau; It. o*gn*i, e*gli*; Spanisch a*ñ*o, ca*ll*e; and the German *ch-* and the English *th*-sounds. By the exclusive use of *s*, where some languages distinguish a voiceless *s* and a voiced *z*, an important simplification is gained, not only because some nations are ignorant of that distinction, but also because the distribution of the two letters would necessarily be often arbitrary and consequently would have to be separately remembered for each word. Accentuation (stress and tone) should not be used to discriminate words.

The alphabet must be that which is known to the greatest number, namely the Latin, in spite of its many shortcomings; but it should not be complicated by arbitrary additions to and modifications of its letters, such as accents over or cedilles under them. Nor is it desirable to use letters in a way that is not familiar to the great majority of presumptive users: if combinations like *ca, co, cu* are to be used at all, they must have the phonetic value given to them in all European and American countries except Polish and Czech, that is to say that *c* before these vowels as before consonants should be pronounced like *k* and not like *ts*. But as *c* before *e* and *i* is pronounced in four or five different ways in those national languages that count, it seems better to do without that difficult letter altogether; as a matter of fact no one will feel any difficult in spellings like *konsert*, etc. This is certainly more natural and less artificial than spelling *car* and meaning *tsar*.

The spelling, too, must be as easy as possible; we must therefore avail ourselves of all such simplifications as have already been made in some languages, e.g. *f* instead of *ph, t* instead of *th;* single instead of double consonants, as in Spanish. No letter should be allowed to have two distinct pronunciations according to its position; *g* in *gi, ge* must sound as in *ga, go* (cp. Engl. *give, get,* not as in *gin, gem*). I know very well that many people would prefer *c* in *conclusione, cria, clari,* etc., where I prefer *k;* the Romanic nations and the English dislike the letter *k* (which is not beautiful!); but the reader must be asked to consider the fact that not only the Germans, the Dutch, and the Scandinavians, but also the Slav nations, thus very many millions, write *k* in Latin loan-words (in Polish, for instance, *kleryk, kredyt, klasa, kronika, krystal;* correspondingly in Czech, Russian, etc.). The new official Turkish spelling with Roman instead of Arabic letters is in perfect agreement with the rules I had adopted for Novial before knowing of that fact: *bank, koridor, fabrika, kontrol, kolosal, sigar, sivil, bisiklet,* etc. Anyhow, *k* seems indispensable before *e* and *i,* e.g. *anke, kelki, kelke; amike* friend (epicene), hence naturally *amiko* male and *amika* female friend, *amikal* friendly. I grant, however, that a moderate use of *c* and *z* in those words in which they are fully international would present some advantages and would not essentially affect the character of Novial.

In grammar the same principle of the greatest ease should be carried through, wherever possible. No irregularities of the kind found so often in national languages should be tolerated. The grammatical material should be, and can be, taken from existing languages even to a greater extent than is done in some recent constructed languages. For the plural of nouns the ending *-s* seems to be the best, as it is found in some of the most important languages and can easily be applied to all words, especially if care is taken not to let substantives end in consonants. To distinguish the two sexes the endings *-o* and *-a* seem appropriate, and then *-e* can be used in all substantives denoting either lifeless things or living beings for which it is not necessary specially to indicate sex. Further it seems a very important principle to apply these endings not only to nouns, but also to pronouns. Most interlinguists do not acknowledge this principle and thus set up special pronominal forms for these two categories, alleging that pronouns are irregular in all national languages, and that it is therefore against ordinary linguistic psychology to create regular pronouns. This, however, is only a half-truth, one might

29

even say that it is a fallacy: in their historical development even pronouns tend towards regùlarity, and if such simplification comes about very slowly in this class of words, the reason is that the extremely frequent use fixes the forms in the memory. Exactly the same thing happens with the most often used verbs, which for the same reason in all our languages are irregular (*am, is, was, be; bin, ist, sind, war; suis, est, sont, était, fut, sera; go, went; vais, aller, ira; gehe, ging, gegangen* ......); but in spite of this no interlinguist has proposed to give an irregular inflexion to the corresponding verbs in constructed languages. An exception is just as indefensible in one as in the other case. An international language can and must be less capricious and less complicated than even the most progressive national language. Hence, in Novial, just as we have *kato* and *kata* for a male and female cat, respectively, and *kate,* when no sex is to be indicated, and correspondingly *artisto, artista, artiste,* etc., we have in the pronouns *lo* he, *la* she, *le* he or she (e.g. *si omne veni kand le deve, nule besona varta,* if everybody comes when he or she ("they") should, no one has to wait). Further *nule* no one, *nulo* no man, *nula* no woman; *kelke* somebody, *kelko* some man, *kelka* some woman. In the plural *les* they (generally), *los* = Fr. *eux, las* = Fr. *elles,* etc.

In the verbs it seems advisable to have an ending to denote past tense, as this occurs so very often, but otherwise it is in accordance with the pronounced tendency of West-European languages to make an extensive use of short auxiliaries, which may be easily combined to express all manner of complicated ideas: *me ha veni* I have come; *me had veni* I had come; *me ve* (better than *sal?*) *veni* I shall come; *lo ve ha veni* he will have come: *la vud ha veni* she would have come, etc. An indication of person and number is superfluous in the verbal form, as the subject is always there to give the necessary information in that respect.

Fortunately there exist numerous word-building elements (prefixes and suffixes) that are already known internationally and can be adopted without any change. The only thing required is to define their use and to be free to apply the same prefix or suffix to all words, whereas natural languages present all kinds of more or less inexplicable restrictions. Vague and inaccurate definitions of suffixes

should have no place in a rational language, and even less acceptable
—to mention one example only—is the use of the two Latin prefixes
in in two nearly contradictory senses as in Occidental: *inscrit* inscribed
and *ínscrit* unwritten (the accent is an unsatisfactory and ineffective
palliative). One of the great advantages of a constructed language
is the power it gives every speaker to form a word by means of a
recognized suffix without having first to inquire whether it is already
in use; but if radicals and suffixes are well chosen, it is possible to
form any number of derivatives which will be immediately understood. Take the ending *-torie* for a place where something is done:
observatorie (from the verb *observa*), *lavatorie, dormitorie, laboratorie, auditorie* (from *audi*, to hear), *manjatorie* dining-room, *gaja-
torie* pawnshop (*gaja* pawn), *kontrolatorie*, etc. The procedure may
be extended in infinitum.

Regularity thus is one of the foremost requisites of a constructed
language. But what exactly does regularity mean? It may briefly be
defined as expressing the same idea, the same notion or modification
of a notion, everywhere by the same means. But this principle does
not carry with it the principle "similar things expressed by similar
means," for that leads to uncertainty and mistakes. Let me give one
example from my own language, Danish: here the two months *June*
and *July* are called (as in German) *Juni* and *Juli,* but the too great
similarity occasions many mishearings, obliging you to repeat what
you said. Here English *June, July,* and French *juin, juillet* are much
better. But in the latest philosophical language, Mr. E. P. Foster's
"Ro," the names of the months are *tamab* (December), *tamad, tamat*
—those three together form *tama* 'winter'—further *tameb tamed
tamet*, etc. Similarly the days of the week are *takab, takad, takat,
takak, takal, takam, takan.* Now the inevitable result of such
systematization is that Ro is utterly impracticable: think of the
number of mishearings over the telephone, especially as the numerals
in Ro are constructed on the same principle, for a man intending to
say Monday the third December will easily be thought to speak of
Tuesday the fourth January, etc. In Mr. Wilbur M. Law Beatty's
"Qosmiani" the numerals are *nul* (1), *dul* (2), *mul, bul, ful, xul,
sul, gul, hul*—perfectly systematic, it is true, but just on that account
this detail is quite sufficient to condemn the whole language. We

29*

have seen above how national languages tend to get rid of too great similarities between names of similar things which it is often important to keep easily distinct. A smaller fault of the same kind is made in Esperanto with the words for 'right' and 'left,' *dekstre* and *maldekstre,* which in the marine would give rise to the same kind of mishearings as *starboard* and *larboard* did. So we see the importance of the principle: the same thing expressed in the same way, but not: similar things expressed by similar means.

If instead of the fantastic numerals and names of the months just mentioned we simply, like most recent constructed languages, take *un, du, tri* (known in English through *unit, duo, trio*), *januare, februare,* etc., and if we base our vocabulary on the lines indicated above, i.e. utilize to the utmost extent such words as *nature, natural, universe, universal, natione, national, periode, forme, literature, teatre, komedie, dansa, autore, historie, kanone, pistole, produkte, produktiv, produktione, akte, aktiv, aktione, labora, laborere, laboratorie, dentiste, dental* (whence *dente* tooth), *admira, admiratione, splendid, stupid, steril, sterilisa, simpli, simplifikatione,*[1] etc. etc.— and if we glue these words together by means of a simple grammatical apparatus, we shall be able to build up a rich and expressive language which will shock no one by its unnatural sound or look and which can be very easily acquired and used by men and women of average intelligence.

Just one little specimen to show how such a language looks in connected speech; it will present no difficulties to any educated European or American:

Kulture es ekonomie de energie in omni direktione. Li kultural valore del universal helpelingue es ke le limita li enormi disipatione de energie a kel li homaro ha es til nun submiset. Per liberisa ti energies on pove utilisa les por li kultural taskes kel li homaro non ha ankore solu, e li gano por kulture ve es non-previdablim grandi. (*li* definite article; *homaro* mankind, cp. *formularo* collection of formulas, *glosaro,* etc.; *solu* solve, cf. *solutione; gano* gain).

To sum up: a close study of national languages reveals the truth that everything in them is not "natural" in the strict sense; and a

---

[1] Details in spelling and endings may be open to discussion. I give the words in the form I think the best for international use.

close study of the best constructed languages shows us that nearly all their elements are really just as "natural" as most of the elements of English and French. This should make us give up all the ordinary prejudices against "artificial" languages and make us understand that the introduction of a well-constructed language for international purposes will be a very great benefit indeed for the world at large.

The art of the perfect gardener is not to make artificial flowers, but to select the finest of those plants with which nature provides him, to arrange them so that they form a harmonious whole, and perhaps to produce new species by means of the same processes (crossing and mutation), that Nature herself employs. This also describes the task of the interlinguist, who may finally quote two profound utterances of two great poets.

Goethe says:

> Natur und kunst, sie schienen sich zu fliehen,
> Und haben sich, eh' man es denkt, gefunden.

(Nature and art seemed to shun one another, and look! they have met unexpectedly.)

And Shakespeare:

> Yet nature is made better by no mean,
> But nature makes that mean: so, over that art
> Which you say adds to nature, is an art
> That nature makes ......
>   This is an art
> Which does make nature, change it rather, but
> The art itself is nature.

INDEX